destinado

CARINA RISSI

destinado
As memórias secretas do sr. Clarke

UM LIVRO DA SÉRIE
perdida

11ª edição

Rio de Janeiro-RJ / Campinas-SP, 2021

VERUS
EDITORA

Editora: Raïssa Castro
Coordenadora editorial: Ana Paula Gomes
Copidesque: Lígia Alves
Revisão: Maria Lúcia A. Maier
Capa e projeto gráfico: André S. Tavares da Silva
Foto da capa: © Lee Avison/Arcangel Images

ISBN: 978-85-7686-457-8

Copyright © Verus Editora, 2015
Direitos reservados em língua portuguesa, no Brasil, por Verus Editora. Nenhuma parte desta obra pode ser reproduzida ou transmitida por qualquer forma e/ou quaisquer meios (eletrônico ou mecânico, incluindo fotocópia e gravação) ou arquivada em qualquer sistema ou banco de dados sem permissão escrita da editora.

Verus Editora Ltda.
Rua Benedicto Aristides Ribeiro, 41, Jd. Santa Genebra II, Campinas/SP, 13084-753
Fone/Fax: (19) 3249-0001 | www.veruseditora.com.br

CIP-BRASIL. CATALOGAÇÃO NA FONTE
SINDICATO NACIONAL DOS EDITORES DE LIVROS, RJ

R483d

Rissi, Carina
    Destinado : as memórias secretas do sr. Clarke / Carina Rissi. -
11. ed. - Campinas, SP : Verus, 2021.
    23 cm

    ISBN 978-85-7686-457-8

    1. Romance brasileiro. I. Título.

15-24674   CDD: 869.93
                                    CDU: 821.134.3(81)-3

Revisado conforme o novo acordo ortográfico

Para Adri e Lalá

Mas o nosso amor era mais que amor.
— EDGAR ALLAN POE, "Annabel Lee"

1

À s vezes a vida é boa. Algumas vezes é fácil. Raramente é perfeita.
Então eu estava muito ciente da sorte que tinha. Se alguém buscasse em um dicionário a definição da palavra "felicidade", certamente encontraria o meu nome ali.

Tinha sido assim nos últimos dezoito meses.

E era assim que eu me sentia naquela manhã ao sair de casa, pouco depois de o sol raiar, para fazer uma entrega. O dia estava particularmente agradável, fresco, sobretudo levando-se em consideração que já era novembro. Ao que parecia, o verão de 1831 seria mais ameno que o anterior. Uma sexta-feira perfeita para uma corrida, ponderei. E o corcel negro sob mim concordava, pois abaixou a cabeçorra, pronto para disparar. Estreitei as guias a fim de detê-lo.

— Mais tarde, Storm — prometi, dando tapinhas gentis em seu pescoço.

Ele resfolegou de leve, como se dissesse: "Mas que chatice, Ian". Eu sabia exatamente como ele se sentia; a frustração por se conter, entediado por ter de ir mais devagar. Storm adorava disparar em retas tanto quanto eu, mas, com a égua atrelada a sua sela, seria muito imprudente. Então eu o mantive sob rédea curta durante todo o trajeto até a propriedade dos Bernardi. Os novos vizinhos tinham se mudado havia pouco, e o estábulo estava praticamente vazio. Esse era o motivo pelo qual eu estava ali. O senhor Bernardi tinha ouvido sobre os meus cavalos e dias antes fora visitar meu estábulo, abastecido com os melhores espécimes. Escolhera uma magnífica égua puro-sangue inglês de pelagem tordilha, que agora reluzia seus padrões de cinza depois de eu tê-la escovado antes de sair. Estrela era muito ágil e robusta, mas dócil como um gatinho.

Cheguei ao destino pouco antes do almoço. Tão logo emparelhei Storm e Estrela em frente ao casarão, a porta se abriu e o próprio senhor Bernardi surgiu sob o batente, sorrindo ao me ver. Começou a descer as escadas, parecendo ansioso, enquanto eu saltava do lombo de Storm.

— Senhor Clarke, que grata surpresa vê-lo aqui assim tão cedo. — Ele ajeitou a gravata, presa por um alfinete de pérola. Rendas despontavam das mangas de seu paletó de brocado. As calças curtas terminavam na altura dos joelhos, onde meias de seda branca começavam. Os sapatos de salto enfeitados por laços compunham uma imagem pouco máscula. Mas o que eu entendia de moda, afinal?

— Eu esperava que viesse só depois do almoço — disse ele.

— Como sabe, ofereceremos um baile esta noite. — *Mais um*, resmunguei mentalmente, ao fazer um gesto de cortesia para cumprimentá-lo. — Temi ficar detido depois do almoço, por isso me adiantei. É uma bela propriedade, senhor Bernardi.

Ele colocou as mãos nos bolsos do colete, feito com o mesmo tecido do paletó, estufando o peito arredondado, admirando suas posses.

— A melhor da região, estou certo.

Aquela não era a primeira vez que eu punha os pés naquelas terras. No entanto, já fazia tanto tempo que quase não me lembrava do lugar. Eu tinha pouco mais de oito anos de idade quando estivera ali, e as circunstâncias não foram nada agradáveis.

Na época, a propriedade pertencia à família Dornelles, e uma das mais temidas pragas entre os criadores de cavalos se abateu sobre o estábulo do senhor Vasco. Tão logo se espalhou a notícia de que o mormo havia chegado à região, todos os criadores se puseram em alerta, inclusive meu pai. A doença, porém, alastrou-se ainda assim e dizimou quase todos os belos animais do senhor Dornelles. Os poucos que restaram foram sacrificados dias depois, pois o medo recaiu sobre a região com a triste notícia de que o cavalariço da família havia contraído a doença. Meu pai ajudou os vizinhos como pôde, tomando providências e disparando ordens de maneira quase militar, enquanto o senhor Vasco tentava acalmar os poucos empregados que permaneceram na fazenda. A maioria fugiu tão logo soube do contágio de mormo em um ser humano. O cavalariço não resistiu. Apesar do enorme prejuízo com a morte de animais, não houve outras vítimas humanas. Eu ainda me lembrava do cheiro pungente das carcaças em chamas, do fogo destruindo o estábulo e tudo o que se encontrava ali dentro, das labaredas erguendo suas línguas cor de laranja em direção ao céu. Tudo foi reduzido a cinzas em poucas horas. Os Dornelles, muito abalados pela tragédia, mudaram-se pouco depois, e desde então a grande casa branca de janelas azuis, rodeada pela larga varanda, estava fechada. Isso até o mês passado. Um novo estábulo foi construído às pressas, a casa recebeu os cuidados necessários para abrigar os novos moradores e, embora o jardim em frente às escadas precisasse da atenção de um bom jardineiro, o lugar estava novamente agradável.

— Ah, aí está a minha égua. — Bernardi se aproximou de Estrela. — É tão bonita quanto eu me lembrava. Será tão mansa quanto o senhor diz?

— Garanto que jamais lhe trará qualquer problema. Eu mesmo a amansei.

— Excelente! Vamos, meu rapaz. — Ele pousou a mão em meu ombro. — Vamos levá-la ao meu estábulo. Tenho trabalho esperando por esta belezinha.

Comecei a desfazer o nó do arreio preso à sela de Storm quando um alvoroço que parecia vir da lateral da casa me deteve.

— Mas que diabos! — cuspiu Bernardi, afastando-se para ver o que estava acontecendo.

Eu o acompanhei, mas parei assim que contornamos a casa. Um pangaré tinha duas patas arriadas. Como estava atrelado à carroça, os tambores de leite que carregava colidiram, causando o rebuliço que eu ouvira instantes antes. O empregado havia descido da carroça e tentava a todo custo fazer o animal se levantar.

Eu duvidava que conseguisse. As condições daquele pangaré eram de dar pena. A pelagem acastanhada estava rala e opaca em muitos pontos, as costelas proeminentes, havia feridas nos flancos e lombo, e eu apostaria minha vida que lhe faltava uma das ferraduras. A da pata traseira esquerda, pela maneira como ele coxeava.

— Maldito animal dos infernos! — Bernardi se aproximou de seu empregado e lhe tomou o chicote. — Levante-se, seu monte de pulgas inútil! Levante-se!
— E começou a açoitar o animal.

— Pare com isso! — gritei, me aproximando dele em duas passadas. — Ele está fraco. Não vê que assim vai matá-lo?

— Não me servirá de muito mais, de toda maneira. Foi por isso que comprei aquela égua. Para executar as tarefas desta besta imprestável. Levante-se, diabos!

O chicote estalou mais uma vez, e o som do couro contra as costelas descarnadas do pangaré fez meu sangue ferver nas veias.

— Vejo uma besta aqui — cuspi entredentes. — Mas não o pobre animal que o senhor pretende matar a chibatadas. É assim que costuma tratar seus cavalos?

— A maneira como conduzo minha propriedade ou meus cavalos não lhe diz respeito, senhor Clarke. Sua função é trazer-me a égua, pegar seu dinheiro e ir embora sem se intrometer em meus assuntos. — Ele chicoteou o animal com ainda mais vigor, e, fraco como estava, o pangaré arriou de vez enquanto o homem esfolava seu lombo.

Foi a gota-d'água. Segurei o braço do "cavalheiro", aquele que erguia o chicote sem dó. Gostaria que ele tivesse feito algo mais além de virar a cabeça e me encarar com desaforada indignação, pois assim eu teria uma desculpa para jogá-lo no chão, tomar-lhe o chicote e tratá-lo com a mesma cortesia que ele dispensara ao animal. Entretanto, covarde que era, apenas ficou ali, me olhando com desprezo.

Consegui me conter o suficiente para perguntar, com a mandíbula trincada:

— Quanto quer por ele?

Suas sobrancelhas arquearam-se em surpresa.

— Quanto quer por ele? — repeti, sem paciência.

Seu olhar reluziu e um sorriso desprezível esticou o rosto roliço.

— Quer comprar este saco de pulgas, senhor Clarke? Pois bem. — Ele me disse o valor. Era duas vezes o que eu pedira pela égua.

Eu o soltei com um safanão e peguei as moedas no bolso do paletó. As sobrancelhas do sujeito subiram tanto que quase tocaram a linha onde os cabelos ralos e finos começavam.

Ora, mas que inferno, eu mesmo não podia acreditar que pagaria tanto por um animal semimorto, que não teria nenhuma utilidade para mim. Meu estábulo era habitado por puros-sangues, altamente treinados e bem tratados do momento em que nasciam até a venda. O que eu faria com aquele pangaré esfolado, que me custaria o mesmo que dois bons andaluzes, eu não fazia ideia. Contudo, não havia como deixar aquela propriedade sabendo o que o "cavalheiro" pretendia fazer com ele.

Joguei o dinheiro ao senhor Bernardi sem muita cortesia e, sem perder tempo, comecei a desafivelar as tiras que prendiam o pangaré à carroça. O empregado, ao perceber que o negócio havia sido firmado, prontificou-se a me ajudar. Examinei brevemente as feridas do animal enquanto o libertava. Algumas eram profundas, e eu não estava certo se cataplasmas fariam diferença. Como eu desconfiara, faltava-lhe uma das ferraduras. Outra estava se soltando e precisava ser substituída. Não era para menos que o animal mal se sustentasse sobre os cascos.

O bicho se aprumou um pouco assim que se viu livre do peso da carroça, resfolegando.

— Isso mesmo. Vamos sair daqui — eu disse a ele, correndo os dedos de seu focinho úmido até as orelhas pontudas para pegar o arreio e trazê-lo para a frente. O gesto o assustou, no entanto, e me perguntei a quanta crueldade ele havia sido submetido nas mãos daquele sujeito repugnante. Mais uma vez lutei contra o desejo de pegar o chicote e ensinar ao senhor Bernardi com quantas trancas se fazia um bom açoite.

Guiei o pangaré — devagar, devido a seu estado — até a sela de Storm, onde substituí o cabresto por um pedaço de corda que eu levava no alforje. Prendi a corda ao redor de seu pescoço com alguma dificuldade, já que ele não parava de se agitar, e a outra ponta à sela de Storm. O senhor Bernardi me vigiava de perto, brincando com as moedas em sua palma.

— Bem, posso dizer que estou muito satisfeito em negociar com o senhor. O que me pagou é o bastante para comprar esta égua e talvez ainda me sobre para mais uma...

— Certamente é o suficiente. Mas, sabe, senhor Bernardi... — Eu me aproximei dele. O sujeito deu um passo para trás, tropeçando naqueles ridículos sapatos de salto, os olhos arregalados como os de uma corça. — Não negocio com animais, apenas os vendo.

Ele piscou, atordoado.

— Como disse?

— Estrela não está mais à venda. Na verdade, nenhum dos meus cavalos está disponível para o senhor.

Eu me dirigi para minha montaria e apoiei a ponta da bota no estribo, encaixando-me na sela com agilidade.

Bernardi permanecia no mesmo lugar, fitando-me com a boca escancarada.

Cutuquei os flancos de Storm com os calcanhares, mas o sujeito resolveu se mexer, apressando-se em minha direção e estupidamente levando a mão ao cabresto de Storm.

— Espere um pouco, rapaz. E quanto a minha...

Storm não gostou que o homem o tocasse e empinou, as patas dianteiras se agitando com entusiasmo a pouco mais de um palmo da cara horrorizada de Bernardi. Agarrei-me ao arreio e comprimi as pernas em torno de seus flancos para não acabar caindo. Por sorte, os cavalos atrelados à sela se mantiveram imóveis, ou eu estaria em sérios apuros. Um gritinho muito embaraçoso escapou da garganta de Bernardi. Entendendo aquilo como um elogio, Storm resfolegou, exibindo-se um pouco mais. Naturalmente, o sujeito decidiu sair de seu caminho.

Encurtei as rédeas e fiz Storm se aquietar e voltar a andar.

— Preciso desta maldita égua — o homem vociferou. — Quem vai puxar a carroça agora?

— Como o senhor mesmo apontou de maneira tão cortês ainda há pouco, isso não me diz respeito.

Ele tentou me acompanhar, escorregando na grama com seus sapatos delicados, o rosto adquirindo um tom escarlate.

— Volte aqui com a minha égua!

— Tenha um bom dia, senhor Bernardi. — E obriguei Storm a manter o trote suave.

— Volte aqui! — Ele girou o corpo na direção do empregado: — Não fique aí me olhando! Faça alguma coisa, idiota! Ele está levando meu cavalo embora!

— Mas o senhor o vendeu! — A voz do rapaz parecia confusa.

— Ah, cale a boca, maldito inútil. Eu procurarei a justiça! — gritou Bernardi, ainda mais alto. — Está ouvindo, senhor Clarke? O senhor vai me pagar por essa afronta!

Eu gostaria que ele fizesse isso. Adoraria poder dizer diante de todos que espécie de homem era o senhor Bernardi. O juiz Guilhermino Carvalho, além de justo, era frequentador assíduo das casas de jogos da cidade, e seu apreço pelos cavalos era notório, tão grande quanto o que nutria por suas três amantes. Caso Bernardi recorresse mesmo à justiça — coisa de que eu duvidava, tendo testemunhado o grande covarde que ele era —, ninguém nas redondezas lhe venderia nem mesmo um jumento. De todo modo, eu teria de alertar todos os criadores das redondezas sobre seus hábitos de tortura para com os equinos. Não era muito, mas era o que eu podia fazer para impedir que outros animais fossem judiados. Bernardi que puxasse a própria carroça, se quisesse.

O sujeito continuou berrando até eu estar longe o bastante para que sua voz se tornasse apenas um zumbido irritante.

Mantive o ritmo lento durante todo o trajeto, mas volta e meia Storm e eu grunhíamos. Ele de frustração por ter tido de se conter, eu por... bem, pela mesma razão.

Fazia muito tempo que eu me habituara a voltar para casa o mais rápido que pudesse. Jamais gostei de me ausentar por muito tempo. Sobretudo desde a morte de meus pais, quando a tutela de minha irmã, Elisa, caíra em meu colo. Muita coisa havia mudado desde aquela época. Minha irmã já não era uma menina: estava completando dezessete anos naquela sexta-feira e podia muito bem lidar com minha ausência. Prova disso era a ansiedade que o baile que comemoraria seu aniversário lhe provocara. Ela estava nas nuvens, a expectativa reluzia em seus olhos, e eu tinha medo de analisar o motivo disso mais a fundo.

Entretanto, a inquietação e a impaciência que me dominavam agora não eram originadas pelo corre-corre de um baile nem mesmo pelo futuro incerto de minha irmã caçula. Minha frustração respondia por outro nome. O mesmo nome que também era responsável por todos os meus sorrisos. E também por todas as minhas dores de cabeça, acrescentei ao chegar aos limites de minhas terras e avistar ao longe o faetonte, seguido por um rastro de poeira denso feito um nevoeiro.

A causa disso?

A condução perigosamente acelerada e audaciosa de minha imprudente esposa.

— Maldição, Sofia. — E disparei a seu encontro, tão rápido quanto a carga que eu arrastava me permitiu. — Pelo amor de Deus, Sofia, vá mais devagar com essa coisa! — berrei por sobre o ruído produzido pelo impacto das rodas no chão de terra batida.

— Mas eu tô devagar! — ela gritou de volta. O sorriso em sua boca rosada me fez praguejar em português, inglês e alemão. Caso eu tivesse aprendido alguma outra língua, a teria usado também.

Minha vida podia ser definida em antes e depois de Sofia.

Antes de Sofia, tudo era pacato, previsível e monótono. Eu passava os dias cuidando do estábulo, das propriedades arrendadas e da educação de Elisa. O único assunto que me preocupava era minha irmã estar crescendo rápido demais, e já fazia algum tempo que eu tinha percebido que não era mais tão útil quanto costumava ser, que as dúvidas que rondavam sua cabeça não podiam ser decifradas por um irmão mais velho. Por isso eu cogitara me casar, a única opção que me parecia ideal. Eu já tinha vinte e um anos, idade suficiente para decidir o que fazer da vida. O *com quem* tinha sido o grande problema. Eu conhecia todas as jovens da redondeza, e nenhuma delas causava em mim mais do que uma educada admiração. Meu pai sempre dizia que, quando encontrasse a mulher que estava destinado a amar, eu saberia. Por muito tempo pensei que, pela primeira vez na vida, ele se enganara.

Então veio o depois, quando conheci Sofia. Bastou um olhar, apenas *um olhar*, para que eu perdesse o coração, o fôlego e também o raciocínio. Eu a amei desde o primeiro instante, mesmo que ainda não soubesse disso. E, sendo Sofia como é, entrou em minha vida feito uma carroça desgovernada, atropelando-me, fazendo-me entender coisas que antes eu não compreendia e me sentir tão feliz com isso que às vezes doía.

E doeu, de fato. Dilacerou-me a alma quando ela teve de partir. No entanto ela regressou, e desse dia em diante minha vida nunca mais foi a mesma. Sofia preencheu todas as lacunas, todos os hiatos que eu nem havia me dado conta de que estavam ali, apenas esperando que ela os reivindicasse. Ela me tornou completo, e ainda me deu o presente mais maravilhoso de todos: Marina, que, mesmo tão pequena, já dava mostras de uma personalidade muito semelhante à da mãe — o que era preocupante.

Desnecessário dizer que eu amava Sofia incondicionalmente. Não havia nada que eu não fizesse por ela. Não havia limites que eu não ultrapassasse para vê-la feliz. Até mesmo meus próprios limites. Prova disso era o maldito faetonte que ela conduzia de maneira alucinada.

Onde diabos eu estava com a cabeça quando comprei aquela coisa para ela?

Sofia era diferente, e eu sempre soube disso. Apenas mais tarde cheguei a saber que essa distinção não se devia ao gênio forte ou ao caráter decidido, mas ao fato de aquela garota ter nascido e vivido em um tempo completamente diferente do meu. Naturalmente, eu custara a acreditar que ela tinha vindo do futuro. Do ano 2010! Isso eram cento e oitenta anos à frente do meu tempo. E ela abandonara tudo por mim, por nós. Sua adaptação ao século em que eu vivia não tinha sido fácil, sobretudo porque ela precisava de certa liberdade para se sentir no controle de alguma coisa, e se locomover sozinha sempre fora um problema. Ela tinha dificuldade para aprender a montar, se acovardava sobre o lombo de qualquer cavalo, por mais dócil que ele fosse. Por isso eu havia comprado para ela aquele faetonte, leve, ágil e fácil de conduzir. O que eu não antecipara era que minha insensata esposa gostaria tanto do presente que mal poderia esperar até que eu lhe ensinasse os comandos para sair a toda velocidade, sem respeitar uma única maldita regra de segurança!

Ela continuou se aproximando rápido demais, os cabelos de uma rica cor de mel, quase ouro, ricocheteando em todas as direções. O prazer indisfarçável que aquilo lhe dava fazia seus olhos castanhos brilharem como topázios...

Ela acabaria se matando se não diminuísse a velocidade.

— As rédeas! Puxe as rédeas!

— Ah, é! Para, Lua. Para! — Ela puxou as guias de uma vez, quase me causando um ataque do coração. Os cascos da égua cinzenta derraparam na grama, e uma das rodas do faetonte perdeu o contato com o chão. Meu estômago embrulhou, o medo me deixou lívido. Eu estava longe demais, não conseguiria alcançá-la a tempo. Tudo o que pude fazer foi assistir, impotente, ao acidente que certamente mataria a mulher que eu amava.

2

O mundo congelou naquela fração de segundo.

A freada brusca arrastou Lua para a frente, e o faetonte sacolejou de um lado a outro. A égua se agitou com o peso que ameaçava derrubá-la, e, graças a isso — ou a um milagre da divina providência —, a roda elevada bateu no chão com um forte impacto.

— Aí, menina! Arrasou geral — exclamou Sofia quando por fim o faetonte se aprumou.

Soltei o ar com força, só então me dando conta de que havia prendido o fôlego.

Um século depois — ao menos foi o que me pareceu — eu a alcancei.

— O que você estava fazendo, Sofia? Tentando se matar?

— Eu só estava indo um pouquinho mais rápido que o normal.

— Um pouquinho mais rápido? — Emparelhei Storm com o faetonte. — Quase tive um ataque do coração. Pensei que teria de tirar você de debaixo dessa carroça! *Morta!*

— Que exagero, Ian.

Sem perceber como eu estava furioso, ela largou as rédeas sobre o assento de veludo verde — completamente soltas! *Deus me ajude!* — e ficou de pé no faetonte.

— Você saiu muito cedo hoje. — Ela se inclinou, apoiando a mão na lateral da pequena carruagem para me beijar.

A doçura de sua boca quase me fez esquecer que ela estava se equilibrando sobre um veículo sem condutor algum. Quase.

Prendi um braço firmemente ao redor de sua cintura, apoiando as pernas na barriga de Storm. Eu me estiquei e, com a mão que ainda segurava as rédeas do cavalo, alcancei as de Lua.

— Quantas vezes terei de dizer que você não deve deixar as guias soltas? Lua é capaz de disparar, e eu nem quero pensar no que pode acontecer!

— Mas a Lua é tão boazinha. Pode confiar nela, Ian.

— Já que em você eu não posso, não é? — murmurei, frustrado. — Você me prometeu que iria devagar, Sofia!

— Mas eu *estava* devagar. Bom, quase. — Ela brincou com as lapelas do meu paletó.

Grunhi, entregando a rédea de Lua para ela e abandonando a de Storm à própria sorte. Ele vinha se comportando bem no último ano e já não tentava fugir havia tempos.

— Afaste-se — ordenei a ela. E acredito que, por meu tom pouco contente, ela percebeu que eu estava prestes a explodir. Com os olhos fixos nos meus, Sofia apertou as cordas de encontro ao peito e deu um passo para trás.

Ela me observava como um animal acuado diante de um predador, mas de maneira alguma disposta a fugir. Passei a perna por cima da cabeça de Storm e me juntei a ela. A pequena carruagem sacudiu com a adição de meu peso, fazendo Sofia se segurar no encosto do estofado.

— O que vai fazer? — Ela se endireitou e me encarou, os dedos se enrolando nas laterais da saia de seu vestido xadrez azul e branco.

— O que quero fazer desde que a vi voar por esta estrada. — Uma coisa era eu me arriscar em alta velocidade. Tinha praticamente nascido no lombo de um cavalo. Outra, completamente diferente, era Sofia, com sua falta de talento com os equinos, fazer isso.

— E isso seria... hã... torcer o meu pescoço? — Ela ergueu as mãos quando tentei me aproximar e, pelo amor de Deus!, soltou as rédeas de novo.

— Não, embora a ideia seja tentadora neste momento. — Relanceei as cordas. Sofia seguiu meu olhar e se apressou em segurá-las outra vez.

— Ian, eu juro que não vou mais correr. Juro mesmo!

— Você me disse isso outras vezes e continua descumprindo sua promessa. Como posso confiar em você? Como posso permitir que saia por aí sozinha? Se não quer pensar em sua integridade física, então pense em Marina, pense em mim! Se eu tiver de retirar seu corpo de debaixo desta coisa, pode ter certeza de que também estarei morto. Estarei mesmo, Sofia, eu lhe asseguro.

— Desculpa. — Ela se encolheu, como se sentisse dor. — Eu não percebi que estava indo tão depressa. E aí eu vi você e... Bom, eu estava morrendo de saudade. Você saiu tão cedo, a gente mal se viu. Só queria chegar logo.

— Diabos, Sofia! — Eu a alcancei, afundando os dedos na carne de seus ombros. Não sabia se para sacudi-la ou abraçá-la. — Como ficar furioso com você por mais de um minuto?

Seus lindos olhos castanhos arderam feito um braseiro.

— Talvez seja essa a intenção.

Acabei por abraçá-la, uma das mãos buscando seu rosto, a outra se moldando ao vão de sua coluna. Apertei-a de encontro a mim, prendendo suas mãos e as guias entre nós, apenas para me certificar de que ela não voltaria a soltá-las. Inclinei a cabeça até minha boca estar a centímetros da dela.

— Nunca duvidei disso, Sofia. Nem por um instante. — E então a beijei.

O beijo foi longo, molhado e fez meu corpo todo esquentar. Mesmo acordando ao lado de Sofia todos os dias do último ano e meio, o efeito que ela exercia sobre mim ainda era o mesmo do nosso primeiro beijo. Coração acelerado, pele em chamas, mãos suando, sentidos aguçados, uma fome dela que, eu sabia, jamais seria completamente saciada, por mais que eu tentasse. E, ah, eu vinha tentando. Com muito afinco. Às vezes temia que em algum momento ela me mandasse dormir no estábulo e deixá-la em paz, para variar. Para minha sorte, ela nunca disse nada semelhante, já que parecia padecer da mesma fome que eu.

— O que vou fazer com você? — Apoiei a testa na sua quando as coisas ameaçaram sair de controle.

— Continuar me beijando? — ela sugeriu com um sorriso.

— Falo sério, Sofia. Sabe quantas pessoas eu conheci que perderam a vida por causa de uma imprudência sobre o cavalo ou em um veículo? Meu coração parecia que ia sair pela boca quando vi o faetonte quase tombar. — Afastei-me o suficiente para poder olhá-la nos olhos. — Não queria ter de fazer isso, mas vou me livrar dele.

A indignação tingiu de vermelho o rosto de Sofia.

— O quê? Você não pode fazer isso! Ele é meu!

— E essa foi a única razão que me impediu de atear fogo nele até agora. Mas não posso permitir que você se coloque em tamanho risco. Não vou permitir que, por imprudência, você deixe nossa filha órfã. Ela precisa de você. *Eu* preciso de você, Sofia.

Ela fitou as mãos presas entre nós.

— Foi mal, Ian. Sinto muito. Não quis te deixar preocupado.

— Mas deixou. Toda vez que vejo você sobre esta maldita carroça, fico em pânico. Vou me livrar dela antes que o pior aconteça, e pouco me importa se você vai me odiar pelo resto da vida por isso. Contanto que esteja viva para me odiar, tudo bem.

Sofia ergueu aqueles misteriosos olhos castanhos para mim.

— Vou mais devagar de agora em diante. Prometo, Ian.

Eu a fitei, não acreditando nela nem por um momento.

Ela bufou.

— Tudo bem, que tal isto? Eu vou andar *tão* devagar que até as lesmas vão me ultrapassar — arriscou. Abri a boca para dizer mais uma vez que ela já havia quebrado essa mesma promessa, mas Sofia pousou um dedo sobre meus lábios.

— Se eu não cumprir com a minha palavra, você pode fazer o que quiser com o faetonte.

— Como poxo acreditar em voxê? — resmunguei sob a pressão de seu dedo.

Ela ergueu os ombros e voltou a olhar para a mão espremida entre seu peito e o meu.

— É que eu não tinha percebido que estava me colocando em perigo até quase perder o controle hoje. Meus pais morreram em um acidente de carro. Não posso permitir que a Marina passe pela mesma coisa. Deus do céu, nem você!

Toquei seu queixo, obrigando-a a olhar para mim.

— Sinto muito. Não era minha intenção trazer essas recordações. — Eu sabia muito bem quanto aquilo podia machucar. — Mas eu já perdi você uma vez, Sofia. Não me obrigue a reviver esse pesadelo.

— Não vou mais correr. Prometo, Ian. — Ela ficou na pontinha dos pés e selou sua promessa com um beijo. E ficava realmente muito difícil não acreditar em Sofia quando ela me beijava daquela maneira. Doce, cálida, entregue.

— Pensei que não fosse trabalhar hoje — falei, quando libertei sua boca.

— Eu não ia. Mas a senhora Herbert me mandou uma mensagem pedindo que eu fosse até a pensão. A coitada tá derrubada na cama por conta de uma gripe e ficou com medo de não conseguir trabalhar na segunda, então me inteirou do que deveria ser feito. Tadinha, Ian, ela mal conseguia falar uma frase inteira sem começar a tossir. Até tossiu na minha cara quando fui ajudá-la a se ajeitar na cama. — Sofia fez uma careta. — Depois eu dei um pulo na venda antes de vir para casa.

Cerca de um ano e meio antes, Sofia dera início a uma pequena fábrica de cremes para cabelos, e desde então seu negócio só se expandia. O estabelecimento ficava próximo da propriedade, mas o casebre já estava se tornando pequeno. Um comerciante português que visitava um parente na vila soube do sucesso do produto entre as damas e ficou particularmente interessado. Sofia agora fazia planos para exportar.

No começo, ainda grávida, ela participava de todas as linhas de produção, da escolha das frutas à obtenção do produto. Depois do nascimento de Marina, algo dentro dela se modificou, e Sofia decidiu deixar a fábrica sob a mão firme da viúva Herbert.

Sofia ficara decepcionada quando oferecera o cargo a Madalena e esta recusara. A mente moderna de minha esposa não compreendia que uma mulher como Madalena só se sentisse feliz e útil quando estava cuidando de pessoas, não de frutas. O oposto ocorria com a velha viúva Herbert, dona da única pensão nas redondezas: assim que soube que Sofia procurava alguém para assumir a direção da fábrica, a mulher se viu feliz da vida por ter novamente funcionários a quem dar ordens.

Sofia agora fazia aquilo de que mais gostava e entendia: administrava seu próprio negócio.

Foi interessante observar as mudanças que aquela pequena fábrica de cosméticos causou nas mulheres da vila. Muitas delas acharam escandaloso o fato de a esposa do senhor Clarke trabalhar. Mas para outras tantas o efeito foi o oposto. Se uma dama como a senhora Clarke podia ocupar seus dias com algo lucrativo, então elas também podiam. Algumas se candidataram a um emprego na fábrica. Outras — as mesmas que tinham dado ouvidos a minha mulher na questão da crinolina e entendido o perigo que ela representava —, incentivadas por Sofia, largaram os bordados e se arriscaram em seus próprios empreendimentos. Os homens se indignavam com o comportamento "inadequado" de suas mulheres, mas, uma vez que elas experimentavam a liberdade, não podiam mais ser trancafiadas como bibelôs. Eles me culpavam por isso, naturalmente. E eu não podia me importar menos. Sofia mudara o mundo daquelas mulheres, ampliara seus horizontes, quebrara barreiras, exatamente como tinha feito comigo. Dava-me um orgulho danado ter a meu lado uma mulher inteligente e corajosa como ela, e, para ser franco, dava-me paz de espírito também. Se algo porventura me acontecesse um dia, Sofia jamais teria de mendigar a ajuda de ninguém. Ela cuidaria de si mesma, de Elisa e de nossa filha com alguma de suas ideias mirabolantes.

— E você? — perguntou ela, notando a presença dos três cavalos. — Pensei que fosse entregar a égua para o tal seu Bernardi.

— Era o que eu pretendia. Mas houve problemas.

— De que tipo?

Contei a história a Sofia, a raiva se inflamando de novo. E ela se mostrou tão indignada com a atitude do sujeito que eu quis beijá-la outra vez. Está certo, eu sempre queria beijá-la. Mas saber que ela me compreendia fez esse desejo se tornar ainda mais agudo.

— O que pretende fazer com ele? — Sofia apontou com a cabeça para o pangaré.

— Vou cuidar dos ferimentos, alimentá-lo e esperar por um milagre. É tudo o que posso fazer no momento. — Empurrei para trás da orelha uma mecha de seus cabelos ondulados.

Um sorriso de canto de boca lhe esticou o rosto, e Sofia deitou a cabeça em meu ombro, mantendo os olhos em mim.

— O que foi? — perguntei, curioso.

— Nada. Só estava aqui pensando em quanto eu me orgulho de ser a sua senhora Clarke.

Um misto de prazer e deslumbramento trouxe um sorriso estúpido ao meu rosto, e fui vencido pela necessidade de beijá-la novamente.

Coração acelerado. Pele em chamas. Mãos suando. A urgência de trazê-la para ainda mais perto. Tocá-la em tantos lugares quantos pudesse alcançar. Por isso, antes que minhas mãos tivessem tempo de, digamos, iniciar uma batalha com os botões de seu vestido, obriguei-me a soltá-la.

— Acho melhor voltarmos, antes que eu cometa uma besteira que nos coloque em apuros.

— Que tipo de apuros? — Ela roçou a ponta do nariz em meu pescoço.

Ah, inferno.

— Do tipo que me poria atrás das grades e mesmo assim eu não seria capaz de deixar de sorrir. — Seu pescoço delgado era tudo o que eu podia ver agora. Não resisti e corri um dedo pela pele delicada. Eu adorava particularmente aquela curva em que o ombro e o pescoço se encontram.

Ela riu em minha garganta e se afastou justamente quando eu pretendia beijar aquele ponto específico onde, eu bem sabia, ela era muito sensível.

— Vamos, então. Não podemos nos atrasar para o baile de aniversário da Elisa.

O maldito baile. Com tudo o que tinha acontecido nas últimas horas, acabei me esquecendo dele. Fechei a cara.

— Acho que mudei de ideia, Sofia. Prefiro ficar aqui, beijando você, e correr o risco de acabar sendo preso a ter de comparecer a mais um baile.

Ela deu risada outra vez.

— Sua irmã ficaria muito chateada se te ouvisse falando isso.

— Eu sei. — Bufei, tirando minhas mãos de Sofia muito a contragosto. — Muito bem, vamos para casa. — Usei como apoio a lateral do faetonte e saltei direto para a sela de Storm.

Sofia manteve os olhos fixos em mim, mordendo o lábio.

— O que foi? — Eu me ajeitei na sela.

— Muito impressionante, senhor Clarke.

Meu rosto queimou. Eu não queria me exibir... muito.

— Por que foi até a venda? — Inclinei-me para pegar as guias de Storm. — Esqueci de comprar alguma coisa?

— Não, não. É que... O problema foi que... humm... — Seus ombros caíram quando ela abriu os braços, desamparada. — A Nina gostou muito dos enfeites de cristal que a sua tia insistiu em mandar. Uns trecos para colocar nos guardanapos.

Senti um nó no centro do peito.

— Marina se feriu?

— Não! — ela se apressou em responder. — Os cacos caíram bem longe dela. Mas tive que ir até a venda ver se tinha alguma coisa parecida para substituir os que ela quebrou. Achei uns bem bacanas. Não têm nada de frescura como os da Cassandra, nem são muito parecidos, mas acho que ninguém vai reparar.

— Quantos Marina quebrou?

— Só seis. — Ela se encolheu. — Mas foi sem querer! Humm... Pelo menos o primeiro.

— Como assim?

— Ela meio que achou divertido arremessar os cristais na parede. Você precisava ver a carinha dela quando aquelas argolas se espatifavam em um milhão de cacos. — Seus olhos reluziram. — Foi a coisa mais fofa, Ian.

— Sofia! — Fiz o melhor que pude para não rir.

— O quê? Eu não deixei ela fazer isso! Mas eu estava ocupada, falando com a Elisa. Quando percebi, a Nina já estava dentro da caixa. Agi o mais depressa que pude. Aliás, deixar os enfeites no chão da sala, ao alcance daquelas mãozinhas ligeiras, não foi ideia minha!

Acabei rindo. Não tive escolha.

— Estou certo de que ninguém vai reparar que não fazem parte de um jogo de argolas para guardanapos. O importante é que ninguém se feriu. Especialmente Marina.

— É. — Ela se acomodou no assento, empunhando as rédeas. — E é por isso que eu tô doida para voltar para casa. Já faz mais de uma hora que eu saí. Só Deus sabe o que a Nina pode ter aprontado nesse meio-tempo. E nem quero pensar no que pode acontecer esta noite!

Comecei a rir outra vez, quando uma rajada de vento fez meus cabelos sacudirem. Sofia esfregou os braços.

— Humm... — resmungou ela, o olhar subitamente aflito.

— Está com frio? — Eu já retirava o casaco.

— Não, não precisa, Ian. Foi só um arrepio. Uma... sensação ruim.

— Foi apenas o vento, meu amor.

Mas eu devia ter lhe dado mais atenção. Refletindo agora, gostaria de ter dado ouvidos ao sexto sentido de minha esposa e de ter feito escolhas diferentes. Infelizmente, ignorei que algo perturbava Sofia, assim como desconsiderei os pelos eriçados em meus braços e a fria sensação que tinha na boca do estômago.

O fato de eu ter ignorado tudo isso não impediu os acontecimentos daquela noite odiosa. A noite em que meu pior pesadelo começou a tomar forma.

O sol estava quase se pondo quando finalmente consegui entrar em casa. Cuidar daquele pangaré tinha levado muito mais tempo do que eu imaginara. Depois de acompanhar Sofia até a casa, eu fora tratar as feridas do animal e agora estava coberto por todo tipo de sujeira. Fiz o melhor que pude por ele: preparei os cataplasmas usando um bocado de arnica e algumas outras ervas, e apliquei em quase todo o seu dorso. Também cuidei das ferraduras, alimentei-o e lhe dei de beber. Agora só me restava torcer para que isso fosse o bastante. Não foi muito animador, devo confessar, ouvir Isaac — meu braço direito no estábulo e filho do meu mordomo — dizer, depois de uma rápida olhada no bicho:

— Não sei não, patrão. Acho que o senhor só está perdendo seu tempo. Devíamos chamar o açougueiro.

Lancei a ele um olhar enviesado e o garoto se apressou em ir cuidar do veículo de minha esposa, estacionado em frente à casa. Ninguém levaria um dos meus cavalos para o açougueiro!

Então, após fazer tudo o que estava ao meu alcance, fui para casa, louco para tomar um banho. Desviei, ao entrar, dos tijolos que se amontoavam próximos à porta da cozinha. A construção do banheiro de Sofia já tivera início. Não ia muito bem, contudo, pois o mecanismo principal — que seu Domingos, o mestre de obras, encomendara na Europa — ainda não havia chegado. O navio que o trazia fora saqueado por piratas e então tinha sido necessário fazer uma nova encomenda. Sofia não estava contente com isso.

Passei direto pela cozinha, mas o senhor Gomes estava por lá. Meu mordomo lançou um olhar pouco surpreso para minhas roupas imundas e se apressou em colocar uma bacia de água sobre o fogão a lenha.

Eu estava quase em frente ao meu escritório quando avistei Elisa saindo da sala de leitura.

— Minha nossa! — Ela fez uma careta ao se aproximar e se abraçou ao livro que tinha nas mãos. Shakespeare, constatei, resignado. Ali não havia nada da menina a quem eu ensinara a tabuada e que gostava de ler os contos de Jean de La Fontaine antes de dormir. Agora preferia poesias e bailes. — Você precisa de um banho.

— Um dos cavalos precisou de cuidados.

— Ah. Fico contente que já tenha terminado as suas tarefas. Em menos de três horas os nossos convidados devem começar a chegar.

— Estarei pronto na hora marcada. Prometo. Agora, entre aqui um instante, Elisa. — Abri a porta do meu escritório particular. Ela passou pelo batente, observando com expectativa enquanto eu contornava a mesa, abria uma das gavetas e pegava um pequeno embrulho. Estendi o pacotinho a ela. — Feliz aniversário!

Ela sorriu, abandonando o livro sobre o tampo da mesa, e aceitou o presente. Desembrulhando-o com graça, apressou-se em espiar o conteúdo da caixinha de veludo.

— Oh, Ian! — Elisa levou a mão à boca, os olhos muito brilhantes. — É maravilhoso!

O colar simples, apenas uma turquesa oval rodeada de minúsculos brilhantes pendurados em um fino cordão dourado, não podia tê-la surpreendido tanto. Afinal aquela era sua pedra favorita, e ela ganhava uma em todos os seus aniversários, desde o primeiro. Nosso pai insistia que eram do mesmo tom dos olhos de sua caçula.

Era engraçado vê-la agora tão surpresa. Desde pequena, Elisa esperava pela data contando os dias no calendário, especulando aqui e ali na tentativa de adivinhar o que ganharia naquele ano. Um anel? Brincos? Um belo broche?

Certa vez, no aniversário de nove anos de minha irmã, meu pai resolvera atormentá-la fingindo que tinha se esquecido de lhe comprar um presente. Estávamos na sala de leitura. Minha mãe bordava em frente à janela, os pálidos cabelos louros brilhando como cetim. Meu pai tentava ler o jornal, mas Elisa discursava com veemência sobre a importância de celebrar a data ganhando um presente. Eu estava à mesa, aprendendo alemão com o senhor Hensler. Era a segunda vez que eu tinha aulas com aquele crápula.

— Não é certo eu não ganhar nada. — Elisa fez beicinho. — O Ian ganhou no aniversário dele!

— E o que você sugere, querida? Devo sair e lhe comprar uma selaria nova? — Meu pai virou a página do jornal.

— Eu preferia algo menor. E brilhante.

— Como o quê?

— Qualquer coisa que tenha uma bonita pedrinha, papai. Aquela pedrinha fria, que o senhor diz que é da cor dos meus olhos.

Fiz de tudo para não rir. Elisa era muito pequena e não fazia ideia de quanto custavam as turquesas. Ela as achava bonitas e queria ter tantas quantas pudesse.

Meu pai também tinha dificuldade para se manter sério, e dobrou o jornal para ganhar tempo a fim de se recompor.

— Humm... Não me lembro de nenhuma pedra branca — disse ele.

— Não dessa parte dos meus olhos, papai.

Ele a estudou por um momento, coçando o queixo.

— Sim, me recordo agora. Comprei uma pedra brilhante e preta tem um tempo. Deve estar aqui em algum lugar. — E tateou os bolsos.

— Não! Essa é a cor dos olhos de Ian! Os meus são azuis, como os da mamãe! — Aproximou o rosto do dele até os narizes se tocarem e arregalou os olhos. — Está vendo?

Afastando-se um pouco, ele pousou o polegar no queixo da menina, fingindo examiná-la com atenção.

— Humm.... Ora, mas veja só! São azuis mesmo, minha querida. O que faremos agora? Confundi e comprei o presente para o filho errado!

— John! — Mas a censura de minha mãe se perdeu no momento em que ela sorriu para o marido. — Não atormente Elisa. É claro que ele não se esqueceu de lhe comprar um presente, querida.

Eu estava atento à conversa, já que não havia nada que eu odiasse mais do que as aulas de alemão. Era uma tradição da família Clarke, muito antes de meu avô ter decidido deixar a Inglaterra para se aventurar nas fascinantes e potencialmente lucrativas terras brasileiras. Os homens da minha família eram obrigados a aprender alemão, enquanto as damas se dedicavam ao francês.

Acabei rindo das caretas de minha irmãzinha.

E imediatamente a régua do senhor Hensler mordeu minha mão com um som agudo.

— *Passen Sie auf!** — vociferou.

---

* "Atenção!"

— Mas eu estava prestando atenção! — reclamei.

A régua zuniu no ar antes de encontrar minha mão outra vez. Maldito senhor Hensler.

— *Auf Deutsch, bitte! Ian, sprechen Sie mir nach: ich war gewesen, du warst gewesen, er/sie/es war gewesen...**

Minha mãe lançou um arquear de sobrancelha a meu pai, que por sua vez fitou meu tutor com as pestanas quase unidas enquanto eu seguia conjugando o verbo *estar*. Diabos. Eu odiava conjugação verbal. Odiava ainda mais o senhor Hensler, com seu grande corpo de barril e sua maldita régua de madeira. A aula anterior havia sido naquela mesma sala, mas eu ficara sozinho com aquele sujeito, sem nada para me distrair exceto os devaneios de um garoto de quatorze anos.

— Você se esqueceu mesmo da cor dos meus olhos, papai? — Elisa insistiu.

John Clarke sorriu e deslizou os dedos carinhosamente pelas bochechas rosadas da menina.

— Como eu poderia, minha querida, se a cada vez que olho para eles vejo sua mãe me observando de volta? — Seu olhar repousou na bela mulher em frente à janela. Ela retribuiu com um sorriso cheio de mistérios, que na época eu não tinha como compreender. Duas pequenas covinhas surgiram em suas bochechas.

Meu pai então enfiou a mão no bolso do paletó e em seguida pegou o braço de Elisa, prendendo uma pulseira de bolotas azuis em seu pulso fino.

— Aqui está. Azuis como os seus olhos. Feliz aniversário, minha querida.

— Ah, papai — Ela o abraçou, depois correu para o colo da mãe. — Olhe, mamãe! Olhe quantas pedrinhas eu ganhei!

— São belíssimas, Elisa. Dignas de uma verdadeira dama. — Colocou o bordado para o lado e se inclinou para beijar o rosto da filha.

Minha irmã passou um bom tempo ali, admirando as bolinhas. Então saltou sobre seus sapatos brancos e correu para a mesa onde eu estava.

— Ian, Ian! Você ouviu? A mamãe disse que eu sou uma dama agora que tenho todas estas perolazinhas! Não são ainda mais lindas que as últimas?

— São muito bonitas, Elis... Ai! — Tomei mais uma reguada. Desta vez na cabeça. — *Die Perlen sind sehr schön, Elisa.*

— *Sehr gut, Ian*** — elogiou Hensler.

---

* "Em alemão, por favor. Repita, Ian: eu tenho sido, tu tens sido, ele/ela tem sido..."

** "Muito bem, Ian."

Minha mãe se levantou, alisando o vestido rosado, e fitou meu pai.

— Muito bem, vamos comer alguma coisa e deixar Ian com seus estudos.

— Será que tem bolo de coco, mamãe? — Elisa pegou a mão dela.

— Se não tiver, nós faremos um, que tal? — meu pai sugeriu, ao ficar em pé.

— Eu adoraria! Mas não sei se posso. Não dá para fazer um bolo sem sujar as roupas, e a mamãe diz que uma dama jamais se suja, e agora que eu ganhei estas pedras... bem, suponho que não poderei mais me sujar. — Elisa suspirou com tristeza.

— Ora, hoje é seu aniversário. — Ele acariciou os cabelos negros da filha, presos por fitas brancas. — Todo mundo sabe que uma dama pode se sujar quanto quiser no dia de seu aniversário.

— É verdade, mamãe? — Seu olhar esperançoso disparou para o rosto de Laura Clarke, que fez o melhor que pôde para manter a expressão séria.

— Certamente, querida.

Ao passar pela mesa, meu pai se aproximou do senhor Hensler e o surpreendeu ao tomar-lhe a régua.

— Senhor Clarke! — A indignação reluziu em seu olhar.

— Vá até o meu escritório assim que a aula terminar. — Não foi um pedido.

Aquela foi a última vez que tive aulas com o senhor Hensler. Também foi o último aniversário de Elisa em que meus pais estiveram presentes. Nossa mãe sofreu um ataque de apoplexia e nos deixou pouco antes do Natal de 1823. No inverno do ano seguinte, foi a vez de nosso pai. E foi por essa razão que eu, o Clarke então responsável por Elisa, não admiti que ela perdesse também a tradição das turquesas. Ela era jovem demais para acumular tantas perdas. Não me parecia justo.

— Um colar! — Elisa exclamou, trazendo-me para o presente. — Jamais ganhei um colar antes! Você sempre disse que só as moças ganham colares.

— Foi o que me assegurou uma vez a senhora Almeida. — Enfiei as mãos nos bolsos da calça.

Elisa sorriu, exibindo as covinhas de Laura Clarke.

— Esse é o seu modo de me dizer que eu cresci, Ian?

Dei de ombros.

Ela contornou a mesa antes que eu pudesse piscar e me abraçou, beijando meu rosto com entusiasmo.

— Não existe em todo o mundo um irmão melhor que você.

— É, bem... — Dei alguns tapinhas em seus ombros.

Rindo, Elisa se afastou e me pediu para ajudá-la com o colar. Assim que a pedra lhe caiu no pescoço, ela se virou, seus inseparáveis brincos em formato de lágrima — também de turquesa — sacudindo de leve. Naquele instante me dei conta de quanto ela estava crescida. E muito bonita.

Era melhor conferir se havia balas na caixa da pistola.

— Vou usá-lo esta noite — contou ela, admirando a pedra. — Combina perfeitamente com o meu vestido.

— Imagino que sim. Tem ideia de onde estão Sofia e Marina?

— Escondidas em algum lugar. — Seu rosto se contorceu em uma careta. — Tia Cassandra já chegou e, como de costume, está enlouquecendo a todos! Ainda agora ela me disse que eu não sei arrumar os cabelos como uma fina dama!

Balancei a cabeça.

— Ainda não acredito que você a perdoou.

Algumas semanas após o meu casamento, Cassandra raptara Elisa na tentativa de obrigá-la a casar com seu filho. Thomas também caíra na armadilha. Por sorte, Sofia e eu conseguimos alcançá-los antes que qualquer mal tivesse acontecido. Eu ainda não conseguia olhar para aquela mulher sem querer torcer-lhe o pescoço.

— E de que adiantaria alimentar qualquer rancor, Ian? Apenas envenenaria a minha alma, e se isso acontecesse ela sairia vitoriosa. Desta maneira eu sou feliz, e a incomodo mais que qualquer outra coisa.

Acabei rindo.

— Tem certeza de que está completando apenas dezessete anos?

— Sim! E, se você não se livrar de toda essa sujeira, não restará uma única pessoa no meu baile, pois espantará a todos! — Ela me pegou pelo braço e me empurrou porta afora. — Vamos. Daqui a pouco os convidados começarão a chegar. E diga a Sofia que, se ela precisar de ajuda com o penteado, basta mandar me chamar.

— Darei o recado.

Elisa tomou a direção oposta à minha, e eu me detive por um instante para observá-la. Ela seguia em frente a passos não tão rápidos, distraída pela turquesa. Acabei sorrindo. Não tão crescida assim, afinal...

Tão logo ela desapareceu no corredor, fui para o quarto, onde a banheira já me esperava. Eu estava louco para ver Marina. Quando saí pela manhã ela ainda dormia, mas de maneira alguma eu me aproximaria dela coberto de cataplasma e baba de cavalo. Encontrei o traje de baile metodicamente esticado sobre a cama. Coisas de meu mordomo. Então não me demorei e em dois quartos de hora estava limpo, adequadamente vestido e morto de fome, mas antes precisava ver minha filha.

Encontrei-a na sala de música, em companhia de minha esposa. A porta estava entreaberta e ninguém percebeu minha chegada.

Meu coração deu um salto enquanto eu as observava. Sofia estava esparramada no tapete, as costas apoiadas no sofá, as saias erguidas até a altura das deliciosas coxas, os inseparáveis tênis vermelhos à mostra. A seu lado, a menina mais linda que qualquer um já viu montava um unicórnio colorido com toda a destreza e o conhecimento de seus dez meses de idade. O brinquedo moderno fora presente da fada madrinha de Sofia, assim como a dezena de chupetas que se espalhava pela casa. Um artefato praticamente milagroso, devo dizer, que tinha o poder de acalmar aquela bebezinha como quase nada mais conseguia. Ela escutava com muita atenção o que sua mãe dizia.

— ... especialmente porque baile é uma coisa muito esquisita — dizia Sofia. — E a princesa não se saía muito bem com as roupas bufantes e a parada de dançar quadrilha. É muito complicado. E meio bobo, na minha opinião. Mas não conta pra ninguém que eu disse isso!

Recostei-me no batente, curioso para descobrir como aquela história acabaria, mas os rápidos olhos castanhos de Marina captaram o movimento sutil. O sorriso que ela me exibiu — uma vastidão de gengivas rosadas, a inferior cingindo os dois únicos dentinhos brancos como pérolas — fez meu peito se aquecer. Aquele pedacinho de gente mal chegara ao mundo e já o modificara. Irreversivelmente.

Minhas noites já não eram minhas. Sofia e eu nos revezávamos na madrugada, e muitas vezes eu acabava adormecendo na poltrona ao lado do berço, com Marina ainda no colo. As refeições também haviam se tornado um espetáculo. Era costume por ali a criança comer na cozinha até ter idade suficiente para comparecer a jantares sem embaraçar os pais. Sofia não admitira tal coisa, porém. Dizia que nossa filha jamais aprenderia a se portar à mesa se não tivesse a oportunidade de observar como tudo funcionava. Fazia sentido, de alguma forma. Então agora as paredes da sala de jantar estavam decoradas com manchas de comida de cores variadas. Às vezes, Marina parecia ocupar todas as horas do dia, e eu *sempre* me cansava muito antes dela. Mas bastava ela sorrir, olhar para mim com tanta atenção que chegava a espantar ou molhar meu rosto com a baba de seus beijos descoordenados para que eu me sentisse absolutamente grato por estar tão exausto.

— Então a princesa passou o maior vexame no baile — continuou Sofia. — Porque acabou jogando comida naquela dona chique sem querer. Aí o príncipe tirou a princesa dali e...

— Papa! Papa!

Sofia acariciou os cachos negros que mal chegavam à altura do queixo de nossa filha, afastando os fios de seu rosto.

— Não vale tentar adivinhar o final!

— Papa. — Ela agarrou o pônei pela crina de lã e começou a pular, como se o galopasse. Foi a coisa mais encantadora que já vi.

Sofia suspirou.

— Tudo bem, o papai salvou a princesa. E depois disso eles abriram um negócio, fizeram protestos por toda a vila alertando sobre o perigo de usar a crinolina e viveram felizes para sempre.

— Não é exatamente assim que eu me lembro — falei, anunciando minha presença.

Sofia se virou de súbito, um sorriso brincando em seus lábios.

— Ah, eu não disse, Nina? Quando a gente deseja muito uma coisa, de todo o coração, ela realmente acontece.

— Papa! Papa! Papa! — Nina soltou o brinquedo e começou a engatinhar em minha direção.

Eu a peguei no colo e beijei suas bochechas. Ela tinha gosto de mingau de aveia. As manchas em seu vestido branco explicavam esse fato.

— E o que você desejava? — perguntei a Sofia, estendendo a mão para ajudá-la a se levantar.

— Você — ela disse simplesmente, fazendo meu peito inflar. Puxei-a para mais perto, beijando-a um pouco mais demoradamente do que pedia a etiqueta. — Mas, sabe, acho que vou desistir de contar histórias para ela. Não tem a menor graça. Ela sempre adivinha o final.

Dei risada.

— Como isso pode ser verdade, se tudo o que Marina aprendeu a falar até agora são algumas poucas sílabas sem sentido e *papa*?

— É que todas as minhas histórias têm você. Aí ela sempre adivinha. Tô começando a pensar em contar umas histórias sobre bolsa de valores, mercado financeiro e essas paradas, mas aí acho que ela não vai mais prestar atenção. Ninguém nunca presta.

Acabei me perdendo no meio de sua sentença. Isso acontecia com muita frequência, sobretudo quando ela se referia a seu antigo tempo.

— Dessa vez acredito que ela não tentou adivinhar o final, Sofia. Apenas me viu entrando. Não foi isso, meu amorzinho?

Minha filha arrulhou uma porção de *dás, blás* e *oites* que, estou certo, só podia significar algo como "o papai tem razão". Eu a acomodei melhor no braço. Minha garotinha estava ficando pesada.

— Já deu o presente da Elisa? — Sofia perguntou.

— Acabei de fazer isso. Ela gostou. Obrigado por me ajudar a escolher o colar.

— De nada. — Ela estendeu a mão e ajeitou o nó de minha gravata. — Ian, ainda não consegui decidir quem vai cuidar da Nina enquanto o baile estiver rolando. Quer me ajudar?

— Quem se prontificou?

— A senhora Moura, a Madalena, o seu Gomes, o Sebastião, o Isaac... Ah, e a sua tia.

— Qualquer um que não seja Cassandra está bom para mim. — Marina resmungou mais *dás, blás* e *oites*, concordando comigo. — Apenas se certifique de que nenhuma caixa com cristais esteja por perto.

— Rá-rá.

Marina enfiou a mão na boca e começou a chupar os dedos. Ouvimos uma batida na porta. Era a governanta.

— Senhora Clarke, o seu banho já está a sua espera — a senhora Madalena anunciou.

— Valeu, Madalena. — Ela ficou na ponta dos pés outra vez e enfiou o nariz no pescoço da filha, soprando com força. Marina se contorceu, rindo. — Se comporte. E não suje o papai.

— *Oite papa.*

— Te vejo daqui a pouco — Sofia me disse, colando a boca na minha por um breve instante. Brevíssimo, para o meu gosto.

Madalena, que desviara os olhos, mas ainda assim ficou com as faces ruborizadas, saiu do caminho para que a patroa passasse e então a acompanhou.

Eu me sentei no sofá e Marina rapidamente pulou do meu colo. Ajudei-a a ir para o chão e ela engatinhou para cima do cavalo de pelúcia, agarrando-o pela crina. Mas, em sua urgência de domar o brinquedo, acabou se desequilibrando e caiu sobre as fraldas.

Eu a apoiei para que o montasse novamente.

— Está bem. Receio ter chegado o momento de uma conversa séria.

Ela gritou, os grandes olhos presos aos meus.

— Ah, sim. Eu sabia que este momento chegaria, mais cedo ou mais tarde. E quero que preste bastante atenção, Marina. Isso é muito importante.

Sua resposta foi abaixar a cabeça e morder o chifre prateado do brinquedo. Lutei contra o riso.

— A primeira coisa que precisa saber sobre cavalos é que eles sentem o que você sente. Por isso a mamãe ainda não conseguiu montá-los. Ela os teme, e eles a ela. Dito isso, vamos começar pelo básico. Antes de mais nada, sempre verifique se o cavalo está em boas condições. Será mais fácil perceber se você o mantiver limpo, por isso é imprescindível escová-lo por inteiro, da crina à cauda, com frequência. — Apontei para as partes equivalentes no brinquedo. — E nunca se esqueça de limpar os cascos.

— *Pocó?*

— Sim. O pocó. O papai vai lhe ensinar tudo sobre os pocós. Mas acho que vou ter que esperar até que você aprenda algumas coisas antes. Andar, por exemplo.

Ainda era cedo para ter aquela conversa com ela, mas seu amor pelos equinos me enchia de orgulho. Não havia um único dia em que ela se afastasse de seu unicórnio colorido e, toda vez que me via sobre um cavalo, esperneava até terminar na sela comigo. Eu mal podia esperar para poder ensinar a ela tudo o que sabia. Não me importava nem um pouco que ela fosse uma menina. Era minha filha, uma Clarke, e o amor pela montaria corria em seu sangue.

Eu ainda me lembrava de quando meu pai teve uma conversa muito parecida comigo. Eu tinha uns quatro ou cinco anos e estava louco para estar por conta própria sobre o lombo de algum dos animais do estábulo. Qualquer um.

— Muito bem, Ian. Um cavaleiro aprende a cuidar de seu cavalo antes de aprender a guiá-lo. Acha que está pronto para a tarefa?

— Sim, senhor!

Ele me contou sobre a escovação, prestar atenção em inchaços e ferimentos, e me ensinou a selar o bicho.

— A manta é importante. Você não quer machucar seu cavalo. Ela precisa ficar bem esticada, e só então coloque a sela. A barrigueira o ajudará a encontrar o ponto exato para fixá-la. E lembre-se que alguns cavalos são tinhosos e estufam o peito quando a sela está sendo apertada, então espere um pouco e confira se está bem firme...

Ele me explicara tudo, toda a mecânica da coisa, para só então me permitir chegar perto de um de seus animais. Como era pequeno demais, eu não conseguia fazer todas as coisas sozinho, então ele me ajudou em tudo. Já era noite quando terminamos, e eu me sentia um homem de verdade, andando com o peito estufado. Meu pai riu segurando uma lanterna e verificou todas as baias antes de deixarmos o estábulo.

— Um homem jamais delega suas obrigações a terceiros. Os cavalos são meus. Cabe a mim verificar se está tudo em ordem no final de cada dia. E um dia essa responsabilidade será sua, Ian.

Perdi a conta de quantas vezes o acompanhei nessa tarefa.

— Pocó, pocó, pocó. — Marina empurrou o unicórnio em meu rosto.

— Entendi. Você não quer ouvir isso agora. Quer apenas montá-lo. Impaciente feito a sua mãe. Então vamos lá.

Coloquei-a na posição correta e, segurando-a com uma das mãos, fiz o unicórnio cavalgar pela sala toda. Marina gritou de prazer, e sua risada podia ser ouvida até a vila, disso eu tinha certeza. Eu me senti um maldito herói.

A senhora Madalena retornou e nos encontrou no chão meia hora depois.

— Senhor Clarke! O senhor não devia estar rolando no tapete! Sua roupa ficará cheia de pelos! Por Deus, não sei qual de vocês tem menos bom senso. O senhor ou a menina Marina.

Tive de reprimir uma risada.

— Um homem tem que ensinar sua filha a cavalgar seu unicórnio.

— Pocó! — Marina se desequilibrou do brinquedo e tombou sobre minha coxa. Eu a peguei e a acomodei no braço.

A senhora Madalena mordeu o lábio, reprimindo o riso.

— Me dê a menina, senhor Clarke. O senhor precisa se apressar. Está quase na hora.

— Sofia já está pronta?

— Está quase terminando de se arrumar. E a senhora Clarke me pediu para manter o senhor longe daquele quarto. Não que eu tenha entendido o motivo, mas cumprirei sua ordem à risca!

Engoli uma imprecação. Assistir a Sofia se arrumar era um espetáculo que eu odiava perder. Tinha algo de muito erótico em observá-la fazer a toalete, vestir cada uma das peças de roupa que eu tiraria mais tarde. E era muito, muito difícil mesmo ficar apenas assistindo, então o "mais tarde" se tornava "agora", e sempre acabávamos nos atrasando. Presumi que essa fosse a razão para que Sofia delegasse a Madalena a tarefa de me manter afastado de nosso quarto.

— Acho que pedirei ao senhor Gomes para escovar o seu paletó outra vez — Madalena prosseguiu, examinando-me com a boca apertada em reprovação.

— Não pode aparecer assim diante de seus convidados. O que vão pensar? Que não cuidamos do senhor como deveríamos?

— Humm... Eu mesmo faço isso. Tenho uma escova no escritório. O senhor Gomes já deve estar a postos na porta da sala. — Eu me levantei, levando Marina comigo, e lhe beijei a testa. — Até mais tarde, meu amorzinho. Tente não se meter em confusão, está bem?

Naturalmente, eu não sabia que tal conselho serviria para mim também.

4

A casa estava tomada. Todos os nossos conhecidos vieram comemorar o aniversário de Elisa. Até padre Antônio estava ali, mas manteve-se perto da mesa, repleta de todo tipo de guloseimas que Madalena conseguira preparar. Os cristais dançavam sob as chamas das velas no mesmo ritmo dos acordes do quarteto de cordas. O aroma de assado, ponche, charuto e perfume impregnava cada canto do salão.

Minha irmã estava radiante em seu vestido branco, falando com todos os convidados e rindo de algo espirituoso que alguém lhe dizia. Infelizmente, eu não era o único a observá-la. E não gostava nada da maneira como aqueles rapazotes olhavam para ela. Sobretudo o senhor Lucas Guimarães. O garoto era amigo de Júlio, sobrinho de meu bom amigo Almeida. Havia concluído seus estudos já tinha alguns meses e agora era um médico, à procura de pacientes na vila. O doutor Almeida o estava ajudando com isso. Não que eu tivesse algum problema com o rapaz. Ele era até agradável... quando não estava correndo atrás de minha irmã. O senhor Lucas a visitava com frequência, e descobri que enviava cartas para Elisa enquanto esteve fora. Eu queria socá-lo pelo atrevimento, naturalmente, mas havia prometido a Sofia que não faria isso. Então, tudo o que eu podia fazer era ficar carrancudo e observá-lo acompanhar minha irmã com os olhos, esperando o momento de se aproximar.

Eu não entendia como é que os pais suportavam aquilo. Quer dizer, Elisa era minha irmã e já era ruim o bastante e... meu bom Deus, em duas décadas seria a vez de Marina se tornar alvo de interesse dos rapazes!

Não, não, não. Minha filha não iria gostar daquela atenção. Eu estava certo de que Marina não teria qualquer interesse pelo sexo oposto antes de completar trinta... quarenta anos. Certamente quarenta.

Ora, mas que praga. Marina tinha o gênio da mãe. Faria o que lhe desse na telha.

Esfreguei a testa, ponderando se seria melhor comprar uma nova pistola ou se deveria voltar a praticar esgrima. Nunca me saí muito bem com o florete. Em contrapartida, tinha uma mira excepcional. Uma pistola de maior calibre seria o ideal...

O olhar de Elisa encontrou o meu do outro lado do salão. Ela abriu um sorriso que era puro contentamento. Teodora lhe disse alguma coisa, tocando a barriga proeminente, e minha irmã voltou a atenção para a amiga.

— Qual o motivo desta carranca, primo? — Thomas surgiu diante de mim, obstruindo minha visão. Tinha um prato muito bem abastecido em uma das mãos. — Agora que está casado, não há razão para não apreciar um baile.

Cocei a cabeça.

— Estava apenas refletindo sobre assuntos que, espero, levarão *muito* tempo para me perturbar.

— Um baile não é o melhor lugar para refletir sobre assuntos sérios. Aliás, ainda não descobri um bom lugar para fazer isso. — E levou um naco de assado à boca.

— Como está Teodora? — perguntei, querendo mudar de assunto.

— Se sentindo cansada, desajeitada e muito irritada comigo, embora eu desconheça o motivo.

Ah, eu me lembrava disso muito bem.

— Apenas seja paciente e nunca, nunca mesmo, diga a ela que está imensa. — Acabei sorrindo e inconscientemente levei a mão à cabeça, ao local exato onde Sofia me acertara com um livro. — Não entendo por quê, mas parece que mulheres grávidas não pensam que isso seja um elogio nem percebem o orgulho de um homem ao dizê-lo.

— E eu não sei? — Thomas se encolheu, esfregando o cotovelo nas costelas, como se lhe doessem. — Onde está sua esposa?

— Colocando Marina na cama. A senhora Madalena não conseguiu acalmá-la.

Ele deu risada.

— Marina jamais aceita ser ludibriada. Se quer uma coisa, ela a consegue, de um jeito ou de outro. É ainda mais pertinaz que sua esposa, primo. Uma Clarke, sem dúvida. Será divertido um dia ver os cavalheiros fazendo fila para cortejar uma jovem tão espirituosa.

Uma espingarda, decidi. Com toda certeza, eu compraria uma espingarda. E possivelmente uma pá.

— Ah, diabos — ele resmungou ao perceber que sua esposa o fitava do outro lado da sala com as sobrancelhas unidas. — É melhor eu ir descobrir por que a irritei agora.

Assenti uma vez.

Ele se virou para partir, deu dois passos, então se aproximou de novo.

— Quando é que elas voltam ao normal? Quanto tempo mais esse mau humor vai durar?

Tentei não rir.

— Ora, Thomas, há um bebê sendo gerado dentro dela. Seu corpo está criando uma nova pessoa, e tudo o que nós, maridos, fazemos é ficar olhando. Lidar com um pouco de mau humor me parece justo. Nos dá o que fazer.

Ele franziu o cenho.

— É... Acho que você tem razão.

— Além disso, depois do mau humor vem a choradeira, e isso, meu primo, é muito pior. Logo depois do parto, Sofia chorava porque o dia estava ensolarado. Se chovia, ela chorava porque sentia falta do sol. Se eu tentava animá-la, ela chorava porque não queria estar chorando. Se eu a deixava chorar, ela soluçava porque eu não a entendia. Foi assim por semanas.

— Se-semanas?! — Seus olhos quase saltaram das órbitas e caíram no prato que ele segurava.

— Três longas semanas que eu pensei que jamais chegariam ao fim. — Soltei um longo suspiro. — Então aproveite enquanto pode, Thomas. Você vai sentir falta do mau humor de Teodora. Eu prefiro que Sofia grite comigo, me acerte a cabeça com um livro, a vê-la chorar por cinco minutos que seja.

— Diabos, Ian! — Então ele saiu arrastando os pés em direção a sua mulher.

Elisa, que ainda estava ao lado da melhor amiga, apenas um ano mais velha, foi abordada por um cavalheiro.

Ora, mas que surpresa ver Lucas lhe pedir uma dança.

Elisa aceitou com um meneio de cabeça e ele lhe ofereceu o braço. E lá estava ele, guiando-a pela sala, olhando para minha irmã como se ela fosse... bem... o seu mundo.

Os dois se posicionaram ao lado de outros casais à espera de uma nova quadrilha.

— Você não deveria estar com essa cara. Lucas é um bom rapaz — o doutor Alberto Almeida disse ao se aproximar e parar ao meu lado, também observando os dois.

— É melhor que ele seja.

Meu amigo deu risada, oferecendo-me uma taça de vinho.

— Sossegue, meu caro. Sua irmã não é mais uma menina e sabe o que é melhor para ela. Não conheço nenhuma outra jovem tão ajuizada quanto a senhorita Elisa. E Lucas é... Bem, se eu e Letícia tivéssemos sido abençoados com um filho, eu ficaria muito satisfeito se fosse parecido com ele. É um ótimo rapaz, realmente brilhante, e será um grande médico um dia.

— Humm — foi tudo o que me ocorreu enquanto sorvia o vinho.

— É incrível olhar para sua irmã agora. Está cada dia mais parecida com Laura.

Voltei a admirar Elisa. De fato, não fosse pela cor dos cabelos, eu quase poderia ver minha mãe naquela sala. Ela teria adorado aquele baile. Diferentemente de meu pai, ela sempre gostou de festas, e foi assim que os bailes da família Clarke ganharam fama na região. Todos a amavam. Era educada e doce. Exceto quando me flagrava voltando do riacho.

Uma vez, eu tinha uns dez anos, meu pai viajou por alguns dias a fim de comprar uma nova matriz para o estábulo. Minha mãe sempre sentia sua falta e ficava andando pela casa aos suspiros. Aquilo me deixava maluco, então resolvi sair. Encontrei alguns garotos da vila no caminho e decidimos pescar no riacho perto de casa. A pescaria não rendeu muito — a menos que contássemos o sapo que consegui pegar —, e imagino que a culpa tenha sido nossa, já que entramos na água e demos início a uma guerra de lama.

O sol já estava baixo quando voltei para casa com o sapo no bolso e as roupas duras de lama. Naturalmente, esquivei-me das entradas principais, correndo para a lateral do edifício. O alçapão que havia na adega dava sobre a sala de música e tinha o tamanho exato para que eu pudesse passar por ele.

— Ora, mas vejam só — exclamou a voz de minha mãe assim que levantei a portinhola. Eu só podia ver seus sapatos e a barra de seu vestido amarelo. — Parece que temos um ratinho aqui.

Fugir estava fora de questão. Eu tinha dez anos, já cavalgava sozinho e até havia tomado pontos na cabeça uns meses antes. Era um homem! E homens não fogem da mãe.

Prendendo a respiração, saí de meu esconderijo, mas mantive o olhar no chão, onde os nacos de argila que se desprendiam de minha roupa caíam e explodiam, sujando o assoalho.

— Oh, Ian... — ela suspirou.

— Eu fui pescar com os garotos. — Cruzei as mãos nas costas.

— Estou vendo. Imagino que o peixe tenha lhe dado uma canseira danada e arrastado você pela margem do rio por muitos metros, para justificar toda esta imundície.

— Humm... Foi quase isso.

Ela estalou a língua.

— Quantas vezes eu já disse que não quero você naquele riacno, Ian? Há buracos profundos e raízes. Você pode enroscar o pé em uma delas e se afogar!

— Mas eu nado muito bem! O papai disse que eu sou quase um peixe.

— Um peixinho coberto de lama até a raiz dos cabelos. — Ela pegou minha mão e a examinou. — Vá para o banho e se livre de toda esta sujeira. Vou conferir suas orelhas e unhas mais tarde.

— Sim, senhora.

Fiz a volta, o olhar em minhas botas sujas, mas ela me impediu de ir para o quarto colocando um dedo sob meu queixo, obrigando-me a encontrar seu olhar azul. Seus cabelos pálidos estavam presos em um penteado repleto de caracóis.

— Prometa que não voltará ao riacho sozinho.

— Mas, mãe...

— Prometa, Ian.

— Está bem! Não voltarei lá sem uma babá!

Ela riu, fazendo aparecer duas covinhas em suas bochechas.

— Quando fica zangado assim, lembra-me tanto o seu pai. Ele tem essa mesma expressão quando eu o expulso do quarto por estar emporcalhando o piso. Parece que toda a areia do estábulo volta para casa com ele. Com vocês dois! — Ela observou o chão cheio de terra.

Acabei sorrindo, o peito estufado. Se havia alguém neste mundo a quem eu queria me assemelhar, esse homem era John Clarke.

Minha mãe depositou um beijo em minha testa.

— Vá se lavar.

Eu estava quase na porta quando ela disse:

— E livre-se do sapo que está no seu bolso antes que Madalena o veja e desmaie como da outra vez.

Resmungando, fui até o jardim e deixei o sapo sob uma das roseiras. Por um infortúnio do destino, Madalena escolheu justo aquela tarde para colher flores e fazer um novo arranjo para o quarto de minha mãe, já que esta fora acometida por uma de suas crises de enxaqueca. E foi uma infeliz coincidência que o sapo tenha gostado da governanta e pulado em suas saias. Naturalmente, ela desmaiou e eu tive de ajudar Gomes a carregá-la para dentro.

Era um milagre que Madalena ainda trabalhasse para mim.

— Onde está sua adorável esposa? — Almeida inquiriu, tirando-me do devaneio. — Não a vejo faz mais de um quarto de hora.

— Marina — eu disse apenas, fazendo-o rir outra vez.

Almeida tinha verdadeira afeição por Sofia. E seu fascínio ia muito além da descoberta de que Sofia tinha vindo do futuro. É claro que o cientista dentro dele ainda buscava respostas, tentava encaixar em uma lógica todos os fatos ilógicos acerca da viagem no tempo. Tivemos longas conversas sobre o tema desde que ele me informara que estava a par da verdade. O deslumbramento de Almeida por Sofia provinha, antes, da admiração por seu caráter firme, por sua mente ímpar.

— É espantoso quanto sua filha e sua esposa se assemelham, Ian. Nunca vi dois gênios tão idênticos.

— Sim, e isso é extraordinário. Na maior parte do tempo, pelo menos. — Tomei um bom gole de vinho. — Quando Sofia teima com alguma coisa, é difícil demovê-la de tal ideia. Eu diria impossível, Almeida. E, se continuar assim, Marina será ainda pior. Não sei se estou pronto para lidar com duas.

Ele escondeu o riso atrás da taça, antes de esvaziá-la. Quando voltou a falar, estava sério.

— Espero que nenhuma das duas precise de meus cuidados enquanto eu estiver fora. Vou acompanhar Júlio até a casa de meu irmão. Faz tempo que não o visito. Devo retornar dentro de uma semana, mas deixarei Lucas encarregado de meu consultório.

Eu o fitei com divertimento.

— Naturalmente, isso nada tem a ver com o fato de seu pupilo não estar conseguindo conquistar a confiança dos pacientes com o senhor por perto.

— Naturalmente. — Ele sorriu de volta.

Uma comoção na porta da frente capturou minha atenção. Parada sob o batente, vestida de negro da cabeça aos pés, estava a viúva Miranda Mendoza. A mulher se mudara havia pouco de uma pequena província na Argentina para a vila, mas já causara grande estardalhaço. Sua beleza atraía a maioria dos homens, inclusive os casados. Corria à boca pequena que ela procurava um novo marido, pois o falecido lhe deixara apenas dívidas de jogo. No entanto, a história que se comentava nos recantos frequentados apenas pelos cavalheiros era outra. Ao que parecia, os problemas financeiros já não preocupavam a viúva, pois o senhor Albuquerque, um de meus vizinhos mais antigos, cuidara de tudo.

— Imagino que sua irmã não tenha ouvido os boatos quando convidou a senhora Mendoza para o baile — comentou Almeida.

— Sinceramente, espero que não, Alberto. Deve tê-la convidado por educação, sem saber a posição em que colocou a mãe de uma de suas mais queridas amigas. Presumo que eu deveria ter alertado Elisa, mas como tocar nesse assunto com uma menina?

— Compreendo, meu amigo.

A senhora Albuquerque, do outro lado do salão, observava com uma fúria desmedida a recém-chegada receber a atenção de diversos cavalheiros. Seu marido também mantinha o olhar na jovem viúva, e pouco fazia para ocultar seu deslumbramento.

Peguei o relógio no bolso do meu paletó e olhei para o mostrador. Já fazia mais de meia hora que Sofia fora colocar Marina para dormir.

— Com licença, doutor. Vou verificar se está tudo bem com Marina.

Ele aquiesceu e eu me retirei da sala discretamente. No corredor, encontrei alguns empregados alvoroçados pelo caminho, mas passaram por mim quase sem me notar. A música ecoava por toda a casa, abafando os sons de meus passos.

Ao chegar ao quarto de nossa filha, conjugado ao nosso, notei a porta entreaberta e toquei a maçaneta, empurrando-a ligeiramente.

O quarto que inicialmente fora destinado a mim tão logo me casei — e Sofia se opôs veementemente à ideia — tinha sido redecorado. O papel de parede agora trazia delicados buquês em pálidos tons de rosa, e a colcha sobre a cama estreita recostada à parede tinha a mesma estampa. As cortinas combinavam com o dossel sobre o berço, no mesmo rosa suave das rendas que saíam por debaixo do colchão. Uma poltrona dourada fora disposta entre o berço e a cômoda de laca branca.

Sofia estava no centro do aposento, as saias de seu vestido azul-escuro chiando de encontro ao piso conforme ela embalava nossa filha.

— *Não sei quanto o mundo é bom, mas ele está melhor desde que você chegou e explicou o mundo pra mim* — cantarolava. — *Não sei se esse mundo está são, mas pro mundo que eu vim já não era. Meu mundo não teria razão se não fosse a Marina...*

Marina amava aquela canção. Sofia tinha me contado que era criação de um famoso músico de seu antigo tempo, e me ensinara a letra, substituindo o nome da filha do compositor pelo da nossa. Até mesmo Elisa a aprendera. Tudo para fazer Marina dormir com mais facilidade. Fazia pouco tempo que ela finalmente se rendera ao sono durante a noite, em parte graças à descoberta de Sofia por seu gosto musical, em parte pelas dezenas de chupetas.

Entrei e fechei a porta sem fazer barulho. Sofia ergueu os olhos e sorriu. Aproximei-me dela, abraçando-a por trás, deixando a cabeça pender sobre seus cabelos perfumados, presos em um coque frouxo que lhe caía tão bem. Dessa posição pude acompanhar a luta da menininha contra o cansaço. Suas piscadas eram pesadas e desfocadas, mas ela tentava bravamente se manter acordada. O movimento da chupeta continuava frenético.

Começamos a balançar devagar, uma dança marcada pelo cantarolar de Sofia. Não levou muito tempo para que minha menininha se rendesse. Minha esposa deixou a voz morrer pouco a pouco, mas continuamos a dançar. Os olhos de Marina permaneceram fechados, a chupeta amarela se movia para a frente e para trás em uma cadência suave agora. Soltei Sofia e a ajudei a colocar Marina no berço. Então ficamos ali, lado a lado, admirando nossa obra-prima. Passei um braço por sua cintura, trazendo-a para mais perto. Permanecemos assim até que Madalena bateu à porta de leve. Ela ficaria velando o sono de Marina, pois temia que a algazarra do baile pudesse acordá-la.

Sofia e eu deixamos o quarto na pontinha dos pés. Já no corredor, ela levou a mão à nuca, massageando-a.

— Essa correria do baile quase me deixa louca. Não sei como as pessoas daqui suportam isso várias vezes ao ano.

Eu me coloquei a suas costas e levei as mãos a seu pescoço, fazendo movimentos circulares com os polegares.

— Ah, meu Deus, isso é o céu, Ian — ela gemeu, tombando a cabeça para o lado.

— Você está sobrecarregada. Precisa de descanso. O que acha de retomarmos nosso plano de uma lua de mel?

Sofia se virou, os olhos muito abertos.

— Você tá falando sério?

Logo após o casamento — e foi logo após mesmo —, fui informado sobre uma suposta maldição que estava matando as jovens recém-casadas. Na época, pareceu-me lógico adiar a viagem. Depois, quando tudo foi explicado e ficamos livres para ir aonde quiséssemos, Marina aconteceu, e mais uma vez a viagem foi adiada.

— Por que não? Acho que posso me ausentar por uma semana. Creio que você também consiga ficar longe da sua fábrica por uns dias. E Marina pode ficar aos cuidados de Madalena e Elisa. Ela está maior agora — fui logo me apressando em dizer, pois no último outono, na noite de nosso primeiro aniversário de casamento, eu tinha levado Sofia para a cidade, onde jantamos e depois assistimos a um concerto. Nós dois estávamos exaustos da rotina de fraldas, mamadeiras e privação de sono, e aquela distração foi mais que bem-vinda. Porém, como eu havia suspeitado, Sofia não conseguira se desligar totalmente de Marina e temia que a pequena fosse precisar dela.

— Ela está bem — eu dissera ao perceber que o segundo ato começava e Sofia ainda não tinha conseguido prestar atenção em absolutamente nada. — A senhora Madalena ajudou minha mãe quando eu e Elisa nascemos. Ela sabe lidar com crianças.

— Eu sei disso, ou jamais teria deixado nossa filha com ela. Mas é a primeira vez que a deixamos com alguém e... E se a Nina...

— O quê? — Um sorriso de diversão me curvou a boca. — O que uma bebezinha de quatro meses pode fazer além de chorar, encher as fraldas e mamar?

Sofia soltou um longo suspiro.

— Eu sei, eu sei. Só... estou um pouco insegura. E... sentindo muita saudade dela.

— É por isso que eu lhe comprei isto. — Alcancei o colar no bolso do meu paletó e o depositei em sua palma enluvada.

Ela examinou o relicário que pendia da corrente e teve de aproximá-lo do rosto, pois as tochas do camarote não forneciam muita luminosidade. Ao abri-lo, Sofia se surpreendeu ao ver em seu interior um retrato minúsculo de Marina.

— Foi você quem pintou isto?

Fiz que sim, sem jeito.

— Mas não sou bom com miniaturas. Podemos falar com um especialista ou...

— Não! Eu amei, Ian! É tão ela! Os olhinhos brilham! Obrigada! — E me agarrou pelo pescoço, colando a boca na minha. Quando se afastou, foi para girar na cadeira e me oferecer seu lindo pescoço. Alguns vizinhos de balcão nos lançaram olhares reprovadores, mas Sofia não percebeu e eu não me importei. Tudo o que eu queria era vê-la feliz, e, se me beijar em público a deixava feliz, não seria eu a impedi-la.

Prendi o novo cordão ao redor de seu delicado pescoço, demorando-me um pouco mais que o necessário, pois meus dedos se recusavam a parar de tocá-la.

Ela virou a cabeça, os olhos subitamente inflamados. Uma espécie de antecipação vibrou abaixo de meu umbigo. Deus do céu, como aquele maldito espetáculo custou a terminar. Deixamos o teatro antes de as cortinas se fecharem por completo e voamos para o hotel. Nunca duas quadras me pareceram tão distantes. Mas valeu a pena. Assim que nos vimos na privacidade do quarto, todo o acúmulo de desejo refreado pela interrupção de uma bebezinha exigente veio à tona, e a noite de amor se prolongou até a tarde seguinte.

Eu queria aquilo de novo, por isso a ideia de enfim termos uma lua de mel me parecia mais e mais tentadora.

— Você tá me dizendo que a gente finalmente pode ter uma lua de mel de verdade? Mesmo que seja curta? — Sofia não sabia se ria ou se ficava surpresa.

— Estou. Uma lua de mel sem interrupções. Sem empregados aparecendo do nada, sem problemas a serem resolvidos, parentes intrometidos ou bebezinhas exigentes que gostam de dormir no colo da mamãe ou do papai. Eu amo nossa garotinha mais que qualquer coisa neste mundo, Sofia. Ela tem meu coração em suas mãozinhas. Mas também amo você, e sinto falta de tê-la apenas para mim, mesmo que por uns poucos dias.

Sua resposta foi me empurrar de encontro à parede e enredar os dedos nas lapelas do meu paletó, o rosto muito próximo do meu.

— Também sinto falta de ter você só pra mim. — Seu olhar era puro fogo agora.

— Diga-me para onde deseja ir e eu a levarei. — Foi inevitável minhas mãos buscarem suas costas, sua cintura.

— Me leve pra onde você qui... — Ela espirrou. — Ah, saco. Só falta ter pegado a gripe da senhora Herbert.

— Está se sentindo bem?

— Não — respondeu Sofia. Abri a boca, subitamente preocupado, mas ela me impediu de perguntar qualquer coisa ao pousar um dedo sobre meus lábios. — Antes que você pire, eu estava só brincando! As pessoas vivem espirrando, Ian. E agora, voltando ao assunto, tudo aqui é diferente pra mim, então qualquer lugar será ótimo. Se eu conhecesse melhor a região, até arriscaria te raptar. Se estivéssemos no meu... — Ela se deteve, então sacudiu a cabeça, a mão em meu rosto escorregando para o meu peito.

— No seu tempo — completei em voz baixa, colocando no lugar alguns fios que escaparam de seu penteado. — Não precisa fingir que não sente falta, Sofia. Você sabe que eu sei que sente.

— Mas eu não sinto, Ian. — Ela deslizou os dedos por meus ombros e os prendeu em minha nuca, fitando-me com franqueza.

— Mas...? — insisti.

— Por que você acha que tem um *mas*?

— Tem?

Ela se encolheu de leve.

— As cartas que eu escrevo para Nina ajudam muito. Mas ainda fico imaginando o que estará acontecendo com ela, se está bem, se o Rafa aprontou alguma e está fazendo minha amiga sofrer. Eu queria ter alguma notícia deles. Só isso.

E eu queria que ela pudesse ter tais notícias. Sofia tinha deixado muito para trás. E tentava bravamente se adaptar ao meu mundo, enquanto a mim coube apenas a fácil tarefa de amá-la. Não me parecia justo.

Um estrondo ribombou pela casa. Sofia se assustou. Minha primeira reação foi espiar dentro do quarto. Madalena estava sentada ao lado do berço, bordando. Marina dormia.

— Acho melhor voltarmos pra festa — disse Sofia. — Sua irmã vai ficar preocupada.

— Vamos. Mas, meu amor, você sabe que se eu pudesse moveria céus e terra para lhe trazer notícias dos amigos que deixou, não sabe?

— Eu sei. E essa é uma das razões pelas quais eu te amo tanto. — Sofia alisou as saias de cetim. — Como é que eu estou?

Examinei sua figura. O vestido azul tinha um decote amplo que ia de um ombro a outro, arrematado por pequenas mangas. O corpete se moldava a suas curvas de tal maneira que me perguntei se madame Georgette antecipara a bela visão que me proporcionaria. Três tranças delicadas finalizavam seu penteado despojado, alguns fios lhe caindo ao redor do rosto. Eu não precisava ver seus pés para saber o que ela calçava.

— Está tão linda que não tenho vontade alguma de levá-la para aquela sala e permitir que outro homem coloque os olhos em você.

Ela sorriu, radiante, levando a mão ao pescoço. Longo e fino, com aquela curva tentadora que fazia meus pensamentos se embaralharem. Seus dedos resvalaram na ponta de sua orelha nua.

— Ah, droga, esqueci os brincos! Elisa insistiu que eu deveria usá-los para não fazer feio.

— Isso seria impossível, Sofia. — Aproximei-me dela e abaixei a cabeça, beijando o local exato onde sua mão estivera. — Você é tão bonita que deixaria envergonhado até o mais vistoso diamante.

— Ian...

— Sim? — Seu aroma era doce como uma manhã de primavera. Tão deliciosamente doce que não resisti e corri a língua por sua pele.

— O baile... — Suas mãos se prenderam em meus ombros. E não foi para me repelir.

— O que tem ele? — Continuei explorando a pele delicada com a ponta da língua.

Ela se agarrou a meu paletó, a cabeça inclinada para o lado, permitindo-me ir mais além. E eu teria ido, se a voz irritante — e muito inoportuna — de minha tia não me tivesse impedido. A mulher parecia estar sempre à espera do momento mais inconveniente para dar o ar da graça. Eu me perguntei como Thomas tinha conseguido engravidar Teodora tendo a mãe por perto.

Sofia levou um pouco mais de tempo para perceber a intromissão, e pareceu confusa ao se deparar com a figura de Cassandra nos observando de cara fechada.

— Eu devia ter imaginado que ela o distraía — a mulher me disse. — Senhora Clarke, não acredito que julgue adequado sair de fininho do baile em que é a anfitriã.

— Só vim colocar Marina na cama.

— Um dos criados podia ter feito isso. — Cassandra abanou o leque em frente ao rosto.

— Até podia, mas prefiro que seja eu a fazer isso.

— Há uma boa razão para a senhora vir procurar minha esposa? — atalhei, antes que aquela conversa acordasse Marina, a uma porta de distância.

— Ora, Ian, é claro que um bom motivo me trouxe aqui. Alguém precisa fazer alguma coisa ou Elisa terminará esta noite arruinada! Está dançando pela segunda vez com aquele aprendiz de curandeiro! A menina perdeu o juízo! Se ela dançar mais uma quadrilha com ele, amanhã todos estarão dando o noivado como certo!

Sofia me olhou, atônita. Ela ainda se chocava com algumas formalidades deste século. Assenti uma vez, para lhe assegurar que minha tia não havia perdido o juízo.

— Bom, então tá. — Sofia ergueu os ombros. — Vou falar com a Elisa e proibi-la de dançar com o Lucas de novo, porque... Por que mesmo? — Ela me encarou.

— Seria um escândalo se Lucas não pedisse sua mão depois de dançar três quadrilhas consecutivas. Ela viraria motivo de chacota. Vou falar com ela.

— Não! — Sofia se colocou na minha frente, impedindo que eu avançasse. — Isso a deixaria muito envergonhada e acabaria com a diversão dela. Deixa que eu faço isso, Ian. Vou falar com jeitinho.

Sofia provavelmente estava certa. Então, mesmo a contragosto, acabei assentindo.

— Eu só preciso pegar os brincos antes — explicou ela.

— Eu pego para você. — Se Elisa pretendia aceitar uma terceira dança, Sofia tinha de falar com ela antes disso.

— Tudo bem. — Ela se agarrou às lapelas do meu paletó outra vez. — Até já. — E me beijou antes de sair correndo, o vestido erguido até os joelhos, exibindo os tênis vermelhos que ela tanto amava. Foi impossível não sorrir.

— Até que ela não é de todo ruim... — Cassandra também observava Sofia. — É como um diamante bruto. Talvez com alguma lapidação...

Olhei fixo para ela.

— Ela é perfeita como é. Fique longe dela. Com sua licença, senhora.

— Ian, meu querido, espere. — Ela tocou meu braço, obrigando-me a parar. — Até quando pretende me tratar com tanta desconfiança? Já lhe disse muitas vezes que me arrependi do que fiz. Elisa já me perdoou. Até sua esposa me perdoou!

— Ambas têm a memória curta e um coração bom demais para seu próprio bem.

— Teodora logo dará à luz — ela murmurou. — E gostaria muito de ter a amiga por perto. Se você permitir, eu gostaria que Elisa passasse uma temporada conosco até o bebê nascer.

— A senhora tem um senso de humor muito peculiar.

— Seja racional, Ian. O que eu poderia fazer? Thomas está casado. Não há mais nada a ser feito a não ser lamentar.

Balancei a cabeça.

— Não impedirei que Elisa visite a amiga sempre que quiser, mas isso é tudo. — Eu não confiava naquela mulher, e jamais poria minha irmã em risco outra vez por mero descuido. Apesar de suas vãs tentativas de se reaproximar de mim, Cassandra estava conseguindo se acercar de Sofia, mas nem sempre conseguia esconder sua insatisfação com algumas das atitudes de minha mulher. Não era tão descabido assim pensar que ela estivesse maquinando algum plano para afastar Elisa da influência de Sofia, para então assumir sua educação.

Fiz uma curta reverência e entrei em meu quarto. Andei até a cômoda e abri a primeira gaveta, procurando pela caixa de joias de Sofia.

Um barulho sutil, quase um lamento, fez meu coração disparar. Eu tinha ouvido aquele som apenas uma vez na vida, mas jamais o havia esquecido nem haveria de esquecer. Ele precedera o pior pesadelo de minha vida: o dia em que Sofia desaparecera no ar.

Virei a cabeça, vasculhando o quarto, as mãos subitamente trêmulas. Uma dor apunhalou meu peito quando encontrei a fonte do ruído. Sobre a mesa de cabeceira de Sofia, o retângulo prateado que a trouxera para mim cintilava como uma estrela.

5

Desde que Sofia tinha retornado, eu me sentia tão feliz que às vezes temia estar infringindo alguma lei. A felicidade era tanta e tão plena que eu me via constantemente ansioso, esperando algo ruim acontecer. E, olhando agora para aquela maldita máquina, tive certeza de que meus sentidos estiveram certos.

Apesar de tê-la visto apenas uma vez, eu jamais a esqueceria. Ela me trouxera Sofia, e por isso eu era e sempre lhe seria muito grato. Mas ela também a tirou de mim uma vez. Eu nunca poderia apagar a lembrança de Sofia se dissolvendo em pleno ar. E ali estava aquela coisa outra vez, disfarçando sua perversidade com uma profusão de cores brilhantes. Eu não conseguia me mover. Nada respondia ao comando de meu cérebro, que gritava para que eu jogasse minha esposa e minha filha no lombo de um cavalo e fugisse para longe o mais rápido possível.

O tal celular tinha retornado. E o motivo não podia ser bom.

Ou será que ele estivera ali o tempo todo?, perguntei-me. Até onde eu sabia, Sofia regressara sem ele. Será que ela o tinha guardado para o caso de se arrepender de sua decisão e não encontrara uma maneira de me dizer isso? E, se ela o mantivera esse tempo todo, seria possível que ainda tivesse alguma dúvida?

O mundo no qual ela nascera era diferente demais daquele em que vivíamos, de um modo que eu não podia compreender, não conseguia. Porém eu não era tolo e sabia que ela sentia falta de muita coisa que tinha deixado para trás.

Não, não podia ser. Se ela soubesse da existência daquela coisa eu teria percebido, tentei me convencer. Ela nunca tinha sido boa em esconder seus sentimentos. Além disso, ela jamais deixaria a máquina tão à vista.

A coisa continuou convulsionando. Lentamente me aproximei. Pude ler as palavras "nova mensagem" em meio ao brilho. Foi exatamente assim que aconteceu naquele dia, um pouco antes de ela desaparecer.

Minha mão tremia quando eu o peguei, tomando cuidado para não fazer besteira. Sofia saberia lidar com ele, e no entanto...

No entanto, eu não permitiria que ela se aproximasse dele outra vez.

Coloquei o objeto no bolso do paletó e saí do quarto a passadas largas, sem saber para onde ir. Acabei em meu escritório. Parecia um bom lugar para escondê-lo, já que Sofia raramente mexia em meus documentos.

Abri a gaveta da mesa com dedos frouxos e deslizei o celular para dentro. Ele ainda gemia quando passei a chave, trancando-o ali dentro. Afastei-me um passo, a respiração curta, e fiquei observando a gaveta, ouvindo o ruído provocado pela colisão do que quer que aquilo fosse feito e a madeira, rezando para que parasse logo.

Levou um tempo, mas finalmente o barulho cessou.

Deixei-me cair na cadeira. Sofia havia garantido que seu retorno era permanente. Então, por que diabos aquele maldito celular estava em nosso quarto? Qual a mensagem que ele lhe trazia dessa vez?

Eu não fazia ideia, só sabia que não poderia ser notícia boa. Por tudo o que Sofia tinha me contado, a única função daquela máquina era viajar no tempo. E Sofia não iria a parte alguma, mesmo que desejasse...

Por todos os demônios! Eu não podia obrigá-la a viver onde não desejava, forçá-la a uma vida que não lhe faria feliz. Isso faria de mim um tirano, e Sofia jamais me perdoaria por lhe tolher o direito de escolha. Eu sabia muito bem disso. Assim como também sabia que nada nem ninguém me faria arriscar perdê-la novamente.

— Que inferno!

Estendi o braço e alcancei a garrafa sobre a mesa, servindo-me de um pouco de conhaque. Virei a bebida em um só gole, o líquido abrasador incinerando todo o caminho até o estômago.

Ela estava feliz, não estava? Eu não poderia estar enganado quanto a isso. Sofia reluzia de contentamento, estava mais serena e à vontade agora, naquele século. Havia pouco me dissera que estava feliz. Então, agora o quê? O que eu deveria fazer? Eu havia prometido que jamais lhe esconderia coisa alguma, mas estava fora de questão permitir que ela chegasse perto da maldita máquina outra vez.

Esfreguei o rosto com força, praguejando, um nó revirando meu estômago. Deixei a cabeça tombar de encontro ao espaldar da cadeira, fitando as vigas escuras que sustentavam o telhado.

Ora, mas que diabos. Esse era um assunto que eu não podia esconder dela. Então me obriguei a ficar de pé e sair daquele escritório, arrastando minha carcaça pelo corredor, sentindo-me meio morto por dentro.

* * *

— Senhor Clarke, os bailes em sua propriedade são sempre os mais animados da região! — disse a senhora Moura, interpondo-se em meu caminho. — Sua esposa se saiu maravilhosamente bem!

— Direi a ela que a senhora apreciou seus esforços. Por acaso a viu, senhora Moura? Preciso falar com ela.

— Ela estava aqui ainda há pouco. Acho que a vi tomar o caminho para o jardim. — E apontou com a xícara de ponche para a entrada da casa.

— Com sua licença.

Enquanto eu atravessava o salão e desviava de qualquer coisa que pudesse me deter, tentava encontrar as palavras certas para contar a Sofia sobre o retorno do celular e ao mesmo tempo mantê-la longe dele. Eu precisaria de um milagre.

Tochas estavam espalhadas pelo jardim, e alguns casais passeavam por ali sem pressa. Apesar da parca iluminação, não foi tão difícil localizar o vulto azul desacompanhado. Ela estava perto do canteiro de rosas vermelhas, olhando em volta, como se procurasse alguma coisa ou alguém. Estava tão absorta que não percebeu que eu me aproximava.

— Sofia, o que faz aqui?

Ela deixou escapar um gritinho, virando-se rapidamente. Suas saias ficaram presas nos espinhos das roseiras.

— Ian! Hã... Eu estava... hummm.... — Ela puxou o tecido. A planta se sacudiu. Algumas pétalas se desprenderam das flores, rodopiando no ar, como se dançassem. — Que saco!

Seu estado de perturbação me deixou em alerta.

— Permita-me. — Abaixei-me e libertei o tecido das garras da planta, tomando cuidado para não rasgar seu bonito vestido. Retirei algumas folhas que se prenderam a suas saias antes de me levantar.

— Valeu, Ian.

— É sempre um prazer lhe ser útil. O que fazia aqui? O que estava procurando?

— Ninguém! Quer dizer, nada — ela disse depressa. Depressa demais para que eu acreditasse. — Só vim... humm... respirar um pouco. Lá dentro está muito quente!

Assenti uma vez, tentando entender até onde ela iria com aquilo. Tudo bem, eu também ganhava um pouco mais de tempo, já que ainda não tinha pensado em como lhe contar que meu pior pesadelo estava trancafiado na gaveta da mesa do escritório naquele exato instante.

— Vamos andar um pouco, então. — Eu lhe ofereci o braço.

— Não! — Suas mãos espalmaram meu peito. — Quer dizer... Caramba, de repente fiquei morta de sede. Vamos pegar alguma coisa pra beber?

Que ela queria desesperadamente me manter afastado do jardim, estava claro. O porquê disso é que me preocupava.

Não levei muito tempo, porém, tentando decifrar seus atos.

Uma risadinha ecoou ali perto. Avistei Suellen e Najla, duas amigas da Elisa, cochichando em meio ao riso. As duas mantinham os olhos no outro lado do jardim. Eu procurei o que as divertia tanto. Ali, em meio às sombras e muito distante dos demais casais, encontrei Elisa.

Aos beijos com o maldito Lucas!

— Filho da...

— Ah, droga! Ian, não! — Sofia tentou me deter, mas eu me livrei de suas mãos com facilidade. Ela tentou me acompanhar. — Ian, espera! Você não pode...

— Aquele maldito patife é que não pode, Sofia!

— Ele não é um patife! Só está apaixonado!

— E está também com a língua dentro da boca da minha irmã! — acabei gritando.

Minha voz deve ter chegado até os ouvidos do par, pois Elisa se desvencilhou dos braços ansiosos do rapaz e pulou um metro longe. Ela logo me viu e levou a mão ao rosto afogueado. Lucas também tinha as faces coradas, mas eu duvidava que fosse por constrangimento.

— Senhor Clarke, eu posso explicar... — ele disse quando eu estava perto o bastante.

— Duvido que possa — rosnei, pegando-o pelo pescoço.

— Ian, solte-o! — Elisa começou a socar minhas costas.

— Para, Ian. Isso não é jeito de resolver as coisas! — Sofia tentou argumentar.

Mas não havia argumentos que me fizessem desistir da ideia de matar aquele sujeito.

— Como se atreve? Como ousa colocar a reputação de Elisa em risco? E em sua própria casa! — Meus dedos se fecharam ao redor de seu pescoço como um torniquete.

— Não era... minha... intenção — ele murmurou com dificuldade, o rosto adquirindo um tom azulado.

— Sei muito bem qual era a sua intenção ao trazer Elisa aqui para fora.

— Ele não me trouxe aqui. Eu é que sugeri um passeio — Elisa interveio, piorando tudo. — Posso decidir o que farei da minha vida e com quem! Agora solte-o, já!

— Ian! Ai, meu Deus, largue ele! Vai machucá-lo de verdade! — Sofia puxava meu braço enquanto minha irmã continuava me socando.

— Não até que ele tome uma decisão, Sofia. — E só havia duas escolhas para Lucas: casar-se com Elisa e livrá-la de um escândalo ou me enfrentar em um duelo ao amanhecer.

Ele foi inteligente o bastante para optar pela alternativa que o manteria vivo.

— Eu me caso... com... Elisa — arfou.

— Não! — gritou minha irmã.

Eu o encarei, observando sua cor mudar do azul para o púrpura. Afrouxei um pouco os dedos.

— Eu me caso com Elisa — repetiu, com um pouco mais de convicção.

— Não! — Elisa escondeu o rosto nas mãos.

Soltei Lucas, que se dobrou, apoiando as mãos nos joelhos para ganhar equilíbrio, lutando por ar.

— Terminei o curso de medicina — ele disse, ainda curvado. — Levará um tempo para que eu possa me estabelecer e ter uma renda aceitável com a profissão, mas tenho lucros muito bons com as terras da família. Em torno de cinco mil ao ano.

— Terá que ser o suficiente por ora.

— Eu não quero nada disso! — Minha irmã ergueu a cabeça e me fitou, o rosto brilhando de raiva.

Devolvi o mesmo olhar furioso a ela.

— Se não queria, então não deveria ter vindo até aqui para ficar se enroscando com esse sujeitinho.

— Ian! — Sofia censurou.

Eu me virei para ela.

— Você sabia que eles estavam aqui?

— É claro que não! Até eu sei que Elisa se meteria em problemas se viesse pro escurinho com um cara. Quando eu cheguei na sala, eles já tinham sumido. Eu estava procurando por eles quando você me encontrou.

Assenti uma vez. E então notei a pequena multidão que observava a cena poucos metros adiante. Engoli uma imprecação. Na manhã seguinte, Elisa seria motivo de mexericos por toda a região. Tudo o que eu podia fazer agora era minimizar o dano.

— Bem, é melhor entrarmos — falei. — Parece que um noivado precisa ser anunciado.

— Não faça isso, Ian. — A voz de Elisa estava trêmula quando ela apoiou as mãos em meu peito, o olhar desesperado. — Por favor, meu irmão, não faça isso.

Trinquei os dentes.

— Você não me deixou escolha, Elisa.

Um soluço lhe escapou da garganta, então ela se virou e, desviando da multidão, suspendeu um dos lados da saia e correu para casa.

— Elisa! — Sofia disparou atrás dela.

A multidão logo se apressou em acompanhá-las, então ficamos Lucas e eu para trás, observando as duas contornarem a construção e entrarem pelos fundos. O que tinha acontecido com aquela menina?

— Pensei que ela gostasse de você — comentei.

— Eu também. — O rapaz a meu lado manteve o rosto impassível enquanto ajeitava as roupas, mas uma pontada de decepção se espreitou em seu olhar.

— Vamos. Tenho de salvar a reputação de minha irmã. E trate de parecer contente.

Ele concordou com a cabeça, mas não pude deixar de notar, enquanto voltávamos para dentro da casa, que ele parecia tudo menos contente.

Aquele rapaz fizera a corte a Elisa no último ano sem lhe dar trégua. E minha irmã, por sua vez, não só aceitou seus avanços como aparentemente lhe dera abertura para que o que eu tinha acabado de presenciar acontecesse. E agora nenhum dos dois estava feliz com o resultado. Que diabos. O que estava havendo?

* * *

Assim que voltamos para o salão, dezenas de cabeças se voltaram em nossa direção. Maldição. A fofoca se alastrava mais rápido do que eu podia dizer "ferradura".

— Espere aqui — ordenei a Lucas, saindo para procurar Elisa e acabar logo com aquilo, antes que fosse tarde demais.

Não tive de ir muito longe, no entanto. Quase atropelei Sofia ao passar pelo batente que separava o salão do corredor.

— Perdoe-me — eu disse a ela, desalojando-a de meu peito.

Ela ergueu a cabeça e sorriu de leve.

— Não foi nada.

Minha irmã tinha o rosto seco, mas seus olhos azuis estavam brilhantes e ligeiramente inchados. Ela havia chorado.

— Elisa...

— Não fale comigo! — Ela passou por mim com o queixo empinado, tal qual uma rainha.

Esfreguei a nuca, que subitamente me doeu.

— O que deu nela?

Sofia fez uma careta.

— Bom, basicamente, Elisa não gostou nada que você tenha forçado o Lucas a pedir a mão dela.

— O que ela esperava que eu fizesse depois de ter se colocado naquela situação? O que mais eu poderia ter feito, Sofia? Olhe para estas pessoas. — Apontei para a sala. Agora que Elisa havia voltado, o burburinho era ainda pior. — Repare em como estão olhando para minha irmã neste instante.

— Mas ela só beijou um cara!

Corri a mão pelos cabelos, exausto.

— Eles não sabem disso. Ninguém pode garantir que nenhum mal foi feito. E você acha que ela terá qualquer chance de absolvição? Que vão perdoar sua indiscrição? Pois eu lhe digo: não vão. Se Lucas não oficializar o noivado, amanhã minha irmã será motivo de chacota e vítima de outros adjetivos que prefiro não mencionar em sua presença. Não me peça para aceitar isso.

Ela balançou a cabeça.

— Eu nunca pediria. — Sofia pegou meu braço. — E eu entendo tudo o que vai acontecer com ela se não se casar. Será um escândalo, ninguém mais vai tratá-la com respeito, ela será rejeitada e nunca mais participará de nada que envolva a sociedade. Eu entendo, sério. Mas é que... Elisa é tão novinha, Ian. Sei que nessa época é comum meninas se casarem, mas... sei lá, pra mim é um absurdo. Elas nem sabem o que querem da vida ainda. Quer dizer, eu sei o que a Elisa vai querer para o resto da vida, mas mesmo assim.

Eu a encarei.

— Tem certeza de que ainda sabe, Sofia? Pois ela não age como se estivesse feliz com o noivado.

— E você ficaria, se não tivesse o poder da escolha?

— Mas ela escolheu! — Eu era o único que entendia isso? — Ela sabia do risco que corria quando aceitou ir até o jardim com aquele sujeito. Ela sabia, Sofia, e foi até lá ainda assim! — Trinquei a mandíbula. Isso era o que mais me desconcertava.

— É, mas... — Sofia suspirou. — Ah, deixa pra lá, Ian. Acho que é o meu lado século vinte e um falando — disse ela, lembrando-me de que eu ainda precisava discutir outro assunto, tão ruim quanto o fato de a reputação de Elisa estar em risco.

— É provável. — Como começar? — Sofia...

— Sim? — Seus olhos brilharam em expectativa.

— Você está feliz?

— Acho que sim. Não é exatamente como eu imaginei que aconteceria, mas as coisas começaram a tomar o rumo que deveriam. Fiquei morrendo de medo de que eu tivesse melado o futuro da Elisa no ano passado. Mas agora tudo voltou aos eixos. Sua irmã será muito feliz com o Lucas, Ian. Juro. Eu vi!

Sacudi a cabeça.

— Não é a isso que me refiro. Você ainda agora mencionou ter escolha. Você... está feliz com a que fez?

Ela franziu a testa.

— Quer dizer *você*?

Anuí com a cabeça.

— Por que você tá me perguntando isso?

— Apenas responda, por favor.

— Ok. — Ela ergueu os ombros. — Não acredito que *feliz* expresse como eu me sinto em relação a nós, Ian. Eu teria que inventar uma palavra nova pra isso. O mais perto que consigo chegar é dizer que nunca me senti tão completa como me sinto desde que te conheci.

— Nenhum arrependimento?

— Não!

Soltei uma lufada de ar. Não tinha percebido que estivera prendendo o fôlego.

— Por que você tá me perguntando uma besteira dessas? — Ela afagou meu ombro.

— Eu apenas queria me certificar de que estou cumprindo o que lhe prometi no dia do nosso casamento.

Ela ficou na ponta dos pés e me beijou. Um beijo longo e úmido, que fez meu pulso disparar e meu peito doer. Ela não sabia nada a respeito da máquina. E, pensando melhor, nunca viria a saber. Mais tarde, quando a situação de Elisa estivesse resolvida, eu daria fim àquela coisa e sua ameaçadora presença, deixando tudo em ordem outra vez. Era isso. Não havia motivos para preocupá-la com aquele assunto.

— Você está se saindo muito bem, senhor Clarke — ela disse em meus lábios, as mãos deslizando, vagarosas, por dentro de meu paletó. — Agora pare de se preocupar com bobagens. Você tem um noivado pra anunciar. Se quer se preocupar com alguma coisa, então se preocupe com o que eu planejei para você mais tarde. Aposto que te deixará completamente chocado!

E mordeu meu lábio inferior. Naturalmente, aquilo fez meus pensamentos tomarem outro rumo. Meu corpo todo vibrou em antecipação, e não consegui reprimir um gemido ou fazer meus quadris ficarem quietos.

— Inferno, Sofia. Você ainda vai acabar me metendo em problemas um dia desses. Juro que vai.

— Bom, não seria a primeira vez. — Ela sapecou um beijo em minha boca. — Agora vem, Ian! Vamos salvar a reputação da Elisa!

* * *

O anúncio foi feito e ninguém pareceu surpreso, com exceção talvez do padre Antônio. Dei o melhor de mim para deixar claro que sabia dos planos de Lucas e que ele fizera tudo dentro dos conformes, que eu o aprovava. Não foi fácil. A todo instante o pensamento de esganá-lo me vinha à mente. Assim como também não foi fácil enfrentar o olhar ressentido de Elisa. Ela raramente exibia aquela expressão, e nunca, jamais a dirigia a mim.

A formalização do noivado desempenhou seu papel, e, em vez de cochichos, agora ecoavam pelo salão alegres cumprimentos aos noivos. Cumpridas as formalidades, dancei com Sofia algumas vezes, entretendo os convidados curiosos, como pedia a etiqueta. Elisa e Lucas ajudaram, embora eu não os tenha visto juntos em momento algum. Ele recebia os cumprimentos com naturalidade; já minha irmã tinha as faces permanentemente coradas. E me evitava.

Pareceu-me uma eternidade até que o último convidado partisse. Observei da janela da sala Lucas deixar a casa e entrar em sua carruagem um tanto cabisbaixo para quem tinha acabado de ficar noivo. Que inferno! Não era nada disso que eu queria para minha irmã.

Sofia se aproximou sem que eu percebesse, abraçando-se às minhas costas.

— Nós sobrevivemos. — Ela deitou a cabeça em meu ombro.

— Não sem ferir alguns. — Soltei a cortina e me virei para ela.

— Pois é. Acho que você e Elisa vão precisar ter aquela conversa.

— Sabe se ela já se retirou? Ela me evitou a noite toda.

— Dá pra entender, Ian. Mas vai passar. E ela me disse que ia dormir faz uns dez minutos. É melhor deixar pra amanhã.

— Está certo.

Tranquei a porta e as janelas, então levei Sofia para nosso quarto. Passamos pelo de Marina antes, para lhe dar boa-noite, mas ela dormia o sono dos anjos. Minha esposa agradeceu a Madalena pela ajuda, e só depois de se certificar que estava tudo em ordem a mulher se retirou para um merecido descanso. Sofia foi para o quarto ao lado, exausta, mas eu fiquei ali perto do berço, assistindo à minha filha dormir. Ao menos isso estava certo em meu mundo. Ao menos minha filha estava bem, segura e feliz.

Por mais que eu não quisesse pensar em nada naquele instante, eu pensava. Não havia como não pensar. Eu ainda não sabia o que faria com aquela máquina, mas estava disposto a ser criativo. No que se referia a Elisa, eu estava ciente de que ela estava decepcionada comigo — ainda que a razão me escapasse —, mas ela também tinha me decepcionado. Eu e minha irmã raramente brigávamos, e aquilo estava me incomodando muito.

Uma conversa franca, decidi. Uma conversa franca era tudo de que precisávamos. E não havia motivo para protelar. Eu podia apostar que ela estava em seu quarto, tão agitada quanto eu me sentia agora.

Saí pela porta que ligava os dois aposentos para avisar a Sofia que voltaria logo.

— Sofia, acho que eu preciso... — comecei assim que fechei a porta.

— De uma distração? — ela completou, de costas, parada em frente à cama. Levou uma das mãos à fileira de múltiplos botões na parte de trás do vestido, desfazendo um. Depois outro. E mais um ainda. — Concordo.

Seu progresso era lento, planejado, e me vi incapaz de desviar o olhar. E, por mais que eu desejasse fazer aquilo para ela, a beleza e a perturbação de vê-la se despir para mim me paralisaram, e tudo o que pude fazer foi respirar e inspirar.

O vestido caiu a seus pés, revelando uma minúscula calça de renda que mais mostrava do que cobria seus quadris. Nada de camisolas, anáguas, espartilhos, meias de seda. E o atrevimento de Sofia não se resumia a isso. Não havia nada a cobrir-lhe os exuberantes seios, que eu, infelizmente, não podia apreciar naquele momento, pois ela se mantinha de costas propositalmente. Meu fluxo sanguíneo se refugiou na virilha.

Eu a observei... não, eu a *bebi*, como um homem sedento perdido no deserto ao se deparar com uma lagoa cristalina. E estava louco para mergulhar.

Sabendo que eu a admirava, Sofia desfez o penteado ainda mais lentamente, sem pressa. Um espetáculo que pouco a pouco ia se tornando um prazeroso tormento. Uma cascata de ondas douradas lhe caiu nas costas, as pontas aneladas brincando naquela curva tentadora pouco acima do cós de sua roupa de baixo. Minha boca formigou, ansiosa por beijá-la bem ali, onde eu sabia que a faria contorcer-se toda.

Sem poder aguentar mais, aproximei-me dela, minhas mãos escorregando por seu braço delgado, seus ombros, sentindo sua pele sedosa se arrepiar sob meu toque. Sua cabeça pendeu em meu peito.

Uma distração, ela dissera. Algo que me fizesse esquecer os acontecimentos daquela noite abominável. E não havia nada que me entretivesse mais do que a própria Sofia. Ela me distraía dos problemas, do mundo, da vida. De mim mesmo.

Apesar do cansaço, o sono não me encontrou. A cabeça zunia e eu continuava muito desperto quando ouvi um choramingo no quarto ao lado. Sofia se remexeu. Seu rosto descansava sobre minha barriga, seu corpo esgotado atravessado na cama. Com cuidado, escorreguei para o lado e coloquei um travesseiro sob sua cabeça.

Apanhei a calça e a camisa no chão, vestindo-as no caminho.

Encontrei Marina sentada no berço, tentando alcançar a barra da grade para ficar de pé. Não levaria muito tempo para que começasse a andar.

— O que faz acordada a esta hora, meu amorzinho? Está com fome?

Seu lábio inferior tremeu enquanto ela esticava os bracinhos para cima. Peguei-a no colo e esfreguei o nariz em sua bochecha. Ela adorava quando eu fazia isso. E eu também.

Eu a segurei em um braço enquanto ia até o braseiro para pegar a mamadeira adaptada. Eu ainda me divertia ao lembrar a reação de Sofia ao ser apresentada ao tradicional pote de alimentação. Ela se recusou a colocar "aquele troço esquisito" na boca de Marina. Eu não via nada de estranho no utensílio de cerâmica que lembrava uma pequena chaleira, mas, depois de ver o que ela havia improvisado (uma garrafinha de vidro com um dos bicos da chupeta acoplado ao gargalo, um pequeno furo no centro), presumi que sua invenção era, pelo menos, mais confortável para nossa filha.

Testei a temperatura, pois o braseiro tendia a deixar o leite muito quente. Quando achei que estava no ponto, levei o bico à boca ansiosa de Marina. Ela sugou com gosto, fazendo barulhos de satisfação o tempo todo. Em menos de cinco minutos, havia esvaziado a garrafa. Coloquei-a sobre meu ombro e esperei. O arroto que escapou de seu corpo pequenino teria deixado qualquer pai orgulhoso.

— Agora, hora de ir para a cama. Você é muito jovem para farrear na madrugada.

Sua resposta foi soltar a mais deliciosa das gargalhadas enquanto eu afundava o nariz em sua barriguinha satisfeita.

Levou um tempo para eu conseguir fazê-la pegar no sono. Quando ela finalmente adormeceu e eu a coloquei de volta no berço, não pude me afastar de imediato. Era sempre assim. Eu sempre rezava para que ela dormisse logo e eu pudesse voltar para a cama, mas, quando isso acontecia e eu admirava seus traços perfeitos relaxados pelo sono, não conseguia obrigar minhas pernas a se moverem e me levarem para longe.

Afastei da testa um de seus cachos. Marina suspirou, a chupeta dançando para a frente e para trás.

Algum tempo depois, voltei ao quarto. Sofia não se movera; seu corpo estava enroscado ao lençol, uma das pernas exposta, a pele tentadora implorando para ser tocada. *Ela precisa dormir, deixe-a em paz, pelo amor de Deus!*, repeti mentalmente uma dúzia de vezes.

Ao longe, ouvi um relinchar alto e agitado. Relanceei o relógio em meu bolso. Três da manhã. Sempre que os cavalos se agitavam daquele jeito, havia algo errado no estábulo. Podia ser uma serpente, uma tempestade ou, em se tratando de Storm, uma fuga. Calcei as botas e decidi averiguar.

A casa inteira dormia. Peguei uma lanterna acesa na cozinha e desci até o estábulo. A noite estava quente, e a brisa da madrugada carregava o relinchar do animal, como um grito de horror. A fonte do ruído, como eu suspeitava, era Storm.

— O que foi, amigo? O que encontrou aí?

Abri a porta e o trouxe para fora. Ele sacudia a grande cabeça, agitava as patas dianteiras. Verifiquei sua baia e não encontrei nenhum animal peçonhento

— O que foi, Storm?

O cavalo bufou e relinchou, como se estivesse tentando me dizer alguma coisa. Um arrepio gélido percorreu minha espinha e eu reprimi o tremor ao trancá-lo no cercado. Aquele cavalo nunca se agitava sem motivo. Era melhor ficar atento.

Voltei para casa e me dirigia ao quarto quando encontrei minha irmã perto do escritório. Ela se deteve assim que me viu, desviando os olhos para seus pés descalços.

— O que faz fora da cama a esta hora? — indaguei.

— Estou indo pegar um livro. Com licença. — E tentou passar por mim.

— Elisa, espere. Sei que está aborrecida comigo, mas eu também estou com você. Você devia ter sido mais prudente. Se não sentia afeição pelo senhor Guimarães, não devia ter se colocado naquela posição. Você sabia o que aconteceria se fossem pegos.

Ela se deteve, erguendo os olhos, que reluziam de indignação.

— Foi apenas um beijo!

— Eu e você sabemos disso. Mas você sabe muito bem o que os outros dirão amanhã de manhã.

Ela assentiu a contragosto, o rosto em brasa, os lábios pressionados em uma linha pálida.

— Por que o acompanhou ao jardim, Elisa?

— Porque eu gosto dele! — ela explodiu. — Sugeri o passeio para poder falar com ele sem tanta gente por perto, para variar. Me pareceu algo natural. Nós só pretendíamos dar uma volta. Mas... mas ele... bem... E então você apareceu e estragou tudo!

— Eu?

— Sim! Você estragou tudo quando obrigou o senhor Guimarães a pedir minha mão! Nunca vou perdoá-lo por isso, Ian. Jamais!

Cruzei os braços.

— O que esperava que eu fizesse? Que permitisse que ele a tratasse como uma qualquer e deixasse que as más línguas destruíssem sua vida?

— Ninguém nos viu!

— Você está enganada, Elisa. Eu sei de pelo menos duas pessoas que viram você aos beijos com aquele rapaz. Foi por causa de Suellen e Najla que eu os flagrei.

Ela abriu a boca, mas se deteve, os olhos se tornando úmidos e brilhantes de vergonha.

— Só fiz o que devia, Elisa. — Dei um passo, aproximando-me dela. — Agi como o nosso pai teria agido. O que eu não entendo é por que você está tão furiosa comigo. Você mesma disse que gosta do rapaz.

— E você ainda não consegue entender? — As lágrimas que cortinavam seus grandes olhos azuis ameaçaram cair. — Eu realmente gosto do senhor Guimarães, Ian. Mas como posso me casar agora, sabendo que ele foi coagido? Ele se casará comigo por um ridículo senso de dever e não por afeição! Como posso saber se ele tinha a intenção de pedir a minha mão em algum momento no futuro? Agora, como vou saber se ele também nutre sentimentos verdadeiros por mim?

Pisquei algumas vezes, tentando clarear a cabeça.

— É claro que ele tem sentimentos por você. — Era melhor ter!

— Está certo disso? Pode me garantir? — Ela retorceu uma das mãos na lateral da camisola. — Imagine-se em meu lugar por apenas um instante. Imagine que se casou com Sofia, e que seu coração dá cambalhotas a cada vez que a vê, mas que você não faz ideia do que se passa no coração dela. Como você poderia ser feliz assim, Ian? Como?

De fato, eu não poderia. Joguei a cabeça para trás, mirando o teto.

— Elisa, esse sujeito tem lhe feito a corte no último ano inteiro! Se tornou tão presente nesta casa que Madalena já o trata como um morador. E não preciso mencionar a troca de cartas que aconteceu nesse período, preciso?

Ela arfou.

— Sofia lhe contou sobre as cartas?

Bufei e olhei para ela.

— Não. Mas eu não sou tolo. Você esperava o mensageiro na janela todas as tardes, e depois se trancafiava em seu quarto por horas. Não foi difícil deduzir o motivo. E, se ele se deu ao trabalho de lhe escrever uma carta todo santo dia por tanto tempo, só posso supor que ele a ama.

— Conjecturas — Elisa rebateu, sacudindo a cabeça. Os delicados brincos de turquesa que ela sempre usava chisparam com o movimento. — Apenas conjecturas. E eu quero mais que isso, Ian. Quero o que você e Sofia têm. O que o papai e a mamãe tiveram. E agora está tudo arruinado!

Engoli um grunhido de frustração. Moças na idade de Elisa tendiam a ser um tanto dramáticas, sobretudo no que se referia a assuntos do coração.

— Você é jovem demais para compreender os pequenos gestos.

— O que eu compreendo — seus punhos se fecharam ao lado do corpo, os olhos faiscaram de raiva — é que estou noiva de alguém que foi forçado a me propor casamento esta noite.

Pressionei a ponte do nariz.

— Eu não tive escolha, Elisa!

— Nem eu!

— Mas que inferno! — Cuspi, desejando socar alguma coisa.

Ela inspirou fundo, erguendo o queixo de maneira que a deixou tão parecida com nossa mãe.

— Concordo. Minha vida será um inferno de incertezas de agora em diante. Boa noite. — E se afastou, deixando-me sem ação e com o coração repleto de angústia.

* * *

Na manhã seguinte, Sofia alimentava Marina quando cheguei à sala de jantar, pouco depois das nove. Minha esposa se precavera do ataque de comida usando um avental, então agora o tecido cinza que trazia sobre o vestido verde estava decorado por bolotas de mingau de aveia. Ela ergueu a cabeça assim que passei pela porta, um cacho dourado-escuro escorrendo por seu ombro, e então exibiu um sorriso repleto de segredos. Presumi que aquilo fosse sobre o que acontecera em nosso quarto na noite passada, e não pude deixar de sorrir de volta.

Inclinei-me sobre ela e Marina, beijando a testa de minha filha, depois a boca macia de Sofia.

— Bom dia, meu amor.

— Bom dia. Dormiu bem?

— Sim — menti. Se antes já tinha tido dificuldade em pregar os olhos, depois da conversa com Elisa dormir se tornara impossível. A última coisa que eu queria era que minha irmã estivesse infeliz. Mas, diabos, o que eu poderia ter feito além de lutar por sua honra? Tinha passado toda a madrugada tentando encontrar uma solução para ela, e tudo em que conseguira pensar fora falar com Lucas e me assegurar de que seus sentimentos por ela eram verdadeiros e profundos. Caso não fossem... bem, eu não tinha ideia do que fazer. Além de socar Lucas, naturalmente.

Madalena apareceu na porta, uma bandeja nas mãos.

— Aqui está, senhora Clarke. Bolo de fubá bem quentinho como a senhora gosta. Bom dia, patrão.

— Bom dia, senhora Madalena.

Saí do caminho da mulher, que colocou a comida na mesa. O aroma de bolo recém-saído do forno fez minha barriga rosnar. Sofia ouviu e riu.

— Parece que não sou a única esfomeada hoje.

— Não é, não. Mas antes de comer tenho um assunto a resolver.

— Não pode esperar o café?

— Receio que não.

Marina terminara seu mingau e agora tentava pegar os cabelos da mãe com as mãos cobertas de meleca.

— Isso não é de comer — brinquei, empurrando os cabelos de Sofia para trás do ombro.

Minha esposa cortou uma fatia do bolo, testou a temperatura e então o colocou em um prato diante de Marina. Em poucos segundos o bolo se transformou em um amontoado de farelos em suas mãozinhas ansiosas. Ela bateu palmas, contente, uma chuva de migalhas flutuando pela sala de jantar.

Sofia me fitou, esperando...

— Devo falar com Elisa — expliquei.

— Mas ela ainda não acordou.

— Não mesmo, senhora Clarke — intrometeu-se Madalena. — A senhorita Elisa ainda não saiu do quarto. Achei melhor deixá-la. Teve uma noite repleta de fortes emoções, pelo que eu soube.

— Muito mais do que devia — resmunguei, e em troca recebi um olhar zangado de Sofia.

— Mal posso acreditar que a menina Elisa está noiva! — prosseguiu Madalena. — Ainda outro dia eu a enrolava em cueiros! O tempo está passando rápido demais. Rápido demais! — Então pegou Marina e o prato de bolo esfarelado, para que Sofia pudesse se servir com segurança. — O senhor precisa encomendar o enxoval da menina, patrão. Um enxoval completo. Uma dama como a senhorita Elisa não merece nada menos que isso.

— Vou providenciar.

— Acho que a Madalena tem razão. — Sofia cortou um bom pedaço de bolo e, em vez de usar os talheres, partiu-o com os dedos, levando um pedaço à boca. Ela gemeu de contentamento. Então tirou outro naco e me esticou o braço. Eu me inclinei e abocanhei o que ela oferecia. Estava delicioso, como seu gemido prometera. — Devemos deixar a Elisa dormir até mais tarde. Ficar noiva pode ser uma coisa muito estressante. Ainda mais se vamos levá-la para fazer compras mais tarde. E agora, meu senhor Clarke, pode se sentar e tomar o seu café.

— Eu adoraria, meu amor, mas há mais um assunto que preciso resolver antes de qualquer outra coisa.

Uma bacia com água. Uma bela e pesada pá. Uma pedra maciça e robusta. As possibilidades eram infinitas e eu não fazia ideia de qual delas funcionaria. *Se* funcionariam. Mas eu tinha de me livrar daquela maldita máquina antes que Sofia descobrisse sua existência. Se a coisa voltasse a zumbir, ela fatalmente reconheceria o ruído.

— Aconteceu alguma coisa, Ian? — Ela me olhou com preocupação, a mão que levava o bolo à boca se detendo a meio caminho. Lutei para não deixar transparecer meu temor.

— Nada com que deva se preocupar.

— Olhe, minha querida. Um beija-flor! — Madalena disse a Marina, apontando para a janela. — Vamos olhar mais de perto?

— É algo grave, Ian? — Sofia insistiu. — Posso ajudar?

— Eu realmente espero que não.

Ela mordeu o lábio inferior, o cenho encrespado. Se continuasse me olhando daquela maneira, logo perceberia que eu mentia. Eu queria Sofia perto daquela coisa tanto quanto queria colocar uma pistola na cabeça e apertar o gatilho. Então, deliberadamente, fiz a única coisa que eu sabia que a deixava temporariamente distraída.

Eu a beijei.

— Ah, minha nossa! — sussurrou Madalena. — Acho melhor olharmos o beija-flor da cozinha.

Sofia riu em minha boca.

— Não precisa disso, Madalena. Ele já parou. *Infelizmente* — adicionou em voz baixa para que somente eu ouvisse. — Bem, vou dar banho na Nina agora, porque tem mais comida sobre ela do que dentro dela. Vou te esperar para tomar o café, Ian.

— Não é necessário, meu amor. Não sei quanto tempo me tomará fazer esse serviço.

— Ainda assim, vou te esperar. Não gosto de comer sozinha.

— Então tentarei ser rápido. — Beijei sua testa.

Madalena, com uma ansiosa Marina nos braços, trouxe-a para perto da mãe.

— Patrão, o senhor Guimarães deve se juntar aos senhores no almoço?

— É muito provável, senhora. — Inclinei-me para minha filha a fim de lhe dar um beijo antes de sair. Ela foi mais rápida e enfiou um punhado de farelo em minha boca.

— Ah, senhor Clarke, me perdoe — apressou-se a governanta, dando tapinhas em meu paletó para livrá-lo das centenas de migalhas.

— Humm... Mingau de aveia, bolo e... humm... baba. Gostoso.

— *Bábábábá* — Marina respondeu satisfeita.

Sofia ainda ria ao levar nossa filha para o banho. Meu humor, porém, diferia e muito do dela. Minhas mãos suavam, e o coração já estava aos pulos apenas por pensar naquela coisa em meu escritório. Por isso não perdi tempo e fui direto para lá, onde me sentei à mesa e tomei fôlego. A chave estava pendurada na gaveta, exatamente como eu a deixara. Girei-a e então puxei a argola com certa brutalidade.

O celular não estava em nenhum lugar à vista.

Tateei o conteúdo da gaveta, amassando documentos importantes, alguns sem tanta importância assim, derrubando potes de nanquim ainda fechados. E isso foi tudo o que eu encontrei. Abri a segunda gaveta, depois a terceira, sem um único vislumbre do celular. Onde ele estava? Não podia ter simplesmente desaparecido.

Tirei a gaveta das corrediças, apoiando-a na mesa, e me pus a revirar seu conteúdo. Tinha de estar ali.

— Perdeu alguma coisa, senhor Clarke? — Gomes surgiu no vão da porta.

Para onde? Para onde aquela coisa poderia ter ido? Objetos inanimados não saem andando por aí.

Um arrepio gélido percorreu minha coluna. Deus do céu, será que algum dos criados o tinha encontrado?

— Senhor Gomes. — Minha voz saiu áspera. — Alguém mexeu em minha mesa esta manhã?

Meu mordomo entrou no escritório, o queixo apontando para cima.

— De maneira alguma, senhor Clarke. Sou o único, além da família e da senhora Madalena, que tem permissão para entrar neste cômodo. Garanto que não estive aqui até este momento. E a senhora Madalena estava ocupada demais no fogão. Está faltando alguma coisa?

Se ninguém entrara ali, então... então...

— Desapareceu! — A maldita coisa tinha desaparecido! Da mesma maneira apavorante como surgira, ela se fora.

Deixei-me cair na cadeira, tonto de alívio. Meu peito se expandiu enquanto eu afrouxava a gravata e voltava a encher os pulmões.

— Senhor, se algo sumiu, o senhor deve me dizer. Não permitirei que larápios se esgueirem pelos corredores da casa. Não enquanto ela estiver sob os meus cuidados. Revirarei cada canto, se necessário, até encontrar o que quer que lhe tenha sido furtado.

— Não, senhor Gomes. Não era nada importante. E receio que eu mesmo tenha sido o responsável pelo sumiço. Devo ter perdido e não percebi até este momento.

— Está certo disso, patrão?

— Sim, estou. Obrigado, Gomes.

O homem titubeou, mas acatou a dispensa. Enquanto eu o via se afastar, fiquei grato por não ter dito uma palavra a Sofia sobre o retorno da máquina do tempo.

— Espero que esteja pensando em mim enquanto sorri desse jeito — Sofia disse, recostada ao batente. Havia um pequeno sorriso em seus olhos.

Ela havia se livrado do avental. O vestido cor de jade de mangas curtas fazia um contraste interessante com sua pele clara e enfatizava as mechas douradas de seus cabelos. Ela prendera apenas uma parte deles, então suas ondas caíam livres em seus ombros, terminando pouco abaixo dos seios. Meus dedos se moveram sobre o tampo da mesa, acompanhando o contorno de sua silhueta. Deus, eu queria muito desenhá-la naquele instante.

Minha paixão pela pintura, acredito, nasceu comigo. Tornou-se mais acentuada nos anos da adolescência, quando o conflito de sentimentos era impossível de traduzir em palavras. Mas algo acontecia quando eu colocava a tinta sobre a tela, como se aquele zumbido em minha cabeça se calasse. Até tomei aulas com um artista local por um curto período. Então meus pais se foram, e com eles a vontade de pintar. O desejo de despejar no tecido meus sentimentos e percepções retornou anos depois, quando eu já estava na faculdade e passava dois ou três dias por semana longe de casa, tendo a solidão como companhia. Jamais gostei de retratar pessoas, porém. Faltavam-me talento e delicadeza para capturar todas as nuances da personalidade humana.

Então Sofia apareceu e com ela uma necessidade quase doentia de retratá-la. O desejo de pintá-la ultrapassava o âmbito pessoal. Minha paixão e adoração materializavam-se em telas com as quais eu jamais ficava totalmente satisfeito, e, no entanto, não era capaz de me impedir de criá-las. Era como se, de alguma maneira, desenhá-la a tornasse mais real, mais minha.

Eu me levantei, contornei a mesa e a trouxe para dentro.

— Em quem mais, meu amor?

— E aí? Resolveu o seu problema *misterioso*?

— Sim, eu... humm... — Eu tinha de dizer alguma coisa a ela. Mas o quê? Avistei a papelada dentro da gaveta abandonada sobre a mesa, subitamente inspirado. Além do mais, eu realmente precisava falar com ela sobre aquele assunto. — Está tudo resolvido, mas eu queria sua opinião sobre isso.

Pegando-a pelo cotovelo, conduzi-a para a poltrona, mas Sofia tropeçou em algo no caminho, e por sorte consegui segurá-la antes que se estatelasse. Ela se abaixou e pegou o livro no qual tropeçara. Shakespeare. Eu devia ter derrubado quando joguei a gaveta sobre a mesa.

— E é sobre Shakespeare que você quer minha opinião? — Ela me entregou o livro, uma das sobrancelhas arqueadas.

— Não desta vez. Elisa é quem está lendo. Quero sua opinião sobre isso. — Coloquei o exemplar na mesa e entreguei o folheto a ela.

— O que é isso?

— É o retrato de uma casa.

— Percebi. Parece aquela mansão que você me mostrou uma vez. A que pretendia comprar pra Elisa.

— Exatamente.

Ela ergueu os olhos do papel.

— Você chegou a comprar?

Balancei a cabeça.

— Você desapareceu e eu acabei perdendo o negócio. Mas há alguns meses o novo morador decidiu colocá-la à venda de novo. Parece que está afundado até o pescoço em dívidas. Ele veio me procurar, pois sabia que eu tinha interesse na propriedade. E, com todas aquelas visitas do Lucas... Bem, eu estava esperando algo como o que aconteceu ontem à noite. Fiquei de pensar no assunto. O que você acha?

— Bom, é uma casa *bem* grande. E será ótimo, já que eles terão uma porção de filhos. Acho que a Elisa vai amar. Ainda mais porque fica aqui pertinho e nós nos veríamos sempre.

— Não sei se isso seria um atrativo para ela no momento — murmurei.

Sofia acariciou meu braço.

— Vocês vão se acertar. Ela te adora. Vai acabar te perdoando.

Soltei o ar com força, colocando as mãos nos bolsos da calça.

— Então você concorda com ela.

Sofia deixou o retrato de lado e girou, apoiando os quadris na mesa.

— Pra mim é tudo muito esquisito, Ian. Quer dizer, Elisa vai ter que casar porque foi flagrada dando uns amassos no namorado? Eu e você fomos muito mais longe do que isso e ninguém nos obrigou a nada.

— Sofia...

— Eu sei! — ela interrompeu. — Sei desse lance de reputação e honra. Também sei que você ia me pedir em casamento antes de isso acontecer. Mas...

— Mas você não acha justo — completei por ela.

Ela encolheu os ombros e se endireitou, chegando perto o suficiente para apoiar as mãos em minha cintura. Seu rosto se elevou em direção ao meu.

— Não, eu não acho, Ian.

— Também não estou certo sobre ontem. — Esfreguei a testa com força. — Não quero que minha irmã se torne uma pária da sociedade. Tampouco desejo sua infelicidade.

Seus profundos olhos castanhos se fixaram nos meus.

— Tá pensando em desfazer o noivado?

— Não sei. Eu encontrei Elisa esta madrugada. Acabamos discutindo. Entendi o que ela está sentindo, mas também sei como ela vai se sentir se eu permitir que ela desmanche o noivado. Elisa será muito infeliz quando as pessoas pararem de tratá-la com respeito.

Ela fez uma careta.

— É, isso ia acabar com ela, e eu não acho que...

— Com licença, senhores — Madalena escolheu esse momento para entrar no escritório, interrompendo o que quer que Sofia fosse dizer. A mulher retorcia o avental freneticamente. — Os senhores viram a senhorita Elisa?

— Não — respondeu Sofia.

— Ainda não a vi hoje. Pensei que estivesse dormindo.

— Minha Nossa Senhora! — A mulher esfregou o rosto com a ponta do avental.

Como se pressentíssemos algo, Sofia e eu nos endireitamos ao mesmo tempo.

— O que foi, Madalena? Desembucha — ordenou Sofia.

— Fui até o quarto da senhorita Elisa levar seu café da manhã, já que passou muito da hora de sair da cama, mas... ela não estava lá. E a cama ainda estava feita. Acho que a m-menina Elisa não dormiu em casa.

— Não pode ser — refutei de imediato. — Encontrei Elisa esta madrugada.

— Mas, senhor, já a procurei por toda a casa e ela não se encontra em parte alguma! A senhorita Elisa sumiu! Oh, minha Virgem Santíssima! Alguém a raptou novamente!

— Não acho que foi isso o que aconteceu, Madalena. — Os olhos de Sofia buscaram os meus, seu rosto se contorcendo em uma expressão preocupada. — Elisa ficou muito abalada com a história do noivado forçado. — Sua voz estava baixa quando disse: — Acho que ela fugiu de casa.

Por todos os infernos!

7

— Ian, eu acho que Elisa fugiu de casa — repetiu Sofia, diante do meu silêncio estarrecido.

Dois dias antes, eu teria dito que minha esposa havia perdido o juízo, que Elisa nunca faria algo remotamente parecido com fugir de casa. Eu também teria apostado minha vida que ela jamais colocaria sua reputação em risco.

— Mas para onde a menina pode ter ido? — indagou a senhora Madalena, a preocupação estampada naquele franzir de sobrancelhas.

Se Elisa tinha fugido de casa, só havia um lugar onde pudesse ter buscado refúgio.

Sofia e eu nos entreolhamos.

— Teodora — dissemos em uníssono.

Praguejei uma porção de impropérios, dando-me conta tarde demais do rubor no rosto de minha governanta.

— Vou pedir a Isaac para selar seu cavalo. — A senhora. Madalena se apressou em deixar o escritório.

— Não posso acreditar que minha irmã tenha fugido! — bufei. — E procurou abrigo justamente na casa de tia Cassandra! Ela me disse ontem que pretendia levar Elisa para a propriedade quando o parto se aproximasse. Ela vai fazer um estardalhaço para impedir que eu traga minha irmã para casa.

— Calma. É só uma teoria, Ian. Pensando melhor, não é muito a cara da Elisa sumir assim sem um bilhete sequer. Mesmo estando chateada com você, ela teria deixado algum recado para mim, não teria?

Eu já não estava certo. Por isso fui até o armário e, da prateleira mais alta, retirei a caixa de madeira que guardava o par de pistolas. Escolhi uma.

— Opa, peraí! — Sofia se colocou entre mim e o móvel. — O que vai fazer com essa pistola?

Coloquei a bala no cano e depois a pólvora, preparando-a.

— Se Elisa fugiu, eu a trarei para casa. Mas, se o caso for outro, preciso estar preparado, Sofia.

— Para de socar coisas nessa arma! Não vou deixar você sair de casa desse jeito!

— Não pretendo usá-la. — Acomodei a pistola nas costas, enroscando-a no cós da calça, e me preparei para sair.

— Ah, não. De jeito nenhum! Pode parar aí mesmo! — Sofia se plantou à minha frente, os braços prontos para me agarrar. Em outra situação, eu teria rido de sua valentia. — Você não vai sair desta casa sozinho tão puto da vida e armado!

Trinquei os dentes.

— Sofia...

— Não vou deixar, Ian. Você até pode conseguir passar por mim, mas já vou avisando. Vou pegar meu faetonte e vou atrás de você feito louca. Você me fez prometer que ia devagar, mas sempre há exceções...

Ora, mas que inferno! Sofia já voava naquela carroça quando não tinha urgência. Eu podia muito bem imaginar o que ela faria se estivesse com pressa.

Deixei a cabeça pender para trás e mirei o teto.

— Maldição, Sofia!

— Eu sabia que você ia querer me levar com você. — E ficou na ponta dos pés para beijar meu queixo.

Atravessamos a casa instantes depois. Storm estava selado e pronto, à minha espera, na porta da cozinha. Ajudei Sofia a montar.

— O que pretende fazer? — Ela se segurou firme conforme eu subia. Storm não perdeu tempo e disparou imediatamente.

— Vou trazer Elisa para casa. — Passei um braço por sua cintura a fim de mantê-la segura.

— Tá. E se ela não quiser voltar?

Segurei as rédeas com força, até sentir os ossos dos dedos estalarem.

— Não sei, Sofia. Realmente não sei o que farei então.

Cutuquei as costelas de Storm, incitando-o a ir mais rápido. A propriedade de Thomas ficava a pouco mais de meia hora da minha em condições normais. Naquela manhã, percorremos o trajeto em um quarto de hora.

A casa não era muito diferente da minha, exceto pelo fato de que Cassandra resolvera trocar todas as janelas por outras mais modernas, e agora o edifício se encontrava em reforma. Parei em frente à porta de entrada e ajudei Sofia a desmontar. Então subimos os poucos degraus, e não me dei o trabalho de esperar um empregado abrir a porta.

— Por Deus... — reclamou o mordomo, saindo do caminho enquanto eu arrastava Sofia pelo pórtico. Ela tropeçava para me acompanhar.

A família toda estava na sala de estar. As paredes azuis como cobalto acentuavam o merlot dos estofados e o castanho da mobília francesa. Cassandra se avultava sobre o bordado que Teodora executava no sofá maior, enquanto Thomas lia o jornal em uma poltrona do outro lado da sala. Ele foi o primeiro a notar nossa chegada, dobrando o jornal e se pondo de pé.

— Ian, o que o traz aqui tão...

— Vim buscar minha irmã, Thomas. Vá chamá-la — atalhei, impaciente.

Sua testa se franziu ao mesmo tempo em que sua esposa perguntou:

— Elisa? Por que ela estaria aqui?

— Meu sobrinho — Cassandra se levantou, alisando as saias com empáfia. — Não acha que devia ao menos nos cumprimentar adequadamente depois de invadir esta casa de maneira tão pouco civilizada?

— Desculpe-me pelos maus modos, senhora, mas estou um tanto sem paciência esta manhã. Vim buscar minha irmã. Sei que ela veio para cá.

A mulher se mostrou preocupada. Ah, diabos...

— Elisa não está aqui.

— Teodora — Sofia se sentou ao seu lado e pegou sua mão —, por favor, nos diga onde está a Elisa.

— Eu diria, querida Sofia, se soubesse. Mas não a vejo desde ontem. Decerto esperava pela visita de minha amiga. Imaginei que ela viria me contar sobre o noivado tão logo pudesse. Mas presumi que viria só depois do almoço.

— Por que pensaram que ela estaria aqui assim tão cedo? — Thomas quis saber. — Nem são dez horas.

— Porque... — comecei, sem saber como concluir — há uma chance de que Elisa tenha fugido.

— Perdão, como disse? — Teodora piscou repetidamente. — O que aconteceu com a senhorita Elisa?

— Ela... humm... não passou a noite em casa. — Sofia mordeu o lábio inferior, ficando de pé. — Então pensamos que... bom... ela tivesse vindo pra cá.

— Explique-se melhor, senhora Clarke. — Cassandra a pegou pelo braço. — Minha sobrinha está desaparecida desde ontem?

— É possível, mas não dá para ter certeza.

Estudei as feições da mulher. Ela parecia, de fato, preocupada com o que ouvia.

— Ninguém a viu desde a madrugada — eu disse a ela.

— Oh, céus... — A mulher balançou e eu tive de ampará-la. Com algum esforço, levei-a até o sofá. — Oh, não! Oh, que tragédia! Eu sabia que mais cedo ou mais tarde algo terrível acabaria acontecendo. Ah, aquela menina tola! — Então fixou os olhos subitamente faiscantes em Sofia. — A culpa é toda sua!

— Minha?

— Sim! Você encheu a cabeça de Elisa com essas ideias disparatadas de que as mulheres têm direitos iguais aos dos homens!

Minha esposa ergueu os ombros.

— Mas elas têm.

— Essa é a coisa mais estapafúrdia que já ouvi... — Tia Cassandra se deteve, os olhos dardejando, a boca escancarada em uma exclamação muda. — Ah, Virgem Santíssima!

— O que foi? — Sofia se sentou ao lado dela. — A senhora sabe de alguma coisa, dona Cassandra?

Minha tia olhou para ela. Surpreso, percebi que havia lágrimas em seus olhos.

— Não está claro, senhora Clarke? Não percebe o que acabou de acontecer bem debaixo do seu nariz? Elisa fugiu!

Sofia revirou os olhos.

— Isso a gente já imaginava. Bom, então, se ela não veio pra cá, talvez tenha ido pra casa da Valentina — ela me disse, sem entender o real significado do que Cassandra acabara de declarar.

Elisa tinha fugido?

Não fazia sentido. Lucas havia pedido sua mão e eu dera o consentimento — ainda que forçado, é verdade. Por que fugiriam se tudo estava acertado?

A menos que...

— Oh, céus, Thomas! — Teodora se levantou com alguma dificuldade e se abraçou ao marido com desespero. — Minha amiga não pode ter feito uma coisa dessas! Não pode ter arruinado sua reputação desta maneira!

A menos que toda aquela fúria que dominara Elisa tivesse outra razão. Que Sofia tivesse entendido tudo errado e o coração de minha irmã pertencesse a outro. Mas, diabos, a quem?

Não, não, não. Elisa era transparente como uma taça de cristal, não sabia manipular ou ludibriar. Todos os seus sentimentos sempre terminavam expostos em seus francos olhos azuis. Ela estava apaixonada pelo maldito Lucas, disso eu estava certo.

— Gente, calma aí. — Sofia começou a abanar Cassandra, que parecia a ponto de passar mal. — Elisa não é uma adolescente rebelde pra fugir de casa assim. Isso foi só uma ideia que me ocorreu, já que ela e o Ian se desentenderam. Além do mais...

— Oh, Sofia, querida! Você não compreendeu — gemeu Teodora, no ombro do marido. — Elisa *fugiu!*

— A senhorita Elisa fugiu?

Virei-me em direção à voz masculina que eu ouvira com muita frequência no último ano e meio. Lucas estava ao lado do mordomo, que não tivera tempo de anunciar sua chegada. O rosto do rapaz estava branco, os olhos vazios, o chapéu pendia de sua mão.

Ah, por tudo que é mais sagrado!

Ele ouvir parte da conversa e começar a fazer suposições era tudo de que eu não precisava agora. E, obviamente, sua presença ali comprovava que, se Elisa fugira, não tinha sido com ele.

— A senhorita Elisa fugiu? — repetiu ele, a voz um pouco mais firme.

— Ah, inferno — murmurou Thomas, olhando para o recém-chegado.

— Acho que tá mais pra dando um tempo na casa de uma amiga — tentou Sofia.

— Dando um tempo? — Lucas pareceu não entender. Sacudiu a cabeça. — Acabo de passar por sua propriedade, senhor Clarke, e fui informado de que a senhorita Elisa estava aqui. A senhorita Elisa... Ela... Ela fugiu?

Aquilo não podia estar acontecendo. Não podia ser real. Se fosse, eu teria de encarar a obscura realidade de que falhara com Elisa. E de que eu não tinha a menor ideia de onde minha irmã havia se metido.

— Eu não sei, Lucas. — Trinquei a mandíbula. — Realmente não sei.

— Oh, meu bom Deus! É claro que ela fugiu! — grasnou Cassandra. Parecendo ter recuperado as forças, a mulher ficou em pé. — Aquela menina ingrata! Manchando o nome da família a troco de um capricho impensado. Oh, que escândalo será! Jamais seremos aceitos em parte alguma!

— Calma aí, caramba! — Sofia se colocou na frente da mulher, para impedir que ela se aproximasse de Lucas. — Também não precisa exagerar. Acho que a Elisa só está tentando colocar a cabeça no lugar. Poxa vida, quem é que ficaria feliz por ser forçada a casar? Ahhhhh... casar com o cara que ela ama, é claro —

adicionou depressa, relanceando Lucas. — Ela não fugiu, apenas se afastou pra pensar. Não há motivo para ter fugido.

— Creio que o correto não seja especular os motivos, e sim *com quem*, senhora Clarke — alfinetou Cassandra.

Sofia finalmente compreendeu, e buscou meus olhos. Engoli em seco, na tentativa inútil de me livrar do nó que se alojara em minha garganta.

— Não. Elisa não faria uma tolice dessas! — Eu realmente esperava que não! — Conheço minha irmã, e sei que ela jamais seria tão tola a ponto de abandonar todos que ama para viver uma aventura.

Lucas balançou e buscou apoio no encosto de uma cadeira. O rapaz parecia prestes a vomitar no tapete da sala a qualquer momento.

— Não se iluda, meu sobrinho. Elisa é uma Clarke. Corre fogo em suas veias. Nas de todos vocês. E o comportamento dela ontem no baile provou isso.

— Oh, não diga isso, minha sogra! — Teodora se desprendeu de Thomas. — Elisa sempre foi muito ajuizada. Deve ter tido seus motivos para...

— Fugiu. Elisa fugiu — Lucas murmurou, os olhos perdidos, a voz tão baixa que quase não pude ouvi-lo. — Ela preferiu a ruína a se casar comigo.

— Ora, é mesmo? — Cassandra fitou a nora. — E quais seriam esses motivos, Teodora? Fogo na...

— Calem a boca! — gritei.

O silêncio caiu sobre a sala, e Cassandra, de fato, desabou de volta no sofá, os olhos muito abertos.

— Muito bem — Sofia sorriu para mim, agradecendo. — Agora que todos estão prestando atenção, vamos esclarecer algumas coisas. A primeira: Elisa ficou de amasso com o Lucas, pois gosta muito dele. A segunda: ela ficou furiosa com o Ian, uma vez que ele a viu cometer uma indiscrição e o decepcionou. E ela me disse que odeia decepcioná-lo. Terceira: é óbvio, ela também ficou bastante put... humm... brava com o Lucas porque ele a pediu em casamento.

— O quê? — Lucas deixou cair o chapéu.

Sofia revirou os olhos.

— Olha, Lucas, você é um cara muito legal, mas eu já te falei que as mulheres não sabem ler mentes. Custava ter demonstrado só um pouquinho de alegria, que você queria *realmente* pedi-la em casamento, em vez de parecer que estava apenas tentando não ser enforcado pelo Ian?

— Mas o senhor Clarke não me permitia respirar!

— Não me culpe — resmunguei. — Foi você quem começou isso ao levar minha irmã para o jardim. Você sabia que existia a possibilidade de ser enforcado.

— Sim, eu sabia. — Ele fez uma careta, então voltou a atenção para Sofia. — E como eu poderia dizer qualquer coisa a Elisa com seu marido bem ali, ouvindo tudo? — Ele se abaixou e pegou o chapéu.

Ela ergueu os ombros.

— Você podia ter dado um jeito. Um sorriso, uma piscada...

— E então o seu marido me mataria ali mesmo. — Ele abriu os braços, em sinal de impotência.

Sofia me fitou, uma sobrancelha arqueada.

— Certamente mataria. — Anuí com a cabeça.

— Fica quieto, Ian... — Ela me lançou um olhar afiado antes de voltar a atenção ao garoto. — Enfim. Essa foi a impressão que ela teve, Lucas. Que você a pediu em casamento apenas porque era a coisa certa a fazer. E ela gosta demais de você para ficar feliz com isso.

— Onde ela está? — Ele deu um passo à frente. — Posso pensar em mil maneiras de provar a ela quanto eu a adoro... a amo. Eu amo a senhorita Elisa desde a primeira vez em que a vi, senhora Clarke.

— Pelo amor de Deus — bufei, esfregando o rosto.

Sofia, no entanto, apreciou toda aquela falação e sorriu para ele.

— Você só precisa dizer isso a ela, Lucas.

— O que nos traz de volta ao problema inicial — rugi, impaciente. — Para onde Elisa foi? Onde ela pode ter passado a noite? A vila é muito distante para ela ter ido a pé.

— Algum cavalo desapareceu do estábulo? — Thomas me perguntou.

— Não sei, não cheguei a pensar nisso antes, mas imagino que Isaac teria me dito alguma coisa se um deles tivesse sumido.

— Então ela só pode ter ido a pé — Sofia concluiu.

— Ah, inferno! — Por que não pensei nisso antes? Duas cercas e pouco mais de vinte minutos de caminhada era tudo o que separava Elisa de um teto. — Ela foi para a casa dos Moura.

— Oh, sim, senhor Clarke! — Teodora pousou a mão sobre a barriga inchada. — Papai e mamãe certamente a receberam! Devem até ter enviado um bilhete a esta hora, avisando que ela se encontra em segurança.

— Vocês estão perdendo tempo. — Cassandra alisou os cabelos. — Elisa estará longe quando se derem conta da verdade.

— E qual seria a verdade, mamãe? — Thomas perguntou, sem ânimo.

— Ora, Thomas. Ficou claro que este cavalheiro — apontou para Lucas — não era o que Elisa queria.

— Para com isso, dona Cassandra — interveio Sofia. — A senhora não pode ficar pensando essas coisas da Elisa sem saber o que aconteceu. E você, Lucas, fique frio e tente pensar com coerência. Elisa é a *vítima*, não a culpada dessa história.

E, se eu tivesse ouvido seus protestos, nada disso estaria acontecendo.

— Ficar discutindo não nos levará a lugar algum. Vou até a casa dos Moura — anunciei. — Vamos, Sofia.

— Mandem notícias assim que for possível — Thomas pediu.

— Irei com o senhor. — Lucas encaixou o chapéu amarfanhado na cabeça, colocando-se no meu caminho.

— Não, não irá.

— Senhor Clarke, eu tenho de falar com ela. Preciso explicar que não a pedi em casamento apenas por senso de dever. Ela não pode pensar que eu não tenho os mais profundos...

— Eu imagino que tenha mesmo — atalhei. Aceitar que minha irmã estava noiva era uma coisa. Ouvir declarações de amor destinadas a ela era outra, completamente diferente. — Mas agora não é o melhor momento para vocês terem essa conversa.

— Por que não? Ela é minha noiva!

— Mas não quer ser, maldição! — Ele ficou pálido. Diabos! Fechei os olhos, balançando a cabeça, e então prossegui: — Ao menos não da maneira como aconteceu. Temos de encontrá-la e levá-la para casa o quanto antes, sem deixar que as pessoas percebam que houve uma fuga. Se virem você me acompanhando até a casa dos Moura, pode haver boatos. Com um pouco de sorte, vamos encontrá-la antes que um novo escândalo se forme.

Ele fechou as mãos em punhos, mas assentiu devagar.

— Concordo, mas esperarei em sua propriedade. Estarei bem ali assim que ela colocar os pés em casa. Não me obrigue a aguardar até amanhã. Não serei capaz.

Aquilo me comoveu. Reconheci no rapaz algo que eu mesmo sentira tempos antes, com o desaparecimento de Sofia. Pousei a mão em seu ombro.

— Eu sei. Acredite, Lucas, eu *sei*. Pode esperar lá. Não vamos demorar.

Lucas disparou pela porta e estava sobre seu cavalo antes que eu tivesse conseguido acomodar Sofia em minha sela. Já estávamos no lombo de Storm e longe da propriedade de Thomas quando ela perguntou:

— E se ela já voltou pra casa?

— Gomes teria arrumado um jeito de me informar.

— Ah. Sabe, foi isso que me deixou com a pulga atrás da orelha. Elisa não ia sumir sem avisar. Ela sabia que nós ficaríamos loucos de preocupação. Isso não é a cara dela. Quer dizer, as pessoas não desaparecem assim do nada. — Ela se segurou mais firme quando Storm saltou um enorme formigueiro. — Bom, às vezes desaparecem, né? Como aconteceu comigo, que sumi sem deixar pista, mas não é esse o caso da Elisa. Ela devia ter... Ahhhhhhh! — Sofia gritou quando puxei as rédeas de Storm.

O cavalo se assustou com o comando abrupto e empinou. Firmei o braço que rodeava a cintura de Sofia, para impedir que ela se desequilibrasse e caísse.

— O que foi que você disse? — Meu coração batia alto nos ouvidos enquanto Storm se endireitava sobre as quatro patas.

Ela me olhou por sobre o ombro com confusão.

— Que ela devia ter deixado um bilhete...?

— Não isso. — Sacudi a cabeça, tentando desembaralhar as ideias.

O livro. Elisa tinha dito que pegaria um livro naquela madrugada. Seria o livro que esquecera em meu escritório? O mesmo em que Sofia tinha tropeçado um pouco mais cedo?

— Meu Deus... — Conforme tudo se assentava em minha cabeça, meu coração começou a bater rápido, minhas mãos tão frias e duras quanto mármore.

— O quê? O que foi? — Sofia quis saber.

Elisa não estava na casa dos Moura. Ela não tinha fugido. Por mais furiosa e decepcionada que estivesse, ela era, como dissera Cassandra, uma Clarke. Não se esquivava ao primeiro sinal de problema.

Aquilo não podia ter acontecido. Não podia!

Mas, que inferno, era a única explicação que *realmente* fazia algum sentido.

— Ian, você tá me assustando! Fala comigo, caramba! — Sofia socou meu ombro.

O gesto arrastou meus olhos para ela, para seu rosto tão amado repleto de medo.

— Acho que sei onde Elisa está, Sofia.

— Sabe? Então o que estamos esperando? Vamos buscá-la!

Um nó na garganta me fez pigarrear várias vezes antes de conseguir dizer:

— Não temos como alcançá-la.

— Claro que temos. É só você mandar que o Storm voa por essas estradas. Por que ainda estamos aqui parados?

Respirei fundo, mirando seus olhos, o coração se partindo ao meio.

— Sofia, não temos como ir para onde Elisa foi. Não sem uma máquina do tempo.

8

Cretino. Imbecil.

O que eu estava pensando quando deixei aquela maldita coisa dentro de casa, pondo em risco minha família? Qualquer um poderia ter encontrado. Qualquer um poderia ter acionado por engano. Qualquer desavisado poderia ter embarcado em uma viagem sem volta.

Elisa. Por Deus, Elisa!

— Ian, do que você tá falando? — Sofia inquiriu.

Storm, ainda instável, ameaçou empinar outra vez. Entorpecido como estava, achei melhor descer e ajudar Sofia a desmontar.

Eu podia imaginar Elisa indo até meu escritório para pegar o livro. Podia ver como estava perdida em pensamentos, irritada a ponto de não prestar atenção em quase nada. Então ela ouviria aquele som, que era difícil de ser ignorado. Seu rosto se retorceria, confuso, quando o zumbido se repetisse. Eu podia vislumbrá-la indo em direção ao ruído, o medo e a curiosidade duelando dentro de si. A curiosidade venceria. Ela teria resgatado o aparelho de dentro da gaveta. Examinaria atentamente o objeto reluzente, com o coração disparado. Talvez o tenha girado nas mãos e, de alguma forma, acidentalmente fizera a coisa funcionar.

— Ian, quer parar de andar de um lado para o outro e me contar o que está acontecendo? Por que você mencionou uma máquina do tempo?

Esfreguei a mão trêmula no rosto e tentei me manter no lugar.

— Porque a sua voltou, Sofia. O celular voltou.

— O quê?! — Ela deu um passo para trás, a mão buscando apoio, empalidecendo. Eu me adiantei e a ajudei a se firmar.

— Eu o encontrei em sua mesa de cabeceira na noite passada.

Ela começou a tremer.

— T-tem certeza? Tem certeza que era ele? Tem certeza que não confundiu com aquele outro que tinha as fotos da Nina? Eu te mostrei esse, lembra?

— Eu queria muito acreditar que confundi os dois, mas não foi isso. — Minha voz falhou. — Era ele, Sofia. Prateado e reluzente. Zumbindo feito uma praga.

— Mas... mas por que ele teria voltado? Ela disse que era para sempre!

Era o que eu também pensava.

— Havia uma mensagem para você, mas eu não cheguei a ler. Nem saberia como fazer isso. Eu o escondi em meu escritório, e acredito que Elisa o tenha descoberto.

— O *quê*?!

Ela estava pálida demais, e temi que desmaiasse ou passasse mal. Eu corria esse risco, já que meu estômago revirava, deixando-me nauseado e zonzo.

Buscando seus olhos, narrei a ela o que acontecera na noite passada, pouco depois de nos separarmos no corredor. Enquanto eu falava, imagens de Elisa surgiram em minha mente. A bebê pequenina que nascera fora do tempo. Eu a odiei a princípio, quando meu pai disse que agora eu tinha uma irmã. Durante meses, mamãe não falava em outra coisa. Mas bastou um olhar para que eu sentisse aquela ligação de amor profundo pela criança. Daquele dia em diante, proteger Elisa se tornou minha principal ocupação; deixá-la sempre feliz era uma obrigação. Por isso, contar a minha irmã que nossa mãe havia morrido e, dez meses depois, que nosso pai se juntara a ela foi uma agonia. Tão pequena para já ter de lidar com tantas mortes. Ela ainda não superara a perda da mãe e se negara a acreditar que o pai havia partido também. Gritara até perder a voz. Então se deixou cair no chão, aos soluços, em um abandono absoluto, espelhando meus próprios sentimentos. Abaixei-me e a abracei com força.

— O que será de nós agora, Ian? — Seus braços finos se prenderam em minha cintura, a cabeça enterrada em meu peito.

— Eu cuidarei de você, Elisa. Prometo. Papai me ensinou a ser um homem. E a partir de hoje eu sou o responsável por você. Sempre estarei aqui para você.

— Mas, Ian, quem vai cuidar de você? — ela quis saber, aos soluços.

— Não preciso que ninguém cuide de mim.

E eu cuidei de nós dois. Fiz o melhor que pude e pensei que tivesse conseguido. Realmente pensei. Mas, então, veio a noite passada e agora ela estava em um lugar onde eu não podia mais protegê-la.

— Você não pode estar falando sério, Ian — disse Sofia. Tenho quase certeza de que ela conseguiu ouvir meu coração se partindo ao meio.

— Gostaria de não estar.

— Ai, meu Deus! Isso não pode ser verdade. — Ela levou as mãos à cabeça e começou a andar. — Tem certeza, Ian? Tem certeza que não era uma cigarreira ou outra coisa?

— Diabos, Sofia! Você acha que eu me esqueceria daquela coisa? Dos ruídos que aquele objeto produz e que antecederam a sua partida? Ele me perseguiu em pesadelos durante meses! Mesmo depois de você ter voltado para mim, passei inúmeras noites acordado, temendo que ele voltasse e a levasse embora outra vez. Então, não, eu não o confundiria com uma cigarreira.

Ela enterrou o rosto nas mãos, sacudindo a cabeça.

— Desculpe. Me desculpe, Ian. Eu só... não quero acreditar que a Elisa...

Maldição. Estendi o braço e a puxei, prendendo-a em um abraço firme.

— Perdoe-me também.

Ela ergueu o rosto banhado de lágrimas. Tentei apagá-las com o polegar.

— O que faremos agora, Ian? Temos que ir atrás dela!

O nó na garganta ameaçou me tirar todo o ar.

— E como faremos isso? Acredite, eu tentei descobrir uma maneira de ir para o seu tempo durante meses e nem cheguei perto de conseguir.

— Eu sei! — E se afastou para me encarar. — Mas a gente *tem* que fazer alguma... — Ela se deteve. Um pequeno vislumbre de esperança em seus olhos foi o que bastou para que eu colocasse toda aquela dor de lado e me concentrasse. Se havia uma chance de trazer Elisa para casa, ainda que ínfima, eu me agarraria a ela com unhas e dentes.

Mas então Sofia disse:

— Preciso falar com a minha fada madrinha.

Esplêndido. Fadas madrinhas eram, certamente, algo muito simples de encontrar...

Ainda assim me ouvi perguntar:

— E sabe como fazer isso?

— Não. — Ela fungou, esfregando o nariz. — Nos contos de fadas não ensinam, e ela com certeza não me deu um cartão.

— Como conseguiu encontrá-la da outra vez?

— Ela me encontrou. Simplesmente apareceu do nada quando eu já tinha desistido. Não acredito que isso esteja acontecendo de novo, Ian. *Não é possível* que isso esteja acontecendo de novo. Nossa vida estava tão tranquila, eu estava tão feliz e... — Ela parou por um instante, algo reluzindo em seus olhos. Não era uma coisa boa. — Você pensou que eu tinha mudado de ideia? Com relação a nós?

Reprimi um grunhido.

— Sofia, temos um problema maior no...

— Responda, Ian! Você pensou, não é? — Ela cutucou meu peito com o indicador. — Foi por isso que ontem à noite me perguntou se eu estava feliz, não foi?

Meu rosto esquentou.

— Sim, Sofia. Eu pensei.

Ela fechou os olhos e sacudiu a cabeça, como se sentisse dor.

— Tudo isso é muito complicado para mim, meu amor — apressei-me em explicar. — Você tem uma fada madrinha que supostamente lhe dá o que você deseja. A maldita máquina retornou. O que mais eu poderia pensar?

Ela abriu os olhos e se aproximou, decidida. Ficou na pontinha dos pés, até seu rosto ficar quase na mesma altura do meu, então ergueu a mão, enroscando os dedos em meus cabelos, e me olhou com intensidade.

— Não sei o que dizer ou fazer para que você entenda que eu não desejo ir pra lugar nenhum onde você não esteja. Que eu nunca fui tão feliz quanto eu sou agora. Que eu amo você mais do que qualquer coisa no mundo.

Não fui capaz de reprimir um suspiro aliviado.

— Então por que aquela coisa voltou, Sofia?

— Não faço a menor ideia. Eu poderia ter... — Ela mordeu o lábio.

Toquei seu queixo e a obriguei a me encarar.

— Lido a mensagem para descobrir o que ele queria?

Ela fez que sim.

— Não, Sofia. Eu jamais permitiria que você chegasse tão perto daquela coisa outra vez. — Uma mecha de cabelo lhe açoitou o rosto. Eu a puxei para trás de sua orelha com delicadeza. — Às vezes fico velando seu sono, porque estou tão feliz que temo não merecer. E eu estava certo, de alguma maneira, pois a máquina do tempo voltou por você. Não sei como explicar, mas era como se eu esperasse que algo assim fosse acontecer. Desde o seu retorno, sempre temi que fosse temporário. Que em algum momento você seria arrancada da minha vida.

— E é exatamente isso o que vai acontecer — uma voz melodiosa soou atrás de nós.

Sofia e eu nos viramos no mesmo instante. Um segundo antes só havia nós dois e Storm naquele vasto gramado. Agora surgira uma terceira pessoa. Uma dama de cabelos cinzentos e roupas finas que pareciam feitas de névoa. Um anjo, eu teria pensado, se Sofia não tivesse começado a tremer violentamente. Suas pernas falharam e eu a amparei. E isso, mais que qualquer coisa, deixou clara a identidade daquela dama.

— Alguém precisa arrumar esta bagunça — completou ela.

A fada madrinha de Sofia.

9

— **P**recisamos conversar — disse a recém-chegada.

— Precisamos mesmo. — Percebi o esforço que Sofia fez para se recompor. Ela não estava nada contente por rever aquela mulher. Eu muito menos por conhecê-la.

— Sim, Sofia. Elisa encontrou mesmo o celular — a mulher falou como se respondesse ao pensamento de minha esposa. Ou ao meu.

— Que droga! — Sofia se desprendeu de meus braços. A confirmação fez meu coração congelar. — Por que o celular voltou? Você disse que era pra sempre! — Ela tentou impor alguma autoridade na voz, aproximando-se da fada. — Que o meu lugar era aqui, ao lado do Ian. E é mesmo! Então como aquela porcaria voltou, se você prometeu que não voltaria? Eu não vou a lugar nenhum, entendeu? Você não pode me obrigar.

Ela suspirou. O vento sacudiu algumas mechas de seu cabelo cinzento.

— Sim, Sofia, é permanente, querida. Ou ao menos era. Eu não lhe enviei o celular.

Sofia piscou algumas vezes antes de conseguir perguntar:

— O quê?

— Ele não é meu.

— O *quê*?! — repetiu Sofia.

— Como isso aconteceu? — eu quis saber, sem esperar pelas apresentações. Presumi que as regras aplicadas à sociedade em geral não lhe valessem de nada, já que ela podia aparecer e desaparecer quando bem entendesse.

— Quem dera eu soubesse, Ian. Sinto muito que a gente se conheça em uma situação assim. Me desculpe, querido. Mas tem ideia do que fez ao esconder a máquina do tempo? Faz alguma ideia do tamanho da confusão em que nos meteu?

— Eu não sabia do que se tratava. A senhora não podia esperar que eu arriscasse perder Sofia outra vez.

— E agora nós temos um problema imenso! Há uma garota do século dezenove perdida no século vinte e um. Uma garota que jamais deveria ter deixado este presente.

— Diga-me o que é preciso para reavê-la e eu o farei. A senhora precisa ajudar Elisa — murmurei.

— É! — concordou Sofia. — Você tem que trazê-la de volta. E nem adianta dizer que não pode fazer isso, porque eu *sei* que você pode.

— Se ela fosse minha, sim, eu poderia. — A mulher sorriu tristemente. Achei aquilo um mau presságio.

Péssimo, aliás.

— Lá vem você de novo — Sofia jogou as mãos para o alto — me irritando com essa coisa de falar em código.

Mas eu havia entendido. Todos os contos de fadas, todas as histórias falavam disso. Aquela mulher era a madrinha de Sofia. Não de Elisa.

— Não tenho nenhuma ligação com ela, Sofia — explicou a fada, confirmando meu raciocínio. — Não consigo localizá-la. Ela não me pertence, querida.

— Então procure o responsável por ela! — exigi.

A mulher sacudiu a cabeça.

— Não existe um, Ian. O destino de Elisa estava muito bem traçado. Até ontem ela não precisava de ajuda alguma. Estava no caminho certo. Eu não consigo localizá-la.

— Mas você tem que fazer alguma coisa! — gritou Sofia. — Rastrear o celular ou...

— Foi a primeira coisa que eu tentei assim que percebi que algo estava errado. — A mulher fitou o horizonte. — Mas Elisa abandonou a máquina do tempo logo que chegou ao século vinte e um. E quem quer que seja o responsável por ele já o pegou de volta. — Ela soltou um suave suspiro e então focou aquele olhar cinzento em minha esposa. Sem saber bem o porquê, passei um braço em torno de Sofia. — Preste bastante atenção, Sofia. Eu não tenho como localizar Elisa. Mas ela precisa ser encontrada, ou algo muito grave vai acontecer.

— Mais grave do que minha irmã estar perdida em um lugar completamente estranho sem saber como voltar para casa? — perguntei com ironia.

— Muito mais grave, Ian. E não temos muito tempo. — Suas próximas palavras fizeram meu coração parar de bater. — Sofia precisa voltar para o século vinte e um para tentar localizar Elisa.

— Não! — soluçou Sofia.

— Não! — Intensifiquei o aperto ao redor de minha esposa. — Esta não é uma possibilidade.

— Sofia é a única esperança de Elisa. — Sua expressão era triste agora.

Não. De jeito nenhum. Sofia não iria a parte alguma.

— Deve haver outra maneira.

— Não há, meu querido. Sofia é a única que pode ajudar Elisa agora.

Sofia abriu a boca e tentou falar, mas apenas ruídos indistintos escaparam de sua garganta. Senti seu olhar recair sobre mim, mas eu enfrentava a mulher com olhos injetados, os braços ainda ao redor de minha esposa. Nunca em toda minha vida pensei que a ira pudesse me dominar a ponto de eu perder o juízo. Porém nunca ninguém tentara tomar aquilo que eu tinha de mais precioso.

— Por que eu? — A voz de Sofia mal passou de um sussurro. — Por que você não a procura?

— Eu vou procurar, mas veja, Sofia, eu preciso de um elo. Como eu disse, Elisa não é uma das minhas. Sem uma ligação, ainda que eu a encontre, não poderei fazer nada. Minha magia não teria relevância alguma. Você é a única chance que temos de trazê-la de volta e evitar uma catástrofe.

Eu ouvia o que elas diziam. Eu compreendia o que havia sido dito. Para que minha irmã pudesse ser resgatada, eu teria de deixar Sofia partir.

Escolhas. Dizem que a vida é feita disso, mas ninguém nunca ensina a lidar com as consequências. Eu tinha de escolher entre perder minha irmã para sempre e arriscar perder a mulher que eu amava. Não havia garantias de que nenhuma das duas fosse voltar. Não havia nada além da certeza de que minha vida perfeita acabava de se desfazer como um castelo de cartas.

O pulsar doloroso em meus ouvidos fazia minha cabeça girar enquanto eu admirava a mulher que eu amava, via seu medo e desespero se misturando à fúria e à impotência.

— Você é um em um milhão, Ian — a fada madrinha de Sofia murmurou afetuosamente. — E eu sei como se sente. Se fosse possível, eu jamais voltaria a interferir no destino de vocês. Juro. Mas Elisa precisa de Sofia.

E eu também.

— Muito bem. — Minha voz saiu grave. — Neste caso, irei com ela.

— Você não pode ir, Ian. — A mulher pegou algo no bolso da calça esvoaçante. — Não é o seu tempo. Seria perigoso. Chega de confusão.

— Então Sofia ficará exatamente onde está!

— Ian, me escuta. — Sofia girou em meus braços para tocar meu rosto. — Não podemos deixar Elisa perdida no século vinte e um. Não que seja um lugar horrível, mas ela não tá preparada para o que encontrou. Acredite em mim. Não tem muitas famílias Clarke por lá. Ela deve estar apavorada.

— Eu sei. — Trinquei a mandíbula. — Mas não posso, Sofia. Não posso... arriscar perder vocês duas. — Tentei engolir o nó que obstruía minha garganta.

— Eu sei, e não vai. Eu vou voltar pra você. Eu sempre vou voltar pra você. — Ela pousou a mão sobre meu coração, que batia ensandecido. — E vou trazer sua irmã pra casa.

— Sofia, não...

Ela me beijou. Por várias razões, creio eu. Para sentir meu calor afugentando seu tremor. Para assegurar a veracidade de suas palavras e selar sua promessa. De que voltaria para mim, não importava como.

Eu estava zonzo, aturdido, meio dormente. Minha irmã se fora. Agora Sofia pretendia partir também.

— Muito bem, Sofia — disse a fada. — Você tem apenas alguns dias para encontrar Elisa. Não faço ideia de onde ela está, mas, caso você a localize, eu saberei e as trarei de volta imediatamente. Boa sorte, querida. Vou tentar descobrir quem fez isso e por quê. Quem sabe assim nossas chances melhoram. — E ofereceu a Sofia um celular idêntico ao que eu encontrara na noite anterior. — Você já sabe como funciona.

Sentindo como se minhas entranhas estivessem sendo arrancadas e jogadas no chão, assisti Sofia esticar o braço e pegar aquela maldita coisa com os dedos trêmulos. A realidade me acertou como um murro no queixo, fazendo-me abraçar minha esposa com mais força.

— Preciso fazer isso — ela sussurrou quando percebeu que eu não a soltaria. — Por Elisa, por você, por mim. Vou voltar mais rápido do que você imagina.

Meus batimentos entraram em colapso, a respiração curta com o que eu estava prestes a fazer. Aquele arranjo era a única alternativa para recuperar Elisa.

Eu poderia fazer isso? Seria capaz de deixá-la ir?

— O tempo está passando, Sofia. É melhor começar sua busca logo — a mulher alertou.

Relutante, Sofia segurou meus pulsos e com muita dificuldade conseguiu se desprender de mim. Meu peito subia e descia rápido demais, o *tum-tum-tum-tum* em meus ouvidos era tão ensurdecedor que não ouvi algo que ela disse, mas, pela forma como seus lábios se moveram, pareceu ter sido "amo você". Dando um passo para trás, Sofia inspirou profundamente antes de pressionar a parte escura do celular prateado.

Maldição, não! Eu não era capaz de deixá-la ir.

— Ian, não! — as duas mulheres gritaram ao mesmo tempo.

Mas, diferentemente da outra vez, eu estava perto o suficiente de Sofia para alcançá-la antes que aquela luz a tragasse. Nossos corpos se chocaram com brutalidade, e ela se desequilibrou. A explosão branca nos engoliu. Em plena queda, prendi os braços ao redor dela como um torniquete. Eu sabia que a apertava com demasiada força, que talvez ela não conseguisse respirar, mas não arriscaria. Não podia. Tentei girar o corpo para não esmagar Sofia. Ela enterrou o rosto em meu peito e eu rezei. Rezei para que dessa vez ela não escapasse por entre meus dedos.

Senti o impacto da queda contra o chão duro nas costelas, o peso de Sofia recaindo sobre mim. Ela gemeu, mas se manteve imóvel. Meus olhos não funcionavam direito, e os sons de confusão e desordem me atingiram primeiro. Sofia era tudo o que eu podia sentir.

— Você está bem? — perguntei, ainda a segurando com força.

— O que foi que você fez?

— Eu nunca conseguiria deixar você partir. Não importa quantos motivos você tenha. Não consigo, Sofia. Eu jurei perante um padre que estaria ao seu lado em todas as circunstâncias. Dei minha palavra. E não vou descumprir. Também prometi ao meu pai em seu leito de morte que cuidaria de Elisa. Se ficasse, estaria quebrando duas das promessas mais sagradas para mim.

Ela beijou meu pescoço, inspirando fundo, os dedos se retorcendo em minha camisa.

— Eu amo você — respondeu. Ou ao menos acho que foi isso. Os ruídos que nos cercavam eram altos demais.

Levou alguns minutos para que minha visão se ajustasse. E o que meus olhos me mostraram...

— Meu bom Deus!

Construções que atingiam o céu nos rodeavam. Placas coloridas se penduravam deles, algumas gigantescas, outras pequenas, perdidas em meio a tanta informação. Espécies de veículos sem cavalos, de todos os tamanhos e cores, espremiam-se na rua. Pessoas, muitas delas, passavam apressadas, sem olhar para qualquer lugar que não fosse em frente. E as luzes. Tantas luzes em pleno dia. Os sons se fundiam e eu não conseguia entender o que via ou ouvia.

Abracei Sofia com mais força, como se com isso pudesse protegê-la. Ela soltou um pesaroso suspiro ao divisar a paisagem peculiar.

— Um sábado comum... — resmungou, ainda em meus braços. — É isso aí. Totó, acho que não estamos mais no Kansas.

— Como disse?

— Da Dorothy. De *O mágico de Oz*... Ah, deixa pra lá.

Assenti, contemplando a cidade, tentando fazer meu cérebro entender que aquela bagunça generalizada não se tratava de uma ameaça. Era apenas o futuro.

O futuro.

Tínhamos conseguido. Estávamos no século vinte e um.

10

Algazarra naquele lugar era infernal, e ao que parecia todo aquele barulho incomodava apenas a mim. As pessoas passavam — falando sozinhas com a mão na orelha — como se nada estivesse acontecendo, como se fossem imunes à cacofonia. Também não davam a mínima atenção às carruagens sem cavalos — seriam os tais carros, que Sofia tinha mencionado certa vez? —, os quais produziam zunidos de todos os tipos, dos mais agudos aos mais graves.

E havia o cheiro. Não era nada que eu reconhecesse.

Sofia e eu nos sentamos devagar. Eu me preparava para ajudá-la a ficar de pé quando um homem que falava com a mão quase passou por cima dela.

— Puta que pariu! Saiam do meu caminho! Esses pedintes me tiram do sério, viu? Não, não foi isso que eu pedi. Por que não anota o que estou falando, porra?

— Isso não é jeito de... — Comecei a me levantar na intenção de socá-lo até lhe ensinar bons modos, mas Sofia, delicada como sempre, devolveu um alto e claro:

— Vai se foder, babaca!

— Sofia! — censurei, embora eu mesmo tivesse pensado em algo semelhante.

— Ah, aqui a gente se vira como dá. Vai se acostumando. Vamos, Ian. Levanta daí ou vou ter que enfiar meu punho no nariz de algum idiota mal-educado.

— Ela fitou o homem, que seguiu em frente sem parecer ter escutado.

Eu me pus de pé, então ajudei Sofia, correndo as mãos por seu corpo.

— Você está bem? Se feriu?

— Não. Tá tudo bem. E você?

Alguém esbarrou nela, jogando-a para a frente. Eu a segurei firme pelos ombros, endireitando-a, e rapidamente me voltei em direção ao suposto cavalheiro, que nem mesmo se dera o trabalho de se desculpar.

Sofia me deteve pelo braço.

— Opa, peraí, senhor Esquentadinho. É assim mesmo por aqui. Tô acostumada com os encontrões. Foi daqui que eu vim, lembra?

Muito a contragosto, fiz que sim com a cabeça.

— Você tá bem? — ela repetiu.

— Eu... não sei ao certo.

Observei a cidade caótica do século vinte e um. *Se passa muito tempo pensando no futuro*, conjecturei, *é próprio do ser humano*. Porém, mesmo com tudo o que Sofia antecipara, mesmo eu tendo informações que a maioria das pessoas que eu conhecia não tinha, o que eu via me deixou sem palavras. Como era possível que o mundo tivesse mudado tanto em tão pouco tempo? Menos de duzentos anos separavam aquele mundo do meu. Não era tanto assim, se você parasse para pensar. Como as construções podiam ter ganhado tanta altura? Como os veículos podiam ser tão pequenos e velozes? E as roupas... bem, haviam encolhido e muito, embora nem as damas nem os cavalheiros parecessem constrangidos ao exibir tanta pele. E como as pessoas se tornaram tão... tão... apressadas e pouco corteses?

Não. Nem em um milhão de anos eu teria imaginado que era aquilo que o futuro guardava.

— Eu não consigo pensar direito — respondi, por fim. — Muito barulho, muitas cores e... esse cheiro.

— Acho melhor a gente nem saber. — Ela tomou meu rosto entre as mãos, tentando capturar minha atenção. — Olha, Ian, eu sei quanto você se sente confuso e desorientado agora, e como tudo isso parece assustador e... bom, surreal. Mas eu estou aqui, tá? Nós vamos passar por isso juntos. Vai ser igualzinho à primeira vez.

Não pude evitar sorrir.

— Isso significa que terei de conquistá-la novamente?

Os cantos de sua boca se curvaram para cima também.

— Não. Mas também não vou me opor, se quiser tentar a sorte.

— Olha, mamãe! Um príncipe e uma princesa! — Uma garotinha de pouco mais de um metro, com cabelos castanhos brilhantes, apontava para nós.

— Não aponta, Juliana. É feio. — A mãe, um tanto sem graça, arrastou a menina para longe. Eu as analisei enquanto se afastavam. A mulher vestia algo estranho, uma espécie de camisa larga colorida que ia até os joelhos. A criança usava suspensórios e calças que mal alcançavam seus tornozelos finos.

— Humm... Ela tem razão. — Sofia tocou a saia longa de seu vestido verde.

— Acho melhor trocarmos de roupa. Não podemos procurar Elisa vestidos desse jeito. Ninguém nos levaria a sério.

— Sabe onde começar a procurá-la? — Naturalmente, eu não fazia ideia.

— É claro que sei. E vamos rezar pra que eu esteja certa.

— Tudo bem. Para onde devo levá-la?

— Não tenho mais casa aqui desde que parei de pagar o aluguel, imagino. Então, acho que vou ter que pedir emprestado de novo.

Duas senhoras passaram por mim. Ambas sorriam enquanto me examinavam. Fiz uma mesura — ainda que estivesse um pouco atordoado, os bons modos sempre falavam mais alto. Sofia me puxou em direção à rua.

— Sofia, não! — Eu a puxei de volta. Não parecia seguro.

Ela manteve o braço livre esticado.

— Calma. Só estou chamando um táxi. Um carro de aluguel. — Quase no mesmo instante, um daqueles veículos parou bem perto dela. — Vamos?

Examinei o *táxi*. Era baixo, com rodas pequenas demais e feito de metal. Aproximei-me, tocando a carroceria fria, sólida e perfeitamente lisa.

— Nossa!

Sofia revirou os olhos.

— Homens... — Então abriu a porta e esperou. — Vem, Ian.

Olhei para ela e fechei a cara.

— Isso não está certo. Sou eu quem deve ajudá-la a entrar, não o contrário.

Ela piscou.

— Hã... Tudo bem. — Fechou a porta e deu um passo para o lado.

— Vocês vão entrar ou não? O taxímetro já tá correndo — avisou o condutor, atrás de um círculo preto. Uma mulher.

— Só um segundo — respondeu minha esposa.

Observei a porta e encontrei uma espécie de alavanca oculta. Pressionando-a para cima, ela se abriu. Ah.

— Minha senhora. — Fiz uma reverência.

Sofia ainda ria enquanto se acomodava. Eu a acompanhei, mas não foi fácil. Era baixo demais, e o espaço interno era minúsculo. Não dava para se levantar, muito menos para esticar as pernas. Fiquei com os joelhos presos entre os dois assentos. O dianteiro estava de costas para mim, pois a condutora ia ali dentro também. No entanto, tenho de admitir que a ideia de uma janela frontal era bastante engenhosa. E os bancos eram muito confortáveis.

Sofia se esticou sobre mim e puxou a porta que eu, equivocadamente, deixei aberta, enquanto dizia um endereço à condutora. A mulher deu uma boa olhada em mim por meio de um pequeno espelho preso ao teto do táxi. Algo a divertia. Lancei a ela um olhar interrogativo, e o mais intenso tom de rosa coloriu suas bochechas antes que ela desviasse o olhar. Então o movimento aconteceu, e foi de imediato registrado por meu estômago. A náusea era leve, apenas um incômodo, fácil de ignorar. Sofia já me explicara sobre motores movidos a combustível, mas eu jamais teria imaginado tamanha força e velocidade.

— Espantoso!

— Sério? Você acha mesmo?

Voltei-me para ela.

— É um pouco apertado aqui dentro, mas é inegavelmente esplêndido. E a ideia de uma janela bem à frente é bastante agradável.

Sofia me fitou com confusão.

— Por que está me olhando assim? — Segurei a mão dela.

Ela sacudiu a cabeça, um pequeno sorriso nos lábios.

— De todas as reações que você podia ter, de todas as diferenças que podia apontar, você escolheu se maravilhar...

— Posso falar sobre as diferenças, se preferir.

E podia mesmo. O mundo que passava voando pela janela era tão diferente que era quase impossível encontrar algo que eu reconhecesse. No entanto, não era isso o que mais me chamava atenção. Não. Eram as pessoas. Elas passavam umas pelas outras sem se notar, cumprimentar, sorrir. Como se fossem completos estranhos. A julgar pela altura das construções que bloqueavam a linha do horizonte, bem podia ser isso mesmo. E minha irmã estava ali, em algum lugar.

Será que uma dessas pessoas apressadas a tinha notado? Será que alguma delas havia parado para lhe oferecer ajuda? Deus do céu, eu rezava que sim.

— Prefiro que me diga o que realmente pensa — disse Sofia, achando graça.

— E nem sei por que me surpreendi. Você sempre agiu assim comigo. Me aceitou da forma como sou e nunca se assustou. Só ficou... deslumbrado.

Foi a minha vez de sorrir.

— Meu deslumbramento por você não pode ser comparado com o que estou sentindo agora. Isto tudo é a evolução. Minha cabeça dói, pois estou tentando entender como foi que chegamos a tanto. — Apontei para a janela. — Agora, no que diz respeito a você, meu amor, não há o que tentar entender. Como eu poderia não me sentir fascinado por você? Você é extraordinária, única, Sofia.

— Aqui eu não sou, não — ela resmungou baixinho.

Eu estava pronto para dizer que ela estava enganada quando a condutora se virou e disse:

— Olhaí! Eu também me chamo Sofia.

Minha esposa soltou um longo suspiro, virando o rosto para a janela lateral. Então algo lhe atraiu a atenção e ela começou a discutir com a jovem condutora. O percurso que esta escolhera fazer era o mais longo e caro, segundo minha mulher.

O táxi parou em frente a um prédio alto cinzento. Contei doze janelas. A rua estava menos apinhada que antes, como se o centro do caos tivesse ficado para trás. Gostei do lugar.

— Trinta paus — avisou a motorista, batendo o dedo em uma placa preta onde piscava o número trinta em um vibrante e luminoso laranja.

— Me dá só um segundo? — Sofia me empurrou para fora do carro de aluguel, já que a condutora não desceu para abrir a porta.

Sofia seguiu direto para a entrada do prédio, mas, em vez de entrar, dirigiu-se a uma caixa prateada presa à parede do edifício. Apertou um círculo azul e uma sineta ecoou pela rua.

— Por favor, esteja em casa — murmurou, mordendo o lábio inferior.

— Alô! — berrou a caixa.

Dei um pulo, automaticamente passando os braços na cintura de Sofia e a puxando para longe do que quer que fosse aquilo.

Ela deu risada, desprendendo-se com delicadeza.

— Tá tudo bem. Juro! — ela me garantiu, ao mesmo tempo em que a caixa falante berrava um "Alôôu?".

Sofia voltou a se aproximar da parede, a diversão estampada nos cantos da boca.

— E aí? Será que pode me emprestar uma grana?

— Mas era só o que me faltava. Pedintes agora interfonam?

Já que minha esposa gargalhou, achei que ela não corria nenhum risco. Mas, diabos, ela estava falando com uma caixa! E o mais espantoso era que a caixa respondia! Um meio de comunicação, certamente, como Sofia me dissera uma vez. Como o telefone.

Talvez aquilo até *fosse* um telefone.

— Caramba, Nina! Tá certo que eu tô sem um tostão, mas me chamar de pedinte já é demais! Sempre devolvi o que peguei emprestado. Hã... Exceto as roupas.

A caixa ficou em silêncio. Então se seguiu o ruído de coisas batendo contra a parede. E passos pesados e rápidos.

— Sofiaaaaa! — A voz agora veio do alto.

— Nina! — Minha esposa olhou para cima e eu acompanhei seu olhar, colocando a mão na frente dos olhos para protegê-los do sol. Debruçada no balcão do terceiro andar, a jovem bonita que eu vira uma vez por meio de fotos gritou um "Aimeudeeeeeeeeeeeeeee..." antes de desaparecer de vista.

— Suponho que esta seja Marina. — Coloquei as mãos nos bolsos da calça.

— É, mas ela fica brava se você a chamar assim. A grana já tá vindo! — Sofia acenou para a condutora, que assentiu uma vez. — Você vai adorar a Nina, Ian.

— É claro que vou. Será um prazer conhecer sua família. — Pois era isso que aquela jovem era.

Minha esposa fez que sim, os olhos subitamente brilhantes. Então, um borrão de tecido azul, rosa e púrpura passou pela porta de vidro alta e se chocou em cheio com Sofia.

— Ai, meu Deus! Ai, meu Deus! Ai, meu Deus! — Nina pulava abraçada a Sofia.

— Eu sei! Eu sei! Eu sei! — Sofia respondia em seu pescoço. — Também morri de saudade de você!

Nina se afastou um pouco, mas manteve as mãos nos ombros de minha esposa.

— Eu recebi suas cartas. Fico obcecada esperando o carteiro agora. O Rafa até quis me levar num psi...

— Cadê minha grana, moça? — A motorista do táxi se debruçou na janela, interrompendo o reencontro das duas amigas. — O taxímetro ainda tá correndo.

— Aqui! O dinheiro tá aqui! — Nina estendeu um punhado de notas de papel, parecidas com as que Sofia me mostrara tempos antes.

Então ela me notou. E seus olhos verdes, que pareciam ainda mais cristalinos em contraste com os cílios longos e escuros e sua pele de cacau, estavam fixos em mim. Sua boca se abriu e ela tentou dizer alguma coisa, mas precisou de algumas tentativas.

— Ian — ela arfou.

Endireitei os ombros e sorri para ela.

— É um prazer finalmente conhecê-la, senhora Nina. — Fiz uma mesura.

Seu olhar perdeu o foco e um rubor suave coloriu suas bochechas. Ela piscou e então sacudiu a cabeça. Seus cachos dançavam.

— Ai, meu Deus do céu! — Ela olhou para Sofia, deixando-me confuso. Eu tinha feito algo errado?

— Eu sei — minha esposa suspirou. — Tem o mesmo efeito em mim.

Que efeito? Do que elas estavam falando?

Pigarreei e recomecei minha apresentação.

— Sofia fala muito sobre a senhora. Não imagina quanto estou honrado por finalmente ter o privilégio de...

Sem aviso, Nina se jogou sobre mim e enlaçou os braços em meu pescoço. Os babados de sua camisa florida fizeram cócegas em meu nariz.

— Você é de verdade! — Ela desfez o abraço, mas continuou segurando meus braços. — Você é mesmo real! E, caramba, é ainda mais gostoso do que eu tinha imaginado. E mais alto também. É daqui que vem todo o borogodó do Rafa, então. Minha Nossa Senhora, Sofia! Agora entendo por que você nem pensou duas vezes pra ir viver com ele.

Foi a minha vez de ruborizar. Eu não havia entendido patavinas do que ela dissera, mas tinha a impressão de que acabara de me elogiar. E eu não estava habituado a ser tocado daquela maneira por ninguém, exceto Sofia e às vezes Elisa. No entanto, temi magoá-la se me esquivasse.

Quais eram as regras daquele lugar?

Se eu levasse em conta tudo o que sabia sobre Sofia, poderia deduzir que não havia muitas.

Já que Nina o mencionara, minha curiosidade acerca de Rafael se intensificou ainda mais. Pouco depois do nascimento de Marina, Sofia descobrira algo a respeito de nossos futuros descendentes. Rafael, o marido de sua melhor amiga, era um deles. Naturalmente, meu cérebro ultrapassado demorou mais que o dela para compreender tudo. O fato de Sofia ter convivido com ele por tanto tempo dificultava as coisas para mim. Ela, no entanto, seguia uma linha de raciocínio maluca como tudo o que a cercava. Por um capricho do destino, Sofia fora colocada no tempo errado. Em vez de ter nascido na primeira década do século dezenove, como eu, nasceu no ano de mil novecentos e oitenta e cinco. Tudo o que vivera a levara ao momento em que deveria fazer a escolha que decidiria seu destino. E ela me escolheu. Rafael era fruto dessa escolha.

— O Rafa tá em casa? — perguntou Sofia, como se adivinhasse o rumo de meus pensamentos. — Ele tá bem?

— Tá na academia dando aula. — Nina me soltou.

Ajeitei as roupas e tentei me recompor. Era assim que as pessoas se cumprimentavam agora, com toda aquela intimidade? Deus do céu, por muito menos eu ficava constrangido. Beijar Sofia em público ainda me causava certo embaraço — apesar de isso nunca ter me detido, é claro.

— Ele fica por lá até o fim da tarde, mas vou ligar avisando que vocês estão aqui. — Nina puxou a amiga para um abraço. — Nem acredito que eu tô te vendo de novo, Sofia!

— Eu também, Nina.

— Como é que vocês vieram parar aqui? É uma visita? Férias ou...

— Uma missão de resgate — completei.

— Ih, não gostei disso. — Nina fez uma careta. — Como assim, missão de resgate?

— Bom... — Sofia afastou alguns fios de cabelo que lhe caíam no rosto e os prendeu atrás da orelha. — Nós estávamos vivendo nosso felizes para sempre e...

— Ainda estamos — eu a corrigi.

Ela fixou aqueles olhos castanhos em mim.

— É. Ainda estamos. E o motivo de estarmos aqui é a Elisa.

— Não entendi — Nina soltou Sofia. — O que a Elisa tem a ver com vocês terem vindo para cá?

— Longa história. E vou explicar tudo com calma depois, mas basicamente o celular voltou, a Elisa encontrou, veio pra cá por engano e nós temos que achá-la de qualquer jeito. Só que eu tô vestida assim. — Ela abriu os braços para que a amiga visse seu vestido. Era um de meus favoritos. O tecido era encorpado, aderindo a seu torso em todos os lugares certos, e a saia balançava levemente quando ela andava, de modo que vez ou outra me permitia vislumbrar um de seus tornozelos bem feitos.

— Pelo menos você não foi parar na ala psiquiátrica dessa vez. E a Elisa também tá *aqui*?

Sofia e eu assentimos.

— Deus, que confusão! — Sacudiu a cabeça. — Vamos subir e aí vocês me explicam tudo direito.

Naturalmente, ofereci o braço às duas. Sofia o aceitou sem hesitar. Já Nina...

— O quê? O que eu devo fazer? — Ela olhou para Sofia, em pânico.

— Apenas me imite.

— Certo. — Ela pegou meu cotovelo.

Levei as duas para dentro do edifício. Logo na entrada, reparei na mobília colorida e florida destoando da nudez das paredes brancas. Franzi a testa. Será que os quadros não existiam mais? Ou apenas haviam caído em desuso?

— Agora vamos lá, Sofia. Comece a falar. Se você está aqui, é porque encontrou a fada de novo, não é?

— Ela me encontrou, Nina. Aqui, Ian. — Sofia me fez parar diante de um painel prateado e apertou um botão enquanto atualizava a amiga sobre os últimos acontecimentos.

A divisória se moveu, revelando uma minúscula saleta. Não gostei daquilo. Era pequeno, sem janelas e o ar não parecia entrar em abundância, sobretudo quando a porta se fechou conosco lá dentro. A sala sofreu um baque e então tive a impressão de que começou a subir. Pelo vão entre os painéis metálicos, eu vislumbrava rápidos feixes de luz. Minhas mãos começaram a suar. A saleta na verdade era uma espécie de elevador, mas muito diferente das cabines cercadas de grades por onde o ar entrava livremente.

Sofia soltou meu braço e apertou minha mão, tranquilizando-me com o olhar enquanto continuava a narrar os últimos acontecimentos para a amiga.

— ... minha fada madrinha não tem nenhuma ligação com ela. Então eu tive que vir. Sou o elo. Era o único jeito de resgatar Elisa.

— E o Ian?

O ar não estava entrando em meus pulmões.

— Ah, ele ficou maluco e se jogou sobre mim no momento exato em que a máquina funcionou. Ele não devia estar aqui, mas não foi capaz de me ver partir outra vez.

Então respire, seu grande idiota.

— Meu Deus, Sofia! — arfou Nina. — Isso foi a coisa mais romântica que eu já ouvi!

Inspirar. Expirar. Inspirar... É claro que o ar não está acabando... Expirar. Inspirar...

— E é por isso que estamos aqui. Estou morta de preocupação, Nina. Nem quero pensar nas possibilidades.

Depois do que me pareceu ser uma eternidade, as portas do elevador se abriram. Peguei Sofia pelo braço e a arrastei porta afora aos tropeções, recostando-me na parede, a cabeça pendendo para trás. Puxei uma grande lufada de ar. E mais uma. E outra ainda.

Senti os dedos de Sofia trabalhando em minha gravata e abrindo o botão de meu colarinho. Enchi os pulmões mais uma vez.

— Melhor? — ela me perguntou, preocupada.

— Sim. — Sua mão ainda estava em minha camisa. Eu a levei aos lábios. — Obrigado.

Ela arqueou as sobrancelhas.

— Claustrofobia?

— Não estou certo se entendi o que me perguntou, mas não gosto do que foi feito do elevador.

— Tá tudo bem. — Ela correu a mão por minha testa agora suada. — A gente vai de escada da próxima vez, se você quiser.

Assenti, um tanto acabrunhado. Nem Nina nem Sofia pareciam ter problemas com o novo elevador. Mas, Deus do céu, o ar ali dentro simplesmente desaparecia!

Tentando manter alguma dignidade, aprumei-me e ajeitei as roupas. A gravata, porém, foi para o bolso do meu paletó.

— Deixa eu ver se eu entendi. — Nina encaixou a chave em uma das quatro portas do pequeno átrio. — Então vocês vão sair por aí sem nenhuma pista?

— Eu tenho uma ideia de onde ela pode estar. — Sofia passou pela porta assim que me afastei para lhe dar passagem. — Só precisamos trocar de roupa antes, pra não correr o risco de pensarem que eu sou uma maluca que nem da outra vez.

Dentro do apartamento, consegui ter uma vaga ideia do que quase duzentos anos podiam alterar. As mudanças estavam em cada móvel, cada superfície daquele lugar. A mobília reta e de aparência frágil não me parecia confortável; o lustre que pendia do teto não permitia o uso de velas. Claro que não. Sofia me explicara sobre a luz elétrica mais de uma vez. Eu só não tinha compreendido que ela se parecia com um rabicho de porco leitoso. Uma imensa tela negra estava presa à parede branca em frente ao sofá, e eu me peguei tentando adivinhar que tipo de emoção o artista pretendera despertar ao criá-la. Desesperança? Frustração? Medo? A interminável e inútil busca pela verdadeira essência do universo?

Acabei desistindo e, dentre tantas peculiaridades naquela sala miúda, a menor delas foi a que capturou meu interesse. Uma minúscula fonte se espremia em um canto, próximo ao sofá. Agachei-me até ficar a centímetros da peça, analisando-a por todos os ângulos possíveis.

— Ah! — Toquei o bambu que levava a água para cima, em um ciclo constante. — Por um instante pensei que a água simplesmente brotasse como mágica, mas é um sistema de bombeamento semelhante ao que usamos na propriedade.

Não sei por que aquilo me causou alívio. Talvez pelo fato de compreender seu funcionamento, ou por perceber que, por mais que o mundo tivesse evoluído e mudado, algumas coisas ainda eram como eu as conhecia. A verdade é que desvendar o pequeno enigma daquela fonte me deu esperanças de poder fazer o mesmo com o misterioso desaparecimento de Elisa. Eu só precisava entender o mecanismo e então seria capaz de encontrá-la.

— Não dá pra acreditar que você saiba disso e eu não — Sofia disse logo atrás de mim. — É uma fonte japonesa. O barulho da água ajuda a relaxar. Mas eu não acredito muito nisso, já que a Nina tem essa aí já faz muito tempo e está sempre uma pilha.

— Ei! — resmungou sua amiga.

Sofia colocou as mãos em meus ombros, apertando-os gentilmente.

— Acho que você vai encontrar muitas coisas curiosas por aqui, Ian.

— Não tenho dúvidas quanto a isso, Sofia.

— Querem beber alguma coisa? — Nina ofereceu enquanto eu me levantava. — Estão com fome?

— Não. Só quero achar a Elisa logo. — Sofia se acomodou no braço do sofá.

— Não, obrigado.

— Certo. O que faremos primeiro, então? — perguntou Nina.

— Você vai com a gente? — minha esposa indagou.

Nina cruzou os braços sobre o peito, uma expressão ofendida no belo rosto.

— Você pensou por um momento que eu fosse te deixar sozinha, Sofia?

Se eu já não tivesse muito apreço por aquela moça, por tudo o que Sofia tinha me contado a seu respeito, naquele momento eu a teria amado.

— Não. Nem por um minuto — respondeu Sofia. Apesar da aparência de uma não lembrar em nada a da outra, era visível que se adoravam feito irmãs. Da mesma maneira que Sofia e Elisa.

Aonde minha irmã estaria agora?

— O que tem em mente, Sofia? — Eu a fitei com expectativa.

— Bom, vamos até a sua casa.

— Nossa casa — corrigi, magoado. Havia muito tempo que ela não se referia a nossa casa como minha. Eu não queria que, agora que estávamos longe, as coisas regredissem.

— Eu sei, Ian. — Ela corou, constrangida. — É que eu achei que, se dissesse "minha casa", a Nina ia pensar que eu estava me referindo ao meu antigo apê.

— Ia mesmo — concordou Nina. — Beleza. Vai se trocar, então. Você sabe onde fica tudo. Acho que o Rafa e o Ian têm quase a mesma altura. Pega alguma coisa mais contemporânea pra ele também, só por garantia. Vou aproveitar e ligar pro Rafa enquanto vocês mudam de roupa. Ele vai pirar! Também sente a sua falta e é louco pra conhecer o Ian. Ainda não acredito que você tá aqui, Sofia!

— Nem eu. — E, pela primeira vez desde que vira a amiga, sua voz soou melancólica.

Se Nina notou sua tristeza, não deixou transparecer e desapareceu por uma porta estreita. Sofia me empurrou para o outro lado da sala, até um ínfimo corredor, e eu me surpreendi com o tamanho da casa. Era menor que qualquer residência em que eu já tivesse entrado. Até a mais modesta habitação de qualquer criado era maior que aquele apartamento.

Sofia fechou a porta e se dirigiu a um armário de mogno que ocupava toda a parede clara, do chão ao teto. Abriu as portas e puxou algumas peças de roupa. Então começou a se contorcer para alcançar os botões nas costas do vestido.

— Porcaria! — reclamou quando não conseguiu abri-los.

— Eu faço isso.

— Não entendo o porquê de tantos botões num local onde minhas mãos não alcançam. A madame Georgette nunca me deixa colocar eles na frente. Seria tão mais prático! É sempre um suplício tentar tirar a roupa sozinha.

— Talvez a intenção seja essa. Que as damas não consigam se despir com tanta facilidade. Suponho que seja parte de um plano ardiloso, uma armadilha de sedução enlouquecedora à qual homem nenhum é capaz de resistir. Mas daqueles botões miudinhos eu não gosto. Sempre há centenas, me toma muito tempo abri-los. — Empurrei seu cabelo para o lado e comecei a remover os botões de suas casas.

— Vai ver é para você desistir de tirar minha roupa antes de chegar ao último.

— O mais provável é que eu perca a paciência e os arranque com um puxão, Sofia. — Inclinando-me, rocei os lábios em seu pescoço ao desocupar a última casa. Ela estremeceu de leve.

— Ainda acho que tem a ver com dificultar as coisas, mas enfim. Tira a roupa, Ian.

Não consegui deixar de rir.

— Temos tempo para isso agora?

Encantado, vi suas bochechas ganharem o mais delicioso tom de rosa. Corada e seminua, Sofia era minha perdição.

— Não foi isso que eu quis dizer, Ian!

Apenas uma coisa me fez tirar as mãos de cima dela naquele instante. Elisa.

— Eu sei. — Retirei a arma do cós da calça e a coloquei sobre a cama, então comecei a me despir. Arranjei-me com as roupas de Rafael: uma calça azulada do mesmo material daquele pedaço de pano que Sofia usava quando eu a conheci, e que havia muito eu escondera em meu escritório, pois volta e meia ela insistia em vesti-la, e uma espécie de camisa sem botões e de mangas curtas, vermelha como um tomate. Nada de paletó ou gravata. Nada de colete, muito embora eu o odiasse e usasse somente quando era necessário. Mesmo tendo apenas os braços expostos, eu me sentia nu. Nunca tinha vestido tão pouca roupa na vida. Peguei meus pertences nos bolsos do paletó e me vi sem espaço para guardar tudo nos quatro pequenos bolsos daquela calça.

Quando calcei minhas botas outra vez, Sofia se arrumava em uma coisa minúscula que deixava seu colo e ombros à mostra. A peça preta se colava a seu peito como tinta, assim como a que havia coberto a parte de baixo de seu corpo. Uma calça, percebi. Uma maldita calça justa que fez a palma de minhas mãos pinicar na ânsia de tocar aquele delicioso traseiro.

Era sempre assim, uma tortura, quando ela usava minhas calças. Vez ou outra ela as pegava e saía pela propriedade. Nunca ia além, pois sabia que aquilo me deixaria louco. Sim, ela sempre era atraente, não importava o que vestisse, mas usando calças Sofia era um deleite aos olhos, e meu corpo reagia instantaneamente a todas aquelas curvas bem marcadas, tornando impossível olhar para outra coisa que não ela. Esse era o problema. Outros homens reagiriam da mesma maneira, eu estava certo. Outros teriam problemas para organizar os pensamentos. Outros sentiriam a palma das mãos pinicar. Intolerável, de fato.

Ela sentiu que eu a olhava, mesmo estando de costas.

— Nem vem, Ian. Lá no século dezenove eu faço as coisas do jeito que você me pede, porque não quero brigar com você e, de certa forma, consigo entender seu argumento. Mas aqui as coisas são diferentes. Toda mulher usa calça e ninguém dá a mínima. Além disso... — Ela enfiou a máquina do tempo no bolso de trás da calça e se virou.

E arfou. Seu olhar viajando por meu corpo.

Ah, diabos. Eu sabia que tinha algo errado.

— Vesti alguma coisa de maneira inadequada, não é?

— Não... hã... não... — Sofia chegou mais perto, o olhar fixo em mim, a mão esquerda indo repousar sobre meu peito. Seus dedos escrutinaram meu tórax de um lado a outro. — Você fez tudo direitinho.

— Não é o que parece. Não estou apresentável, é isso? Porque não me sinto apresentável.

Seu olhar subiu para o meu rosto com alguma dificuldade. Eles cintilavam com... Acabei sorrindo... Fome. Muita fome.

— Você está além de apresentável. Está... lindo! Só é diferente te ver assim, dentro desse jeans surrado e dessa camiseta. Te faz parecer mais com um cara comum.

Um cara comum. Meu contentamento evaporou.

— Quer dizer, um cara comum pra você! — Ela voltou a correr as mãos pelo meu torso, o olhar acompanhando seus movimentos como se estivesse enfeitiçada. Meu batimento cardíaco, naturalmente, foi à loucura. — Se eu te visse vestido assim numa balada, no supermercado, na farmácia, no ponto de ônibus, na fila do banco ou onde quer que fosse, meu coração teria se portado do mesmo jeito que agora.

— E como ele está se portando?

Ela alcançou minha mão e a levou ao centro do peito. As batidas eram instáveis, rápidas e fortes como se ela estivesse em grande perigo.

Um sorriso lento se abriu em meu rosto. Ser *um cara comum* era bom!

— Entendo o que quer dizer — me ouvi dizendo. — Estou aqui lutando contra a vontade de amarrá-la ao pé desta cama para que nenhum outro homem ponha os olhos em você. Apenas uma coisa me impede.

— Elisa — Sofia murmurou.

Anuí com a cabeça.

Ela me pegou pela mão, conduzindo-me para a porta. O celular capturou a luz que entrava pela janela e faiscou como uma estrela em seu bolso. Levei a mão ao seu traseiro e apanhei a máquina do tempo. Sofia se virou, surpresa.

— Eu fico com isto. — Movi-o até o peito para guardá-lo e reprimi um xingamento ao lembrar que não vestia um paletó. Então o deixei cair no bolso dianteiro da calça, com o lenço. — Não vou correr o risco de ele voltar a funcionar e a mandar para sabe Deus onde.

Ela não se ofendeu. Na verdade, pareceu entender o que eu estava sentindo melhor do que eu mesmo. Porém mordeu o lábio inferior. Algo estava errado.

— O que foi, meu amor?

— Ian, eu espero de verdade que minha linha de raciocínio esteja certa e que Elisa esteja na nossa casa agora, só esperando a gente chegar.

— Mas...? — Porque havia um *mas*.

Ela inspirou fundo.

— *Mas*, se eu estiver enganada, as coisas vão ficar bem difíceis. — Ela me levou até as cortinas, empurrando o tecido fino para o lado a fim de revelar a janela.

— Meu Deus! — Do alto, a cidade era ainda mais impressionante, derramando-se além do que a vista alcançava.

— Nossas chances não serão nada boas. Quase nenhuma.

Fixei os olhos nela e apertei sua mão.

— Nossas chances eram ruins meia hora antes, quando cento e oitenta anos nos separavam de Elisa. Estamos aqui. Vamos conseguir, Sofia. Uma chance é tudo de que precisamos, e não vamos desperdiçá-la.

Ela concordou com a cabeça.

— Está pronto para enfrentar o meu mundo?

Eu estava?

Provavelmente não. Pensei em tudo o que vi até aquele instante. Pensei em Elisa vislumbrando tudo aquilo, sem ter ninguém para lhe explicar o que estava acontecendo. Pensei em Marina em casa, esperando que retornássemos. Apenas uma coisa me trazia alento: o impossível acontece se você acreditar. Prova disso era Sofia ter uma aliança com o meu nome em seu anular da mão esquerda. Por isso eu estava certo de que *encontraria* minha irmã. Era apenas uma questão de tempo. Não falharia com ela outra vez.

Então, levei aos lábios a mão que Sofia entrelaçara na minha, beijando-lhe a palma macia.

— Mais do que você imagina, Sofia.

11

— Pra onde? — perguntou Nina, atrás do aro preto que, descobri depois de fazer algumas indagações, se interligava às rodas, permitindo assim que o condutor manobrasse o carro como bem entendesse. Aquele invento extraordinário parecia ter revolucionado a maneira de o homem se locomover, e me fascinava de um jeito que eu não conseguia explicar.

Sofia me obrigou a sentar ao lado de Nina, no assento dianteiro voltado para a frente, alegando que ali havia mais espaço para um homem do meu tamanho.

— Pra casa do Ian — respondeu Sofia, apoiando os braços no encosto dos bancos dianteiros.

— *Nossa* casa — corrigi.

— É, nossa casa. E é melhor você usar o cinto, Ian. Deixa que eu te ajudo com isso.

Ela se esticou, pegou uma tira preta fixa na lateral da cabine e a cruzou por sobre meu ombro e abdome, encaixando a ponta prateada em uma espécie de caixinha. Senti-me desconfortável instantaneamente.

— Você acha que a Elisa tá mesmo lá? — Nina girou uma chave e, simples assim, o carro movido a combustível rosnou.

— Bom, toda vez que a máquina do tempo me levou pra algum lugar, foi apenas através do tempo. Eu sempre estava no local do ponto de partida. Se a Elisa encontrou o celular no escritório do Ian, então acho que ela apareceu lá também, mas neste século.

— Faz sentido — concordei.

— Na verdade não faz, não — rebateu Nina, nos colocando em movimento com mais suavidade que a condutora do táxi. — Essa coisa de viagem no tempo é muito doida pra fazer algum sentido.

— Não posso discordar — murmurei.

— É — assentiu Sofia. — Ainda assim, aqui estamos nós. E acho que, se a Elisa apareceu lá, o Jonas deve estar cuidando dela, porque ele é um cara muito bacana.

Isso fez meu receio diminuir um pouco. Jonas era descendente de Elisa, conhecia a história da família e provavelmente a reconheceria de imediato.

Nina não se lembrou do caminho da nossa casa, e eu quis ajudá-la, porém não reconheci um único ponto de referência. Eu compreendia o argumento de Sofia a respeito de viajar apenas no tempo e permanecer no local de partida, então a planície recoberta de cimento me era familiar e ao mesmo tempo completamente diferente. Eu estava olhando para minha vizinhança, quase duzentos anos à frente. Estávamos nas terras dos Albuquerque? Ou seriam as dos Moura?

Nina estendeu o braço e apertou um dos muitos botões presos a... o que quer que fosse aquela bancada sob a larga vidraça dianteira. Luzes piscaram e um barulho ensurdecedor me fez pular.

— Nem toda música é boa por aqui. — Sofia acariciou meu ombro, tranquilizando-me.

— Isso é *música*?!

Ela encostou a cabeça em meu ombro.

— Também não sou muito fã de rap.

— Gente, acho que era essa rua... — Nina fez a curva e entrou na ruela.

Mesmo com os prédios altos e modernos ao redor, reconheci o casarão que até hoje de manhã tinha sido minha casa. Não pude desgrudar os olhos da fachada envelhecida, das janelas altas tão familiares. Era a mesma construção onde nasci, cresci, me casei, onde Marina fora concebida. E, no entanto, não era. Havia muros agora, e um portão alto e extenso, o telhado estava mudado, assim como a cor das paredes. Uma tristeza profunda fez meu peito doer. Divisar aquela casa antiquada naquele tempo moderno era o mesmo que olhar para mim e Sofia. Ela, vibrante, astuta e moderna, enquanto eu, com meu limitado conhecimento, não passava de um decrépito velho de vinte e dois anos.

— Tudo bem, vamos lá. — Sofia abriu a porta do veículo antes que eu pudesse me desamarrar daquela porcaria que me prendia ao banco.

— Assim. — Nina pressionou um botão vermelho na caixa onde a fivela estava presa, libertando-me.

— Obrigado.

Sofia já tinha atravessado os portões e subia as escadas. Bateu à porta com força.

Nina e eu nos apressamos.

— Da última vez que estivemos aqui, achei que Sofia fosse morrer de tanta tristeza. — Os saltos de seus sapatos repicavam no concreto.

— Ela me contou. Não sei o que me dói mais, senhora Nina: ter ficado sem ela ou saber que sofreu dessa maneira.

— Ian. — Ela me pegou pelo braço, detendo-me. — A Sofia é a pessoa mais especial deste mundo. Então, nem pense em magoá-la, tá bom? Nunca!

— Essa é a missão da minha vida, senhora. Jamais magoar Sofia.

Ela assentiu com a cabeça.

— Ótimo. Assim não vou ter que te ameaçar de morte nem nada do tipo.

Imaginei que ela estivesse brincando, mas não pude ter certeza.

A porta se abriu no momento em que nos juntamos a minha esposa, e uma mulher de cabelos vermelhos — como sangue — apareceu. Suspeitei de que fosse uma empregada da casa, pois trazia um avental branco sobre o vestido azul, que ia apenas até os joelhos.

— Oi — Sofia foi dizendo. — Eu tô procurando o Jonas. Ele tá por aí?

— Não. Ele e a família estão viajando. Foram pra Europa, parece que teve um problema em uma das indústrias, e só voltam no fim do mês.

— Indústrias?

— Farmacêuticas. Quer deixar algum recado?

Os ombros de Sofia arriaram no mesmo instante em que meu estômago embrulhou. Diabos. Nem mesmo o cheiro que vinha da casa se assemelhava ao que eu estava habituado.

Por Deus, que Elisa esteja aí dentro!

— Hã... Não. — Sofia respondeu. — Mas acho que você pode nos ajudar. Estou procurando uma garota. Deste tamanho, cabelos pretos, olhos azuis e... hummm... vestida com roupas de época.

A expressão da mulher se alterou de cuidadosa educação para irritada afronta.

— Ela é tipo... amiga de vocês? Porque, olha, sem querer ofender, aquela menina não tava batendo bem da cabeça, não.

Ela tinha visto Elisa. Sabia onde minha irmã estava. Graças a Deus!

— Ela... está em tratamento psiquiátrico — apressou-se Sofia, retorcendo os dedos em frente ao corpo.

— Ah, isso explica muita coisa.

— Viemos buscá-la — fui dizendo. — Poderia avisar que o irmão e a cunhada dela estão aqui?

— Não. — A mulher cruzou os braços sobre o peito.

— Não? — perguntei, confuso. — E por quê?

— Porque ela não tá mais aqui, ué.

— O quê?!

Tudo bem, mantenha a calma. É importante manter a calma agora. Está tudo bem. Ela dirá para onde Elisa foi e tudo ficará bem. Apenas mantenha a maldita cabeça no lugar.

— Você acha que eu ia deixar aquela doida dentro de casa? Ela podia me matar, moço! Pior, podia continuar quebrando os cacarecos da família! — Ela apoiou as mãos nos quadris. — Adivinha quem ia ter que pagar o prejuízo.

Balancei a cabeça, refutando a ideia.

— Elisa jamais faria tal coisa, senhorita. — A mulher não tinha anel algum.

— Minha irmã é inofensiva, eu lhe garanto.

— Diz isso para o jardineiro! — E indicou um jovem agachado entre as roseiras no jardim, no local exato onde eu encontrara Sofia na noite anterior. — A cabeça do Luiz ainda tá dolorida, coitado.

— O que aconteceu? — Nina inquiriu.

— Ele chegou aqui antes de mim e abriu a casa. Aí viu a moça, e ela começou a gritar que não conseguia encontrar ninguém depois de ter visto a *luz*! — Ela revirou os olhos. — O Luiz tentou acalmá-la, mas a menina jogou um retrato nele, por sorte não abriu um talho na cabeça. Quando eu cheguei, os dois estavam aos berros.

— E depois? — consegui perguntar, engolindo com dificuldade ao compreender o terror que Elisa sentira.

— Fiz o que devia fazer — continuou a governanta —, já que ela tava muito doida e começou a jogar coisas em mim também. Liguei para a polícia.

Que inferno, não!

— Merda — resmungou Nina.

— Pra qual delegacia a levaram? — Sofia exigiu saber.

— E eu é que vou saber, minha filha? Dei graças a Deus quando a garota sumiu daqui. Ela parecia uma versão da menina do *Exorcista* misturada com a do *Kill Bill*. Não sei de mais nada. Agora, se me derem licença, eu preciso trabalhar.

Um sopro gélido percorreu minha espinha conforme imaginava Elisa, assustada a ponto de agredir uma pessoa, sendo abordada pela autoridade local. A única vez em que ela tivera contato com a guarda fora menos de dois anos antes, logo depois de Sofia ter desaparecido. Movido pelo álcool, acabei me metendo em algumas brigas, mas aquela em especial terminou com um desfecho inesperado. Fui detido na cidade, e, assim que a notícia chegou aos ouvidos de minha irmã, ela correu para a sede da guarda.

Elisa ficara aterrorizada — tanto por meu comportamento destrutivo quanto pelas instalações da sede policial —, e a todo momento levava um lenço ao nariz. O fedor estava impregnado em cada maldito tijolo daquele lugar, o que fazia sentido, pois era ali que era jogado o lixo da humanidade. Naturalmente, eu também não estava exultante com a situação, mas ver a decepção e a mágoa em seu rosto me fez tomar uma decisão. Naquele dia, imundo e com as roupas em farrapos, sentado em um banco de madeira preso à parede da cela fétida, observando minha irmã do outro lado da grade, limpa e linda, tendo sua inocência maculada por toda aquela sujeira, jurei que jamais a faria passar por aquilo novamente. A partir de então, nunca mais saí para me embebedar. Passei a fazer isso no sossego de nossa casa.

E agora, uma vez que eu tinha sido um cretino descuidado, ela estava novamente em um lugar como aquele, rodeada de gente em cuja índole eu me recusava a pensar.

Meu coração disparado pulsava tão alto em minhas orelhas que tive de me esforçar para prestar atenção no que me cercava. Percebi que a única pessoa que poderia me ajudar a encontrar minha irmã tinha começado a fechar a porta.

— Por favor, espere! — supliquei à governanta, segurando a porta para impedi-la. — A menina que esteve nesta casa é minha irmã. Estou muito preocupado com o que possa ter acontecido com ela. Eu lhe dou minha palavra de que Elisa é inofensiva e a melhor das criaturas. Estava apenas assustada demais por ter se perdido. Ela nunca esteve tão longe de casa, senhorita, e tudo isso deve tê-la assustado muito. Então, se sabe de algo que possa me levar até ela, eu lhe imploro, me diga.

Os olhos da moça de cabelos vermelhos estavam fixos nos meus. Então eles perderam o foco, a boca se abriu ligeiramente.

— Senhorita?

— Hã... eu... nossa! — Ela tocou as bochechas, subitamente rosadas, e lutou contra um sorriso. — Não sei se posso ajudar...

— Qualquer informação pode ser importante — assegurei.

Ela manteve os olhos nos meus, os dedos escorregando do rosto para o pescoço, para as pontas dos cabelos cor de sangue.

— Bem... O nome do delegado que atendeu a ocorrência é doutor Cesar Cerqueira. Não sei se isso ajuda.

— Vou jogar no Google — falou Nina, abrindo a bolsa.

Que diabos era Google? O nome da casa de jogos? De seu proprietário? O próprio jogo? E por que Nina queria fazer uma aposta justo naquele momento? Eu quis perguntar, mas Sofia exalou pesadamente, deixando-me com a impressão de que, fosse o que fosse, aquela informação serviria de alguma coisa.

— Fico-lhe muito grato, senhorita. — Sorri para a governanta.

— Eu... hã... de nada. Acabei de passar um café — ela murmurou, os olhos vidrados. — Não quer entrar?

— Receio que terei de recusar. Estou, de fato, muito preocupado com Elisa. Tenha um bom dia. — Fiz uma reverência antes de pegar Sofia pela mão e descermos as escadas.

Nina correu para nos acompanhar, ainda olhando para algo que tinha nas mãos.

— Como é que você faz isso? — Sofia me perguntou.

— Isso o quê?

Seus olhos se estreitaram.

— Você realmente não percebeu o que fez com aquela garota?

Eu me detive.

— O que eu fiz? Pelo amor de Deus, Sofia, diga que eu não a ofendi!

— Ele tá falando sério? — Nina gargalhou, os olhos presos em um objeto que se assemelhava muito com o que eu trazia no bolso da calça. Um celular. Um simples, como aquele que Sofia levara para casa ao voltar para mim. Ela havia me explicado que os celulares eram assim, serviam apenas para se comunicar com alguém distante. Aquele que descansava em meu bolso, apesar de ter a mesma aparência, tinha outra função.

— Pior que tá, Nina. Ou melhor, *ainda bem* que tá — Sofia se corrigiu, e fiquei ainda mais confuso.

— O que foi que eu fiz? Devo voltar e me desculpar?

— Não. — Ela segurou meu braço com as duas mãos e voltou a andar. — Você só deixou a mulher abobalhada. Pensei que isso só acontecesse comigo. E com a Valentina. Ah, e com a Suellen e a madame Georgette e... humm... Deixa pra lá. O que importa é que você usou o seu charme e conseguiu descobrir alguma coisa.

— Mas eu não fiz isso, Sofia! Eu recorri à *gentileza*.

— Pode ser. — Ela ergueu os ombros. — Mas que o fato de você ser lindo pra cacete contribuiu um bocado pra que ela abrisse a boca, ah, eu não tenho dúvida alguma.

— Sofia! — repreendi, envergonhado por ela sugerir que eu tivesse flertado para conseguir as informações. Eu jamais poderia fazer isso, pois minhas práticas de flerte eram desastrosas. Eu ainda me espantava que tivesse conseguido seduzir Sofia de alguma maneira, algum dia.

A verdade é que pouco pude exercitar minhas quase inexistentes técnicas de sedução tão logo me tornei adulto. As jovens que eu conhecia estavam sempre ansiosas demais por me agradar ou atrair minha atenção. Isso se devia ao fato de estarem em busca de um marido abastado que lhes atendesse todos os caprichos. Aquilo me deixava pouco à vontade, pois me parecia que elas não me viam realmente quando olhavam para mim, apenas minhas terras e o prestígio que a adição do sobrenome Clarke lhes traria. Não era isso que eu buscava, uma esposa ciente de meus bens e alheia a meus anseios. Eu queria o que meus pais tiveram: alguém que desse sentido a minha vida. E eu encontrara isso apenas em Sofia. Por isso era tão ridículo que ela sugerisse que eu estivesse flertando com quem quer que fosse.

— Achei! — Nina exclamou, guardando o celular na bolsa grande. — Próxima parada, 35º DP.

Estávamos perto de onde havíamos deixado o carro. Abri a porta para que Nina entrasse, e em seguida ajudei Sofia. Que diabos era 35º DP?

Sofia hesitou antes de se acomodar, a mão na porta do carro.

— O que foi, Ian?

Olhei para a rua, para a casa que já não era minha, para o carro e para minha mulher. Soltei uma pesada expiração.

— Queria não me sentir tão confuso. Queria poder entender o que você e sua amiga dizem.

Ela se esticou na ponta dos pés, colocando as mãos em meu rosto, e me olhou com intensidade.

— Desculpa, Ian. Eu queria poder explicar tudo com calma e te mostrar as coisas mais legais que tem por aqui. Mas nós precisamos...

— Eu sei. — Aproveitei a proximidade e a beijei de leve. — Não se preocupe comigo. Tudo o que importa agora é Elisa.

— Isso não é verdade!

Sua irritação me fez sorrir.

— Eu sei disso, meu amor. E agradeço. — Empurrei uma mecha de seu cabelo para trás do ombro. — Mas você pode se preocupar comigo depois que Elisa estiver a salvo.

Seu olhar escrutinou meu rosto, os dentes cravados no lábio inferior. Tive de fazer o meu melhor para que ela não percebesse quanto eu estava aflito, quanto aquele mundo me perturbava.

Mas ela percebeu. Claro que sim.

Quando eu estava na universidade e fui obrigado pelo professor de filosofia a ler Platão, achei tudo aquilo maçante. Em minha cabeça, *O banquete* e sua teoria de almas gêmeas não passavam do devaneio filosófico de um romântico incorrigível e um tanto solitário. No entanto, em momentos como aquele, quando Sofia parecia me enxergar por dentro sem que eu dissesse uma palavra, eu o compreendia.

— Ela está a salvo, Ian — assegurou Sofia com doçura. — Está na delegacia, sob proteção. A polícia deve estar procurando o responsável por ela. No caso, você. Ela está segura.

Minha esposa não esperou por uma resposta. Beijou-me brevemente e então entrou no carro.

12

DP nada mais era que a abreviação de distrito policial. Assim que chegamos lá, que surpresa, a delegacia em nada lembrava o que eu conhecia. Em vez de uma saleta com uma mesa, um armário e duas celas para os prisioneiros, o prédio de dois andares comportava uma enorme área repleta de cadeiras e portas que davam em cômodos menores, objetos dos quais eu não sabia o nome ou uso e uma centena de pessoas.

Vasculhei o recinto em busca de Elisa, mas ela não estava entre as pessoas que se amontoavam nos assentos desconfortáveis ou em pé junto à parede cinzenta. Eu estava inquieto. Já fazia pouco mais de uma hora que havíamos chegado e então pediram que aguardássemos.

— Fica calmo. Vai dar tudo certo — Sofia pousou a mão sobre minha coxa, impedindo que eu continuasse a sacudi-la. As outras pessoas também pareciam impacientes.

— Por que tanta demora?

— Porque o serviço público é péssimo por aqui.

Sofia me explicou algumas coisas. Por exemplo, que o rapaz atrás do balcão logo na entrada (o mesmo que pediu que aguardássemos) não estava falando com a mão, mas com alguém ao telefone. Olhando com mais atenção, vi a pequena chapa preta entre sua palma e a orelha. Um olhar mais atento e percebi que a maioria ali tinha um desses na mão. Sofia disse que estavam falando com alguém distante, e eu me perguntei por que precisavam disso se estavam rodeados de pessoas com quem podiam conversar.

— É que... Bom, ninguém costuma conversar com quem não conhece. — Ela ergueu os ombros.

— Curioso. O que é aquilo?

O rosto de Sofia exibiu uma careta engraçada.

— Ah, é uma máquina de escrever.

— É bonita. — Delicadas garras se elevavam com um *tec-tec-tec* conforme o homem apertava alguns botões.

— Eu odeio esse treco. E é um absurdo que em pleno século vinte e um algumas delegacias ainda tenham essa coisa jurássica. — Sofia sacudiu a cabeça. — E acho que você não entendeu direito o que um computador é capaz de fazer.

— Não entendi mesmo. — Como poderia? Minha mente estava uma baderna e eu não conseguia ouvir meus próprios pensamentos naquele mundo. Havia muito barulho, uma cacofonia complexa que me causava um zumbido contínuo nos ouvidos. TV, rádio, iPod, celular, explicara minha esposa.

Sofia espirrou alto. E uma segunda vez. Peguei o lenço no bolso da frente da calça e ofereci a ela.

— Valeu. — Ela o esfregou no nariz.

— Está tudo bem?

— Tá sim. Acho que é o ar-condicionado. Acho que eu meio que desacostumei. — E sorriu como se isso a deixasse feliz, me devolvendo o lenço. Eu o guardei no bolso e assenti, mesmo sem entender uma palavra do que ela disse.

Nina, que tinha ido até a entrada conversar com o rapaz que não falava com a mão, retornou e se sentou a meu lado, cruzando os braços.

— É por isso que este país não vai pra frente. Se você não consegue nem ser atendido numa delegacia...

— O que ele disse? — Sofia perguntou, inclinando-se para poder vê-la.

— Que é pra gente esperar. — Ela bufou. — Cretino. Ele nem se deu o trabalho de olhar pra mim pra responder.

Muito pouco cortês, de fato.

— Bom — Nina mudou de posição, parecendo menos irritada ao cruzar as pernas escondidas por uma calça comprida. — Já que somos obrigados a esperar, me digam tudo o que eu perdi.

— Humm... Acho que te contei quase tudo nas cartas. — Sofia ponderou por um instante antes de prosseguir. — Eu encontrei a minha fada madrinha na noite em que você se casou. Foi na pracinha lá perto de casa. Então eu pedi que ela desfizesse toda aquela confusão, porque sabia que o Ian tava sofrendo e isso me matava.

— Eu lembro — assentiu Nina.

— Pediu a ela que desfizesse o quê? — Sofia nunca mencionara isso.

— Tudo, Ian. Que apagasse tudo, como se nós nunca tivéssemos nos conhecido, mas apenas porque ela disse que eu não podia repetir a experiência. — Ela pegou minha mão e entrelaçou os dedos nos meus. Então se dirigiu à amiga. — Aí ela me contou sobre Ian e eu estarmos no destino um do outro e que eu devia escolher onde queria viver. Eu nem precisei pensar...

Sofia se animou enquanto narrava à amiga todos os pontos que achava importantes. Flagrei-me sorrindo quando chegou ao nosso casamento. Aquelas eram algumas de minhas lembranças mais preciosas. Toda a cena me veio à cabeça enquanto ela descrevia tudo, do momento em que a vi entrar ao que viera depois, durante a festa, quando eu soube da suposta maldição e nada mais poderia ser feito. Na época eu não sabia que os acidentes eram causados pelo metal da crinolina e me vi de mãos atadas, armado apenas do desejo violento de manter Sofia a salvo, mesmo que fosse apenas com a força de meus punhos. E, naturalmente, meus punhos nada podiam contra raios letais. Foi um período turbulento. Mentir para Sofia fez parte de minha alma escurecer. Quando descobri que ela também andara escondendo fatos importantes, perdi o controle e por pouco não a perdi também.

Afastei a recordação da cabeça, concentrando a atenção em Sofia.

— Foi bem diferente do que nós duas estamos acostumadas — Sofia contou.

— Meu Deus! — a amiga riu. — Não acredito que você chantageou um padre!

Sofia suspirou.

— Não tinha outro jeito. E foi o Ian que subornou o padre Antônio, não eu.

— Não é exatamente assim que eu me lembro — comentei, achando graça.

Minha esposa revirou os olhos.

— Tudo bem, posso ter dito algumas coisas que fizeram o padre mudar de ideia.

— O doutor Cerqueira vai atendê-los agora. — Uma jovem trajando calças escuras e camisa preta de mangas curtas com os dizeres "polícia civil" se aproximou e indicou a porta estreita atrás de uma coluna. Sofia já me contara que as mulheres ocupavam os mesmos cargos que os homens, por isso não fiquei tão surpreso ao ver uma moça servindo a guarda.

Nina nos esperaria ali, então Sofia e eu acompanhamos sem titubear a jovem de cabelos castanhos presos em um penteado semelhante ao que Sofia costumava usar. Ela abriu a porta e se afastou para que passássemos, e eu me detive. Uma mulher jamais deveria dar passagem a um cavalheiro. Era imperativo que fosse o contrário, não importava sua posição ou cargo. Indiquei a sala com o braço, esperando que ela entrasse. Em vez disso, ela me olhou com confusão. Então reparei que seus olhos não combinavam. Um era castanho e o outro, cinza.

— O quê? — perguntou ela.

— A senhorita primeiro. — Indiquei a porta.

Ela inclinou a cabeça para o lado e me examinou por um momento, suas bochechas ganhando um tom rosado.

— Ah, eu não vou entrar. Mas obrigada pela... pela gentileza.

Anuí com a cabeça e então me juntei a Sofia.

O delegado, um homem um pouco acima do peso com um respeitável bigode, parecia entediado e cansado e não nos dedicou muita atenção. Nem ao menos pediu que a dama se sentasse, pelo amor de Deus!

— O que posso fazer por vocês? — ele perguntou, desinteressado.

Tomei a frente.

— Procuramos minha irmã. Soubemos que ela foi trazida para cá — e narrei rapidamente o que sabíamos do ocorrido.

Isso fez uma centelha de curiosidade reluzir em seu rosto rechonchudo, e ele desviou a atenção de um... computador? Uma TV? Talvez um forno de micro-ondas?... Bem, ele desviou o olhar do que quer que fosse aquele artefato sobre sua mesa.

— Ah, sim. A mocinha de época.

— Diz que ela não está presa, delegado — suplicou Sofia.

— Não, ela não está presa.

Sofia e eu suspiramos ao mesmo tempo. O alívio, porém, durou pouco.

— A moça foi levada para o hospital — continuou ele. — Precisou ser contida. Ela estava um tanto... violenta. Foi medicada, encontrou um parente e foi pra casa.

— Encontrou um o *quê*? — perguntei, mais alto do que pretendia.

— Um parente, amigo, conhecido. — Ele ergueu os ombros. — Não sei ao certo. Mas estou mais do que satisfeito por ter aquela garota longe da minha delegacia. Ela causou um tremendo tumulto com toda aquela gritaria.

— Mas Elisa não conhece ninguém aqui! — Meu estômago embrulhou. — Quem a levou? Exijo que me diga!

Os olhos do sujeito se estreitaram ligeiramente em minha direção, enquanto Sofia pousou a mão em meu ombro.

— Calma aí — ela sussurrou.

— Como posso ter calma, Sofia, se este senhor me diz que Elisa foi levada por um parente e nós dois sabemos que ela não tem ninguém aqui?

— Se isso é tudo... — Ele voltou a atenção para o computador a sua frente, em uma mal-educada dispensa.

Cheguei ao limite.

— Isso é tudo? — Eu me aproximei da mesa. — Minha irmã tem apenas dezessete anos! Estamos falando de uma menina, perdida em uma cidade como esta, e levada por um "suposto" parente. E o senhor acha que *isso é tudo*? Que espécie de cavalheiro é o senhor?

— Ian... — Sofia murmurou, puxando meu braço.

O sujeito ergueu lentamente os olhos para mim.

— Eu tenho mais o que fazer do que ficar paparicando meninas malucas. E a família a encontrou, não?

— O senhor ouviu o que eu disse? *Nós* somos a única família de que Elisa dispõe.

— É melhor se acalmar, filho, se não quiser se meter em confusão.

— Ian, vamos embora. — Sofia me puxou para a porta. — Obrigada, doutor Cerqueira, nós...

— Mas eu já me meti em confusão! — Cuspi para o homem. — Minha irmã está nas mãos de alguém que mentiu para levá-la. Com que propósito? O senhor ao menos verificou a autenticidade do parentesco? Tentou descobrir por que Elisa estava tão assustada?

O rosto dele ficou rubro como um tomate.

— Está sugerindo que eu não sei fazer o meu trabalho?

— Não. Estou afirmando. O senhor colocou uma criança em risco por inaptidão ou desinteresse. E não estou certo sobre qual das duas hipóteses é a pior.

Levantando-se com certo estardalhaço, sempre me encarando, ele disse:

— Ah, é mesmo? É melhor eu exibir minhas habilidades, então. Você está preso por desacato!

— O quê? Não! — Sofia gritou. — O senhor não pode fazer isso!

— Faço o que eu quiser na minha delegacia. Pereira!

Aconteceu muito rápido. A porta se abriu e um homem entrou. O delegado ordenou que me prendesse. Mantive a calma quanto pude, mas, quando outro sujeito entrou e empurrou Sofia para o lado a fim de me pegar, vi tudo vermelho. Com uma manobra rápida, acertei seu queixo com o cotovelo. Mas havia mais homens chegando, e um deles foi bem-sucedido em me agarrar pelo braço e torcê-lo nas costas.

— Ian, não lute! — Sofia tentou se interpor entre mim e o policial. O delegado a impediu, plantando-se a sua frente. Ao menos isso. Ele não era totalmente incapaz, afinal.

O silvo de um porrete cortou o ar, e então não vi mais nada.

* * *

Alguém batia em meu rosto.

— Vamos, cara, acorda aí.

Tentei me mover, mas minha cabeça ameaçou explodir. Abri os olhos. Um rapaz estava curvado sobre mim, observando-me com a testa franzida.

— Caramba, cara, que susto — disse ele. — Achei que você estava em coma.

Eu me sentei no chão grudento, gemendo, a mão na cabeça, que parecia pesar uma tonelada. A parte de trás estava dolorida, um galo já se formando. Diabos, o que tinham feito comigo?

— É um saco quando acertam a cabeça, né? Mas a desorientação passa já, já. O que você aprontou? Por que eles te apagaram?

— Não sei ao certo. Imagino que eu não devia ter dito ao delegado o que penso a respeito de sua capacidade.

O homem sorriu largamente. A grossa cicatriz que ia de sua sobrancelha até a linha dos cabelos se distendeu, também parecendo sorrir.

— Legal. Bom, bem-vindo ao paraíso. — E abriu os braços.

Observei a cela pequena. Havia uma cama de solteiro e algo parecido com um vaso em um canto. Nada mais.

— Deixa eu te ajudar. — Ele me ofereceu a mão. Aceitei a ajuda. — Deus do céu, você é pesado feito um cavalo.

— Por que foi preso? — perguntei assim que consegui me levantar, mas minhas pernas não estavam funcionando direito. Sentei-me no colchão fino.

— Nada de mais, uma coisa à toa.

— O que quer... — comecei, mas me detive assim que ouvi um alvoroço e uma voz muito familiar ecoar pelo corredor.

— ... não pode me impedir de falar com ele. Tá no código civil! — argumentava Sofia.

— É código de processo penal — uma voz masculina ecoou.

— Tanto faz! Quero ver o meu marido agora! O delegado autorizou!

Fiquei de pé e cruzei meu cativeiro, meio instável, buscando apoio nas grades.

— Senhora...

— Ah, deixa ela ir, Pereira. É melhor. Chega de confusão por hoje — outro homem disse.

Sofia apareceu a minha frente sete segundos depois.

— Ian! — Enfiou os braços pelas grades e tocou meu corpo em todos os lugares que pôde alcançar. — Você tá bem? Te machucaram muito?

— Você não deveria estar aqui, Sofia. Não a quero neste lugar!

— Eu precisava te ver. Estava preocupada. Aquele filho da mãe não precisava ter te atacado com tanta força. A Nina ligou pra um advogado amigo dela e ele tá com o delegado agora, ameaçando Deus e todo mundo. Ele acha que você foi vítima de abuso de autoridade e quer abrir um processo, mas eu só quero tirar você daqui.

Tomei seu rosto entre as mãos.

— Me perdoe, Sofia. Eu não queria que nada disso acontecesse. Apenas não posso acreditar que aquele homem tenha entregado Elisa a um...

— É, eu sei. — Ela virou a cabeça para o lado, beijando minha palma. O toque viajou por todo meu corpo e encontrou abrigo em meu peito. — A gente vai te tirar logo daqui, e aí vamos encontrar sua irmã nem que a gente tenha que revirar esta cidade do avesso. Você tá machucado, Ian? Fala a verdade.

— Estou bem. Não se preocupe comigo.

— Como se isso fosse possível. — Por entre as barras de ferro, ela colou a testa em meu queixo.

Um sujeito vestindo uma camisa semelhante à da jovem que nos levara até a sala do delegado apareceu.

— Tudo bem, dona. Já chega. A senhora já viu que ele tá vivo. Agora, por favor, me acompanhe.

Sofia olhou para ele e assentiu. Então voltou a atenção para mim.

— Daqui a pouco a gente se vê, tá bem?

— Apenas fique longe da delegacia.

Ela esticou o pescoço. Minha boca encontrou a dela. As grades esmagaram meu rosto, e temendo que pudessem ferir Sofia, não me demorei.

Pude ouvir seus passos se distanciando no corredor, a porta se fechando com um baque surdo.

— Ela é muito linda. É sua namorada? — meu companheiro de cela perguntou, sentando-se no colchão sujo.

— Minha esposa.

Ele assoviou uma nota contínua e aguda, avaliando-me de cima a baixo. Cansado, com a cabeça doendo como o inferno, decidi me sentar com ele.

— Você engravidou ela?

— Sim, nós temos uma filha. — Recostei-me na parede. O galo em minha cabeça resvalou no reboco áspero. Engoli uma porção de impropérios.

— Eu sabia. Só um maluco se casaria na sua idade por vontade própria.

— Mas eu me casei por vontade própria.

O homem deu risada.

— Então você é mais doido do que eu tinha imaginado.

— Por que você foi preso? — insisti.

— Eu... tinha esse trabalho. Fiz tudo direitinho. — Seu olhar se tornou vago, os cantos da boca curvaram-se levemente. Então seu semblante se anuviou enquanto ele mirava os olhos em mim. — Tudo mesmo, mas alguma coisa deu errado e... eu estraguei tudo. Agora estou sendo punido.

Franzi a testa.

— Você ainda não disse por que foi preso.

— É uma história muito longa e muito chata que ia te fazer dormir em dois segundos. Mas eu não matei ninguém, fica tranquilo.

Já era alguma coisa. Voltei a encostar a cabeça na parede, tomando cuidado para não pressionar a parte dolorida.

— O que aconteceu com a sua irmã? — o rapaz questionou, cruzando uma perna na altura do tornozelo.

— Por que quer saber?

Ele ergueu os ombros.

— Tédio, acho. — Ele contemplou nossa cela. — Não me leva a mal, mas fiquei contente quando te jogaram aqui. Ficar sozinho é um saco.

— Ela... se perdeu. Minha irmã se perdeu.

— E você não tem nenhuma ideia de onde ela possa estar? Nenhuma pista?

— Não, e desconfio que o delegado não pretende me ajudar a encontrar uma.

— Ah.

Fechei os olhos. Por que alguém teria mentido dizendo que era parente de Elisa? Que inferno. Eu não estava certo se queria descobrir a resposta.

— E aí, como é a sua menina?

— Você é bastante curioso, não? — Abri os olhos.

Sua gargalhada reverberou por todo o complexo.

— Já me acusaram de coisas bem piores.

Por alguma razão, aquele rapaz não me parecia um bandido. Havia uma dureza em seu semblante que se acentuava com a cicatriz, mas também havia bondade perceptível em seu olhar. Talvez o motivo pelo qual ele tinha sido preso fosse semelhante ao meu: apenas um mal-entendido.

— Marina é levada, manhosa, linda — falei por fim.

— Ah. — Ele abriu um meio sorriso. — Você é um daqueles pais babões. Sabe, eu conheci um cara assim. Ele tinha três meninas que o enlouqueciam, mas era apaixonado por elas. Uma vez, a mais velha quebrou o braço e ele teve que... — O rapaz continuou falando, mas eu pouco ouvi.

Será que Madalena seria capaz de fazê-la dormir naquela noite? A governanta não conhecia a canção de ninar de que Marina tanto gostava. Como seria, então? Ela choraria a noite toda, até adormecer de exaustão? Diabos, eu não suportava ouvir seu choro. Irracional, eu sei. Bebês choram o tempo todo. Mas era como se seu pranto estivesse conectado ao meu coração e, a cada vez que eu ouvia seu lamento, a cor do mundo parecesse desbotar. Eu a amava mais do que à própria vida. Fora assim desde a primeira vez em que ela me chutara, ainda dentro de Sofia.

Meu Deus, não permita que minha filha sofra.

Recostado na parede úmida, voltei a fechar os olhos com força. E comecei a cantarolar sua canção bem baixinho, desejando fervorosamente que de alguma maneira minha menininha pudesse me ouvir.

13

— Ian? Acorda! Ian!

— Humm... — resmunguei, sem abrir os olhos.

— Acorda, Ian! É uma emergência!

Saltei da cama imediatamente, tropecei em minhas botas e quase caí sobre a cômoda.

— O quê? O que foi? — Ah, diabos, eu sabia que toda aquela agitação no casamento de Thomas e Teodora no dia anterior não podia ser boa para ela. — Você está bem? O bebê está bem? Estou acordado. Estou muito acordado. Vou mandar chamar o doutor Alm...

Sofia deu risada, sentando-se na cama.

— Não *esse* tipo de emergência.

Levei um minuto para entender o que ela dizia. Se sorria daquela maneira, não podia ter entrado em trabalho de parto. Ainda bem, pois não era o momento. O doutor Almeida acreditava que ainda levaria mais quatro ou cinco meses para isso acontecer. Soltei o ar com força e esfreguei o rosto para despertar.

— Não tem nada errado comigo nem com o bebê. — Ela se adiantou. — Desculpa, não queria te assustar. É que se trata *mesmo* de uma emergência.

— Que espécie de emergência, meu amor? — Voltei para a cama e me sentei na beirada do colchão.

Sofia, completamente nua entre os lençóis emaranhados, ajoelhou-se sobre o colchão e chegou mais perto. Ela andava sentindo muito calor nos últimos tempos, mas o doutor me assegurou — sete vezes — que aquilo era comum em seu estado. A gravidez já era evidente. Nosso bebê alterara suas curvas, deixando-a ainda mais exuberante... e muito disposta a... bem... Eu pouco tinha dormido nos últimos quatro meses.

— Eu preciso de chocolate. Tipo agora!

— Chocolate? — repeti estupidamente.

Ela concordou com a cabeça, levando o polegar à boca e mordiscando a ponta.

— Ontem, no casamento da Teodora, eu vi uma mulher com um vestido marrom bem escuro. E era brilhante e parecia tanto com chocolate... Não consigo parar de pensar nisso. Sinto que vou morrer se não comer chocolate nos próximos minutos. E estou toda coçando! A Madalena disse que quando isso acontece eu não posso tocar em nenhuma parte de mim, ou o bebê vai nascer cheio de manchas de nascença. Eu não quero que o nosso bebê nasça com cara de tablete de chocolate!

— Mas, meu amor, são... — Alcancei a vela que estava pela metade e examinei as horas em meu relógio, sobre o criado-mudo — ... três da manhã! Chocolate é uma iguaria rara, difícil de encontrar.

— Mas ele já existe? — Seus olhos estavam muito abertos, suplicantes.

Soltei um longo suspiro e coloquei as pernas para fora do colchão.

— Sim, já existe. Vou tentar conseguir um pouco, mas não posso garantir nada. Imagino que terei que ir até a cidade. A última vez que eu soube que havia chocolate na vila foi pouco antes da sua chegada.

Peguei as peças de roupa jogadas no chão e comecei a me vestir. Sofia se arrastou como uma gata pelos lençóis até chegar aos pés da cama.

— Desculpa. — Ela se sentou sobre os joelhos, prendendo os cabelos em um nó frouxo no alto da cabeça. — Mas eu realmente preciso de chocolate. É tudo em que posso pensar agora.

A luz da lua entrava pela janela e banhava sua pele clara, conferindo-lhe um brilho quase etéreo. Seus seios balançaram de leve, atraindo meu olhar. Estavam maiores, inchados e muito sensíveis ao toque.

Eu podia pensar em outra coisa que não fosse chocolate. Facilmente.

— Verei o que consigo arranjar — murmurei, obrigando-me a parar de devorá-la com os olhos. Foram necessárias cinco tentativas, e fui recompensado pelo esforço com um sorriso capaz de me fazer ir até a Espanha a nado em busca do maldito chocolate.

Já vestido, inclinei-me sobre ela, segurei seu rosto em uma das mãos e a outra repousei sobre sua barriga ligeiramente protuberante.

— Voltarei assim que puder.

Exatamente como eu previra, não havia uma única lasca de chocolate em toda a vila, de modo que Storm e eu tomamos o rumo da cidade, o dia nascendo depois de eu ter batido na porta do confeiteiro e quase matá-lo de susto.

O sol já estava alto quando consegui chegar ao meu destino e comecei minha peregrinação. Entrei em todo e qualquer estabelecimento que pudesse vender a iguaria. No entanto, obtive as mesmas respostas que na vila. Estava em falta. Uma grande carga chegaria no próximo vapor vindo da Europa. Restava-me tentar apenas a grande Casa de Café, uma confeitaria muito tradicional fundada havia mais de cinquenta anos e onde se encontravam as melhores e mais saborosas bebidas quentes e sobremesas.

— Chocolate? Infelizmente acabou, senhor Clarke — disse o senhor Apolinário, dono do estabelecimento.

— Mas eu preciso de pelo menos um pote. É uma emergência. Minha esposa está esperando.

O confeiteiro estendeu a mão e apertou meu ombro.

— Ora, que notícia maravilhosa. Parabéns, senhor Clarke!

— Obrigado, senhor Apolinário.

— Lamento não poder ajudá-lo. Se tivesse chegado um pouco antes, teria tido mais sorte. Vendi o último pote de chocolate para a senhorita Lafayette, não tem nem dois quartos de hora. Não deseja levar algum dos nossos doces? Mulheres em estado interessante ficam ávidas por sobremesas.

— O que o senhor sugere? — ouvi-me perguntando, muito embora soubesse que nada daquilo suavizaria o desejo de Sofia por chocolate. Mas o que mais eu poderia fazer? Não podia voltar para casa de mãos vazias.

Acabei comprando um pouco de tudo. O próprio Apolinário tratou de embrulhar as caixas de guloseimas com cuidado para que aguentassem a viagem.

— Espero que sua senhora goste. — Ele me entregou os dois pacotes.

— Fico grato, senhor Apolinário. Até mais ver.

Arrastei-me para fora da Casa de Café com as duas caixas de doces, um tanto desanimado. Não havia mais nenhum estabelecimento onde eu pudesse encontrar o que Sofia tanto desejara, e aqueles torteletes e quindins não serviriam. A menos que eu...

Olhei para a rua movimentada, acomodando os doces no alforje com cuidado, uma ideia se formando.

Sofia arrancaria meus colhões se soubesse o que eu pretendia, mas que opção eu tinha? Vê-la se decepcionar quando abrisse as caixas e encontrasse doces de fruta e nada mais?

Não. Eu sabia que muitas coisas que Sofia tinha deixado para trás nem sequer existiam neste século. Mas, diferentemente da tal pizza que ela tentara ensinar a senhora Madalena a fazer, e que resultou em um enorme pão encruado, o chocolate era algo possível.

Endireitando os ombros, passei o pé no estribo e montei Storm. Se minha mulher queria chocolate, ela o teria!

Storm abanou a cabeçorra, a crina negra se agitando, capturando e refletindo os raios de sol, como se discordasse de meu plano.

— E o que você sabe sobre mulheres grávidas? — Firmei a guia e, sem perder tempo, rumei para o leste da cidade, uma região não tão nobre, mas muito frequentada pelos mais abastados. Era ali que se encontrava todo tipo de distração masculina.

Naturalmente, eu nunca tinha ido além das casas de jogos, e mesmo assim a última vez em que pisei naquele bairro fora no período obscuro do desaparecimento de Sofia.

A vizinhança não era elegante, e era comum ver mulheres em roupas de baixo paradas em frente às janelas, uma oferta silenciosa que não carecia de explicações.

O estabelecimento da senhorita Anne Marie Lafayette, no entanto, era bastante discreto. Quase passava despercebido e por isso mesmo se tornara o favorito entre os cavalheiros. Meus colegas de faculdade sempre falavam do lugar como algo parecido com o paraíso. Sendo franco, em algumas poucas vezes quase cedi à tentação. É difícil manter a cabeça no lugar quando seu corpo de dezoito anos deseja o tipo de alívio que somente uma dama pode proporcionar. Muitos dos pais de meus colegas se vangloriavam por levar os filhos até a senhorita Lafayette para que ela lhes ensinasse a arte de fazer amor.

Eu estava curioso?

Sim, muito.

Excitado além do que a sanidade permitia?

Decididamente.

Ainda assim, nunca consegui me obrigar a entrar naquele bordel. Tinha a ver com precisar pagar para estar entre as coxas de uma mulher. Orgulho, talvez. Fosse o que fosse, isso fazia a excitação evaporar.

E agora ali estava eu, um homem muito bem casado e satisfeito, prestes a ter um herdeiro, entrando pela primeira vez em um prostíbulo. Meu pai teria me arrancado as orelhas se pudesse me alcançar agora. Eu mesmo queria fazer isso.

Mas que se dane.

As necessidades de Sofia vinham em primeiro lugar.

Segurando a aldrava maciça de bronze, bati na porta e esperei. Um mordomo me recebeu sem fazer perguntas, sem qualquer olhar surpreso ou reprovador, e me conduziu até a grande sala principal. O perfume no ar era pesado, doce em excesso, e fez minha cabeça doer. Havia uns poucos cavalheiros na sala ao lado àquela hora do dia. Estavam distraídos em um jogo de cartas, bebericando uísque na companhia de meninas seminuas tão jovens quanto Elisa. Meu estômago embrulhou.

— Ora, ora, que surpresa deliciosa! — disse Anne Marie Lafayette. Pequena e delicada, com cachos escuros e olhos amendoados, suas curvas voluptuosas faziam metade dos homens da alta sociedade perder a cabeça. Ela transpirava uma falsa inocência que a tornava irresistível para a maioria deles. Um olhar menos atento poderia deixar passar a informação de como ela realmente ganhava a vida. Naturalmente, não era recebida em muitos eventos sociais, mas estava sempre presente nos mais importantes. A ligação com o duque de Bragança lhe era muito conveniente.

— Senhorita Anne Marie. — Fiz uma mesura.

Ela retribuiu o cumprimento, um pequeno sorriso de deleite nos lábios. Uma das jovens do salão ao lado se levantou, mas Anne Marie ergueu um dedo e lhe lançou um olhar de advertência. Foi o que bastou para que a jovem voltasse a se sentar no colo de um homem com o dobro de sua idade.

Voltando-se para mim com um sorriso charmoso, Anne Marie disse:

— Nunca imaginei que chegaria o dia em que eu veria um Clarke em meu humilde estabelecimento. O que posso fazer por você neste dia tão feliz, meu caro senhor?

Um dos homens abandonou as cartas e esticou o pescoço em nossa direção. Ora, mas que inferno. Tudo o que eu não precisava agora era de que mexericos a meu respeito chegassem aos ouvidos de minha mulher grávida.

— Salvar-me, madame. Podemos conversar em particular?

O sorriso dela se ampliou.

— Mas é claro, meu querido. Por que não vamos até a minha sala particular?

— Parece uma boa ideia.

Ela indicou o caminho e eu a segui sem olhar para os lados. Respirei aliviado quando passei pelas portas envidraçadas, cobertas por uma cortina de renda, e as fechei, satisfeito por estar longe de olhares curiosos. Virei-me e arqueei as sobrancelhas ao examinar a sala particular. Havia uma mesa e um armário em um canto, e pesadas cortinas vermelhas pendiam das janelas, não permitindo que a luz do sol tocasse os móveis ou seus ocupantes. No centro, um recamier forrado de cetim lilás era acompanhado por uma mesa redonda e baixa de jacarandá abastecida de lenços, tiras de couro, plumas e outros apetrechos.

Aquilo era um grilhão?

Diabos. Sofia me mataria. Ela realmente me mataria se soubesse onde eu estava agora.

— Por que não se senta, senhor Clarke? — ofereceu Anne Marie, apontando para o recamier. — Posso lhe servir uma bebida?

— Agradeço, mas não posso me demorar, madame.

— Ah, mas não me diga isso! — Ela se aproximou rapidamente. — Há anos espero pela visita de um Clarke e quero desfrutar dela pelo maior tempo possível. Que tal ficar um pouco mais confortável? — E esticou o braço, em direção a minha gravata.

Dei um passo para o lado.

— Creio que não será necessário.

Algo reluziu em seu olhar.

— Um homem de fetiches, senhor Clarke? Quem poderia imaginar... — Ela tamborilou dois dedos sobre os lábios pintados de carmim. — Se prefere assim...

— Senhorita Anne Marie, creio que eu não tenha lhe dito ainda o que me trouxe até seu estabelecimento.

— Não é necessário, senhor Clarke. Sou especialista em desvendar os desejos dos cavalheiros.

— Duvido que possa descobrir os meus.

Uma sobrancelha fina se arqueou.

— Então esse será o jogo? — Tocou a base do pescoço, o olhar se inflamando.

— Não há jogo algum. Vim procurá-la porque apenas a senhorita pode me ajudar.

— Diga o que quer e eu o farei de bom grado, meu querido. — Ela me examinou dos pés à cabeça. A língua correu pelo lábio inferior. — De muito bom grado.

— Ótimo. Estou aqui porque quero seu chocolate.

Ela estremeceu de leve, vindo em minha direção.

— Quanta audácia, senhor Clarke. Direto, do jeito que eu gosto. O senhor pode ter meu *chocolate*. Se for um bom menino. Onde devo lhe servir, meu querido? Aqui mesmo? Ou prefere um dos quartos do andar de cima?

Esfreguei a testa com força.

— Suponho que não tenha sido claro. Eu quero o pote de chocolate que a senhorita acabou de comprar na Casa de Café.

O sorriso em seu rosto congelou e ela me fitou como se não tivesse ouvido direito.

— Perdoe-me. Como disse?

— Passei na Casa de Café ainda agora e o senhor Apolinário me contou que a senhorita comprou o último pote de chocolate da cidade. Eu preciso muito dele, senhorita Anne Marie.

— Chocolate? — Ela arfou, piscando depressa. — O senhor veio até aqui porque quer *chocolate* de verdade?

— Sei que meu pedido é ousado, mas trata-se de uma emergência. — Assim dissera Sofia. — Revirei a cidade em busca da iguaria, mas não a encontrei. Minha esposa está esperando nosso primeiro filho e me acordou esta madrugada com desejo de chocolate. Fui a todos os estabelecimentos possíveis.

— Ousado? Eu teria me ofendido menos se o senhor tivesse me pedido para vestir um dos meus espartilhos. — Ela começou a rir, um som estridente e muito agudo. — Chocolate! O senhor quer chocolate!

— E a senhorita é tudo o que me resta.

— E o senhor supôs que eu o ajudaria? — Ela me olhou com escárnio.

— Sim, eu imaginei — falei com firmeza.

— E o que o fez pensar isso?

— A senhorita é, antes de mais nada, uma comerciante. — Retirei o saquinho de veludo do bolso do paletó e o joguei sobre o recamier. Seu olhar acompanhou o movimento. — É capaz de perceber quando o negócio lhe é lucrativo.

Seu olhar se demorou sobre as moedas. O que havia ali compraria pelo menos meia dúzia de vestidos luxuosos. Nós dois sabíamos disso.

— E se eu não estiver disposta a aceitar dinheiro? E se preferir algo mais... interessante?

— Então terei de voltar para casa e enfrentar a decepção no rosto de minha esposa, sabendo que fiz tudo o que podia.

Um sorriso perverso curvou sua boca.

— E então ela vai perturbá-lo por semanas, pelo senhor não ter atendido ao seu capricho.

— De maneira alguma. Acredito que nem mencionará o assunto e provavelmente se sentirá culpada pelo trabalho que tive. Mas não é essa a questão. Eu não gostaria de decepcioná-la. Ela me fez um pedido relativamente simples. Eu não queria falhar nisso.

Anne Marie me estudou especulativamente.

— E por que não?

Soltei o ar com força. Eu estava mesmo tendo aquela conversa com uma cortesã?

— Porque minha esposa é uma mulher muito especial, muito inteligente, e eu sei que não estou a sua altura. Então me esforço de todas as maneiras para ser ao menos um pouco merecedor dela.

A mulher piscou algumas vezes.

— Então o que dizem é verdade. O senhor se casou por amor. — Ela se virou e começou a remexer nos itens sobre a mesinha. — Sabe, eu os vi de longe na ópera tem algum tempo e achei que fosse o caso, mas pouco depois soube que a jovem havia ido embora. Pensei que a ausência destruiria sua paixão, senhor Clarke, e o faria procurar consolo. Quem sabe aqui.

— Como disse La Rochefoucauld, a ausência diminui as pequenas paixões e exalta as grandes, assim como o vento, que apaga as velas e atiça as fogueiras.

— É o que vejo. — Ela abandonou seus brinquedos e se aproximou de novo. Esperei, inquieto, enquanto ela me avaliava. — Aconteceu o mesmo com seu pai. Um cavalheiro tão belo, tão educado... Conheci John em um sarau oferecido por um poeta amigo de seu pai. E cometi o erro de me apaixonar por ele. Veja bem, senhor Clarke, uma mulher em minha posição não pode se permitir sentir afeição por ninguém.

— Imagino que não — ponderei, enquanto em minha mente eu gritava: O quê?!

— Mas John já estava noivo de sua mãe e me rejeitou. — Ela fez um biquinho que, suponho, tinha o intuito de ser sensual, mas apenas acentuou as marcas do tempo ao redor de seus lábios. — Não que eu tivesse esperança de que ele fosse me tornar uma mulher honesta. Minha reputação estava estabelecida, mas confesso que cheguei a sonhar em me tornar sua amante. Uma casa aqui na cidade e sua companhia eram tudo o que eu desejava. Fiz o que pude para seduzi-lo, mas ele jamais caiu em minhas artimanhas. Estava loucamente apaixonado por Laura, aquele tolo. — Ela suspirou e sacudiu os ombros. — Por fim, acabei me envolvendo com o duque. E foi melhor assim. John Clarke era bom e bonito demais para que eu não o amasse perdidamente, caso ele tivesse cedido aos meus encantos. E você se parece muito com ele. Cavalheiros opiniosos, vocês, os Clarke... Só me resta lamentar esse infeliz traço de caráter.

E aquilo colocava um ponto-final naquela reunião.

— Bem, lamento ter tomado seu tempo. — Inclinei-me para pegar as moedas.

Os dedos finos de Anne Marie se prenderam em meu pulso. Eu me detive, olhando-a especulativamente.

— Por sorte, meu lado comerciante sempre fala mais alto.

Endireitei-me e Anne Marie soltou meu braço devagar, então se apoderou das moedas. Ela as levou até a pequena escrivaninha no canto e abriu uma gaveta, guardando o dinheiro ali. Dos muitos bibelôs que se amontoavam sobre ela, pegou o pequeno pote de porcelana branca com flores azuis e voltou para perto de mim.

— Aqui está. Leve para a sua amada. — Ela me entregou o recipiente. — Presumo que, para meu eterno pesar, não o verei em meu estabelecimento novamente.

— Não, não verá.

— Bem, se é assim...

Ela agiu rápido. Agarrou-me pela lapela e grudou a boca na minha antes que eu pudesse piscar. Meus olhos se arregalaram. Segurando-a pelos ombros, eu a empurrei da maneira mais cortês que pude.

Ela não se ofendeu com minha recusa e riu ao dizer:

— Não pode me censurar por ter tentado, meu caro.

Eu podia pensar em mil razões para censurá-la. E que diabos aquela mulher usava nos lábios? O que quer que fosse, deixou minha boca grudenta e com uma sensação esquisita, como se eu tivesse esfregado urtiga neles.

Fiz uma mesura rápida e deixei sua sala a passos largos, tomando cuidado para não passar pela saleta onde acontecia a jogatina. Antes que eu passasse pela porta, Anne Marie arrulhou:

— Foi um prazer, senhor Clarke. Acredite.

Afastei-me daquela casa, daquela área, o mais depressa que pude, mas parei em uma estalagem no caminho de casa para alimentar Storm e lavar a boca com conhaque. Precisei de duas doses para me livrar do gosto daquela mulher. Enfiei a mão no bolso do paletó e apertei o potinho, praguejando baixo. Tudo isso por um punhado de chocolate...

Era melhor Sofia não ter mais nenhum desejo dali em diante.

* * *

Cheguei em casa pouco antes do crepúsculo. Sofia ouviu o trote pesado de Storm e correu para a porta da frente a fim de me receber. Um sorriso esplêndido curvou sua boca.

— Você demorou tanto! — Desceu as escadas com as saias erguidas até os joelhos, revelando os pés descalços.

Isaac, tendo me visto chegar, subia correndo a pequena elevação que separava a casa do estábulo.

— Tive que ir até a cidade — eu disse a Sofia, apeando.

Ela pulou sobre mim e me abraçou com força. Eu teria preferido tomar um banho antes de estar em qualquer lugar perto dela, livrar-me daquele cheiro enjoativo do estabelecimento de Anne Marie que impregnava cada centímetro de minhas roupas, mas então teria de explicar o motivo, e minha esposa realmente não precisava saber como eu tinha conseguido o chocolate. Eu ainda não estava certo se tinha valido a pena. Honestamente, não sabia mesmo.

— Senti sua falta — ela murmurou em meu pescoço.

Eu a abracei e abaixei a cabeça, beijando seu ombro.

— Eu também.

Ela se afastou, torcendo o nariz.

— Você tá com um cheiro esquisito. Por onde andou?

— No inferno, Sofia. — Soltei uma lufada de ar. Era o mais próximo da verdade que eu poderia dizer a ela.

Isaac já tinha nos alcançado e se preparava para levar Storm para a baia.

— Há algumas caixas de doces no alforje — eu disse a ele. — Leve-as para a cozinha, por favor.

— Sim, patrão. — Como o garoto não se atrevia a montar Storm, pegou as rédeas e começou a conduzir o garanhão colina abaixo.

Apanhei o pote de cerâmica em meu bolso e o entreguei a Sofia. Seu olhar reluziu como se estrelas vivessem dentro dele, e o sorriso que se abriu em seu rosto fez meu coração parar de bater, para em seguida retumbar em minhas orelhas.

E ali estava minha resposta.

Sim, tinha valido a pena. Qualquer coisa valeria a pena para ser merecedor daquele sorriso.

— Sério? Você encontrou? — Ela abriu a tampinha e o levou ao nariz, inspirando. — Ai, meu Deus, Ian, isso é chocolate de verdade! — E voltou a me abraçar, salpicando beijos por todo o meu rosto. — Eu te amo. Amo tanto, mas tanto, que você nem tem ideia!

— Você diz isso apenas porque eu consegui o chocolate — brinquei, tocando seu cabelo sedoso.

Ela me soltou, contemplando-me daquela forma atrevida que me matava de irritação ao mesmo tempo em que me fazia querer beijá-la.

— Não é verdade e você sabe muito bem disso. Mas não vou mentir: isso contou muitos pontos a seu favor.

Dei risada e passei um braço sob seus joelhos, içando-a do chão.

— Vamos lá. — Comecei a carregá-la escada acima. — O que esteve aprontando enquanto eu estive fora?

— Nada. Ninguém me deixa fazer nada por causa dos enjoos. — E suspirou. — Fiquei o dia todo na janela esperando você voltar, basicamente. Ah, o padre Antônio apareceu para filar um lanche e deixou a conta da reforma do telhado. É um absurdo de alta!

— Não importa. A senhora Madalena parou de se queixar das goteiras durante a missa. Ouvir minha governanta parar de resmungar não tem preço, Sofia.

Ela riu. Aquele era o som mais delicioso do mundo.

Bem, o segundo mais delicioso, pelo menos. O primeiro era, sem dúvida alguma, quando dizia meu nome em forma de gemido em nossa cama, pouco antes de ser arrebatada por... bem... *la petite mort*, como diriam os franceses. Nada se igualava a isso.

— Você sabe que eu sou capaz de andar, né? — ela me disse, bem-humorada. Estávamos na sala agora.

— Sei. Mas neste momento estou carregando tudo o que me é mais precioso neste mundo, então...

Ela deu risada outra vez e abriu o potinho. Pescou um pedaço de chocolate e o mordeu.

— Deus, isso é bom demais!

— Pedirei para a senhora Madalena aquecer o leite.

— Ué, pra quê?

— Para que você possa beber o chocolate. — Era para isso que ele servia, não?

— Ah, não. Valeu, mas não quero chocolate quente. Só chocolate mesmo. — E abocanhou mais um pedaço. — Tá a fim?

Recusei com a cabeça.

— São todos seus.

Eu teria achado estranho se ela não estivesse grávida. Os tabletes deviam ser dissolvidos no leite ou na água. Nunca tinha ouvido falar de alguém que o comesse puro. Era amargo demais, mas Sofia não parecia se importar. Mordiscava cada pedaço como se aquilo fosse uma guloseima vinda do céu.

Eu a acomodei no sofá, arrumando suas saias para que as pernas não ficassem expostas, e me sentei a seu lado, observando-a comer. Não me orgulhava muito da maneira como eu havia conseguido o chocolate, mas sua exultação compensava tudo.

Estendi o braço e toquei sua barriga ligeiramente saliente e arredondada.

— Em que você tá pensando? — Sofia perguntou entre uma mordida e outra.

— Em como eu tenho sorte. Em quanto você me faz feliz.

— Mesmo quando te acordo no meio da madrugada pedindo algo quase impossível de arranjar? — Ela franziu a testa, e um pouco de culpa se espreitou em seu olhar, exatamente como eu previra.

— *Sobretudo* quando me pede algo quase impossível de arranjar. Poder atender a um desejo seu é como... — Algo se movimentou sob a minha mão. Aquela que eu mantinha na barriga de Sofia.

— Ai, meu Deus! — ela exclamou, os olhos arregalados fixos em minha mão.

— Você está se sentindo b... — O movimento se repetiu. — Como você está fazendo isso?

— Não estou! Não sou eu!

— Foi o bebê?!

Nós nos encaramos por um momento. O rosto de Sofia resplandecia. Ela dizia sentir alguma movimentação vez ou outra, mas era sempre sutil demais para que eu pudesse sentir também.

— Parece que tá querendo sair a pontapés! Vai, continua falando. Ele parece gostar disso.

— Sofia, não creio que ele possa me escutar mais do que eu a ele. Além do mais... — Outro chute.

Sofia acariciou aquela linda protuberância e sorriu. Um sorriso pleno, que atingiu o canto mais remoto de minha alma e fez meu mundo mudar de rota.

— Você acha que ele... — Tive de pigarrear. — Acha que ele pode mesmo me ouvir?

Ela fez que sim, emocionada.

Curvei-me até encostar a bochecha em sua barriga, a mão ainda ali. Eu podia estar fazendo papel de bobo — nunca ouvira falar que crianças ainda dentro da mãe podiam ouvir o mundo exterior. Sofia acreditava que podiam, porém, e, como eu bem sabia, o conhecimento dela a respeito do mundo era mais amplo que o de todas as pessoas da minha época juntas.

— Então — comecei, meio sem jeito — foi você quem me acordou na noite passada exigindo chocolate?

O empurrão dessa vez foi mais forte, exatamente no ponto onde minha mão estava. Um nó obstruiu minha garganta enquanto eu me dava conta da enormidade do que Sofia trazia dentro de si. Uma vida. Uma pessoa. Gerada por nós dois, crescendo forte e saudável e já fazendo exigências. Uma nova pessoa que já tinha a percepção do mundo exterior, de minha voz.

Eu gostaria de ter as palavras certas para descrever o que senti, mas não as conhecia. Suponho que se tratasse de amor puro, imutável, cru até. Despertava em mim o desejo primitivo de proteger aquela pequena vida com a minha própria, matar ou morrer por ela. Trazia-me a vontade de caçar alguma coisa para alimentá-la e dessa maneira garantir que pudesse crescer forte e saudável. Aquele sentimento se avolumou e precisei de um instante para que se acomodasse dentro de mim. Então se impregnou em meu peito, inundando-o por completo, preenchendo um lugar que antes pertencia apenas a Sofia.

Pigarreei outra vez, tentando me livrar do nó que obstruía minha garganta.

— Tudo bem — falei baixinho. — Não tem problema. Você pode me acordar sempre que precisar. E vou mover céus e terra para conseguir dar a você e a sua mamãe tudo o que desejarem. — Mesmo que tivesse de entrar em bordéis e beijar cortesãs para isso acontecer. Naturalmente, eu esperava não ter de fazer aquilo de novo, mas faria, se preciso. Por Sofia e meu filho, eu faria.

Meu filho. Ou filha, corrigi depressa. Eu ainda não conhecia seu rosto, o som de sua voz, a suavidade de sua pele ou seu cheiro, mas não era preciso. Meu coração já lhe pertencia incond...

— Cara, tá tudo bem? Ei, você dormiu? — Alguém me sacudia.

Desorientado, abri os olhos e precisei piscar algumas vezes. Não por causa da claridade, que praticamente não existia. Não, não era por isso. A menos que meu cérebro estivesse me pregando uma peça, eu estava em uma espécie de prisão.

Por que diabos eu estava preso?

14

O homem com o rosto marcado por uma larga cicatriz na lateral da testa estava sentado a meu lado e me analisava muito de perto. Ele soltou um pesado suspiro enquanto eu tentava, sem sucesso, me lembrar de como tinha ido parar na cadeia.

— Pensei que você tivesse entrado em coma ou alguma coisa assim — disse ele. — Dizem que não é bom bater a cabeça e dormir.

— Eu não estava dormindo. Estava... — O quê? O que eu estava fazendo antes de aquele sujeito começar a me sacudir? — Eu bati a cabeça?

Ah, sim. E com muita força, a julgar pelo latejamento na parte de trás do meu crânio. Seria essa a razão pela qual eu não conseguia me lembrar de como tinha sido detido?

Inferno. Será que eu havia arrumado confusão no casamento de Thomas? Sofia arrancaria minha cabeça. Elisa também.

O sujeito a meu lado continuou a me examinar com atenção, sua boca se tornando uma apertada linha pálida, o olhar irritado e, de certa maneira, pesaroso também.

— Cacete. Já começou. — Sacudiu a cabeça.

— O que começou?

Antes que ele pudesse responder, o barulho de travas sendo abertas e de chaves se agitando capturou minha atenção. Um homem em uma estranha camisa preta de mangas curtas e calças escuras apertadas demais para sua saúde surgiu do outro lado das grades. Fiquei de pé no instante em que ele encaixou a chave na tranca.

— Aê, língua solta. Cê tá livre.

Olhei do guarda para meu companheiro de cela.

— É, é com você mesmo, cara. — O preso exibiu os dentes, ainda me observando, os joelhos separados, as mãos caídas entre eles. Não pude deixar de notar que suas roupas, apesar de diferentes das do policial, seguiam um estilo semelhante. — Vou dar mais um tempo por aqui.

Curioso. Aqueles dois sujeitos falavam da mesma maneira que Sofia.

— Vamos logo com isso. Eu não tenho o dia todo — vociferou o guarda.

Avancei em direção à liberdade, mas me detive e olhei por sobre o ombro. O rapaz com a cicatriz já não sorria.

— Boa sorte, Ian.

Franzi a testa. Se ele sabia meu nome, então era provável que eu estivesse preso havia certo tempo. Maldição, o que havia acontecido?

Eu o encarei, esperando uma explicação para que eu ao menos pudesse entender em que tipo de problema havia me metido, mas ele não devolveu nada, tampouco teve tempo de dar qualquer esclarecimento.

— Andando! Vamos. — O guarda me puxou para fora da cela, em direção ao que deduzi ser a saída.

Eu o segui pelo corredor malcheiroso, atento a tudo. Contei seis celas, todas ocupadas. Aquela onde eu fora trancafiado era a única com menos de dez ocupantes. Cada um dos detentos lidava a seu modo com a privação da liberdade, exibindo todo tipo de expressão: tédio, raiva, cansaço, descaso, medo. Havia apenas uma coisa que os tornava semelhantes a meus olhos: as roupas. Usavam calças em vários tons de azul, de modelos diferentes, e uma espécie de camisa de mangas curtas e sem botões que mais parecia roupa de baixo do que algo a ser mostrado em público. Alguns poucos ainda vestiam camisas como eu as conhecia, embora mais justas do que eu estava habituado. Olhei para baixo, para meu próprio corpo, e franzi a testa ao constatar como eu estava vestido. Definitivamente, não era o que eu usara no casamento de meu primo.

O guarda abriu a porta de ferro maciça no fim do corredor, e me deparei com uma sala bem iluminada e arejada, repleta de mesas bagunçadas com... não sei ao certo o que era aquilo. Nem tive tempo de examinar mais de perto, pois um corpo delgado e quente colidiu com o meu.

— Ian! Ah, graças a Deus! — Sofia me abraçou pela cintura, afundando a cabeça em meu peito. Então se afastou e correu as mãos por meu tórax, procurando alguma coisa. Uma garantia de que eu estava inteiro, desconfiei. Quando percebeu que eu não estava ferido, suspirou e voltou a me abraçar.

— O que faz aqui? — Eu não sabia o que estava acontecendo, mas estava certo de que *não a queria* perto daquele lugar imundo. — Não deveria estar aqui, Sofia.

— Como se eu pudesse te deixar sozinho. — Ela ergueu a cabeça. — O delegado te liberou. Tive que inventar uma história de que você era estrangeiro e perdeu o passaporte para justificar a falta de documentos. Como você não cometeu de fato um crime, ele deixou o assunto pra lá. Já tá tudo resolvido.

— Sofia, espere. O que você...

— Não podemos esperar. Só quero tirar você daqui logo.

Acompanhados pelo guarda, eu e Sofia fomos guiados a um balcão, e o rapaz pegou um saco transparente e o jogou em minha direção. Dentro dele, meus pertences colidiram com o objeto cuja existência me aterrorizava na mesma proporção em que me despertava gratidão: a máquina do tempo de Sofia.

— Tudo certo? Podemos ir? — Sofia perguntou a ele, impaciente.

— Podem. Mantenha seu marido longe de confusão daqui em diante.

A máquina do tempo havia retornado.

— Vou fazer isso. Vem, Ian.

Sofia me arrastou para o lado de fora do prédio. Meio entorpecido, não pude formular uma pergunta coerente. E havia muitas querendo irromper aquela névoa confusa. Onde estávamos? Por que eu tinha sido preso? Por que ela estava usando calças? Por que as pessoas naquele lugar se pareciam mais com Sofia do que comigo? Por que aquela máquina do tempo estava em meu bolso?

Eu *precisava* fazer essas perguntas e me assegurar de que aquilo era um pesadelo, pois a única conclusão que meu cérebro conseguia encontrar não me agradava. Nem um pouco.

Assim que coloquei os pés para fora da sede da guarda, o que surgiu rente à linha do horizonte me deixou perplexo. Não havia horizonte algum. Aquela linha onde a terra e o céu se unem estava obstruída por um amontoado de altos edifícios que quase tocavam as nuvens.

— Fiquei com tanto medo que te machucassem. — Sofia me abraçou com força.

Engolindo em seco, segurei-a gentilmente pelos ombros e a afastei para poder olhar dentro de seus olhos.

— Meu amor, me diga onde estamos.

— Não sei o nome deste bairro. Mas não é longe da casa da Nina.

Nina? A melhor amiga de Sofia? *Aquela* Nina?

Não. Se fosse àquela jovem que Sofia se referia, então minhas suspeitas se confirmariam e eu teria de admitir que aquilo não era um pesadelo, e sim, de maneira impossível e absurda, o...

— Finalmente! Eu já estava ficando velha aqui com toda essa demora! — A mulher cujo rosto eu vira apenas uma vez, por meio de um aparelho celular comum, surgiu na minha frente.

Aquela era Nina, em carne e osso. A amiga de Sofia estava ali, a um metro de mim, tão real quanto as roupas esquisitas que cobriam meu corpo.

— Você tá bem? — ela me perguntou.

— Um tanto confuso — murmurei, atordoado. — Em demasia, para ser franco.

— Posso imaginar. — A jovem (que não deveria estar diante de mim de modo algum) apertou meu ombro como se fôssemos velhos conhecidos. Como se ao menos *já tivéssemos* sido apresentados.

Bem, aquilo respondia às minhas perguntas, não?

— Aquele idiota não precisava ter acertado sua cabeça com tanta força — reclamou Sofia, levando a mão ao local dolorido em minha nuca. Seu toque foi tão gentil que mal o senti.

Puxei seu braço e aprisionei sua mão em meu peito, buscando seus olhos.

— Sofia, me diga por quê, em nome de Deus, estamos no seu tempo.

A boca de minha esposa se abriu e ela piscou algumas vezes.

— O... o que você quer dizer?

— Como viemos para cá? — Embora a presença do celular deixasse tudo muito óbvio. — Por que estamos aqui? E por que eu acabei sendo preso?

— Você não... lembra? — Sua voz mal passou de um sussurro.

Neguei com a cabeça.

— Ah, cacete — resmungou Nina, estalando a língua.

Sofia me fitava em completo horror, muda. Acariciei seu cabelo com a mão livre, pois era a única coisa que eu podia fazer por ela naquele momento.

— Nós deveríamos estar em casa — falei em voz baixa. — Você não deve se agitar muito, por causa do nosso... — Levei a mão a sua barriga. Estava plana. Totalmente plana. — O quê...? Onde está o nosso...

Não. Não, não, não.

Ainda ontem Sofia estava bem, com um apetite que deixara até mesmo a mim perplexo, o calombo em sua cintura já evidente e orgulhosamente se insinuando na seda do vestido que usara nas bodas de Thomas e Teodora.

E agora não havia mais nada.

— Ian, você tá me assustando. Você sabe muito bem que eu não tô grávida. A Marina já nos deixa malucos, imagine ter mais um bebê em casa agora. Nós não estamos preparados para aumentar a família.

— Marina? — O nome fez meu coração voar. Eu gostava daquele nome.

E o que ela estava me dizendo? Que o nosso bebê tinha nascido em algum momento entre a noite de ontem e esta manhã insana?

Entretanto, o que perguntei a ela foi:

— Nós temos uma menininha?

Ela recuou um passo, a mão que eu segurava junto ao peito caindo ao lado do corpo.

— Tudo bem. Fica calma, Sofia. — Nina acariciou o braço de minha esposa. — Desorientação é supernormal, ainda mais depois de tomar uma pancada daquelas na cabeça. Não precisa pirar!

— Eu não tô pirando! — gritou Sofia, o olhar fixo no meu.

— Tá sim! Ele só tá atordoado. Logo a memória dele volta ao normal.

— Eu perdi a memória? — Isso explicava muita coisa. — Quanto tempo? Há quanto tempo estou sem memória?

— Tem umas... três horas? — Nina olhou para Sofia, que ainda tinha os olhos fixos em mim.

Levou um tempo para que minha esposa perguntasse, com a voz instável:

— Qual é a última coisa de que se lembra?

Revirei a cabeça em busca de informações. Havia um grande hiato no que se referia aos últimos acontecimentos.

— Fomos ao casamento de Thomas. Voltamos tarde. Apesar de cansada, você estava agitada e alegre demais para dormir, então nós... Bem... — Senti as bochechas esquentarem com a lembrança. O que me fez questionar minha suposta falta de memória.

— Isso é a última coisa de que você se lembra? — O horror drenou a cor de suas faces.

— Sim.

— Pouco mais de um ano — Sofia engoliu com dificuldade. — Isso aconteceu faz pouco mais de um ano. Você esqueceu do último ano inteiro!

— Então o nosso bebê está bem? Ela... — corrigi-me, lembrando que Sofia havia mencionado o sexo. — Ela está bem? Nossa filha nasceu bem? Tem saúde?

— Marina é saudável, muito levada para alguém que só tem dez meses, e tão linda que chega a doer o coração da gente.

Marina. Uma filha. Eu tinha uma filha! Mas que inferno, não conseguia me lembrar dela. Poderia ter sido pior, consolei-me. Eu poderia ter perdido a memória por completo e não lembrar nem o meu próprio nome.

Porém, apesar de a aparente amnésia esclarecer alguns pontos, não explicava todos. Olhei para Sofia, pronto para lhe fazer perguntas. No entanto, seus olhos largos e brilhantes, como se estivesse a ponto de irromper em lágrimas a qualquer minuto, me detiveram.

— Acho melhor te levar para o hospital — ela disse.

— Garanto que estou bem. Apenas com a cabeça dolorida. Nada com que eu não possa lidar. Nina deve estar certa. A pancada que recebi na cabeça deve ter embaralhado minhas ideias. — E isso me fez pensar no que eu havia aprontado, para tomar uma pancada daquelas...

— Eu ficaria mais tranquila se ouvisse isso de um médico.

— Estou bem, Sofia. Juro que estou. Agora, por favor, você poderia me explicar por que estamos no futuro?

Ela mordeu o lábio, juntando as mãos e as retorcendo uma na outra quando começou a falar. Um arrepio enregelou minha espinha enquanto eu ouvia a tudo, calado. Elisa estava naquele mundo, sozinha, aparentemente na companhia de um estranho que mentira para levá-la só Deus sabia aonde.

— Então, já que não conseguimos ajuda na delegacia, precisamos tentar achar um ponto de partida. Ajudaria muito se soubéssemos para qual hospital ela foi levada. Mas não sabemos. — Sua voz sussurrada e ainda assim quebrada fez meu peito arder, e tive de puxá-la para perto, querendo confortá-la de qualquer maneira, ainda que eu mesmo precisasse de consolo. Nina desviou os olhos, dando-nos privacidade.

Santo Deus, Elisa estava naquele lugar por conta própria! Eu tinha de encontrá-la. Tinha de cuidar dela. Tinha de...

— Deve haver uma maneira de descobrir para onde ela foi levada — falei contra os cabelos de Sofia.

— Eu não...

— Descobrir o quê? — perguntou uma voz masculina. — Que bonito, hein, Sofia? Deixando todo mundo louco de preocupação com o seu sumiço. Você não pode desaparecer assim! Custava muito ter deixado um bilhete, porra? — Apesar do tom, o rapaz sorria.

— Rafa! — Sofia exclamou, soltando-se de mim e correndo para os braços dele. O rapaz tinha quase a minha altura, mas era mais corpulento, e seus cabelos tinham a cor da areia da praia. Ele me era muito familiar, embora eu só o tivesse visto em retratos no celular comum de Sofia.

Rafael a abraçou com tanta força que a tirou do chão.

— Desculpa, Rafa, não tive tempo de avisar — disse ela.

Felizmente, ele a colocou no chão e a soltou, examinando-a de alto a baixo. Não gostei daquele rapaz. Mas, diabos, Sofia gostava. Perguntei-me se ela ficaria muito aborrecida se eu começasse a esmurrar a cara daquele sujeitinho desaforado.

— Você tá bonita, hein? E finalmente resolveu que era hora de voltar pra casa. Isso é bom, porque, olha, aquelas suas cartas pareciam vindas do além. A Nina estava louca de preocupação. E eu também. Onde você estava esse tempo todo?

— No paraíso, Rafa. Com ele. — Sofia apontou para mim com a cabeça. — Rafa, este é o meu marido, Ian Clarke.

Rafael me examinou com as sobrancelhas arqueadas, provavelmente percebendo meu estado de ânimo, e disse:

— Então você existe mesmo.

— Até a última vez que eu verifiquei, sim.

Ele teve a audácia de rir e se aproximou com a mão estendida.

— Sou Rafael, marido da Nina e amigo da Sofia, mas pode me chamar de Rafa.

— Prazer em conhecê-lo, senhor Rafael. — Apertei sua mão com um pouco mais de força do que exigia a cortesia. — Sofia fala muito de você e de sua adorável esposa.

Aparentemente ignorando meu mau humor, Rafael dirigiu a minha esposa um sorriso de canto de boca.

— Onde arranjou esse cara, Sofia? Ele saiu de um dos seus livros?

Ela revirou os olhos.

— Acabei de me lembrar por que não é muito comum eu sentir saudade de você...

Ele continuou rindo, mas ficou sério logo em seguida, ao se voltar para mim.

— Antes de mais nada, quero saber o que você pretende, meu chapa. Quais são as suas intenções com a Sofia?

— Era só o que faltava! — Sofia reclamou, ao mesmo tempo em que a amiga dizia:

— Ele é marido dela, cabeção! O que você acha?

— Não se metam. — Ele lançou um olhar enviesado para a própria esposa.

— Isso é papo de homem. O cara mal chegou aqui e já foi preso. Só estou querendo saber em que tipo de confusão a Sofia se meteu. Ela não tem irmão de sangue, mas tem a mim, e isso significa uma baita encrenca. — Ele flexionou os músculos dos braços, expostos naquela camisa sem mangas, me encarando tal qual um lutador de boxe.

Quase ri de sua bravura. O rapaz não era de todo ruim, afinal.

— Fico contente por saber que se preocupa com ela dessa maneira — eu disse a ele. — Faz jus à afeição que ela lhe tem. E, quanto às minhas intenções, posso garantir que são as melhores possíveis. Fazê-la feliz é tudo o que me importa.

Ele relaxou a postura.

— Essa é a resposta certa, cara. — Com isso, puxou-me para um abraço, dando dois socos leves em minhas costas.

Mais que satisfeito, copiei seu gesto.

— Obrigado... hã... cara.

— Como você conseguiu domar essa fera? — Rafael quis saber ao se endireitar e levar as mãos aos bolsos da calça, indicando Sofia com a cabeça.

— Não domei. Tudo o que fiz foi amá-la como ela merece.

— *Essa* é a resposta certa. — Sofia chegou mais perto e passou um braço pela minha cintura. — E agora para com isso, Rafa. Eu já contei para o Ian que você é um chato de galochas, não precisa ficar se exibindo.

— É, eu devia te infernizar mesmo. Nem convidou os amigos para o casamento.

E como poderíamos?, perguntei-me. Decerto Rafael sabia que não era fácil encontrar uma máquina do tempo. Fitei Sofia, questionando, mas ela apenas balançou a cabeça e me lançou um olhar significativo.

Ah. Rafael não sabia nada sobre a viagem no tempo.

— Hã... O que aconteceu foi... — Sofia se desprendeu de mim e afastou o cabelo do rosto, tentando ganhar tempo para encontrar as palavras certas.

— Eu já expliquei, Rafa — interveio Nina. — A gente não teria chegado a tempo. A Sofia foi morar num lugar que é meio incomunicável. Por isso a gente só se fala por carta. E mesmo assim você já viu o estado penoso em que as coitadas chegam.

Ele me fitou com humor.

— Uma palavra pra você, meu chapa: antena via satélite.

— Ai, Deus, Rafa. São três palavras! — Sua esposa deu-lhe um peteleco na cabeça.

— Saco, Nina. Você entendeu o que eu quis dizer. Então, quem vai me explicar por que o Ian foi preso?

Sofia se prontificou e narrou o que tinha acontecido, deixando de lado toda a parte que se referia à viagem no tempo. Até acrescentou uma história pouco plausível de que Elisa fugira de casa. E outra ainda, que eu queria muito poder dizer que também era invenção, mas a cada palavra se parecia mais e mais com algo que eu teria feito se estivesse de cabeça quente pelo fato de, digamos, o delegado ter entregado minha irmã a um desconhecido sem investigar a veracidade do suposto parentesco.

Caralho, e agora?

— Caralho, e agora? — disse Rafael, ecoando meus pensamentos. — Quem pode ter fingido ser parente da menina?

— Não fazemos ideia. — Nina pegou a mão do marido. — Acho que o jeito será fazer uma peregrinação pelos hospitais e perguntar pela Elisa.

— Podíamos nos dividir — ele sugeriu.

— Boa ideia — concordei. — Assim poderemos encontrar uma pista mais depressa.

— Tudo bem, então eu e... — ele começou, mas se deteve quando alguém gritou um "Ei, moço!".

Nós nos viramos e uma jovem acenou para nosso grupo. Atravessou o pequeno gramado malcuidado e, quando nos alcançou, foi a mim que se dirigiu:

— Eu estava procurando você.

As sobrancelhas de Sofia se arquearam. Para ser sincero, eu também estava surpreso. Não fazia ideia de quem era aquela jovem com olhos de cores díspares, vestindo uma camisa preta com as palavras "polícia civil" na lateral esquerda. No entanto, o que ela falou em seguida varreu qualquer outro pensamento para longe.

— Ouvi que vocês estão procurando a menina do casarão. Você é o irmão dela?

— Sou. A senhorita sabe de alguma coisa que possa nos levar até o paradeiro de minha irmã?

Ela fez que sim.

— Eu estava de serviço quando ela foi detida. Fui eu quem a levou para o hospital.

15

— Você sabe pra onde ela foi levada! — Sofia exclamou, antes que eu me recuperasse da surpresa.

— Claro — a jovem oficial respondeu, mas continuava olhando para mim. — Eu a levei para a Santa Casa. A menina estava bastante agitada. E assustada.

— Eu posso imaginar, senhorita. — Sobretudo porque Elisa vira tão pouco do mundo. Seu conhecimento ia até os limites da cidade mais próxima de onde vivíamos. — Viu quem a levou de lá?

— Não. Eu tinha outras coisas para fazer, e um outro policial ficou por lá. Quando voltei para ver se a menina estava bem, ele me contou que alguém da família tinha levado ela pra casa.

Praguejei em voz baixa.

— Se lembra de mais alguma coisa? — Sofia quis saber.

— Não, lamento. Isso é tudo o que eu sei. E achei que devia te contar. — Ela corou, sorrindo de leve para mim. — Não concordei com a maneira como o delegado Cerqueira te tratou. É óbvio que você agiu daquele jeito movido pelo desespero.

— Eu lhe sou muito grato por ter se dado o trabalho de vir me procurar. — Sua informação era a única pista que eu tinha do paradeiro de minha irmã.

— Foi um prazer ajudar. Vou deixar meu número com você. — Estendeu-me um pedaço de papel. — Caso não consiga localizar sua irmã, posso ajudá-lo a registrar a queixa do desaparecimento. Sou investigadora. Me procure se precisar de alguma coisa ou... você sabe. — Então fez um aceno de mão meio desajeitado e começou a se afastar.

Sofia continuou observando até a jovem desaparecer dentro da delegacia, as mãos nos quadris.

— Humpf! — ela resmungou.

— Qual é o problema, meu amor?

Sofia não me respondeu. Nem ao menos se virou. Algo estava muito errado ali. Além do fato de Elisa estar desaparecida, quero dizer.

— Recuar, soldado — Rafael murmurou de canto de boca, me deixando confuso.

— Por que razão?

— Não acredito no que ela acabou de fazer! — exclamou Nina. — Com a Sofia bem aqui! Que abusada!

— Suponho que não tenha sido a maneira mais adequada de nos abordar — falei, sem entender o que estava acontecendo —, mas ela foi muito gentil em vir nos procurar. Nos deu algo muito importante. Agora sabemos por onde começar.

Sofia girou lentamente sobre os calcanhares. O que vi em seus olhos me fez trincar o maxilar. O que exatamente eu tinha feito de errado? Ela estava furiosa e eu não tinha dúvida de que era comigo. Eu a conhecia o suficiente para saber que o problema era eu.

— Procurar *você* — ela enfatizou, zangada. — Ela veio procurar *você*, especificamente.

— Bater em retirada. Repito, bater em retirada. — Rafael colocou a mão sobre a boca para que ninguém além de mim o ouvisse.

Eu o ignorei.

— Sofia, você não pode estar com ciúme daquela moça porque ela tentou me ajudar. — Tentei tocar seu rosto, mas ela retrocedeu. Diabos, eu odiava quando ela fazia isso.

— Ah, cara, agora você fodeu com tudo! — Sacudindo a cabeça, Rafael se afastou.

— Nós vamos... humm... esperar ali. — Nina e o marido começaram a andar, parando assim que chegaram à esquina, como se quisessem nos dar alguma privacidade.

— Eu não estou com ciúme coisíssima nenhuma! — rugiu Sofia, confirmando minhas suspeitas. — Tô é furiosa porque aquela garota foi cara de pau a ponto de te dar o número dela. E você aceitou!

Que número? Da sua altura? Idade? O número da sua matrícula no colégio?

— E, aparentemente, eu não devia. — Com a testa encrespada, olhei para o conjunto de números no papel, logo abaixo dos dizeres "Investigadora de polícia Isadora Santana".

— É claro que não! — Seus punhos estavam cerrados ao lado do corpo. — Agora ela deve estar pensando que pode rolar alguma coisa entre vocês. A menos que seja isso que você quer. E aí... Droga, Ian! — Ela me deu um soco no braço.

Segurei-a pelo pulso, tentando fazê-la olhar em meus olhos, mas ela fugia.

— Sofia, olhe para mim.

Ela ergueu a cabeça, fuzilando-me. Então me empurrou e começou a andar em direção aos amigos. Eu a segurei pela cintura.

— Que inferno, Sofia! Eu não sei o que está acontecendo nem por que você está tão brava comigo. Ao menos me explique, para que eu possa me defender. Ao que parece, eu a magoei ao aceitar este papel.

— Muito perceptivo! Me solta!

— Não. E por que esses números a ofendem tanto?

Ela bufou e tentou se livrar de mim outra vez. Não conseguiu.

— Por quê? — insisti, a voz abafada por seus cabelos. — Por favor, me explique. Não percebi que estava cometendo um erro.

— Merda, Ian. Ela estava te azarando! Agora me larga.

— Azarando? Por que ela precisaria fazer tal coisa? Perdi a memória, minha irmã, esqueci até que tenho uma filha. E você está furiosa comigo sem que eu entenda. No momento, não consigo pensar em uma pessoa mais azarada do que eu, Sofia.

— Não esse tipo de azarar! Ela estava... — soprou o ar com força para se livrar dos fios de cabelo que lhe caíam no rosto enquanto se contorcia em meus braços — ... flertando com você. Me solta, Ian!

Naturalmente, não a soltei. E estava surpreso. Em parte, ao menos. A reação de Sofia me dizia que ela estava com ciúme, mas eu não conseguia entender como a investigadora havia flertado comigo.

— Dar esses números a alguém é uma espécie de flerte?

Sua boca era apenas uma linha apertada quando assentiu. E voltou a se debater em meus braços, sem chegar a lugar algum.

— Então... — prossegui —, aqui, em vez de poesias ou cartas românticas, se enviam números para tentar conquistar o coração de alguém?

Sofia parou de lutar, mas seus ombros se sacudiam. Deus do céu! Eu a tinha magoado a ponto de fazê-la chorar!

— Não, Sofia... — Apavorado, comecei a pensar na maneira mais apropriada de lhe pedir perdão, quando percebi que o estremecimento de seu corpo não era causado pelo choro.

— Desculpa, Ian. — Ela tentou se controlar, mas acabou falhando e gargalhou alto. — Eu... fiquei tão puta da vida que esqueci que você não conhece os costumes daqui. — Girou em meus braços, ainda rindo.

— Não tive intenção de magoá-la, Sofia. Nunca mais aceitarei os números de alguém enquanto eu viver.

Ela riu de novo.

— Você não vai precisar, já que vamos encontrar a Elisa e voltar pra casa. — Ela levou a mão ao pescoço e seus dedos se fecharam ao redor de um delicado relicário que eu nunca tinha visto, o rosto repleto de saudade.

Afastei seus dedos com delicadeza, então pressionei o relicário para que se abrisse. O minúsculo retrato de um bebê de cabelos negros e grandes olhos castanhos me fez prender o fôlego. Marina.

— Ela é linda — murmurei, tentando conter a emoção. Aquela era minha filha. Tinha um pouco de Sofia e muito de mim. Seria impossível não a reconhecer como uma Clarke. E ainda mais impraticável não a amar à primeira vista.

— Ela é. — Sofia admirou o retrato, acariciando a borda do relicário como se tocasse a bebezinha. — Você ainda não se lembra dela?

Sacudi a cabeça, com vontade de gritar. Ou socar alguma coisa. Como eu podia não me lembrar dela?

Aquele mundo não me fazia bem, concluí. Tudo o que eu queria era encontrar Elisa e voltar para casa, onde eu pudesse me lembrar de minha filha, ou ao menos conhecê-la outra vez, caso minha cabeça não melhorasse.

— A gente tem que encontrar a Elisa o quanto antes e voltar pra nossa Nina — disse Sofia ao fechar o relicário, como se soubesse o rumo que meus pensamentos tomavam.

— Acha que minha irmã está bem?

— Eu não sei, Ian. Não sei quem pode tê-la levado e nem para onde. Pode ser que... alguém legal tenha ficado com pena dela, e não um... — Ela desviou o olhar e isso, mais que qualquer outra coisa, me disse o que ela não conseguiu articular.

— Entendo. — Minha voz falhou.

— Também não é assim! — Ela segurou meu rosto entre as mãos. — Nem todo mundo aqui é psicopata. Talvez ela tenha encontrado uma pessoa legal que a levou para casa para ajudar a procurar a família, só isso. O melhor agora é ir até o hospital e tentar descobrir quem é essa pessoa.

Concordei, ofereci o braço a ela e nos juntamos a seus amigos. Era melhor que ela estivesse certa, ponderei. Que quem a levara do hospital não tivesse outra intenção a não ser ajudar Elisa. Do contrário, eu acabaria voltando para aquela cela fétida tão logo botasse as mãos na tal pessoa.

* * *

O hospital era um prédio mais largo do que alto, repleto de janelas e caixas com os dizeres LG pendurados na fachada. Nina estacionou o carro longe da entrada. Havia um jardim cercado de muretas baixas onde algumas pessoas decidiram se sentar.

Lá dentro, quase tudo era branco e cinza, e fileiras de cadeiras verdes se esparramavam em frente a um balcão. Uma espécie de janela de vidro impedia que as três jovens sentadas atrás dele tivessem qualquer contato com quem estava do outro lado. Sofia se dirigiu para lá.

— Vou tentar ligar para a Natália. O sinal aqui dentro é péssimo. — Nina começou a puxar Rafael em direção à porta. — Nós fizemos curso de inglês juntas, e a última vez que eu falei com ela ainda trabalhava aqui. Quem sabe ela viu alguma coisa.

Assenti e me juntei a minha esposa. Uma das damas confinadas no que eu achava ser um balcão de informações usava um adorno de cabeça de maneira curiosa. Em vez de enfeitar os cabelos, a haste preta com uma pequena bola de mesma cor lhe pendia de apenas um lado e seguia em direção à boca. Por alguma razão, ela não parava de dizer:

— Santa Casa, um momento. Santa Casa, vou transferir. Santa Casa, boa tarde.

— Boa tarde, nós estamos... — comecei, mas Sofia me deteve, pousando a mão em meu braço.

— Ela não está falando com a gente. Tá no telefone.

Olhei para a caixa quadrada em que ela apertava botões que se iluminavam. Não, não era parecido com a máquina que eu tinha no bolso.

— Boa tarde, em que posso ajudar? — uma das damas perguntou. A que não tinha o adereço de cabeça.

— Boa tarde, senhora. — Esta trazia um anel na mão esquerda. — Minha irmã esteve sob seus cuidados esta manhã. Procuro por ela. Seu nome é Elisa Clarke.

Ela não se deu o trabalho de me olhar. Em vez disso, fitou a máquina a sua frente. Uma com um tapete de letras e números, onde tamborilou os dedos.

— Isto é...? — sussurrei a Sofia pelo canto da boca e esperei que ela completasse.

— Um computador. Meio ultrapassado, mas é.

— Excelente! — Sofia me contara que o computador sempre sabia a resposta a qualquer pergunta. Era bom que tivéssemos um desses a nosso favor.

— Ela foi atendida no pronto-socorro e já foi liberada — a jovem atendente disse.

— Sim, eu sei, senhora. O que eu gostaria de saber é para onde ela foi.

— O quê? — Ela me lançou um olhar cético.

— Ele se expressou mal — interferiu Sofia. — Queremos saber quem a liberou. Este é o irmão da Elisa.

— Ah. Seu documento, senhor.

Eu apenas a fitei.

— Merda — ouvi Sofia murmurar.

— Senhor, o documento.

— Eu... — *Maldição!*

— Deixou em casa! — atalhou minha esposa. — Ele saiu tão apressado quando soube que a irmã tinha passado mal que esqueceu a carteira em casa!

A mulher exibiu uma expressão de enfado.

— Lamento, mas sem um documento que comprove o parentesco não posso ajudá-los.

— E permitir que minha irmã deixasse o hospital com um suposto parente, que provavelmente não apresentou quaisquer documentos, é aceitável, suponho — retruquei.

— Claro que não. — Ela estreitou os olhos para mim. — Quem a liberou apresentou tudo o que era necessário.

— Isso é uma grande...

— Tá legal. Obrigada mesmo assim. — Sofia me puxou para longe do balcão, o rosto fechado. — Não vai adiantar, Ian. Ninguém vai admitir que errou. E sem documento não vamos conseguir nenhuma informação.

— Isso é ridículo. Sou o irmão da Elisa.

— Mas não pode provar.

Rafael e Nina retornaram. Nina avisou que a amiga trabalhava no segundo andar, então não perdemos tempo. Rafael insistiu que usássemos o elevador, mas Sofia preferiu subir pelas escadas.

Natália era uma jovem pequena, de olhos puxados. A calma oriental parecia emanar dela. Depois de feitas as apresentações, Nina se apressou em explicar o que estava acontecendo.

— Ah, eu soube. — Natália balançou a cabeça e seus lisos cabelos negros reluziram como veludo. — Todo mundo ficou com pena da menina. Ela não parava de chorar, pobrezinha. Eu a vi só de relance.

— Precisamos saber quem a levou, Natália. A pessoa mentiu, não era parente da Elisa. Pode descobrir quem foi? — suplicou Nina.

— Ah, meu Deus! Que coisa horrível! Vou verificar se o prontuário de atendimento ainda está por aqui.

Natália se afastou e entrou em uma saleta.

Analisei a grande sala de emergência, os cubículos repletos de camas altas, tentando imaginar Elisa em uma delas, o seu desespero, o medo ao se deparar com aquele mundo desconhecido. Se eu, que ouvira muitas histórias sobre ele, estava tendo dificuldade para manter a sanidade, podia imaginar o terror de minha irmã.

No momento menos oportuno possível, a última conversa que tive com meu pai me veio à cabeça.

Era um fim de tarde de inverno, estávamos em seu quarto. Ele estava sentado em frente à janela, observando a paisagem amarelada. Seus pulmões não eram os mesmos havia alguns dias. Ele havia perdido muito peso. Sua pele refletia uma palidez atípica, os fios negros em suas têmporas se misturavam aos brancos, agora em maior número. Ainda era um homem de porte, mas me doía olhar para ele assim. Era como se olhasse para um esboço de seu antigo físico. Sua decadência teve início no mês de dezembro do ano anterior, quando minha mãe teve uma de suas crises de enxaqueca. Dessa vez, no entanto, a dor foi tão forte que lhe tirou os sentidos e também a vida. Meu pai jamais se conformou com sua morte, e desde então vinha definhando pouco a pouco. Elisa e eu sofremos como o diabo a morte dela, mas ninguém sofreu mais que meu pai. O doutor Almeida dizia que a perda deixara sua saúde mais frágil, por isso ele não conseguia combater a pneumonia agora.

Um *pic-pic-pic* me fez virar a cabeça em direção à janela. Um azulão bicava o vidro.

— Ora, que pássaro mais tolo! — meu pai comentou. — Eu aqui, louco para sair deste claustro, e ele querendo entrar? O que acha de trocarmos de lugar, camarada? — O pássaro bateu as asas e voou para longe. Meu pai suspirou. — Diga-me uma coisa, Ian. Acha que teremos um bom ano no estábulo?

Na época eu tinha quinze anos, mas fazia certo tempo que o ajudava nas contas da propriedade. Eu sabia que aquele seria o melhor de todos os anos na propriedade dos Clarke. Ao menos financeiramente. Eu disse isso a ele, e meu pai sorriu, os olhos ainda na vidraça.

— Que bom. Este inverno tem sido muito rigoroso e acabou com a maior parte da plantação de café. Os cavalos não são afetados pelo frio, desde que se cuide para que o estábulo esteja sempre em ord... — A tosse o impediu de continuar.

— Por que não se deita um pouco, pai? — sugeri.

John Clarke me observou por sobre o ombro, uma careta de desgosto no rosto encovado.

— Isso me mataria mais depressa que a maldita pneumonia. Não suporto mais ficar confinado. Tudo o que eu preciso é de um pouco daquele xarope que a sua mãe fazia e subir no lombo de um cavalo. Isso sim vai me curar!

Mas a verdade era outra, e na época me recusei a encará-la. O tratamento com xaropes e os banhos de imersão em ervas não estavam funcionando. Eu estava aterrorizado. Toda vez que o doutor Almeida saía daquele quarto, sua expressão era sombria.

Aproximei-me de meu pai, pousando a mão em seu ombro, rezando para que a doença fosse embora e ele voltasse à vida de antes. Ele descansou a mão pesada e calejada na minha enquanto lutava para respirar.

Aquilo foi a gota-d'água. Gostasse ele ou não, eu o arrastaria para a cama, nem que fosse à força.

— Vamos, pai — inclinei-me sobre ele, passando um braço por baixo dos seus e o ajudando a ficar de pé. Meu pai era mais alto que eu na época, e, mesmo tendo emagrecido, era mais pesado também. Cambaleamos pelo quarto até eu conseguir acomodá-lo sobre o colchão.

Assim que a tosse deu trégua, obriguei-o a beber mais um pouco do xarope. Ajeitei os travesseiros em suas costas e pousei a mão em sua testa. Ele estava muito quente.

Aterrorizado, mas tentando ser o homem que meu pai esperava que eu fosse, lutei para manter os sentimentos sob controle ao dizer:

— A febre retornou. Vou buscar o doutor Almeida.

Ele me segurou pelo pulso, impedindo-me de sair de perto da cama.

— Fique, Ian. Quero falar com você. É apenas mais uma crise de tosse. É parte da doença. Já estou me sentindo melhor. Não há muito mais que o Almeida possa fazer quanto a isso.

Sim, e isso me assustava feito o diabo.

Ele me fitou com seus exaustos olhos negros, que pareciam pertencer a um velho e não ao homem forte que eu tanto admirava. Era como se meu pai tivesse envelhecido dez anos no último ano.

Acabei puxando a cadeira para perto da cama e me sentando apenas para não o contrariar. O doutor Almeida já devia estar a caminho, de toda forma. Vinha todas as tardes e só ia embora quando a lua já ia alta no céu.

— Ian, sabe que eu confio em você. — Quando assenti uma vez, ele prosseguiu: — Quero que me prometa uma coisa. Que cuidará de sua irmã quando eu me for.

— O senhor não vai a lugar algum!

— Claro que não pretendo ir agora, meu filho. Mas um dia eu me juntarei a sua mãe. E, quando isso acontecer, seria um alívio partir sabendo que você cuidará de Elisa, que a protegerá quando eu não puder mais fazer isso.

— Pai...

— Prometa, Ian. Apenas me prometa que cuidará dela como eu cuidaria. Prometa que defenderá sua honra e a ajudará a encontrar o caminho da felicidade.

Eu não queria prometer nada. Não por não estar disposto a proteger Elisa, pois eu estava, faria tudo por ela. No entanto, se eu prometesse, meu pai poderia entender aquilo como um consentimento para se render à enfermidade.

— Ela o ama mais que qualquer pessoa. Ouve o que você diz — ele insistiu. — E você se tornou um rapaz muito prudente. Eu me orgulho muito de você, meu filho. Sei que se tornará um grande homem nos próximos três ou quatro anos, porque já é um agora. Chegará à idade adulta, estudará e saberá conduzir esta propriedade muito melhor do que eu ou o seu avô. Assim como também sei que será um excelente marido. E um pai muito melhor do que eu fui.

Levantei-me da cadeira e comecei a andar pelo quarto, tremendo dos pés à cabeça. A fúria começava a me dominar. Não era dirigida ao homem prostrado na cama, portando-se como alguém que está entregando os pontos. Não. Minha cólera era dirigida à vida e seu fim inevitável. E a minha completa incapacidade de fazer algo para evitar o que, de alguma maneira, eu pressentia que estava prestes a acontecer.

— Eu não quero ouvir nada disso, pai.

— Mas precisa. Sabe que sim. Sente-se aqui, Ian. Está me deixando zonzo com esse vaivém.

Relutante, acabei fazendo o que ele pediu. Meu pai virou a cabeça no travesseiro e me encarou.

— Agora escute. Quando chegar o momento de escolher sua mulher, seja cauteloso e não se deixe enfeitiçar por olhos encantadores ou... — tossiu algumas vezes — ... um belo par de seios.

Todo o sangue do meu corpo seguiu direto para o rosto.

— Pai...

— Estou falando sério. É claro que deve escolher alguém que lhe agrade os olhos. Você acordará ao lado dela todos os dias, e, acredite, nem todas são as beldades dos salões de baile pela manhã. Sua mãe tinha dias ruins às vezes. Os cabelos pareciam um amontoado de lã de vez em quando — ele sorriu com a lembrança. — Ainda assim, continuava linda para mim. Mas, veja, não era apenas pela maneira como seus olhos brilhavam ou os belos seios que...

— Pai! — Eu não queria ouvir nada a respeito dos seios de minha mãe!

Ele gargalhou e engasgou quando a tosse o assaltou. Peguei a escarradeira no chão e a aproximei de seu rosto, ajudando-o a se inclinar um pouco. O sangue no fundo da tigela me embrulhou o estômago.

Assim que ele se acalmou, ofereci um pouco de água, mas ele recusou.

— Maldita tosse. Onde eu estava? Ah, sim. Muitas damas vão despertar seu corpo, meu filho. Mas apenas uma fará seu coração valsar.

— Corações não dançam, pai.

Ele riu de leve.

— Você diz isso porque o seu ainda é jovem demais. Espere mais alguns anos e então me dará razão.

— O único propósito desta conversa é me constranger, não é?

Ele riu com alguma dificuldade.

— O que mais um homem acamado pode fazer para passar os dias?

Acabei rindo com ele.

— Vou pegar o baralho. Isso deve pôr fim a esta conversa embaraçosa.

Ele ergueu a mão, detendo-me.

— Estou cansado, meu filho. Acho que vou aproveitar e tirar um cochilo. E você devia sair um pouco. Não se afasta da minha cabeceira faz mais de uma semana.

— Prefiro ficar com o senhor.

Ele me lançou um olhar zangado.

— Pelo amor de Deus, Ian, preciso dormir um pouco e não consigo com você batendo a sola da bota no chão a cada dois minutos. É enervante.

— Se sair deste quarto, mandarei buscar o doutor Almeida. — Cruzei os braços. — O senhor sabe disso, não sabe?

— Faça como achar melhor. Meu velho amigo deve aparecer em breve, de todo jeito.

Eu o examinei com atenção. O rubor em suas faces se devia ao aumento da temperatura, o cansaço se tornara ainda mais pronunciado devido ao fraco movimento de sua caixa torácica. Respirar se tornava mais e mais difícil. Era hora de chamar o médico.

— Está bem, vou deixar que descanse. — Levantei-me e arrumei as cobertas ao redor dele. Sua mão pegou a minha abruptamente.

— Ian, quanto a Elisa... — Seu olhar desvairado e febril me partiu o coração ao meio.

Inferno.

— Eu... eu prometo, pai. Vou protegê-la. E vou defender sua honra com minha própria vida, se for preciso.

O sorriso que lhe curvou a boca era satisfação pura.

— Ela nasceu com a teimosia dos Clarke. Ainda vai nos surpreender. — Ele deu dois tapinhas em minha mão. — Agora vá tomar um pouco de ar.

Eu o fitei por um longo minuto.

— Não estarei longe.

— Você nunca esteve, Ian. Nunca esteve, meu filho.

E aquela foi a última vez que vi seus olhos abertos. Desde então, dei meu melhor para cumprir a promessa que fizera a ele. Por isso me doía duplamente saber que eu havia falhado com Elisa, enquanto esperava que a enfermeira retornasse com alguma notícia sobre ela. Meu pai nunca teria permitido que ela estivesse em tamanho perigo.

Natália retornou cinco minutos depois, mas não trazia boas notícias.

— A ficha já foi encaminhada para o RH. O único jeito é pedir uma cópia na recepção.

— RH? — perguntei.

— Recursos humanos — explicou Sofia. — Já tentamos isso, Natália. Mas o Ian esqueceu a carteira em casa.

— Poxa, que saco. Não tenho acesso ao RH.

— Tudo bem. Obrigada por tentar — Nina disse a ela.

Meus pés pareciam pesar uma tonelada conforme deixávamos o segundo andar. Em algum lugar naquele prédio havia um documento que me levaria até Elisa e...

Eu não sairia dali sem ele!

— Onde fica o tal RH? — eu quis saber, quando já estávamos na escada.

— Provavelmente no último andar. O administrativo sempre fica no último andar — explicou Rafael.

Olhei para o alto, para os lances de escada acima de minha cabeça.

— Ian...? — Sofia me fitou com preocupação, depois com descrença. — Me diz que você não tá falando sério! — Muito embora eu não tenha dito nada.

— Precisamos do documento, Sofia.

— O quê? Você tá pensando em invadir o RH? — indagou Nina, perplexa.

— Não há outra maneira. — Coloquei as mãos nos bolsos. Mas eram estreitos demais e eu acabei desistindo. — Elisa pode estar em perigo. Cada segundo é precioso, e já perdi muito tempo.

— E vai perder mais, se for preso de novo! — minha esposa apontou.

— Não se a gente fizer tudo direitinho. — Rafael, que até então apenas ouvia a conversa, decidiu intervir. — Em que você está pensando, Ian? — Um sorriso cúmplice lhe esticou a cara toda.

Sofia o xingou, os olhos de Nina soltavam faíscas em direção ao marido. Mas eu...

Olhei para ele cheio de gratidão.

— Suponho que vou precisar de uma distração.

16

— Não acredito que a gente vai fazer isso — sussurrou Sofia, enquanto andávamos pelo largo corredor acarpetado do quarto andar.

— Se tivesse me escutado e esperado do lado de fora, não estaria tão nervosa assim.

— Até parece! Eu já teria tido um piripaq... ah... ah... atchim! Porcaria de ar-condicionado. — Ela coçou o nariz com o dorso da mão, antes que eu pudesse lhe oferecer o lenço.

— Não é a solução que eu teria idealizado também, meu amor, mas é a única que me parece possível. O que é ar-condicionado?

— Aquilo ali — apontou para uma grelha presa ao teto. — E anda me causando essa alergia.

Eu prestava atenção nas portas, em busca da que pertencia aos recursos humanos. Encontrei-a bem ao centro. Estava fechada.

Havia uma fileira com cinco cadeiras ali perto.

— Venha. — Peguei Sofia pelo cotovelo e a levei até lá. Bem em frente havia outra sala. "Administração", lia-se em uma placa branca.

Sofia esfregou a palma das mãos nas pernas da calça.

— Você não precisa fazer isso — garanti a ela. — Ainda há tempo de sair daqui.

— E deixar você se meter em encrenca sozinho? Nem pensar.

— Não corro nenhum risco. — Pelo menos eu esperava que não. — Mas Rafael me preocupa. Não quero que ele arranje problemas.

Eu havia pensado em algo simples, que permitisse nossa entrada na sala sem atrair muita atenção. Rafael refutou a ideia de imediato, garantindo-me que precisávamos de algo *grande*. Eu não tinha ideia do que ele pretendia, mas podia apostar, pela maneira como seus olhos brilharam, que o colocaria em problemas. Por essa razão, Nina o acompanharia. Não que isso tivesse me trazido alento. Os dois podiam acabar em maus lençóis. Mas, diabos, eu realmente precisava daquele documento.

— O Rafa já é encrenqueiro sem motivo, imagina quando tem permissão para arranjar confusão. — Sofia olhou para os dois lados do corredor. — Não sei por que demorei tanto para perceber que ele era nosso tataraneto. Tava na cara. Propenso a desastres, igualzinho a mim.

Pisquei algumas vezes, então a segurei pelos ombros para poder olhar em seus olhos.

— Ele é o *quê*?

Sua boca se contorceu em frustração.

— Você não se lembra nem disso, né?

Fiz que não.

— Ah, Ian... — Sua mão delicada acariciou meu bíceps. — O Rafa é nosso tataraneto ou algo assim. Descobrimos isso quando você sugeriu o nome da minha empresa de cosméticos.

— Você transformou seu negócio do condicionador em uma empresa?! — Eu precisava me lembrar das coisas. Com urgência!

— A ideia foi sua! — ela disse depressa.

— Não, não. Eu estou apenas... surpreso. — O que mais eu havia perdido?

Passei a mão pelos cabelos, tentando organizar as ideias, e tudo o que consegui foi uma baita dor ao esbarrar em um calombo. Não me admirava que tivesse perdido a memória. O galo tinha o tamanho de um ovo de pata!

— O Rafa não sabe de nada disso — prosseguiu Sofia —, muito menos sobre a viagem no tempo. Acho que ele não acreditaria se soubesse. Vai ser difícil para você fingir que pertence a este mundo. Acredite, eu tentei e ainda tento, quando estamos em casa. Por isso, toma cuidado quando estiver perto dele, tá bom?

Ela não percebeu o que suas palavras fizeram comigo. Eram tão simples, suponho, mas para mim tinham um imenso significado.

Acredite, eu tentei e ainda tento, quando estamos em casa.

Quando estamos em casa.

Sofia já não via o tempo em que nascera como seu. E isso era tudo o que meu coração precisava saber.

— Serei cuidadoso.

A porta metálica do elevador se abriu e lá de dentro surgiu justamente o homem em questão. Nina estava com ele e parecia nervosa. Eles discutiam, mas minha atenção estava no jovem de porte atlético e cabelos claros, buscando alguma semelhança. Não havia nenhuma. Ele percebeu que eu o observava e franziu o cenho.

Ah, ali estava.

Uma covinha bem no meio da testa. Exatamente igual àquela que Sofia exibia quando se sentia preocupada. Deus do céu, eu estava olhando para o meu próprio sangue!

— E lá vamos nós! — minha esposa grunhiu. — Espero que dê certo.

— Eu também.

— Você achou que eu não ia descobrir? — gritava Rafael. — Que eu sou tão idiota que poderia me enganar para sempre?

— Eu já disse que você está sendo ridículo! — retrucou Nina.

— Ah, agora eu sou *ridículo*?

A porta diante de mim se abriu. Um rapaz tão franzino que seus ombros se curvavam para a frente espiou o que estava acontecendo.

— Aí está o filho da mãe. — Rafael olhou para ele com uma fúria assassina.

O rapaz olhou para os lados, procurando. A porta do RH também se abriu. Uma mulher de óculos e cabelos na altura dos ombros observou a cena com a testa eriçada.

— Tô falando com você, babaca. — Rafael deu dois passos e pegou pela gola da camisa o rapaz duas vezes menor que ele. — Achou que eu não ia descobrir que você andou decorando a minha testa?

— E-e-e-eu?

— Larga ele! — Nina deu socos em suas costas. Eu esperava que não tivessem doído.

— Se você continuar defendendo este merdinha, só vai piorar as coisas, mulher.

De repente, o corredor ficou lotado. As pessoas saíam de suas salas e se amontoavam para assistir à discussão.

— Quem é esse cara? — ouvi alguém perguntar.

— Não sei. Parece que o Serginho andou tendo um caso com a mulher dele.

— Ué, mas o Serginho não tem namorado?

— Pois é.

— Xiiii, isso vai ser uma confusão federal...

Observei a porta do RH aberta. A sala parecia vazia.

— Vamos — murmurei a Sofia.

Nós nos afastamos discretamente da multidão e paramos em frente à sala de recursos humanos. Sofia deu uma espiada lá dentro enquanto eu me certificava de que ninguém prestava atenção em nós.

— Não tem ninguém aqui.

— Ótimo. — Eu a empurrei para dentro, fechando a porta com cuidado para não fazer barulho. Ainda podia ouvir a voz exaltada de Rafael e os resmungos gaguejantes de Serginho.

— O Rafa podia ter seguido carreira de ator. Tadinho daquele cara.

— Não temos muito tempo. Onde devemos procurar?

Ela olhou em volta. Havia três mesas, todas soterradas de papéis. Uma delas tinha uma bandeja com um monte organizado. Sofia apontou para ela.

— Você procura nessa pilha. Vou tentar o computador. — Ela contornou a mesa, rapidamente afastou a cadeira e começou a tamborilar os dedos naquela placa cheia de letras e números.

Apressei-me em direção à papelada, levando certo tempo para encontrar o nome dos pacientes em meio a tanta informação. Assim que descobri onde ficava, tornou-se fácil.

João, Ana, Lucélia, Bruna, Tiago, Maria, Anna, Berenice. Nenhuma Elisa. Onde estava o maldito papel?

— Teve sorte? — perguntei a Sofia, correndo os olhos pelas fichas tão rápido quando podia.

— Ainda não.

Roseli, Carlos Eduardo, Ivan, Maria Paula...

— Ai, cacete, acho que vem vindo alguém. — Sofia pulou da cadeira, juntando-se a mim.

Claudio, Denise, E...

A porta se abriu. Sofia se virou, as mãos nas costas arrumando disfarçadamente a pilha que eu bagunçara. Ajudei-a a colocar tudo no lugar.

— O que estão fazendo aqui?

— Hã... Não te falei que aqui não tinha banheiro? — ela me disse, a voz instável. — Vi um no andar de baixo. Desculpa, senhora. Ele não tá passando bem do estômago. Estávamos esperando por um documento na administração, mas aquela confusão começou e... ele precisou de um banheiro.

— Pelo amor de Deus, me diz que ele não vomitou na minha sala!

— Não. — Eu me virei, a mão em punho pressionada na barriga. — Ainda não.

— Tem um banheiro no final do corredor, à direita! — A mulher de óculos se afastou da porta para me dar passagem.

Não perdi tempo, tampouco Sofia, que me pegou pela mão e praticamente começou a correr em direção às escadas. Olhei por sobre o ombro. Rafael mantinha o rapaz pressionado contra a parede. Um homem de uniforme azul tentava imobilizá-lo. Nina nos viu, e lhe fiz um aceno discreto de cabeça.

— Já deu! — ela disse. No mesmo instante, Rafael soltou o garoto, que desabou no chão feito um saco de batatas.

Sofia e eu não paramos em momento algum, descendo os quatro andares em uma pressa insana. Só diminuímos o ritmo quando já estávamos do lado de fora. Ela se deixou cair na mureta que cercava o jardim em frente ao prédio, tomando fôlego.

— Essa foi... por pouco. Por muito... pouco — falou, sem ar.

Um homem saiu do prédio aos tropeções. Na verdade, havia sido empurrado porta afora e caiu na calçada.

Rafael.

— Vá curar sua dor de cotovelo longe daqui! — o homem de uniforme berrou.

Nina apareceu logo depois e se apressou em verificar se o marido estava bem. Ele sorriu para ela de um jeito afetuoso. Então os dois nos viram.

— Deus do céu, Rafa. — Sofia se levantou e se aproximou. Eu a segui e ajudei Rafael a ficar de pé. — Achei que você fosse acabar sendo preso por estrangular aquele rapaz.

— Deixa de drama. Eu nem tava apertando a garganta dele. — Ele endireitou as roupas.

— O pobrezinho não entendeu nada. Aposto que ele vai ter pesadelos esta noite — Nina olhou torto para o marido.

Rafael a ignorou, erguendo os ombros.

— Tive que trabalhar de improviso. E funcionou.

— E eu lhe sou muito grato por isso — dirigi-me a ele.

— Nada disso. — Ele me deu um soco no braço. — Amigo é pra essas coisas. Mas e aí, deu certo? Acharam os papéis da Elisa?

— Não! — Sofia bateu o pé, como se quisesse chutar alguma coisa. — Uma mulher apareceu antes que pudéssemos encontrar a ficha.

— Caralho!

— Saco — Nina resmungou. — Tudo isso pra nada.

— Na verdade... — Abri a mão que mantinha cerrada, revelando uma bolinha branca.

* * *

— O que vão querer? — perguntou Rafael, estudando o cardápio da cantina italiana. O pequeno restaurante era agradável. Queijos e garrafas de vinho pendiam por todo o teto. Sobre a toalha xadrez de verde e branco em cada mesa, um copo baixo abrigava uma rosa vermelha. O cheiro de molho de tomate permeava o ambiente e estava me deixando louco.

Eu não havia percebido que estava tão faminto. Toda aquela agitação sobre o desaparecimento de Elisa me deixou impaciente, e eu não fazia ideia de quando tinha sido minha última refeição. A julgar pela sensação dolorosa que retorcia minhas tripas, devia fazer muito tempo. Ainda assim, eu teria suportado mais algumas horas, se não tivesse ouvido o estômago de Sofia roncar alto.

— Pizza! — Os olhos Sofia chisparam de prazer.

— O mesmo para mim. — Faminto como estava, eu comeria qualquer coisa, fosse o que fosse.

— Para mim também! — concordou Nina.

Rafael chamou o garçom e pediu duas pizzas. Não ouvi o que ele disse, pois minha atenção estava em uma tela. Era fina com uma moldura negra, mas no centro imagens e cores mudavam a todo instante. E tinha som! Quando os lábios das pessoas se moviam, eu as ouvia. Seria a tal TV, que Sofia tentara descrever para mim? Ou seria um cinema? Eu não saberia dizer.

— Preciso ir ao toalete lavar as mãos. — Sofia se levantou.

Fiquei de pé no mesmo instante.

— Eu a acompanho.

— Até o banheiro? — Rafael me olhou com escárnio.

— Até onde ela precisar.

— Ah, que coisa mais fofa — suspirou Nina, levantando-se. — Mas pode deixar, Ian. Também preciso ir ao banheiro. Vamos, Sofs. — E enganchou o braço no de minha esposa.

As duas desapareceram por uma porta lateral. Voltei a me sentar. O garçom apareceu com o vinho e uma cesta de pãezinhos. Fiquei satisfeito que ao menos isso não tivesse sido modernizado. Vinho ainda tinha gosto de vinho. Pão ainda era pão.

— Faz alguma ideia do que levou sua irmã a fugir de casa? — Rafael quis saber, tomando um bom gole da bebida. — E vir para um lugar tão distante de onde vocês vivem?

Eu não queria que ninguém pensasse que Elisa havia se metido naquela confusão por vontade própria, porém contar a verdade só nos traria problemas e, consequentemente, perguntas que eu não saberia responder. Mesmo que me lembrasse o que de fato havia ocorrido, quero dizer.

— Suponho que ela não soubesse onde estava se metendo — falei por fim, pois não era de todo mentira. — Nós vivemos em um mundo totalmente diferente deste, por isso estou tão preocupado com ela.

— Imagino, se nem tem internet por lá. Como é isso? Viver em um lugar isolado do mundo?

— Não o vejo como isolado. — *Ou não o via*, ponderei. — É apenas diferente de tudo isso. Mais simples. Parece que o tempo passa mais devagar.

— E a Sofia conseguiu se adaptar num lugar assim? — ele perguntou, bebericando o vinho.

— Levou um tempo, mas ela está conseguindo se virar muito bem. É espantosa a capacidade que Sofia tem de se adaptar às situações mais adversas. — E de se meter em confusão, eu quis acrescentar, partindo um pãozinho. — Não que ela aceite de imediato; sempre acaba dando um jeito de contornar e fazer tudo à sua maneira. E, claro, agora que ela está vivendo lá, a vida já não é tão pacata assim. Sua inteligência e sagacidade me deixam constantemente boquiaberto.

— Que bom. Pensei que minha amiga tivesse sofrido uma lavagem cerebral ou coisa parecida. — Rafael se recostou na cadeira, os olhos fixos na porta onde sua esposa havia entrado. — Posso fazer uma pergunta?

— Fique à vontade. — Levei um naco de pão à boca.

— A Nina anda com umas ideias. E eu não sei se estou pronto pra... Acho que não estou, mas ela quer tanto! E, cara, eu queria... — Ele se deteve, fez uma careta e tomou outro gole de vinho.

— Dar o que ela deseja? — arrisquei.

Ele fez que sim, descansando a taça na mesa. Cruzou os braços. Depois os descruzou.

Acabei rindo.

— Não pode ser tão terrível assim, Rafael.

— A Nina quer um bebê.

— Ah. — Isso, de fato, podia fazer um homem perder as estribeiras. Sobretudo na questão do parto. Eu não sabia se me sentia irritado ou agradecido por não me lembrar.

— Então eu queria saber sua opinião. Mas de verdade, não aquelas baboseiras que todo mundo diz. Como é ser pai?

Xingando baixinho, esfreguei o centro do peito, pois parecia estar em brasa.

— Essa é uma das coisas das quais eu não me lembro.

— Ah, cacete, cara! Foi mal. — Ele se esticou sobre a mesa e deu dois tapas ligeiros em meu ombro. — Não fica assim. Daqui a pouco a sua memória volta, você vai ver.

— Eu realmente espero que esteja certo. É um inferno não lembrar da própria filha.

Ele me fitou especulativamente.

— A gente podia tentar trazer sua memória na marra.

— Como? — eu quis saber.

Ele ergueu os ombros.

— Que nem nos filmes. A gente podia tentar, se demorar muito pra voltar. Desde que trouxesse minha memória de volta, para mim estava tudo bem.

— Quanto a sua pergunta — continuei —, eu não me lembro de minha filha, mas me lembro de quando soube que ela estava a caminho. Foi o melhor dia da minha vida. E o pior também.

— Eu sabia! — Ele deu um soco na mesa. Os talheres e as taças tilintaram.

— Fiquei feliz e orgulhoso pelos motivos óbvios. E apavorado com a lembrança de quantas mulheres eu conhecia que haviam perdido a vida ao trazer o filho a este mundo. A do meu mordomo, por exemplo.

— Você tem *mordomo?* — Seus olhos se alargaram.

— Sim, é claro. — Que pergunta mais tola. — Não sei como foi o nascimento de Marina e, de certa maneira, acho que estou grato por não lembrar. Imaginar que Sofia possa ter sofrido me deixa doente.

— Ah, porra. Eu não tinha pensado nisso ainda!

— E o pensamento de que aquela pequena vida ainda no ventre de Sofia era responsabilidade minha me deixou paralisado de medo. Como eu podia ter certeza que faria tudo direito? Que o manteria seguro? Que cresceria saudável?

— É isso. Tá resolvido. Não vale a pena.

Eu o fitei com seriedade.

— Eu não disse isso.

— Não, mas por que alguém ia querer passar por um pesadelo desses?

— Porque eu posso não me recordar, mas, ao ouvir Sofia falar de nossa filha, a maneira como seus olhos cintilaram... Isso por si só já teria valido a pena. Mas eu vi o retrato de Marina. E eu lhe juro, Rafael, eu me apaixonei por ela assim que vi seu rosto. Na verdade, se pudesse me lembrar de tudo, aposto que lhe diria que me apaixonei antes mesmo disso. Não consigo explicar essa ligação. É quase primitiva.

Ele acenou uma vez, pegou sua taça, mas não bebeu, o olhar perdido em um canto da cantina. Deixei-o imerso em seus pensamentos, esperando ter sido útil, enquanto me perdia nos meus.

Onde estaria Elisa agora? Teria um prato de comida para lhe saciar o estômago? Teria um teto sobre a cabeça? Quem diabos a havia levado?

O documento que eu pegara no hospital jazia em meu bolso, e lutei contra a vontade de dar uma olhada nele outra vez. Havia algumas informações ali, como os remédios que deram a Elisa, o relato de sua crise nervosa, seu nome e sua idade. Mas a assinatura de quem se dissera responsável por ela no fim da página era ilegível. Não havia nenhuma identificação, nenhum documento, nada além da assinatura corrida e ligeiramente pontuda. Não era possível distinguir nem mesmo se pertencia a um cavalheiro ou a uma dama.

A alegria por ter encontrado o papel em tempo, por ter conseguido sair da Santa Casa sem ir parar na cadeia outra vez, transformou-se em desespero. Voltamos ao ponto de partida. Sem a menor ideia a respeito do paradeiro de Elisa.

Rafael tossiu, me trazendo de volta para o presente. Eu o fitei com atenção. Seu rosto estava um pouco afogueado, os olhos ligeiramente brilhantes.

— Você está se sentindo bem, Rafael?

— Tranquilo. Mas acho que peguei uma gripe.

As garotas retornaram no momento em que as pizzas chegaram. O pão redondo e fino recoberto de queijo e linguiça fez meu estômago roncar, e me lancei sobre a comida assim que meu prato estava cheio.

— Essa é a melhor comida do mundo. — Sofia se serviu de mais um triângulo.

— Uma das melhores coisas que já provei — concordei.

Apesar do estado de espírito infeliz, acabei comendo uma daquelas quase inteira. Em menos de meia hora, as duas bandejas estavam vazias.

— Cara, não cabe mais uma azeitona. — Rafael arrotou alto.

— Olha os modos. — Nina o cutucou com o cotovelo, mas riu.

Assim que terminamos, os pratos foram recolhidos. Ninguém pediu sobremesa, porém ainda sobrara vinho. Nina e Rafael se entreolharam, e ela assentiu uma vez antes de se pôr a falar.

— Sofia, bom... Lembra que você sumiu do mapa sem deixar nenhum recado e tal?

— Você sabia que eu estava indo embora. Ou tentando, pelo menos — minha esposa se defendeu.

— Eu sei disso. A questão é que... Bem, algumas coisas são meio complicadas e eu não sabia muito bem o que tinha acontecido até você começar a me escrever. Você deixou tudo meio que em suspenso. Seu contrato de aluguel terminou e o dono do imóvel me procurou. Ele pediu uma ordem de despejo. Avisei que você não voltaria mais, e ele ficou bem furioso...

— Imaginei. O que foi feito das minhas coisas?

— Nada. — Nina sorriu de leve, ao passo que Sofia franziu a testa.

— Como assim, *nada*?

— O apartamento foi vendido antes disso. O novo dono não decidiu ainda o que vai fazer com ele, e não se importou de deixar suas coisas ali, por enquanto.

— Isso foi muito generoso — comentei.

— Generosidade é o meu nome do meio. — Rafael levou a mão ao bolso da calça e jogou um molho de chaves sobre a mesa.

Sofia olhou para elas, então para Rafael, a boca escancarada.

— O quê?! — perguntou, sem fôlego. — Rafa, por que você fez isso?

— Foi um bom negócio. — Ele ergueu os ombros. — O antigo proprietário estava afundado em dívidas e me ofereceu o apê pela metade do valor de mercado. Fiquei com ele.

— Mas, Rafa...

Ele revirou os olhos.

— Antes que você pire, me escuta. Não teve nada a ver com você. Vi uma boa oportunidade e aproveitei. Esse não é o primeiro imóvel que eu compro. Tenho vários pela cidade. Alguns eu alugo, outros reformo e vendo. Outros ficam ali parados esperando a hora certa.

Sofia pareceu ainda mais atônita. Rafael riu.

— Está pronta pra me pedir desculpas por todas as vezes em que me chamou de encostado com a vida ganha?

— Não liga pra ele. — Nina o olhou torto. — O importante é que as suas coisas ainda estão lá, do jeitinho que você deixou. Ah, e seu carro tá na garagem. Nem sei se funciona ainda. Mas a documentação tá toda atrasada. Se quiser dar uma olhada...

— Caramba, eu... nem sei o que dizer, além de que o Rafa ficou doido.

— Fiquei? — Ele apoiou os cotovelos na mesa. — Seu antigo vizinho me procurou perguntando se eu estava interessado em vender. Ofereceu três vezes mais do que eu paguei. E vai valorizar ainda mais. Estão construindo um shopping de alto padrão ali perto.

— Obrigada — Sofia disse aos dois com intensidade. Então me fitou. — Quer ver onde eu morava antes de te conhecer?

— Claro. — Por muitas vezes me flagrei tentando adivinhar o mundo de Sofia, mas mais frequente ainda era tentar imaginar sua casa, seus objetos preferidos, a maneira como ela vivia e cuidava de si. Nunca pensei que um dia teria a chance de ver tudo com meus próprios olhos. Essa era uma das coisas de viver com Sofia. Eu nunca sabia o que viria a seguir.

Ela olhou para Rafael, hesitante.

— Você se importaria se eu usasse o apê só por esta noite? Eu queria muito mostrar pro Ian de onde eu vim.

— Credo, Sofia. Você fala como se o cara fosse de outro planeta!

— Não está muito longe da verdade — murmurei, sorvendo o que restava do vinho em minha taça.

— Fique lá o tempo que quiser. — Rafael apoiou o braço no encosto da cadeira de Nina. Ela se aconchegou nele. — Então, qual é o plano pra amanhã?

Nós quatro nos entreolhamos. Esperei que um deles apresentasse alguma ideia, uma moderna, que pudesse ser mais eficiente que a minha. Quando ninguém disse nada, obriguei-me a dizer:

— Pensei em espalhar alguns cartazes com o retrato de Elisa pela cidade.

— Porra, Ian, por que você não disse antes que tinha uma foto dela? — Rafael estendeu a mão. — Passa pra cá. Vou imprimir.

— Eu não disse que tenho.

Ele revirou os olhos.

— Não é possível que você não tenha nenhuma foto da sua irmã no celular!

— Como ele teria um celular, Rafa? — Nina se endireitou. — Já te disse que não tem essas coisas onde a Sofia mora agora.

Rafael me observou de maneira muito estranha.

— Tem certeza que você não caiu de um dos livros da Sofia? — E sacudiu a cabeça. — Onde podemos conseguir uma foto dela? No Facebook? Instagram?

Eu não sabia a respeito do que ele estava falando, mas, se pertencia àquele mundo, então a resposta era uma só:

— Não.

— A Elisa não tem Facebook — Sofia ajudou.

— Mas eu posso fazer um retrato dela — contei. — Foi isso o que eu quis dizer. Não garanto que será fiel, mas acredito que seja melhor que nada.

Os olhos do rapaz se alargaram.

— Fazer um retrato, tipo, *desenhando?*

— Sim.

—Tá legal, Michelangelo. — Coçando a cabeça, ele tentou se manter sério. — Vamos ver o que você sabe fazer.

Rafael pediu a conta e eu imediatamente levei a mão ao bolso, lembrando então que minhas moedas não tinham valor algum naquele tempo. Demônios. Eu precisava pensar também em uma maneira de conseguir algum dinheiro.

17

— Você acha que consegue encarar o elevador? — Sofia perguntou ao entrarmos no prédio de fachada amarela. Rafael e Nina tinham nos deixado lá antes de retornar para casa. — Tô exausta. Não consigo enfrentar seis andares de escada.

— Claro. — Embora sua pergunta tenha me deixado confuso. Não demorou para que eu descobrisse o motivo. Assim que entrei no elevador, percebi que muito havia mudado. As grades foram substituídas por maciças paredes de metal. Não havia uma única janela.

Sofia pressionou um botão no painel, e o número seis se iluminou em um tom rosado.

— Por que sempre tem um botão?

— Onde?

— Em tudo. Já nem sei quantos vi hoje. — Eu ainda não compreendia a fixação da humanidade daquela época por botões e luzes.

Esfreguei a testa quando as portas se fecharam. Tudo bem, era apenas um lugar apertado sem janelas. O ar continuava fluindo. Meus pulmões continuavam trabalhando. Nada de mais. Não havia razão para supor que eu não conseguiria respirar, já que Sofia respirava normalmente. Uma fina camada de suor recobriu minha pele e a tontura me fez apoiar em uma das paredes frias.

Sofia me observou com atenção e então se lançou sobre o painel de números, apertando freneticamente um botão que tinha um desenho de dois triângulos equiláteros separados por uma linha, dando a ideia de um olho.

— Ah, Ian, desculpa. Não dá mais.

Com um solavanco, senti que nos movíamos para cima. Tentei manter a atenção no funcionamento da máquina e assim me distrair da sensação agonizante de estar me afogando em pleno ar. Roldanas. E cabos grossos, para poder suportar o peso da estrutura e de seus ocupantes. Ao menos dois cabos: um para tração e outro de comando. Os botões provavelmente substituíam as alavancas que eu conhecia.

Misericordiosamente as portas se abriram para revelar um pequeno átrio com quatro portas. Eu me lancei para fora daquela caixa, buscando ar. Ali fora, ele chegava ao fundo dos meus pulmões.

Sofia se aproximou e, ficando na pontinha dos pés, esticou-se para beijar meu queixo.

— Tá legal, acho que você tem mesmo claustrofobia. Vamos evitar o elevador daqui pra frente, tá bem?

— Humm — foi minha resposta. Mas o que eu podia dizer a ela? Que não conseguia respirar dentro daquela coisa?

Sofia pegou no bolso da calça a chave que Rafael lhe dera e a encaixou na porta, abrindo-a. Com um toque de seus dedos em uma tecla presa à parede, a sala se iluminou de maneira desconfortável. Era quase dia ali dentro.

Se cheguei a pensar que aquela cidade era um verdadeiro caos, era porque ainda não tinha entrado no apartamento de Sofia. Tudo estava fora do lugar. Receoso com o que pudesse ter causado tamanha desordem, eu trouxe Sofia para trás, usando meu corpo para protegê-la.

— A Nina não estava de brincadeira quando disse que tudo estava "do jeitinho que eu deixei". — Ela examinou o ambiente por sobre meu ombro, bastante sem jeito.

— O que aconteceu aqui?

— Bom, é... hã... É assim que a nossa casa vai ficar se a Madalena pedir as contas.

— Ah. — Relaxei a postura e tentei não rir. Tentei mesmo.

Sofia me contornou e começou a andar pela sala, olhando sua casa como que pela primeira vez, um dedo correndo pelo encosto do sofá.

— Nunca pensei que voltaria a ver este apartamento — murmurou, contemplativa.

— Nunca imaginei que um dia eu veria seu apartamento.

Meu comentário a trouxe de volta de onde quer que estivesse. Então ela analisou o ambiente e corou, disparando em direção a uma mesa. Ao menos as pernas de madeira *se pareciam* com as de uma mesa. O tampo estava coberto por todo tipo de coisa, então eu não tinha como ter certeza. Ela abraçou um punhado de itens — roupas, na maioria — e olhou em volta, como se procurasse um lugar melhor. Franziu a testa e acabou colocando tudo de volta na mesa.

— Tá legal. Você já sabe que eu não sou muito boa com organização.

Dei alguns passos, analisando o aposento.

— Então era aqui que você morava. — Levei as mãos aos bolsos da calça. Diabos, de que serviam bolsos tão apertados? Desisti deles.

— Meu palacete de quarenta e dois metros quadrados — Sofia abriu os braços. — Gostaria de conhecer minha propriedade, senhor Clarke? Tá certo que não é exatamente minha, mas você pegou o espírito da coisa.

— Sou todo seu. — Sorri para ela. Ela foi para o centro da sala, chutando para baixo da mesinha de centro uma roupa de baixo de renda branca que estava no caminho. Com o rosto sério, ajeitou suas ondas antes de começar.

— Bem, aqui temos a incrível sala de estar, jantar, TV, escritório e... hã... depósito de coisas cujo destino ainda não foi decidido.

— Muito aconchegante. — Lutei contra o riso.

Pegando-me pela mão, ela me puxou e dois passos depois se deteve diante de uma porta aberta. Acionou a tecla na parede. A luz preencheu o ambiente.

— E aqui é a cozinha. O lugar menos frequentado desta casa.

— É bastante...

— ... pequena? — ela arriscou, arqueando as sobrancelhas.

— Diferente. O que é isto?

— Ah, é a geladeira. — Ela abriu a porta e uma luz se acendeu. Deus do céu, tudo tinha luz própria no futuro? — Serve pra guardar comida — apontou para as prateleiras quase vazias —, mas a Nina deve ter tirado tudo daí pra não estragar. Olha, temos refrigerante! E aquele ali é o micro-ondas, a invenção mais importante da humanidade.

— Humm... — murmurei, observando a caixa retangular para onde ela apontava, repleta de (que surpresa) mais botões. Mas, se ela dizia que era importante, devia ser mesmo. Perdi as contas de quantas vezes a ouvi mencionar o utensílio.

Voltamos para a sala, mas ela seguiu em frente, até outra porta.

— Meu quarto. — E me puxou para dentro.

Eu não sabia o que encontraria ali. Não fazia ideia do que esperar do quarto de uma mulher moderna. No entanto, aquele foi o cômodo que menos me espantou. A cama era alta, parecia confortável e, surpreendentemente, estava arrumada. O armário tinha uma das portas recoberta por um espelho e ia até o teto. Todas as portas estavam abertas. Roupas se penduravam e ameaçavam cair de uma das gavetas. Havia muita coisa sobre a mesa de cabeceira. Livros, na maioria. E, entre eles, um retrato. Eu o peguei, percorrendo com o dedo o lindo rosto da jovem sorridente espremida entre um casal.

— Meus pais — Sofia disse por sobre meu ombro. — Essa foto foi tirada quando fiquei sabendo que tinha conseguido entrar na faculdade.

— Quantos anos tinha?

— Dezessete.

— Você se parece com a sua mãe. — Sobretudo o sorriso. A mulher tinha os cabelos castanhos e lisos, mas os traços delicados do queixo e do nariz eram inegavelmente semelhantes aos da filha. Seu pai trazia uma bagunça de cachos dourados sobre a cabeça, mas os traços eram duros, e a única semelhança que encontrei com Sofia foi o olhar.

— Verdade? Sempre achei que fosse mais parecida com meu pai, por causa do cabelo. Quer ver uma coisa maluca?

— Uma a mais, uma a menos, que diferença fará? — brinquei, colocando o retrato de volta no lugar.

Isso a fez ficar séria.

— Eu sei quanto isso tudo deve estar sendo difícil pra você, quanto deve estar confuso. Deve ser ainda pior do que foi pra mim, porque pelo menos eu não tive amnésia.

— Você me contou a respeito de muito do que vi hoje. Preciso admitir, porém, que muitas dessas coisas não são como eu havia imaginado.

Ela me abraçou pela cintura, enterrando o rosto em meu peito.

— Quando esse pesadelo vai acabar, Ian? Só quero que a Elisa esteja bem, que possamos encontrá-la logo e então voltar para casa. Estou preocupada com a nossa Nina.

— Pareceria estranho se eu dissesse que eu também? — Eu tentava me convencer de que Madalena era mais do que capaz de cuidar de um bebê. Ela fizera isso com Elisa desde o dia de seu nascimento. Ainda assim, eu queria ter certeza de que minha filha estava sendo bem cuidada. Eu podia não me lembrar dela, mas o sentimento estava ali.

— Nem um pouco estranho. — A voz de Sofia tremeu. Pressenti que ela estava à beira de perder o controle.

— O que pretendia me mostrar antes? — perguntei, querendo mudar o rumo de seus pensamentos.

E os meus. Havia muito rondando minha cabeça. A preocupação com Elisa, com a filha de quem eu não me lembrava e, sobretudo, com Sofia. O que estava se passando em sua cabeça naquele instante?

— Ah, é. — Sofia se desvencilhou de mim, inspirando fundo algumas vezes. Quando pareceu voltar ao controle das emoções, inclinou-se e abriu a gaveta do criado-mudo. De lá de dentro retirou um papel obscurecido pelo tempo e me entregou. — Você escreveu pra mim.

A tal carta que ela sempre mencionava. Aquela que a fizera lutar por mim com unhas e dentes. Aquela da qual eu não tinha lembrança, pois acontecera em um futuro que jamais chegou a existir.

Desdobrei a folha com cuidado para não rasgar o papel frágil. Então, franzi a testa.

— Mas está em branco.

— O quê? Impossível! — Sofia o pegou e o examinou dos dois lados. — Mas... mas... estava aqui! Com a sua caligrafia linda e tudo!

— Talvez você esteja confundindo com outro papel.

— Não! É esse, Ian, tenho certeza. Guardei aqui na cabeceira, porque assim eu sentia que você estava comigo e... — Ela mordeu o lábio inferior com força, os olhos fixos na folha, como se esperasse algo surgir na página.

Suspirei, exausto, e delicadamente retirei a suposta carta de suas mãos. Sofia me encarou, aturdida.

— Escute, você está muito cansada, precisa dormir. Ficar pensando nesta carta só vai deixá-la ainda mais confusa.

— Mas...

Pressionei um dedo sobre seus lábios macios.

— Amanhã você vai encontrar uma explicação razoável para o que aconteceu. Agora, se me mostrar como, terei um imenso prazer em lhe preparar um banho quente.

— Aqui não tem muito isso de preparar o banho. Mas você tá certo, acho. Minha cabeça tá dando um nó. Vamos lá, vou te mostrar o banheiro.

Naturalmente, não era nada parecido com o que eu havia imaginado. As paredes revestidas de azulejos brancos sem nenhum desenho faziam o pequenino ambiente parecer mais amplo. Havia um toucador, uma bica sobre ele, um vaso que eu deduzi ser a tão sonhada privada de Sofia. Uma cortina florida cortava o banheiro ao meio. Eu a afastei e dei uma espiada.

— Chuveiro. — Sofia se apoiou em minha cintura para alcançar uma alavanca. Assim que ela a girou, a água começou a jorrar de uma espécie de regador preso a um cano que saía da parede. Estendi a mão sob o fluxo. Água quente, como ela um dia prometera.

— Extraordinário!

Colocando as mãos em minha cintura, Sofia agarrou a estranha camisa que eu vestia, suspendendo-a. Ajudei puxando o tecido pela gola. Ela o amassou até formar uma bola enquanto permanecíamos assim, olhando um para o outro, e por um momento achei que ela fosse sair para me dar privacidade. Mas eu não precisava de privacidade, precisava de Sofia.

Como de costume, não tive de dizer uma palavra. Ela me compreendia e também parecia precisar de mim. Não sei ao certo qual de nós dois agiu primeiro. Em um instante estávamos em pé de frente um para o outro. No seguinte? Sofia estava enrolada em mim, os braços em meu pescoço e as deliciosas pernas em meus quadris...

* * *

Segundo Sofia, as roupas que eu vestia quando cheguei ao século vinte e um ficaram na casa de Nina e Rafael, pois estivemos lá antes. Então, depois que saímos do banho, ela se enfiou em uma daquelas camisas de mangas curtas — camisetas, ela me explicou — e me arranjou um roupão branco decorado com corações vermelhos, já que nenhuma de suas roupas coube em mim. Nunca estive mais ridículo em toda a minha vida.

Sofia penteava os cabelos, examinando-me de alto a baixo, e começou a rir, confirmando minhas suspeitas.

— A gente precisa arrumar roupas pra você.

— Concordo. Minha masculinidade está agonizando dentro disto aqui.

Ela riu ainda mais, derrubando o pente. Agachei-me para pegá-lo e o devolvi a ela.

— Valeu. Vou colocar a calça e a camiseta pra lavar e então vamos pra cama, onde você poderá se livrar do roupão fofinho e salvar sua virilidade.

— Eu pretendia fazer o retrato de Elisa antes.

— Mas você está exausto, Ian.

— Não vem ao caso. Não podemos perder tempo.

Ela jogou o pente sobre a pia.

— É, tem razão. — Pegou nossas roupas molhadas, retirou tudo o que encontrou nos bolsos, inclusive o celular, secou os objetos e então saiu.

Fui para a sala e recolhi algumas peças de roupa do sofá, colocando-as sobre a mesa, pois aquele parecia ser o lugar favorito de Sofia para guardar a maior parte delas. Ela retornou instantes depois.

— Onde encontro papel e grafite? — perguntei.

— Grafite eu não tenho. Serve um lápis? — Ela se pôs a vasculhar a bagunça sobre a mesa.

Acabei rindo.

— Explique-me por que você preferia guardar suas roupas na mesa de jantar.

— Não é que eu preferisse. — Seu rosto se retorceu em uma careta. — Mas eu sempre chegava em casa bem tarde. Comia alguma coisa e caía na cama. Vivia prometendo que ia arrumar tudo no fim de semana, mas nunca cumpria a promessa. Aqui, serve esse papel?

A folha estava amassada e tinha algo escrito no verso.

"Prezada srta. Sofia Alonzo, não confirmamos o pagamento da fatura do seu Visa..."

— Ah, esse não. — Tirou-o de minha mão e continuou procurando. Um caderno surgiu. — Eu sabia que tinha um. Agora o lápis. — Ela foi até a estante de livros, a única coisa que parecia seguir alguma ordem ali. — Tinha um aqui em algum lugar...

Enquanto ela procurava, flagrei-me perguntando o que poderia ocupá-la tanto nos fins de semana que a impediam de arrumar a casa. Não que Sofia não gostasse de ordem; ela só não sabia o que fazer com ela.

— Aqui. — Ela me estendeu o lápis e percebeu que meus pensamentos divagavam. — O que foi?

— Estava me perguntando como você passava seus fins de semana.

— Ah, lendo, vendo TV, às vezes saía com a Nina e o Rafa.

— Os homens com os quais você... hã... — Inferno, eu não queria perguntar. Na verdade, preferia nem pensar nisso, muito obrigado. Mas a curiosidade acabou falando mais alto. — Os homens com quem se envolveu nunca a visitavam?

Ela riu.

— Meu Deus, não! Nem foram tantos homens assim. Mas todos, sem exceção, eram idiotas.

Eu não poderia discordar dela. Se a deixaram escapar, não passavam de tolos completamente cegos.

— Então a minha vida se limitava a trabalho — prosseguiu —, algumas saídas com meus poucos amigos, livros e internet.

— Parece solitário.

— É, era, sim. Mas aí eu te encontrei. — Ela me beijou de leve e em seguida me arrastou para o sofá.

Nós nos acomodamos e eu tentei convencê-la a ir se deitar. Não que tenha funcionado. Quando foi que consegui convencer Sofia a fazer alguma coisa?

— Não gosto de ir pra cama sem você. Vou ficar aqui, bem quietinha, Ian. Você nem vai perceber que eu estou do seu lado.

— Não é com isso que estou preocupado. Você parece estar a ponto de desmaiar.

— É que... — Ela encolheu os ombros, o dedo acompanhando a trama do tecido do sofá. — A Marina não me sai da cabeça, Ian. Se eu ficar sozinha, vou ficar fantasiando um monte de absurdos, e aí...

Joguei o caderno sobre a mesa.

— Está tudo bem. — Passei um braço por seu ombro e a puxei para perto, beijando-lhe a testa. — Eu entendo. Mas não precisa se preocupar, meu amor. Marina está sendo bem cuidada. Além disso, iremos para casa antes que ela possa sentir nossa falta. Agora vamos para a cama. Posso fazer o retrato de Elisa amanhã.

— Não! De jeito nenhum! — Ela se afastou para me encarar, as mãos apoiadas em meu peito. — Quanto antes tivermos o desenho da sua irmã, melhores serão nossas chances, e então poderemos ir pra casa mais depressa. Eu tô bem. Sério, Ian. — E lutou o melhor que pôde para manter as emoções sob controle.

Tão corajosa. Tão frágil e ao mesmo tempo tão forte. Meus batimentos cardíacos pararam por um instante, então dispararam enquanto eu sentia como se caísse e me apaixonasse por ela outra vez.

E, decerto, eu não podia deixar de concordar com sua lógica. Então me obriguei a pegar o caderno, o abri à procura de uma página em branco e encontrei todas elas sem uso. Consegui algum espaço na mesa de centro e me inclinei. Sofia imitou meus movimentos, as mãos comprimidas nos joelhos, os olhos muito abertos, um minúsculo sorriso se insinuando nos olhos.

Ah. Sofia e seu estranho fetiche de me ver pintar. Bem, se isso a agradava, não seria eu quem lhe tiraria esse prazer. Mas confesso que era difícil me concentrar com seus olhos em mim.

Desenhar Elisa foi fácil, porém. Eu conhecia seu rosto desde sempre, e, enquanto seus traços surgiam no papel, eu rezava em silêncio para que, onde quer que ela se encontrasse, estivesse em segurança.

Conforme a hora ia passando, Sofia foi cedendo ao cansaço, bocejando cada vez com mais frequência.

— Venha aqui — eu disse, acomodando sua cabeça em meu colo depois de me certificar que o roupão nada exibia.

— Eu sonhei com isso — ela murmurou, olhando para algo que poderia ser uma TV, embora o formato fosse diferente do que eu vira no restaurante pouco mais cedo.

— Com o quê? Eu vestido com seu roupão de coraçõezinhos?

— Não. A gente exatamente nessa posição. — Ela então me fitou, o furinho em sua testa indicando que algo estava errado.

— E o que aconteceu no sonho?

Seu olhar adquiriu um brilho diferente, quase de medo. Mas então ela sacudiu a cabeça.

— Nada. Foi só um sonho bobo. — Ela se aconchegou a mim, bocejou e fechou os olhos.

Apoiando o caderno no braço do sofá, continuei a rabiscar. O rosto de Elisa foi tomando forma, profundidade e textura, e não demorou muito para que eu o finalizasse. Não lhe fazia justiça, por certo. Nem tinha a vivacidade de seu olhar, mas serviria a seu propósito.

Voltei-me para Sofia a fim de mostrar-lhe o resultado, mas ela tinha adormecido. Deixei o caderno sobre a mesa de centro e escorreguei para o lado com delicadeza, tomando cuidado para não acordá-la. Tomei-a nos braços. Ela resmungou alguma coisa, mas não despertou. Levei-a para o quarto e a coloquei no colchão macio, jogando o lençol sobre ela.

Voltei para a sala e tentei apagar as luzes usando a tecla na parede. Com um único e simples toque, vi-me no mais completo breu. Apertei de novo e a luz voltou a se acender. Um invento e tanto a tal eletricidade.

Fiz o mesmo com as outras luzes da casa e voltei para o quarto. A luminosidade que vinha da janela me permitiu ver que Sofia havia se remexido, uma das pernas nuas estendida sobre o lençol. A camisa que vestia ainda agora jazia esquecida no chão. Suas ondas douradas estavam úmidas, portanto mais escuras, adquirindo um tom avermelhado, e se derramavam na fronha como cobre líquido.

Enquanto tirava o roupão ridículo, peguei-me estudando suas curvas e linhas. O artista em mim sempre estava disposto a retratar sua musa. Um artista que andava em falta, censurei-me. Ainda me aporrinhava não ter conseguido retratar Sofia em nossa noite de núpcias. Aquela imagem estava marcada a fogo em minha memória, e eu sentia que explodiria de frustração se não a colocasse na tela logo. *Assim que voltarmos para casa,* prometi ao me deitar na cama e me aconchegar ao corpo macio e quente de minha esposa adormecida. Eu a pintaria em uma tela pequena, que coubesse no cofre do quarto. Não dividiria aquela lembrança com mais ninguém, exceto ela. *Assim que voltarmos para casa, eu a retratarei.*

E isso vai acontecer amanhã, pensei, já imerso em uma espessa nuvem de torpor. Encontraríamos Elisa e voltaríamos para nossa vida de antes no dia seguinte.

18

— Senhora Clarke! Senhora Clarke! — chamava a senhora Bernadete, acenando freneticamente ao se aproximar, desviando das mesas que margeavam o jardim em frente à casa.

Sofia continuou a admirar as bandeirolas presas aos cordões sobre nossa cabeça, como se não fosse com ela. Acabei sorrindo. Tudo bem. Estávamos casados havia uma hora. Levaria um pouco mais que isso para que ela se habituasse a ser tratada como senhora Clarke.

Isso *se* acontecesse.

— Senhora Clarke!

— Suponho que a senhora Moura esteja falando com você, minha esposa — murmurei.

Sofia olhou ao redor e piscou uma vez.

— Ah, certo.

Reprimi o riso quando a mulher nos abordou.

— Minha querida senhora Clarke, nunca vi noiva mais encantadora. — Bernadete pegou sua mão e a apertou. Seu marido, que a seguia sem tanta pressa, chegou depois e ergueu a taça em um brinde.

— Um belo casamento — elogiou ele. — Inusitado, mas uma bela cerimônia, senhor Clarke.

— Obrigado — respondi com uma mesura.

— É, pois é. — Sofia corou. — É bem a minha cara não conhecer latim e quase ferr... hã... estragar tudo.

— Você não tinha como saber — garanti a ela mais uma vez. — O erro foi todo meu.

Eu era um estúpido. Um maldito estúpido arrogante que presumiu que duzentos anos não teriam alterado a cerimônia de casamento. Quase tive um ataque do coração no momento em que entendi que Sofia não sabia uma única palavra de latim. Por sorte ela dera um jeito de contornar a situação, e padre Antônio acabou nos casando em uma cerimônia singular, realizada em português.

— Não se torture, senhor Clarke. Tudo se resolveu magnificamente bem. Estão casados. E, a julgar pelo sorriso de sua noiva e o seu, muito felizes.

Graças aos céus, pensei com meus botões. Sofia tinha entrado em pânico desde que os preparativos tiveram início. Ela havia sugerido um casamento ali mesmo, na fazenda, com alguns poucos convidados. Mas tive de rejeitar a ideia. Sofia despertava uma curiosidade quase irresistível nas pessoas, e isso a transformava em fonte de interesse e, infelizmente, de mexericos. Não havia muito que eu pudesse fazer a não ser colocá-la sob a proteção e o respeito de meu nome. Ninguém se atreveria a destratá-la depois que ela fosse a minha senhora Clarke. Por isso insisti em um casamento grandioso, comentado por toda a vila, e imaginei que assim as especulações cessariam. Ou ao menos se tornariam mais discretas.

Os primeiros acordes do quarteto de cordas ecoaram pelo jardim. Era minha deixa.

— Peço que me perdoem — dirigi-me aos Moura —, mas terei de roubar a noiva por alguns instantes. Me concederia a honra desta dança, minha esposa?

Ela se retesou ligeiramente, olhando para o casal como se implorasse ajuda.

— Não se detenha por nossa causa, minha cara. — O pai de Teodora ofereceu o braço a sua mulher. — Vamos, Bernadete. Minha garganta está seca.

— Há mais de vinte anos, eu suponho — rebateu ela —, pois o senhor sempre diz a mesma coisa. Com licença, senhor Clarke. Senhora Clarke. — Depois de um ligeiro aceno de cabeça, eles partiram.

Sofia colocou a mão na minha.

— Isso vai ser embaraçoso, Ian.

— Não vejo como. Já fizemos isso antes. Entretanto, nunca como marido e mulher.

— Você tá usando botas bem reforçadas? — Ela abriu um sorriso tímido encantador.

— Não se preocupe com os meus pés. Eles ficarão bem.

Levei-a para o centro do círculo rodeado por mesas. Começamos a valsar. Sofia pisou em meus pés mais vezes do que pude contar, mas isso apenas a tornava ainda mais adorável para mim.

— Sabe, até que estou gostando dessa parte — ela disse depois de um rodopio.

— Dançar com você, minha esposa, também é minha parte favorita.

Um sorriso largo se espalhou por seu rosto.

— Sabe quantas vezes você disse "minha esposa" hoje?

— Não. Umas três?

— Tá mais pra trinta! — E riu. — E olha que a gente tá casado não tem nem uma hora!

— Não tenho como contradizê-la, pois estou sem meu relógio, mas aposto que estamos casados há *mais* de uma hora, minha esposa.

Ela deitou a cabeça em meu ombro.

— Eu gosto quando você me chama assim. *Minha.*

— Mas não gosta que a chamem de senhora Clarke — provoquei.

Ela fez uma careta, endireitando-se.

— Já te expliquei, Ian. Não tô acostumada com isso, além de me fazer parecer uma velha de trezentos e oitenta anos. E, bom, eu sou mais velha que você, então não é lá muito legal ficarem me chamando de senhora.

— Sofia, eu nasci em dezembro de 1808 e você, em maio de 1985. Não vejo como possa ser mais velha que eu.

— Você entendeu o que eu quis dizer. — E fechou a cara. — Você só tem vinte e um anos, e eu logo vou fazer vinte e cinco!

Exalei pesadamente.

— Isso realmente importa, meu amor?

Ela ponderou por um momento, então suspirou com desânimo.

— Não muito. Só me lembra que eu vou ficar cheia de pelancas bem antes de você. E os homens nem têm pelancas, no fim das contas. Ficam *distintos* quando envelhecem.

— Por Deus, Sofia. — Lutei para me manter sério. — Não acredito que queira discutir pelancas em nossa festa de casamento.

— Só estou constatando um fato. — Ela ergueu os ombros.

— Não, minha esposa, não está. Você é linda, perfeita, e eu jamais a verei de outra maneira. Não importa quantos anos passem...

— Ou a quantidade de pelancas que apareçam?

Disfarcei a gargalhada beijando sua testa, demorando-me um pouco mais do que o decoro permitia.

— Sim, Sofia. Não importa quantos anos passem ou a quantidade de pelancas que apareçam. Você sempre foi e sempre será a coisa mais linda em que já pus os olhos.

— Obrigada, Ian. — Seu olhar reluzia. — E, só pra você saber, também vou amar suas pelancas, se por acaso você tiver algumas.

— Isso é um consolo.

A valsa terminou, mas Sofia não percebeu. Eu teria ficado ali com ela pelo resto do dia, mas Elisa tinha outra ideia.

— Lamento interromper, mas vocês precisam falar com os convidados — minha irmã disse, já arrastando Sofia para o outro lado.

— Ah, Elisa, tem que ser agora? — reclamou Sofia. — Eu estou tendo uma conversa muito séria aqui.

Tive de apertar os lábios com força para não gargalhar. Sem se dar conta de meu bom humor, minha irmã me fitou com aflição, desculpando-se.

— Infelizmente a conversa terá de ser adiada. Não é de bom-tom os noivos passarem a festa inteira dançando. Ainda tem muita gente esperando para cumprimentá-los.

Beijei o dorso da mão de Sofia.

— Nos vemos daqui a pouco, então.

— A gente não vai falar com eles juntos? — perguntou, horrorizada.

— Tristemente, não.

— Vocês precisam falar com os convidados — explicou Elisa, levando Sofia por entre as mesas. — Separados, conseguirão cumprimentar todas as pessoas.

— Eu preferia ficar dançando com o seu irmão...

— Sei exatamente como se sente, meu amor — murmurei, observando-a se afastar.

Diabos, eu devia ter seguido seu conselho, no fim das contas, e feito apenas um almoço para os amigos mais chegados. Agora só me restava desempenhar o papel de noivo e saudar todos os convidados que pudesse no menor espaço de tempo possível. E foi o que fiz. Detive-me um pouco mais apenas com meu velho amigo Almeida.

— Sua noiva é a criatura mais encantadora que eu já vi, Ian. — Ele a observava do outro lado do jardim, falando com os Albuquerque. Ela parecia desconfortável, mas se esforçava ao máximo para aparentar tranquilidade. Sofia nunca deixaria de me surpreender. — Teve muita sorte em encontrá-la — Almeida acrescentou.

— Tive sorte, mas foi ela quem me encontrou.

— Suponho que esteja certo.

— Senhor Clarke — acenou a senhora Herbert, proprietária da única pensão da vila. Ela era miúda, mas sua figura era imponente. Talvez pelo fato de sempre estar vestida de preto e trazer os cabelos em um penteado austero. — Meu querido, que festa maravilhosa! Estou impressionada com o talento de sua irmã para organizar uma festa.

— Elisa tem muitos talentos, senhora Herbert.

— Se tem! — Então seu olhar cansado se voltou para meu rosto. — Perdoe-me se estou sendo intrometida, mas não paro de pensar no senhor. Sabe que tenho sua família na mais alta conta, e não suporto imaginar a aflição em que o senhor se encontra agora. Não é uma posição em que qualquer outro gostaria de estar.

Mas era só o que faltava!

— Não me encontro em agonia, senhora. Ao contrário, quase não posso me manter parado de tanta felicidade. E aposto que qualquer cavalheiro que olhasse para minha esposa agora lhe diria o mesmo, caso Sofia lhe pertencesse.

Ela arregalou os olhos.

— Por Deus, senhor Clarke, o senhor me entendeu mal. Jamais quis ofender sua esposa. Eu a acho fascinante. Um tanto excêntrica, mas sua Sofia é um encanto! E forte como poucos homens, devo dizer. Eu estava me referindo à maldição!

— Hummm?

— Admiro sua postura. Fico feliz que ela não lhe tire o sono. — E pousou em meu braço a mão fina coberta de manchas marrons. — Não podemos ir contra os desígnios da divina providência, não é mesmo? Se for o desejo de Nosso Senhor que sua noiva sucumba à maldição, assim será. E não haverá nada que o senhor ou qualquer outro possa fazer. Repasse à noiva os meus cumprimentos e lhe diga que estará em minhas orações.

Ela se foi, deixando-me atônito. Anelize, a ajudante de madame Georgette, dissera a Sofia algo semelhante no dia anterior.

— Maldição? — Virei-me para o doutor Almeida.

Ele pressionou os lábios e desviou o olhar para os casais que valsavam.

— Alberto, o que há? — insisti.

— Creio que acabaria ouvindo os rumores de uma maneira ou de outra. — Os ombros dele caíram enquanto soltava o ar com força e voltava a atenção para mim. — Circula na vila que uma maldição se abateu sobre as recém-casadas.

Um calafrio percorreu minha espinha, deixando-me mudo.

— Parece que algumas jovens morreram logo após o casamento — prosseguiu —, na lua de mel. Dizem que a mãe de um barão rogou a praga depois que o filho se casou em segredo com uma atriz, pois sabia que a mãe não permitiria tal união. No dia em que soube do ocorrido, a baronesa proferiu uma porção de impropérios e garantiu que o casamento não teria longa duração. No dia seguinte, a jovem noiva foi atingida por um raio enquanto cavalgava sob a chuva.

Estremeci quando meu cérebro substituiu a moça que eu não conhecia pela imagem de Sofia cavalgando sob a tempestade, a luz faiscante a atingindo.

— O senhor não acredita nisso. — Não podia acreditar.

— Não. Claro que não. — Mas sua testa estava encrespada. — Contudo, admito que as circunstâncias dos acidentes foram muito similares, Ian. E provavelmente foi a razão de o boato ter se espalhado tão depressa. Algumas jovens estão adiando o casamento. Estão assustadas.

— Quantas noivas morreram? — exigi saber.

— Três.

— *Três?!*

— Minha intenção não é preocupá-lo, meu caro. Não há razão para isso. Sabe como o povo é, alguém planta uma boa fofoca e ela se alastra mais depres·· sa que a peste negra.

Três jovens haviam morrido da mesma maneira durante a viagem de lua de mel. Uma parte de mim rejeitava por completo a ideia da maldição. Era absurda! A outra parte, aquela que se apavorava com a mera ideia de perder Sofia por qualquer motivo, estava em pânico.

Ergui os olhos e encontrei os de Sofia do outro lado do gramado. Ela sorriu para mim, mas seu sorriso congelou enquanto me observava.

— Sua noiva já ouviu os rumores? — perguntou Almeida.

— Duvido muito. Ela teria dito alguma coisa. — Ou rido, o que era mais provável.

— Então não a importune com bobagens e nem perca seu sono se preocupando com tolices, sim?

Assenti com a cabeça, os olhos ainda presos aos de Sofia.

— Se me der licença, doutor. Minha esposa parece ansiosa para falar comigo.

— Não se detenha por minha causa. — Mas Almeida tocou meu ombro, impedindo-me de seguir em frente. — Ian, estou certo de que tudo isso não passa de mais um boato criado por alguma matrona desocupada. Não perca a cabeça.

— Não perderei. E agradeço por ter sido franco.

Sofia se adiantou, vindo em minha direção. Minha esposa se deteve algumas vezes, retribuindo mesuras e cumprimentos de alguns convidados.

Minha esposa.

Minha encantadora e linda esposa, que voltara para mim fazia apenas três semanas e agora era minha perante Deus e os homens. *Isso* era real. A maldição não. Decerto devia existir uma explicação plausível para a morte das jovens. Naturalmente, eu faria tudo o que estivesse a meu alcance para que aquela história absurda ficasse bem longe dos ouvidos de Sofia.

Quando finalmente nos encontramos no meio do caminho, eu soube que ela percebera, mesmo a distância, que havia algo errado.

— Estou longe de minha esposa há mais de um quarto de hora, é esse o problema — justifiquei.

— Tem certeza? Você parece meio... tenso. Dei bola fora?

Tive de correr as mãos pelos cabelos para deter a incontrolável vontade de beijá-la. Por que ela não percebia como era adorável? Como as pessoas a admiravam, até mesmo aquelas que não a compreendiam por completo, como a senhora Herbert?

— Não, está sendo absolutamente perfeita e encantadora. Mas me ocorreu agora que dançamos apenas uma vez. Me concederia a honra?

— Pensei que nunca fosse perguntar!

Infelizmente, a música que se iniciava era uma quadrilha, e Sofia ainda não aprendera os passos. Foi nesse instante que tia Cassandra chegou. E a irmã de meu pai se mostrou tão delicada e educada como eu me lembrava. Fazia Storm parecer um cordeirinho adestrado. Ela foi desagradável com Sofia, e fiz o melhor que pude para mantê-la longe do veneno de Cassandra.

Enquanto isso, minha cabeça zumbia, a conversa com Almeida ia e voltava, impedindo-me de pensar em qualquer outra coisa.

Não, eu não acreditava na maldição. Não por completo. Mas desde que conhecera Sofia coisas de que eu nunca tinha ouvido falar aconteceram. Era tão absurdo assim pensar que uma maldição estava agindo e matando as moças? Talvez sim. Tanto quanto acreditar que o amor de sua vida nasceu dois séculos à frente do seu.

Então, não, eu não arriscaria, decidi. Não haveria viagem alguma até me assegurar de que ela não correria riscos. Perguntei-me qual seria a reação de Sofia quando eu lhe contasse do adiamento da lua de mel. Ela ficaria decepcionada, por certo, e eu odiava decepcioná-la. Entretanto, eu preferia ver a desolação em seu rosto a colocá-la em perigo, por menor ou mais maluco que fosse.

Tomar essa decisão me acalmou. O medo começou a ceder, sobretudo porque Sofia me distraía com seus sorrisos e o olhar repleto de mistério conforme a festa chegava ao fim. Por isso, quando ela propôs que deixássemos a festa e pela primeira vez atravessei a casa com minha esposa nos braços, meu coração batia no ritmo de meus passos apressados.

— Uau! — ela exclamou, admirando nosso quarto pela primeira vez.

Era a mesma expressão que me surgia na mente enquanto eu a admirava. Seus cabelos pendiam em suas costas em cachos brilhantes, e meus dedos tremiam na ânsia de se enterrar neles. O vestido que ela escolhera a envolvia como uma nuvem etérea que a deixava tão angelical quanto sedutora. E os olhos, os grandes olhos castanhos, nunca estiveram mais brilhantes que naquela noite. Sua beleza, aliada ao fato de estarmos trancados em um quarto, a sós, com uma grande e confortável cama à disposição, fez meu sangue já fervilhante zunir em meus ouvidos de maneira selvagem.

Eu havia me mantido afastado de sua cama na última semana em respeito a ela, mas chegara ao limite. Cruzei o quarto, colocando-me tão próximo que o calor de seu corpo e seu perfume me envolveram como um manto.

Ela perguntou alguma coisa, que respondi automaticamente. Não consegui desviar os olhos de sua figura. Parte de seus ombros estava exposta, a pele marcada por delicadas pintas aqui e ali. Minha boca formigou em antecipação. Eu beijaria cada uma daquelas pintas.

Mas alguém bateu à porta. Maldito seja.

No fim das contas, era Madalena, querendo me privar do prazer de despir minha esposa pela primeira vez. Ideia que imediatamente refutei, para eterno horror e constrangimento de minha governanta. Com algum custo, consegui colocá-la para fora do quarto. Fechei a porta e esperei um pouco. Quando ouvi os passos de Madalena se afastando, respirei aliviado.

— Essa foi por pouco.

— Não entendi bem o que ela quis dizer com "ajudar a me vestir apropriadamente" — Sofia me disse, inclinando a cabeça para o lado. Um cacho caiu-lhe graciosamente pelo ombro. Aquele rugido dentro de mim despertou com força.

Mas, diabos, fomos interrompidos novamente, dessa vez por meu mordomo, que havia se esquecido de deixar uma garrafa de hidromel. Uma tradição tola, mas que eu queria seguir.

Quando ficamos sozinhos de novo, servi dois cálices e entreguei um deles a ela. Sofia estava com sede, tomou tudo em um trago só. Era isso ou sua tensão era maior do que deixava transparecer. Tudo bem, eu sabia bem como fazê-la relaxar. Mal podia esperar por isso.

Porém, curiosa como só, Sofia começou a fazer perguntas por não ter reconhecido a bebida. E eu, o idiota apaixonado que não sabia lhe negar nada, expliquei.

— Segundo a tradição... — juntei-me a ela aos pés da cama — isso garantirá muitos filhos ao casal.

Sofia engasgou, seu rosto adquirindo um tom vermelho preocupante. Apressei-me em acudi-la, dando-lhe tapinhas gentis nas costas.

— Fi-filhos? — O horror empalidecera seu rosto.

Ah, Deus. Ela não queria filhos.

Assegurei que ainda era cedo para pensarmos no assunto. Mas aquilo me incomodou um pouco. Por que ela não queria filhos? Sim, eu também planejava ter um pouco mais de tempo com ela antes que um bebê chegasse exigindo atenção, mas, a julgar por sua expressão, a ideia a horrorizava. Teríamos de discutir a questão em algum momento, mas não naquela noite.

Acariciei seu rosto perfeito, seu lábio inferior, querendo varrer aquele medo súbito de seu olhar. Ela prendeu o fôlego por um instante, então sua respiração se tornou rápida como as batidas das asas de um beija-flor. O medo se esvaiu de seus olhos, suplantado por um brilho que provinha do fundo da alma.

Ela ergueu a mão e alcançou o véu preso em seus cabelos para tirá-lo.

— Espere! — implorei. — Por favor, permita-me. Sonho com este momento há semanas.

Tomei o cálice vazio de suas mãos e o coloquei em um canto qualquer. Sofia deixou os braços penderem devagar enquanto eu a admirava por inteiro.

Linda. Sofia era absolutamente linda e nem ao menos se dava conta disso.

Eu a ajudei a se levantar, ficando às suas costas. Inspirando fundo, levei os dedos a seus cabelos e com um suave puxão soltei suas madeixas das forquilhas. Uma pesada cortina dourada lhe recobriu os ombros. Não resisti e enterrei os dedos nos fios sedosos, empurrando-os para o lado, expondo a coleção de botões de pérolas e também seu pescoço gracioso. A urgência falou mais alto, e não consegui me impedir de saborear aquela pele delicada.

Abri os botões sem pressa enquanto Sofia se mantinha imóvel, tentando controlar a respiração irregular, que combinava com a minha. Quando todos os botões estavam abertos, fiquei de frente para ela e a beijei. Por muitas vezes havíamos feito amor, mas sempre com pressa, sempre com medo de um flagrante que poria em risco sua reputação. De minha parte, ao menos. Naquela noite, não. Eu pretendia amá-la lentamente, até nós dois desmaiarmos de exaustão.

Empurrei as mangas do vestido por seu braço, tomando cuidado para que não se enroscassem na bandagem em seu antebraço. Ela quase fora atropelada dias antes, e eu, em minha tentativa desajeitada de salvá-la, acabara por provocar a queda brusca e o corte, que resultara em sete pontos.

Sacudi a cabeça para me livrar da memória desagradável e me concentrei em Sofia. Conforme o tecido caía, revelava pouco a pouco sua roupa de baixo.

Santo Deus. Sofia estava usando um espartilho!

Depois de sua primeira e única experiência com a peça, ela tinha jurado jamais vestir outra na vida. E não, eu não a queria desconfortável, mas não podia negar que havia gostado muito de vê-la em um daqueles.

Recuei um passo para poder absorver o que via. Meus batimentos cardíacos enlouqueceram, e temi que meu coração não fosse aguentar. Meus dedos coçavam na urgência de tocá-la. E pintá-la. Eu queria imortalizá-la na tela como estava agora: os olhos faiscando, o espartilho branco marcando sua cintura e ressaltando os seios perfeitos, a pequena calça de renda presa a ligas, meias de seda se abraçando a suas longas pernas. Daquela maneira, com os cabelos lhe caindo na altura dos seios, ela era uma contradição, algo entre etérea e profana, que estava me fazendo perder o juízo.

— Eu poderia admirá-la pelo resto da vida e ainda não me seria suficiente.

Sofia estremeceu, o olhar preso ao meu se inflamando ainda mais e a pressão em minha virilha se tornando intolerável.

Hora de pôr fim à brincadeira.

Livrei-me de minhas roupas em um piscar de olhos. Tomei-a nos braços e a levei para a cama, beijando cada pedacinho dela enquanto, lentamente, terminava de despi-la. A cada gemido que lhe escapava eu me tornava menos gentil, menos paciente. Beijei-lhe o pescoço, mordisquei-lhe um mamilo, saboreei a doçura de seu umbigo. Então Sofia separou as coxas...

19

cordei de súbito. Eu estava queimando.

Meu corpo todo parecia imerso em lava, a virilha pulsava no mesmo ritmo irregular de meus batimentos cardíacos. Eu estava completamente teso e, por todos os demônios, explodiria a qualquer momento.

O colchão se moveu, algo quente e muito macio se encaixou em mim. Entreabri os olhos e me deparei com Sofia.

Completamente nua.

Bem, isso explicava muita coisa.

Algumas perguntas surgiram em minha mente, mas foram banidas com rapidez, já que Sofia se encolheu toda, colando-se a mim dos ombros às coxas. Isso e o fato de seu traseiro redondo ter capturado a dura ereção que saltava orgulhosa de meus quadris.

Ela permanecia adormecida, porém um gemido lhe escapou dos lábios ligeiramente separados e reverberou por minha espinha. Abracei sua cintura, pressionando-me a ela, afundando a cabeça em seus cachos para poder beijar aquela pequena depressão atrás da orelha. O gemido se repetiu e eu me flagrei sorrindo contra sua pele. Então ela arqueou as costas, empurrando o quadril de encontro ao meu com firmeza, e a diversão se transformou em outra coisa.

Deslizei a boca por seu pescoço, terminando em seu ombro, onde a mordisquei de leve. Sofia adorava aquilo. O som rouco que ela produziu combinou com o meu. Comecei a deslizar a ponta dos dedos por seu braço, cintura, subindo por seu esterno, até encontrar o seio macio. Acariciei com os nós dos dedos o rosado mamilo entumecido. Foi nesse instante que seus olhos se abriram. Ela virou a cabeça e sorriu, pronta para dizer alguma coisa, mas eu a silenciei ao tomar sua boca. Ela não ofereceu resistência — correspondeu ao beijo com paixão e abandono.

Eu tinha a intenção de manter as coisas assim por um tempo, esperar que ela despertasse de vez, que a bruma confusa que a inconsciência ocasionava se dissipasse, porém ela rolou até ficar sobre mim, as coxas escarranchadas, um joelho de cada lado de meu quadril. Ela buscou minha boca, depois minha garganta, esfregou o nariz em meu peito, a ponta da língua. Suas pernas se abriram mais, um convite, uma convocação, uma ordem. E era imperativo que eu obedecesse.

* * *

A cabeça de Sofia estava aninhada sobre meu coração, que ainda batia descompassado. Eu brincava com seus cabelos enquanto tentava recuperar o fôlego. Ela se moveu, apoiando o queixo em meu peito para me fitar. Sorria.

— Esse foi um ótimo jeito de começar o dia.

— Certamente foi. — Diabos, eu devia ter me controlado. Estava tão perto agora!

Obviamente, uma vez em sua cama, seria impossível resistir. Ora, mas que inferno, eu havia prometido que manteríamos distância, como pediam a tradição e o decoro, até que nosso casamento se realizasse. O que tinha acontecido para que eu mudasse de ideia? Aliás, o que tinha acontecido na noite passada para que eu terminasse em sua cama?

Revirei o cérebro em busca de resposta e encontrei apenas um vazio obscuro. Olhei ao redor, para ao menos entender se estávamos em seu quarto ou no meu e, a partir disso, tentar compreender o que eu havia feito. Cortinas diáfanas pendiam da janela, e, com a claridade que se infiltrava por elas, pude ver que não estava em nenhum dos dois cômodos. Aquele aposento era pequeno, comportava a cama, um guarda-roupa e duas mesas de cabeceira. E me era completamente estranho. Fitei o teto, franzindo a testa. Havia uma espécie de prato no centro dele. Por que diabos alguém penduraria um prato no teto?

— Tá legal, vou ver se consigo encontrar alguma coisa pra gente comer. Tô morta de fome — disse Sofia, espreguiçando-se.

A luz do sol tocou seus cabelos, fazendo-os reluzir feito ouro. Assim como a aliança que ela tinha no dedo anular da mão esquerda, pareada ao anel de noivado.

Imediatamente ergui a mão esquerda e, com o coração se arrebentando contra as costelas, deparei com a aliança que encomendara ao joalheiro da cidade algumas semanas antes. Analisei-a, sentindo seu peso em meu dedo, o toque frio do metal em minha pele.

Meu Deus, o que eu fiz na noite passada?

Eu a retirei do dedo e pressionei o encaixe, abrindo-a. A inscrição que eu pedira estava correta, incluindo a data. Mas ainda faltavam algumas semanas para o casamento acontecer! Sofia tinha retornado para mim havia poucos dias, então como as alianças já estavam em nosso dedo?

— O que está olhando aí? — perguntou Sofia. Seu olhar se prendeu no que eu tinha nas mãos e um sorriso lento se abriu. Por que ela sorria? Por que não parecia confusa? — Ah, eu também adoro quando ela faz isso. Às vezes fico brincando com a minha, apertando os dedos um contra o outro pra ver se consigo desencaixá-la. Nina adora quando eu consigo. Incrível que já faça tanto tempo, não é? Caramba, esse um ano e meio passou voando! Parece que nos casamos ainda ontem.

— Um ano e meio? — Ela estava brincando comigo?

Um ruído agudo ressoou por... onde quer que estivéssemos, e eu me sentei abruptamente, puxando Sofia para junto de mim.

— Calma, é só o interfone. Tá tudo bem. Deve ser a Nina e o Rafa. Vou liberar a entrada deles. Já volto.

O barulho voltou a ecoar enquanto eu me perguntava a qual Nina ela se referia. Decerto não podia ser a única Nina de que eu já ouvira falar, sua melhor amiga. Não podia, pois essa Nina vivia no século em que Sofia tinha nascido.

Ela beijou meu peito antes que eu pudesse encontrar minha voz e se desprendeu de mim. Pegou um tecido escuro no chão e deixou o quarto. Instantes depois, sua voz ligeiramente abafada chegou a meus ouvidos.

— Ah, sim. Pode deixar ela subir. Hã... Não, não muito tempo, seu Jair. Só estou de passagem mesmo. Daqui a pouco eu vou embora outra vez. Ah, foi mesmo...?

Com quem Sofia estava falando? Coloquei a aliança de volta no dedo, levantei-me da cama e, diabos, tropecei em alguma coisa. Estendi o braço em busca de apoio, agarrando-me às cortinas. Uma delas correu no trilho e uma fresta da janela ficou visível, revelando parte da paisagem. Prédios tão altos que pareciam tocar o céu encobriam o horizonte.

— Mas o quê...?

Puxei o tecido para o lado, estreitando os olhos ante a claridade. Não podia ser.

Um ruído ensurdecedor me sobressaltou. Afastei-me da janela, trombando com a cama e caindo no colchão. Pela vidraça, divisei um pássaro gigante passando a poucos metros das altas construções logo em frente. Levantei-me, meio cambaleante, e me colei ao vidro. Aquilo não era um animal. Soltava fumaça, como uma máquina a vapor, mas era muito mais barulhento e rápido. O bico se elevou, então o que quer que aquilo fosse subiu até se tornar apenas um ponto branco no céu sem nuvens.

A essa altura, meu coração estava tão acelerado que um batimento atropelava o outro.

— Sofia! — Afastei-me da janela. Em meio a meu desespero, bati o pé na beirada do criado-mudo. — Caralho! — O que eu acabara de ver não podia ser o que eu achava que era.

Um tempo atrás, quando Sofia me explicou de onde vinha, contou-me fatos sobre seu mundo. O meio de transporte como eu conhecia não existia mais, e os carros eram tocados por motores em vez de cavalos. E o homem agora voava, usando uma máquina movida a um tipo de óleo altamente explosivo. O tal avião. Uma vez vi em um livro algumas das gravuras de ornitópteros de Leonardo da Vinci. Então, enquanto Sofia discorria sobre o avião, aquela imagem me veio à mente. Não era exatamente o que eu acabara de avistar pela janela, mas se assemelhava. E isso não podia estar certo, pois significaria que eu estaria agora no... Deus do céu!

Saí mancando do quarto, o zumbido nos ouvidos me atordoando. Adentrei uma pequena sala a tempo de ver minha noiva fechar a porta e a jovem que chegava se deter. A morena se virou de costas.

— Ah, eu não queria interromper vocês. — E começou a rir.

— Não interrompeu. — Sofia passou a tranca na porta. Então se virou, me viu e seus olhos se arregalaram enquanto desciam por meu corpo. — Ah...

O quê?

Segui seu olhar, examinando meu corpo e... Ah, inferno, eu estava completamente nu!

Cobri-me com as mãos e voltei para o quarto, o sangue ardendo em minhas bochechas. Procurei alguma coisa para vestir, mas não encontrei nada que desse em mim além de um roupão curto repleto de coraçõezinhos. Sofia passou pelo batente com uma bolsa de papel colorida na mão.

— Desculpa. — Deixou a sacola aos pés da cama. — Pensei que você tivesse ouvido a campainha. A Nina trouxe suas coisas e mais algumas roupas. O Rafa tá chegando com o café.

Quem conseguiria pensar em café em um momento como aquele?

— O que está acontecendo, Sofia?

— Como assim?

— O que a Nina está fazendo aqui? — Eu não tinha dúvida de que a moça no outro cômodo era a mesma que eu vira em um retrato, por meio do celular de Sofia, logo que ela voltara para mim.

Pensando melhor, presumi que a pergunta fosse outra. O que *nós* fazíamos ali?

— A gente combinou de se encontrar aqui, lembra? — Ela enfiou a mão na sacola e me estendeu um tecido branco. — Estou com uma intuição boa hoje, Ian. Acho que vamos encontrar a Elisa e aí esse pesadelo termina.

A camisa estranha que ela tinha me dado caiu no chão.

— Elisa... — foi tudo o que consegui dizer.

Ela suspirou.

— Eu sei. — Passou a mão nos cabelos desordenados, sentando-se ao pé da cama. — Também estou morta de preocupação, mas a gente vai descobrir onde ela está. Tô sentindo! Aqui no século vinte e um temos meios bastante eficientes.

Século vinte e um. Meu bom Deus! Estávamos mesmo no século vinte e um! E ela dizia isso como se não fosse nada anormal!

Meus joelhos falsearam e eu desabei na cama para não terminar com o traseiro no chão.

— Ei. — Sofia se inclinou e tocou minha bochecha, o rosto preocupado. — O que foi?

Nós estávamos no futuro. E Elisa também, por alguma razão.

Segurei Sofia pelos ombros, afundando os dedos em sua carne, tentando ordenar os pensamentos e lhe fazer perguntas. Mas os *comos* e os *porquês* não importavam tanto, percebi. Não quando Sofia estava de volta ao seu lugar de origem.

— Ian?

E, ao que parecia, Elisa havia se perdido nele!

Não consegui fazer pergunta alguma. Não estava certo se queria ouvir a resposta. Medo, desespero, qualquer que fosse o nome do que eu estava sentindo. Então eu a trouxe para mais perto, abraçando-a com força.

— Elisa... ela... minha irmã... — Por Deus!

Seus braços me envolveram a cintura.

— Eu sei. Mas vamos tentar manter a calma e a esperança — ela sussurrou, com a voz tão miúda que eu mal pude ouvir. — Vamos espalhar cartazes pela cidade inteira se for preciso, mas nós vamos encontrar a Elisa. Droga, Ian! Eu só quero que esse pesadelo acabe.

Éramos dois.

Minha irmã caçula estava perdida em algum lugar da selva de concreto que eu divisara pela janela. Como permiti que isso acontecesse? Elisa era apenas uma menina, não vira nada do mundo ainda, e certamente ser lançada em um tempo tão diferente a deixara aterrorizada.

Eu estava.

— Sua memória já voltou? — Sofia indagou.

Aquilo respondia a muitas das minhas perguntas.

— Receio que não, pois não me lembro de como viemos para este lugar.

Ela inspirou fundo, prendendo os dedos de uma das mãos em meu pulso.

— Saco. Pensei que depois de uma noite de sono poderia ter voltado. Será que não seria melhor te levar para o hospital para fazer uns exames antes de sairmos para procurar a Elisa? Só por garantia?

— Não preciso de exames — refutei de imediato. — O que preciso é encontrar minha irmã. — E com urgência.

— Faremos isso juntos. Como prometemos no dia em que nos casamos.

Não podia ser. Eu não podia ter me casado e não me lembrar. Não era algo que um pileque pudesse apagar da memória. Nada poderia. Mas aquela aliança *estava* em meu dedo! E o olhar de Sofia era franco, sem zombarias. Ela jamais brincaria com algo que sabia ser tão importante para mim.

Deus, estávamos casados! E já havia um ano e meio, ela tinha dito.

Sempre pensei que meu pior pesadelo fosse perder Sofia. E, sim, era inaceitável, inconcebível a mera ideia. Entretanto, perder as lembranças e esquecer tudo o que vivêramos no último ano e meio me deixou com a sensação de ter sido mutilado. Eu jamais me sentiria completo sem aquelas recordações do momento em que Sofia se tornou minha e eu dela. Quanto mais eu havia perdido?

E o que ela faria quando encontrássemos minha irmã? Iria para casa conosco — contanto que eu descobrisse como nos levar de volta — ou hesitaria?

Ouvi um abrir e fechar de porta. Sofia também, e se soltou de meu abraço, ficando em pé.

— Vamos, Ian. Quanto antes a gente começar, mais cedo podemos localizar a Elisa.

Ela trocou de roupa — malditas calças justas, que deixavam pouco para a imaginação — e me ajudou com as minhas. Encontrei minha pistola no fundo da bolsa de papel. Examinei-a por um instante. Estava carregada.

Por que eu tinha saído de casa portando uma arma?

Fitei Sofia. Ela estava desenrolando um par de meias que encontrara na gaveta bagunçada, mas percebeu minha confusão ao relancear a pistola.

— A gente não sabia o que tinha acontecido com a Elisa. — Um rolo de notas de papel surgiu de dentro da meia. Sofia as enfiou no bolso da calça. — Mas ela não fugiu, só... sabe? Tropeçou numa máquina do tempo por acidente. E é melhor deixar isso em casa, Ian. Já chega de confusão.

Andei até o criado-mudo para guardar a arma dentro de uma das gavetas. A máquina do tempo, que eu vira apenas uma vez, estava sobre um livro.

— Foi isso que nos trouxe aqui, não foi? — Peguei a máquina, sentindo sua frieza em minha palma.

Sofia chegou mais perto, olhando para a coisa com certa aversão.

— Foi, sim. — E tentou pegá-la.

— Eu fico com ela. — De maneira alguma eu permitiria que ela estivesse de posse daquele artefato. Guardei-o no bolso da calça apertada, já que a camisa não tinha bolsos e eu não vestia casaco.

Sofia me arrastou para fora do quarto e me levou ao tal banheiro. Era inacreditavelmente perfumado. A privada que Sofia sempre mencionava — parte do acordo que a fizera aceitar se casar comigo — diferia um pouco do que eu tinha em mente. Sem nenhum constrangimento, Sofia a usou e eu fiquei atento, prestando atenção e aprendendo. De fato, a privada era útil, mas o que me intrigou mesmo foi a torneira, como ela a chamou.

— Qual o limite de armazenamento? — eu quis saber.

— Não tem. Enquanto tiver água na caixa-d'água, quer dizer.

Deus, como seria cômoda uma vida em que a água estivesse à disposição durante as vinte e quatro horas do dia!

Assim que estávamos apresentáveis, deixamos as instalações e seguimos para a sala.

A melhor amiga de Sofia e o homem de cabelos claros estavam sentados no sofá.

— E aí, cara, sua cabeça ainda tá zoadona? — Rafael, deduzi, perguntou-me com a intimidade de velhos amigos. E um palavreado estranho, obviamente.

Logo que Sofia apareceu em minha vida, eu me espantei com seu modo de falar, suas expressões sem sentido. Presumi que a situação fosse inversa agora, que eles é que se espantariam com meu jeito de me expressar.

Naturalmente, eu não me lembrava de tê-los visto, mas Sofia mencionara os dois ainda agora, pouco antes de me contar que eu estava sem memória. Era provável que aquela não fosse a primeira vez que nos encontrávamos.

— Ainda... humm... cara — arrisquei.

Sofia deixou escapar uma risada, olhando-me com uma expressão de divertimento.

— Que bosta. — Rafael pegou um dos copos brancos sobre a mesa de centro.

— Se precisar, te ajudo a dar um jeito nisso.

Aquilo capturou meu interesse de imediato.

— De que maneira?

— Ué, já te falei. Que nem nos filmes. Uma bela pancada na cabeça... Ai, Nina! — ele resmungou quando o cotovelo dela se encontrou com suas costelas.

— Quase derrubei todo o café!

— Para de falar besteira.

— Caramba, Ian! — exclamou minha noiva. Esposa. Minha *esposa*! Ela mantinha a atenção em um caderno. — Você conseguiu! Ficou perfeito!

Nina se inclinou para espiar o que Sofia admirava.

— Nossa! É tão real que parece que ela tá olhando pra mim. E ela é linda! Olha isso, Rafa! — E jogou o bloco para ele. Rafael não foi rápido o bastante e o caderno caiu no chão. Abaixei-me para pegá-lo e me vi diante de um retrato de Elisa. Um esboço, na verdade, e não muito bem feito.

Quando eu desenhei isso?

— E não é que você leva jeito, Michelangelo? — Rafael pegou o bloco de minha mão e levou o copo à boca, examinando a gravura. — Ela é muito bonita.

Sofia se levantou, pegando dois copos com tampa, e se aproximou de mim. Mordendo o lábio inferior, entregou-me um deles, fitando-me com intensidade, como se partilhássemos um segredo. Um que eu não fazia ideia do que poderia ser.

— Café — disse apenas, levando o seu à boca sem remover a tampa.

Examinei o meu. Pelo furo em formato de sorriso, escapava um vapor aromático. Eu o levei à boca, pouco à vontade. No entanto, quando o café amargo e encorpado atingiu minha língua, esqueci o constrangimento e apreciei o conforto que a bebida oferecia.

Será que Elisa teria algo para lhe aquecer a barriga naquela manhã?

Meu estômago embrulhou. O café ameaçou fazer o caminho de volta.

— Devemos ir. — Levantei-me, deixando o café sobre a mesinha.

— Certo. Vamos até a delegacia de novo — contou Sofia. — Temos que denunciar formalmente o desaparecimento da Elisa. Mas preciso de um número de telefone para contato. Tudo bem se eu der o seu, Nina? Minha linha tá cortada.

— Nao. Pode colocar o seu. — Nina abriu a bolsa e jogou um pequeno objeto preto para Sofia, que o pegou no ar. Um celular, similar àquele em que ela me mostrara as fotos daquele casal. — Achei que ia precisar. É antigo, mas funciona. O número você sabe de cor. É o da época da faculdade.

— Valeu!

Pegando o caderno, Sofia rabiscou alguma coisa logo abaixo do retrato e arrancou a página, indo em seguida até a estante de livros. Então se abaixou, puxando um caixote cinzento. Pressionando um botão, fez o que quer que fosse aquilo produzir uma infinidade de sons, antes de luzes verdes como as de um vaga-lume se acenderem em um pequeno painel. Não percebi que me aproximava até estar bem ao lado dela, também agachado.

— O que é isso? — apontei para o artefato barulhento.

— Uma multifuncional. Vou usar a função copiadora. Ela copia qualquer coisa que você quiser.

— Qualquer coisa? — perguntei, maravilhado.

Sofia fez uma careta.

— Bom, não. Só coisas que estiverem no papel. Mas ouvi falar de umas impressoras 3D que podem até copiar um órgão do corpo humano.

Ela vasculhou a última prateleira e encontrou um calhamaço de folhas alvas, que enfiou em uma abertura. Erguendo a tampa, posicionou o retrato de Elisa com a face para baixo e voltou a fechar. A multifuncional começou a gemer, estalar e resmungar enquanto eu assistia ao papel branco ser engolido pela máquina e ressurgir do outro lado, o retrato replicado. Peguei uma das cópias.

— Impressionante. — Eu já vira uma prensa. Uma vez, ainda na faculdade, fizemos uma visita ao jornal da cidade e acompanhamos todo o processo editorial, dos artigos sendo escritos até o papel sendo maculado pela máquina de prelo. O equipamento era imenso, ocupava quase todo o cômodo e produzia um barulho infernal, que fez meus ouvidos zunirem por uma semana. A máquina de Sofia parecia ter função semelhante, mas era tão pequena que cabia na prateleira de uma estante de livros.

— Merda — minha doce noiv... esposa. Ela era minha *esposa* agora. Minha doce esposa praguejou.

— O que foi?

— Acabou a tinta.

Ela me mostrou uma das folhas que saía da pequena abertura, totalmente branca. Nós nos levantamos ao mesmo tempo, em total sincronia.

Rafael e Nina se aproximaram.

— Tudo bem, deve ter umas cem cópias aí — a amiga disse. — Dá pra começar. Me deixa algumas que eu e o Rafa passamos na gráfica aqui perto e fazemos mais cópias enquanto vocês vão até a delegacia. Vamos andar por aí distribuindo a foto dela. Quem tiver notícias avisa a outra, ou então a gente se encontra na pracinha, no fim da tarde.

— Combinado. — Sofia entregou metade das cópias a ela.

Rafael cutucou meu braço.

— Vê se consegue manter a cabeça fria. Se cuida, falou?

Como não entendi nada do que ele disse, assenti.

— Boa sorte. — E me deu um soco no braço. Um pouco aborrecido, devolvi o gesto, e ele pareceu apreciar.

Balancei a cabeça. Não dava para compreender as mudanças ocorridas no mundo nos últimos dois séculos. Simplesmente não dava.

20

— Certo, não podemos deixar que mais nada dê errado — Sofia disse, receosa, enquanto esperávamos na caótica sala na entrada da delegacia.

— E devo deixar tudo por sua conta — completei, acomodando melhor a pilha de retratos sob o braço.

— Bom, eu não ia dizer isso, mas pode ser mais fácil assim.

Instantes depois, uma jovem apareceu e disse um número, o mesmo que Sofia tinha em uma língua de papel. Minha noiv... esposa ficou de pé e eu a escoltei, juntando-nos à jovem policial. Deus, mulheres lidando com armas e delinquentes! Não que eu não acreditasse que fossem capazes — bastava olhar para Sofia; eu apenas não podia acreditar que uma dama se colocasse em tamanho risco.

Os olhos díspares da jovem reluziram assim que encontraram os meus.

— Você voltou!

— Voltei? — Fitei Sofia pelo canto do olho. Ela estava rígida, o rosto mirando o outro lado da sala. Peguei sua mão e entrelacei os dedos nos seus. Ela se virou depressa, e então um sorriso tímido esticou sua boca.

— Ah... — a jovem disse, o olhar fixo em nossas mãos entrelaçadas. — Era bom demais pra ser verdade.

— Pois é — Sofia disse a ela.

Aquele com certeza era o diálogo mais peculiar que eu já presenciara. Mas o que não era estranho naquele lugar? Bastava me lembrar da viagem até a delegacia para suspeitar de que as mudanças que o tempo trouxera eram tão malucas quanto qualquer coisa que um lunático poderia inventar. Além disso, a falta de memória piorava tudo. Eu podia apostar que muito do que eu vira até agora já tinha visto antes, assim como a jovem que se dirigira a mim com familiaridade. Quanto mais demoraria para que eu me lembrasse das coisas?

— Viemos formalizar o desaparecimento da minha cunhada — explicou Sofia.

— Não a encontraram ainda?

— Não.

— Nossa, que triste. Normalmente eu levaria vocês à sala do delegado, mas...

— A moça me fitou de esguelha. — Acho melhor eu mesma formalizar a ocorrência.

Sofia exalou com força, aliviada.

— Valeu.

Nós seguimos a jovem até uma saleta. O lugar era minúsculo. A janela, encoberta por uma espécie de cortina em tiras, muito peculiar, filtrava a luz que incidia diretamente sobre a mesa. Uma máquina estava espremida em um canto e a jovem policial se sentou de frente para ela, os dedos correndo por uma placa de letras. "Investigadora de polícia Isadora Santana", li em um broche pendurado do lado direito de sua camisa preta de mangas curtas.

— Preciso de nome completo, que me digam há quanto tempo ela está desaparecida e o que vestia na última vez em que foi vista. Onde foi vista pela última vez?

Eu e Sofia nos revezamos em dar detalhes a ela. Eu sobre as características físicas de minha irmã, ela dos últimos acontecimentos. Eu tinha sido a última pessoa a ver minha irmã, e infelizmente não me lembrava disso.

— Tem uma foto dela? Documentos?

— Não. Mas fiz um retrato. — Peguei um deles e coloquei sobre a mesa.

A moça examinou o desenho.

— Muito bom — elogiou, surpresa, polegar e indicador beliscando o lábio. Então deixou o desenho de lado e voltou a atenção para mim. — Fale um pouco sobre sua relação com ela.

Eu disse tudo o que julguei relevante, tomando cuidado para não contar algo que pudesse revelar o tempo em que eu vivia, pois Sofia insistira durante toda a viagem até ali que era importante manter segredo. Lembrando-me da maneira como eu reagi ao saber que ela tinha viajado no tempo, tive de concordar.

— Parece uma boa menina — concluiu a investigadora.

— Ela é.

— E o que aconteceu na noite em que ela desapareceu?

O quê, de fato?, perguntei-me.

— Eu...

— Era aniversário dela — informou Sofia —, fizemos uma festa. Só percebemos que ela tinha sumido pela manhã.

— Alguém a aborreceu? Perceberam algo diferente no comportamento dela?

— Não. Ela estava feliz. Tinha acabado de... — Sofia mordeu o lábio.

— O quê? — eu e a investigadora perguntamos em uníssono. A policial me encarou, arqueando uma sobrancelha fina.

Sofia esticou o braço e apertou minha coxa, em sinal de alerta.

— Bom, ela tinha acabado de ficar noiva. E, antes que pergunte, detetive, sim, ela ama muito esse cara. E não, ela não está grávida.

O quê?!

Eu quis praguejar. Sabia que mais cedo ou mais tarde isso acabaria acontecendo, mas, fosse quem fosse o bastardo que fizera o pedido, não tinha percebido que Elisa era apenas uma menina? Nem tinha completado dezesseis anos ainda... Não, espere. Tinha sim. Se eu me esquecera do último ano e meio, então agora ela teria... Deus do céu, dezessete!

Mas isso não mudava nada. Ela ainda era uma menina.

Era melhor Sofia estar certa, pois, se o sujeito tivesse desonrado minha irmã, imploraria para estar morto muito antes de eu ter terminado nossa conversa.

— Entendo. — A investigadora mantinha os olhos afiados em mim. — Então você acha que ela foi sequestrada?

— Pode-se dizer que sim — tentei empregar alguma calma na voz —, já que ela foi levada do hospital contra a vontade.

— Por que e por quem?

— Quem dera eu soubesse.

— Será que podemos focar no que nós sabemos? — Sofia se remexeu, e a cadeira estalou de leve. — Alguém a levou do hospital. A polícia pode ter acesso às câmeras de segurança e essas coisas, não pode?

— Se eu conseguir uma autorização legal, sim. Mas pode levar alguns dias. Preciso dos documentos de um de vocês para abrir o inquérito.

— Ahhhhhhhh... — Sofia esfregou as mãos nas pernas da calça. — Isso pode ser um problema.

— Por quê?

— Tivemos nossa bagagem extraviada no aeroporto.

Sofia era péssima mentirosa, e eu não fui o único a perceber que ela mentia.

— Investigadora Santana — endireitei-me na cadeira —, cada segundo que passamos aqui é precioso. Precisamos encontrar minha irmã. Ela não sabe como agir em uma cidade como esta. — Eu mesmo não sabia, e Elisa era muito mais sensível e inexperiente que eu, além de não ter tido nenhum tipo de informação sobre aquele mundo antes de se deparar com ele. — Deve estar apavorada, e eu nem quero pensar nessa pessoa que mentiu ser um parente dela. Por favor, não me diga que não pode ajudá-la.

O olhar marrom e cinza da jovem se tornou mais suave.

— Eu nunca disse que não poderia ajudar.

Levou pouco mais de meia hora para que a ocorrência fosse formalizada. Saímos de lá com a promessa da investigadora de que faria todo o possível para descobrir o paradeiro de Elisa.

— Gostei dela — comentou Sofia quando já estávamos do lado de fora. — Sobretudo porque não ficou te devorando com os olhos e não dificultou a nossa vida por causa da falta de documentos. — Ela disse mais alguma coisa, mas não cheguei a escutar. Tinha os olhos presos em um homem careca, uma fina trança saindo do alto da cabeça, enrolado em um lençol cor-de-rosa. Um maldito lençol!

Cobri com uma das mãos os olhos de Sofia, empurrando-a para longe do sujeito.

— É só um hare krishna. Já vi centenas deles. — Ela retirou minha mão de seu rosto.

— Mas eu não. E não quero que olhe para homens vestidos apenas com lençóis.

— Acho que é mais um manto. E acho que eles usam alguma coisa por baixo.

— Mais uma razão para eu desejar que você não olhe. Não quero saber de você ficar pensando na roupa de baixo de outro homem! — Isso me fez pensar em meu paletó. Estava me sentindo tão exposto sem ele quanto aquele hare--alguma-coisa.

Desviei do homem quanto pude, mas ainda assim não consegui levar Sofia longe o bastante. Quando passamos por ele, o sujeito se curvou, as mãos unidas, e nos disse:

— Hari bol.

— Hari bol pra você também — devolveu Sofia, com um sorriso doce.

— O que isso significa? —perguntei a ela.

— Sei lá. Mas os adeptos dessa cultura são pessoas muito espiritualizadas. Então acho que deve ser um cumprimento ou uma bênção. É uma coisa boa, certeza.

Dobramos a esquina. Um homem carregando um ramalhete de flores e usando roupas escuras vinha em nossa direção. Ele tinha argolas por todo o rosto, desenhos negros escapavam de sua camisa sem mangas e decoravam seus braços e sua cabeça raspada. Apesar da figura sombria, seu olhar era amável. Outro, um garoto ainda, passou por nós sobre uma prancha com rodas. Um pouco mais à frente, duas jovens estavam sentadas aos beijos em uma escadaria. Perto delas, um grupo formava uma roda, e no centro dois homens com o peito desnudo e calças brancas se enfrentavam em uma espécie de luta ritmada pelo acorde de um arco de madeira. Uma mulher idosa, que carecia de uma muleta, levava um cachorro para passear. E ele usava um vestido cor-de-rosa!

— Espantado? — perguntou Sofia.

— Um pouco. — Friccionei a testa. — Desde quando os animais vestem roupas?

Suas sobrancelhas se ergueram.

— Acho que desde a invenção das pet shops. Uma vez vi um gato vestido de panda que era a coisa mais fofinha do mundo!

Eu a segurei pelo cotovelo com delicadeza e a fiz parar.

— Sofia, posso fazer uma pergunta? — Como ela me fitou, esperando, prossegui: — Quem propôs casamento a Elisa?

A pergunta pareceu surpreendê-la, mas ela não hesitou em me dar a resposta.

— O Lucas.

— Humm... Ele está estudando para se tornar médico, não está?

— Na verdade, já terminou a faculdade e tá procurando os primeiros pacientes.

Esfreguei o rosto outra vez. Um aspirante a médico. Podia ser pior, tentei me convencer. Ainda assim, eu queria bater em alguma coisa.

— Não fica com essa cara, Ian. Deixa pra se preocupar com o casamento da Elisa quando a gente voltar pra casa. No momento, precisamos de cola para os cartazes e mais cópias. Deve ter uma papelaria aqui perto. Precisamos espalhá-los pela cidade toda!

E eu me perguntei como faríamos isso. Na viagem de táxi da casa de Sofia até a delegacia, pude avaliar melhor o tamanho daquela cidade, e descobri que ela aparentemente não tinha fim. Era como se todas as vilas do mundo tivessem se concentrado em apenas uma área.

Precisávamos de uma estratégia. Juntando tudo o que ela havia dito com o que eu ouvira na sala da investigadora Santana, tentei encontrar alguma coisa que pudesse nos ajudar. Foi então que algo me ocorreu.

— A nossa casa neste tempo, onde Elisa apareceu, está muito longe daqui? — indaguei.

— Não muito. Fica neste bairro mesmo, eu acho.

— E quanto ao hospital?

— A mesma coisa, só que do outro lado. Por que quer saber?

— Humm... — Apesar da falta de memória, meu cérebro parecia trabalhar como de costume, e uma coisa começou a se juntar a outra. — A nossa casa, o hospital, a delegacia... Todos os lugares onde sabemos que Elisa esteve ficam próximos um do outro. Talvez... talvez Elisa ainda esteja neste bairro.

— É isso! — Ela pousou as mãos em meu peito, o rosto resplandecendo com esperança. — Por que a pessoa que a levou estaria naquele hospital se não morasse nas redondezas?

— Se houvesse um mapa da região, poderíamos traçar uma rota. Delimitar as buscas, um pouco que seja. Acho que nossas chances de sucesso aumentariam.

Um sorriso curvou sua boca.

— Você é genial, Ian! Faz todo o sentido! Precisamos de um mapa! A pessoa que a levou deve morar por aqui! — E sapecou um beijo em minha boca — Isso melhora *muito* as nossas chances!

Senti o rosto esquentar, satisfeito. Toda vez que conseguia surpreender Sofia, por qualquer razão que fosse, sentia-me daquela maneira. Menos desajeitado e atrasado do que na verdade era.

* * *

Sofia enviou uma mensagem para a amiga, usando o aparelho celular que Nina lhe dera mais cedo, contando sobre minha teoria. Nina respondeu quase que instantaneamente. Acompanhei, maravilhado, o novo sistema de correspondência. Era inacreditável que uma coisa tão pequenina como aquela pudesse localizar pessoas e transmitir recados. Sem mensageiros, sem extravios, sem atrasos. Tudo instantâneo, como que por magia.

Então Sofia avistou uma banca de jornal perto da esquina. O grande caixote metálico tinha um varal coberto de revistas coloridas, com retratos realistas de pessoas, paisagens, bichos. Os jornais se amontoavam em uma pequena estante logo na entrada. E na lateral do lado de fora, preso à estrutura da barraca, havia um mapa da cidade.

Sofia apontava as áreas onde deveríamos procurar. Ela se endireitou, colocando as mãos na cintura, enquanto examinava a região.

— Tudo bem. Somando o espaço dos dois bairros vizinhos, num raio de cinco quilômetros além do limite, temos um total de vinte e cinco quilômetros quadrados.

— Que inferno. — Vinte e cinco quilômetros quadrados era uma área muito grande. Seria como procurar uma agulha em um palheiro.

— É melhor que a cidade inteira. — Ela tentou não soar desanimada, mas falhou.

A papelaria que ela mencionara mais cedo ficava ali perto, em uma rua bastante movimentada. Não perdemos tempo e entramos.

— Posso ajudar? — um jovem usando um avental preto perguntou assim que meus pés tocaram o piso claro da loja. O cheiro ali era incrível, um misto de madeira, papel e solvente que aguçou meus sentidos.

— Sim, nós precisamos de cola — respondi.

— E de um pincel largo — acrescentou Sofia.

— Pra lambe-lambe?

Para o *quê?*

— É. — Ela pegou um dos retratos sob meu braço e estendeu a ele. — E preciso de mais cópias disso aqui. Umas quinhentas devem dar.

— Tá certo. Vou pegar tudo pra vocês enquanto as cópias ficam prontas. — O jovem se afastou, indo para trás de um balcão comprido.

A meu lado, uma pequena e estreita estante capturou minha atenção. Havia inúmeras bisnagas de tinta a óleo. Peguei uma delas. Blue ice. Examinei outras. Deep sky blue. Dodger blue. Medium slate blue. Cup flower blue.

— Diabos. Quantos tons de azul existem agora? — pensei em voz alta.

— Humm... Sei lá. Uns trinta? — Sofia tentou, remexendo nas bisnagas.

— Trinta? — O que havia acontecido com o mundo? O artista não preparava mais suas próprias cores? Elas eram padronizadas?

Um rapaz com fios brancos saindo das orelhas se aproximou e nos pediu licença. Nós lhe demos espaço e eu o observei pegar três bisnagas — três tons diferentes de verde. Aparentemente, aquele garoto não se importava que alguém se metesse com as suas tintas.

— Aqui, é só pagar no caixa ali na frente. — O jovem de avental retornou, entregando-me uma cesta azul de material curioso. Dentro dela estavam um envelope gordo recheado de cópias do retrato, um grande tubo branco de cola e um pincel de cabo amarelo.

— Obrigado. Fico grato pela rapidez.

Suas bochechas adquiriram um suave tom rosado.

— O que é isso! Não foi trabalho nenhum. — E sorriu de leve.

— Ah, pelo amor de Deus! — Sofia revirou os olhos e me puxou para a entrada do estabelecimento, até o balcão baixo de madeira, onde coloquei as compras.

— Cinquenta e oito e noventa — o rapaz de óculos atrás do balcão disse, depois de batucar os dedos em um... bem... computador, suspeitei, já que a máquina cheia de teclas com uma tela colorida se assemelhava à que a investigadora Santana usara para formalizar o desaparecimento de Elisa.

Peguei algumas moedas e coloquei sobre o balcão. Então, quando vi os olhos do caixa se alargarem, percebi que meu dinheiro não servia. Diabos!

Antes que eu pudesse pensar em uma solução, Sofia já tinha pegado o dinheiro no bolso da calça e desenrolava algumas notas.

— O que está fazendo, Sofia? — Trinquei a mandíbula.

— Pagando, ué!

— Não. — Capturei sua mão antes que ela entregasse as notas ao rapaz. — Isso é inaceitável.

Ela me lançou um olhar que eu conhecia muito bem.

— Seu dinheiro não serve aqui, Ian. Você vai ter que aceitar o meu.

Ela não devia ter feito aquilo. E, para minha sorte ou tormento, ela fazia o tempo todo. Toda vez que eu a via daquele jeito — olhos reluzindo em desafio, lábios em um biquinho petulante, mãos nos quadris —, sentia um nó no abdome que rapidamente se contraía e descia para a região mais abaixo. Era difícil manter as mãos longe dela. E, por todos os infernos, ela adorava fazer aquilo quando estávamos em público, deixando-me louco para chegar em casa o mais rápido possível.

— Uau! Isso é uma moeda de réis? — O garoto atrás do balcão pegou uma delas e a examinou com atenção.

— Sim! — Será que Sofia se equivocara e meu dinheiro tinha algum valor, afinal?

— Caramba! Tá novinha! Onde conseguiu isso, cara? — Ele virou a moeda nos dedos. — Coleciono dinheiro antigo, mas nunca encontrei uma dessas pra comprar, ainda mais em tão bom estado. Quanto quer por ela?

— O quê? — perguntou Sofia, incrédula.

Ora, ora... Um sorriso satisfeito cresceu em meu rosto.

— Quanto estaria disposto a pagar?

— Duzentos?

A boca de Sofia se escancarou, os olhos ficaram grandes demais para seu rosto delicado, então imaginei que fosse uma boa quantia.

— De acordo.

O garoto me entregou as notas e guardou a moeda em um saco transparente, depois no bolso. Sem precisar tocar no dinheiro de minha esposa, paguei pelas compras, peguei a sacola e o troco e deixei o estabelecimento com uma Sofia emburrada a meu lado.

— Não dá pra acreditar nisso! — ela resmungou. — Simplesmente não dá! Era pra você se atrapalhar todo, do mesmo jeito que eu me atrapalhei quando nos conhecemos!

— Posso me atrapalhar se preferir. E, sendo franco, não vai me custar nada.

Isso fez sua irritação amainar, e ela acabou rindo, pegando a cola e o pincel dentro da sacola.

— Nada disso. Só finge de vez em quando que você precisa de mim pra alguma coisa.

Segurei seu rosto entre as mãos. A sacola escorregou por meu braço, o peso das cópias fazendo-a balançar em meu cotovelo.

— Preciso de você o tempo todo, Sofia. — Acariciei seu queixo com os polegares. — Muito mais do que pode imaginar.

Seus olhos se tornaram duas estrelas incandescentes, as bochechas rosadas, a boca esticada em um sorriso de tirar o fôlego.

— Você nunca deixa de me surpreender, sabia? — E então se esticou na ponta dos pés para me beijar.

Imagino que eu devo ter corado, pois meu rosto ardia. No entanto, desconfiava que o motivo do rubor não fosse o elogio, tampouco aquele beijo em público. Provinha do canto mais primitivo de minha alma. A alma de um homem em uma terra nova, descobrindo-se capaz de encontrar um caminho, mesmo quando tudo parece perdido.

— Por onde pretende começar? — Indiquei a cola quando ela se afastou.

Sofia decidiu que aquela rua era um bom lugar, já que era bastante movimentada. Espalhei a cola atrás de um cartaz com a ajuda do pincel e o fixei em um poste. Isso não havia mudado com o passar dos anos.

— Acha que vai funcionar? — ela me perguntou.

— Estou certo que sim. — Mas, a julgar pelas pessoas que passavam e mal dirigiam um olhar ao retrato, tive minhas dúvidas.

Ainda assim, porque não havia alternativa, seguimos entrando em estabelecimentos, perguntando por Elisa, deixando cartazes, colando-os nos postes a cada tanto, rezando para que alguém que soubesse o paradeiro de minha irmã os notasse e entrasse em contato.

O sol estava a pino quando paramos para almoçar em uma barraca sobre a calçada. Sofia a chamou de "carrinho de hot dog".

— Você vai adorar isso — ela me disse, antes de pedir dois completos com batata extra.

Paguei pela comida e as bebidas em latas com o dinheiro que conseguira na papelaria — não sem que Sofia discutisse.

— Mas eu posso pagar! — ela reclamou. — Além disso, a gente precisa economizar. Nunca se sabe se vai acontecer um imprevisto!

— Se isso acontecer, então usaremos o seu dinheiro. — Entreguei uma nota ao dono da barraca.

— Droga, Ian! — Ela pegou as bebidas e foi se sentar em um jogo de mesa metálica de aparência muito desconfortável. Mal caberiam dois pratos... se aquela comida fosse servida em um. O hot dog, um sanduíche quente, com uma espécie de linguiça fina e muito molho — um deles o ketchup, que eu provara no dedo de Sofia tempos atrás —, era servido em um saco branco fino, mas resistente. Assim que me juntei a ela, observei Sofia arregaçar a embalagem e a copiei. Logo na primeira mordida, o sabor explodiu em minha língua e minha barriga se eriçou, à espera de mais. Abocanhei um grande pedaço. O pão macio se desmanchou e o molho respingou em minha camisa. Tentei limpá-la com o dedo, mas apenas fiz mais sujeira. Sofia deu risada, esfregando o tecido com um guardanapo feito de papel. A mancha laranja, porém, recusou-se a desaparecer.

— Desculpe — murmurei. — É difícil segurar o sanduíche neste saco.

— Não se desculpe. Estou adorando. É como assistir à Nina comer. Exceto que você ainda não jogou comida em mim. — E então sua expressão mudou, e ela soltou um suspiro que era puro desalento ao enredar os dedos em um delicado relicário que lhe pendia no colo. Quando ela comprara aquilo?

E sua amiga Nina não é grande demais para isso?, eu me perguntei.

Limpei a mão e o rosto usando o guardanapo e estiquei o braço, apertando os dedos ao redor dos seus, desejando desesperadamente fazer com que aquela dor em seu rosto fosse embora.

— Posso jogar comida em você também, se isso a fizer feliz. Você sabe que para mim é sempre um prazer lhe ser útil.

Seus olhos se iluminaram, a tristeza cedendo aos poucos.

— Valeu, Ian. Não sei o que seria de mim se você não estivesse aqui agora. Acho que eu já teria perdido a cabeça.

— Ah, mas você não pode. Já basta a minha não estar funcionando direito.

— Ainda acho que deveríamos procurar um médico pra você. — Suas sobrancelhas se arquearam.— Discordo. Não há razão nem tempo para isso.

Ela bufou e voltou a comer. Terminei o meu sanduíche e ataquei o que restara do dela. A bebida em lata, porém, não me agradou muito. Doce em demasia.

Retomamos nossa busca sem perder tempo. Em meio a nossas andanças, passamos em frente a uma loja que me atraiu a atenção. Uma poltrona de mogno forrada de cetim vermelho estava sendo reposicionada na alta vitrine. Outras peças também atraíram meu olhar, e pela primeira vez desde que acordei naquele mundo eu sabia dizer o nome de cada um dos objetos sem precisar de ajuda.

Humm.... Aquilo podia resolver a questão do "imprevisto" que tanto me incomodava desde que Sofia o mencionara. Levei minha noi... esposa para a frente da loja.

— O quê? — ela perguntou quando abri a porta para ela. Então reparou na imensa placa na fachada, com os dizeres "Galeria Renoir". — Pretende comprar alguma coisa nesse antiquário?

Sorri para ela, segurando a porta para que entrasse.

— Não, meu amor. Eu pretendo vender.

Ela fechou a cara, cruzando os braços. Reprimi um grunhido.

— Sofia, de quanto dinheiro dispomos no momento?

— Não muito, mas... — Ela mordeu o lábio inferior, a testa encrespada. — Droga! — E passou pela porta a passos duros.

Um homem alto de cabelos castanhos veio nos receber.

— Bom dia, como posso ajudá-los?

— Estaria interessado em adquirir algumas moedas antigas? — fui dizendo. Ele arqueou as sobrancelhas.

— Antigas quanto?

Peguei uma no bolso e entreguei a ele.

— Muito.

Ele a aproximou do rosto. Pareceu surpreso enquanto caminhava em direção a uma mesa nos fundos do antiquário, sinalizando para que o acompanhássemos. Sofia preferiu admirar os objetos à venda. Seu olhar era triste ao correr um dedo por um aparador de jacarandá muito semelhante ao que tínhamos na sala de música. Eu sabia exatamente como ela se sentia.

— Não há muitas dessas por aí — o rapaz me disse. — É verdadeira?

— Tem a minha palavra, senhor.

— Pode me chamar de Breno. E desculpa, cara, mas vou precisar de um pouco mais do que sua palavra. Não trabalhamos com artigos falsos.

— E essa cadeira do Elvis? — perguntou Sofia, examinando a peça de madeira.

Breno corou, remexendo-se no assento.

— É um engano. Ela não tá à venda.

Ele pegou um pedaço de pedra de dentro de uma gaveta e esfregou a moeda que lhe dei. Em seguida, pingou um líquido na superfície arranhada e esperou. Quando os riscos provaram que eu dizia a verdade, presumi, ele sorriu para mim.

— Sensacional! Conheço um colecionador que vai ficar maluco por elas. Quantas você tem aí?

Joguei sobre a mesa tudo o que tinha nos bolsos, produzindo um tilintar suave. Breno franziu a testa, admirado, e começou a contar as moedas. Quando terminou, pegou um objeto onde havia apenas números e começou a apertar os botões.

— O que acha? — Ele empurrou a máquina para mim. Havia um número de quatro dígitos em um quadradinho.

— Parece bom.

— Ótimo!

— Ai, meu Deus! — exclamou Sofia.

Em um piscar de olhos eu estava ao lado dela, procurando o que quer que a tivesse assustado. O problema, descobri, estava dentro de uma caixa de vidro.

— O que foi, meu amor?

Ela ergueu os olhos para mim. Assombro, ansiedade, medo, tudo ali em suas íris castanhas.

— Esses brincos! — ela apontou para a caixa.

Inclinei-me, examinando a dúzia de joias sobre uma almofada de cetim branco, sem compreender por que aquilo a teria alarmado tanto. Ela queria uma delas?

Então avistei um pequeno e discreto par de brincos. Delicadas garras douradas se engastavam à turquesa em formato de lágrima. Eu o reconheci de imediato.

Como poderia não reconhecer? Eu mesmo tinha comprado aqueles brincos, quatro anos antes.

Ergui os olhos para ela, em choque.

— São os brincos de Elisa!

21

Os brincos de turquesa, apesar de pequenos, pareciam dominar toda a vitrine, apagando o brilho das outras peças. Meu olhar se encontrou com o de Sofia, e um misto de esperança e apreensão dominou a nós dois.

Voltei-me para Breno, que havia se levantado e se aproximava do mostrador, interessado.

— Onde conseguiu estes brincos? — perguntei a ele.

— Qual deles? — Ele me entregou o envelope cheio de notas antes de examinar a vitrine.

— Os de turquesa.

— Ah! Uma garota vendeu para mim agora há pouco. Querem que eu tire daí para vocês darem uma olhada?

Elisa estivera ali?! Naquele mesmo dia?!

— Como era a garota? — exigi saber.

— Humm... morena, estatura mediana, e tinha os olhos azuis mais impressionantes que eu já vi. Parecia uma boneca.

— Se parecia com essa jovem? — peguei um dos cartazes debaixo do braço e dei a ele.

Depois de uma rápida olhada, Breno assentiu.

— É ela, sim. O cabelo estava diferente, mas é ela. Tenho certeza.

— Ai, meu Deus! — Sofia exclamou.

— Senhor Breno, sabe como podemos encontrá-la? Ela disse onde estava hospedada?

— Por que querem saber? — Ele olhou de Sofia para mim algumas vezes, sua expressão se tornando cautelosa.

— Porque esta jovem é minha irmã. — Indiquei o retrato. — Elisa está desaparecida desde ontem. Estamos procurando por ela, mas tudo o que conseguimos descobrir até agora é que ela passou mal, foi levada para o hospital e tirada de lá por alguém que mentiu ser da família.

— Nossa, que coisa horrível, cara.

— Sim, é. Estou doente de preocupação. Seria de muita ajuda se o senhor pudesse nos dizer tudo o que conseguir se lembrar sobre a moça que lhe vendeu este par de brincos.

— Está certo. — Ele concordou com a cabeça. — Mas ela não deixou nenhum contato. Apenas me vendeu os brincos e foi embora.

— Sozinha? — indaguei.

— É.

— E como ela estava? — Sofia quis saber. — Parecia triste?

Ele coçou a cabeça.

— Bom, deixa eu ver... Ela foi educada como eu nunca vi igual. Um português tão correto que fiquei até com medo de dizer alguma besteira perto dela. Não parecia triste, não. Parecia... uma princesa.

— E estava vestida como uma princesa? — indagou Sofia.

— Mais ou menos. Ela usava jeans e uma camiseta preta do AC/DC. Estava bem bonita. Com todo o respeito — ele adicionou, dirigindo-se a mim.

— Isso eu queria ter visto. — Uma risada um tanto histérica escapou dos lábios de Sofia enquanto eu me perguntava que diabos poderia ser AC/DC.

— Notou se minha irmã parecia assustada ou coagida? Por que ela lhe vendeu os brincos? — eu quis saber.

— Não sei, cara. Não pergunto por que as pessoas estão vendendo suas antiguidades, apenas compro. E ela parecia um pouco assustada, sim, mas um tanto deslumbrada também.

Diabos, aquilo não estava nos levando a lugar algum.

— Elisa parecia bem? — questionei, por fim.

— Parecia, sim. Um pouco deslocada, mas não parecia estar sendo maltratada.

Soltei uma pesada expiração. Isso era tudo o que importava.

— Senhor Breno, teria a bondade de nos avisar caso ela retorne? Pode usar estes números — apontei para o conjunto no rodapé do retrato. Ele devia saber o que fazer com eles.

— Sim, claro. É uma pena que não tenham chegado aqui meia hora antes. Teriam cruzado com ela. Mas pode deixar. Se ela voltar, eu ligo pra vocês.

— Obrigado. Quero comprar estes brincos.

Sofia não ficou nem um pouco surpresa, o oposto de Breno, mas ele separou os brincos sem fazer perguntas. Depois de pagar pela compra, levei ao peito o envelope com o dinheiro para então lembrar que não usava paletó. Guardei-o no bolso da calça apertada, com os brincos, e guiei Sofia para fora da loja, apressado.

Diabos, Elisa estivera ali havia pouco. Estivera perto o suficiente para que pudéssemos encontrá-la. Talvez ainda estivesse.

— Não acredito nisso! A gente quase a encontrou, Ian! — disse Sofia ao pisar na calçada. — Por que ela vendeu os brincos?

— Não sei, meu amor. Talvez pela mesma razão por que eu vendi as moedas. Mas isso não importa agora. Se ela esteve no antiquário faz menos de meia hora, ainda pode estar por perto.

Sofia arregalou os olhos, procurando em volta.

— Ai, meu Deus! Estamos perdendo tempo! Vamos perguntar por aí!

Sofia usou o celular para contar a Nina o que havíamos descoberto. Ela e o marido se dirigiram para as redondezas para nos ajudar a procurar.

E nós procuramos. Andamos por todas as ruas próximas ao antiquário, questionando todas as pessoas que se dispuseram a parar por um minuto e ouvir o que tínhamos a dizer. Não, ninguém tinha passado por Elisa, mesmo que Sofia tenha descrito suas roupas como se realmente a tivesse visto.

— Acho que ela já deve ter ido embora — Sofia comentou, desanimada.

— Não vamos desistir agora. Podemos pensar em uma alternativa.

— Tipo o quê?

Um panfleto colado ao poste capturou meus olhos. "Trago a pessoa amada em três dias."

— Já tentamos isto? — apontei para o cartaz.

Sofia o examinou e me puxou para o outro lado.

— Não dessa vez. Confie em mim, não funciona. Eu tentei da outra vez e tudo o que consegui foi perder cinquenta paus. Nenhuma dessas supostas videntes é...

— Sofia, é você? — alguém chamou.

Ela se virou. Um jovem trajando uma roupa respeitável a fitava, embasbacado.

— Bruno! — Sofia falou, surpresa, porém não muito contente.

— Caramba, não te vejo faz um tempão! Nunca mais soube de você desde que terminou a faculdade e começou a trabalhar. Como é que tão as coisas? Tem visto o pessoal da faculdade?

Sofia sorriu. Um sorriso que poucas vezes eu vira em seu rosto, exceto quando ela falava com a senhora Albuquerque. Ela não apreciava a companhia do sujeito. Isso era bom; me pouparia o trabalho de ter de me desculpar, pois, se ele não parasse de olhar para ela como se tivesse acabado de encontrar o Santo Graal, eu lhe sovaria a cara como uma massa de pão.

— Hã... Não, não vi ninguém. Eu não moro mais aqui, estou só de passagem. Foi... hummm... uma surpresa te ver. Tchau, Bruno.

— Ah, minha linda, mas nós nem trocamos duas palavras ainda... — Ele esticou o braço para tocar no ombro dela.

— Creio que ainda não fomos apresentados — eu me adiantei, interpondo-me entre eles, e o encarei. O rapaz recuou um passo, a mão estendida caindo ao lado do corpo.

— Ah... Não sabia que vocês estavam juntos. Achei que só estivessem de papo.

— Você se enganou.

— Esse é o meu marido, Ian. Ian, esse é... um colega dos tempos de faculdade. Escuta, Bruno, será que você viu essa menina? — Sofia pegou um dos retratos que eu carregava e mostrou ao rapaz, mas ele mal olhou.

— Você tá casada, Sofia? Sério? Que coisa mais antiquada.

— Você viu essa garota? — ela perguntou, impaciente.

Ele franziu a testa e se dignou a olhar o retrato.

— Não vi, não. Uma pena, porque ela é lindinha, hein? Quem é?

Sofia revirou os olhos e me pegou pela mão.

— Tchau, Bruno.

Começamos a nos afastar, andando meio sem rumo. Quando já estávamos longe o suficiente, a curiosidade me venceu.

— Quem era ele?

— Um ex-namorado. — Ela soltou um suspiro pesaroso.

Olhei por sobre o ombro, medindo o homem de paletó e gravata. Bruno se vestia adequadamente. Mas não era nem baixo nem alto, o cabelo tinha aquela cor de pelo de rato e a cara não era muito melhor. Um sujeitinho esquecível, eu diria.

E na verdade era melhor que eu me esquecesse dele mesmo, ou ficaria tentado a desferir alguns bons murros em sua cara de camundongo. Eu estava ciente de que Sofia tinha um passado. Praticamente desde o primeiro instante ela tinha deixado isso claro, e eu estaria mentindo se dissesse que saber que outros homens a tocaram não me deixava louco. Toda vez que eu pensava nisso, a ideia de pegar minha pistola e sair à caça desses bastardos se tornava mais e mais atraente. E por essa razão eu fazia todo o possível para não pensar no assunto. Nunca!

No entanto, um homem pode ficar tentado quando deixa de imaginar os rostos que gostaria de amassar e os vê bem a sua frente, em carne e osso.

A risada de Sofia me trouxe de volta.

— O que é tão engraçado? — eu quis saber.

— Bem, estamos aqui procurando a Elisa e o mais perto que chegamos foi encontrar os brincos dela. Agora, um ex aparecer bem na minha frente numa cidade desse tamanho? *Supernormal...* — Ela sacudiu a cabeça.

— A ironia também não me escapou.

Subitamente, uma terrível dor de cabeça, como se eu tivesse levado uma paulada, me fez ver estrelas. Tateei às cegas, buscando apoio.

— Ian! — Sofia me segurou, passando os braços ao redor de minha cintura.

— Estou bem. — Mas algo sacudiu meu cérebro, um coice que me fez cambalear.

— Você não está bem!

Forcei-me a sorrir. Diabos, minha cabeça parecia prestes a explodir.

— Estou, sim, Sofia. Não há nada errado comigo.

No entanto, enquanto eu olhava para ela, um reluzir dourado incidiu em meus olhos, fazendo-me trincar os dentes. Do outro lado da rua, um cavalheiro conferia as horas em um relógio de bolso de ouro. Seu traje era tão comum para mim quanto as roupas que eu vestia agora eram para Sofia. Aquele homem não combinava mais do que eu com aquela cidade.

Subitamente, como se sentisse que era observado, ele ergueu o rosto, o olhar me encontrando. Uma larga cicatriz próxima à testa ficou evidente sob a aba do chapéu. Seu queixo subiu alguns centímetros, como se me cumprimentasse. Devolvi o gesto, pois, pela maneira como ele me estudava, parecia me conhecer. Então esticou o braço, como se apontasse para mim.

O ruído afiado me fez desviar os olhos dele. Um daqueles carros coletivos — ônibus, se eu não estivesse confundindo o nome — parado junto à calçada começou a se movimentar lentamente. Era inacreditável. Enquanto uma diligência transportava sete ou oito adultos no máximo, aquele veículo podia facilmente acomodar trinta pessoas sentadas, e outras tantas em pé.

O sujeito tocou a aba do chapéu em um cumprimento, antes de desaparecer dentro do ônibus. Eu o procurei no interior do veículo, mas isso se tornou impossível, pois havia muitas pessoas em pé. Uma delas, porém, com a cabeleira negra como carvão, atraiu meus olhos. Eu não podia vê-la por completo, mas tive acesso a seu perfil e ao inconfundível nariz arrebitado que herdara de Laura Clarke.

— Elisa?

22

— Quê...? — Sofia disse, desprendendo-se de mim.

Não havia como confundi-la com outra pessoa. Eu acompanhara cada mudança em seu perfil nos últimos quinze anos. Dezessete, corrigi depressa.

— Ali, Sofia! Elisa! — gritei.

Sofia se virou para onde eu apontava, os olhos arregalados, um sorriso abobalhado de início, depois largo e aliviado.

— Ai, meu Deus! Elisaaaaaa!

Não sei bem como, mas minha irmã conseguiu nos ouvir. Virou o rosto, e os cabelos presos no estilo que Sofia costumava usar se agitaram em seus ombros. Seu olhar encontrou o meu. Então ela se lançou em uma das janelas.

— Ian? — gritou de volta, sua voz chegando um pouco abafada em meus ouvidos devido à cacofonia que os carros produziam. Sorriu, um tanto surpresa e absurdamente aliviada.

O ônibus começou a se mover mais depressa.

— Caralho! — Comecei a correr. Não era fácil, no entanto, com tanta gente atrapalhando o caminho e minha cabeça latejando. A cada impacto de meus pés contra o solo, parecia que uma lâmina atravessava meu cérebro.

— Desça! Puxe a cordinha! — gritava Sofia, correndo também.

— O que disse? — Elisa tentou colocar a cabeça para fora da janela.

— A cordinha! Puxe a...

— Sofia, não! — Ela estava no meio do cruzamento, onde os carros vinham rápido demais. Tudo o que tive tempo de fazer foi me lançar sobre ela, pegando-a pela cintura e a empurrando para a frente a fim de evitar que um veículo de pequeno porte a acertasse em cheio. O carro guinchou a centímetros de mim, as rodas cantando e soltando muita fumaça. Outros barulhos semelhantes se seguiram, com a adição de imprecações e sons de cornetas.

Aos tropeções, o coração na garganta, conseguimos chegar inteiros ao outro lado.

— Diabos, Sofia! — Eu a segurei pelos ombros. Não sabia ao certo se a sacudia ou a abraçava. Optei pela segunda alternativa. — Você quase foi atropelad...

— Você pode gritar comigo depois! — ela resmungou em meu peito. — O ônibus tá indo embora!

Olhei para a frente. O ônibus se distanciava e Elisa já não estava mais à vista. Maldição!

Voltamos a correr, desviando dos transeuntes que disputavam espaço com placas, postes, árvores e lixeiras.

— Não, não, não! — Sofia implorou.

— O quê?

Antes que ela pudesse me responder, o ônibus fez uma curva, cruzou a avenida e sumiu em uma rua lateral. Continuei em frente até chegar a um novo cruzamento. Os carros passavam a toda, o movimento sacudindo de leve minhas roupas. Vasculhei a rua onde o veículo havia entrado, mas ele já não estava mais visível. Provavelmente dobrara em uma daquelas dezenas de ruelas.

— Porra! — xinguei, tomando fôlego.

Sofia me alcançou, também procurando.

— Droga! — Ela se curvou, apoiando as mãos nos joelhos, ofegante. — Tinha alguém com ela? Conseguiu ver se tinha alguém com ela?

Balancei a cabeça.

— Havia muita gente em pé, não sei ao certo se alguma delas a acompanhava.

— Não consegui ver o número do ônibus! — Ela se endireitou, os cabelos agora em desordem. — Você conseguiu? Porque podemos descobrir a rota dele.

— Havia uma porção de letras e números, mas não recordo quais eram. — Inferno. Chutei uma lata de metal azul para liberar a frustração. Alguns passantes me olharam torto.

Que se danem!

Tão perto. Estivemos tão perto! O que eu não daria por um cavalo naquele instante. Se tivesse uma montaria, jamais teríamos perdido Elisa outra vez.

— Tudo bem, vamos pensar. — Os olhos de Sofia dardejavam. — Ela viu a gente, certo? Sabe que estamos aqui procurando por ela. Provavelmente não sabe como fazer o ônibus parar, por isso não desceu quando nos viu. Mas ela vai descer assim que tiver uma oportunidade. Ou seja, no próximo ponto.

— Que fica...?

Ela empurrou os cabelos para trás e bufou.

— Aí é que tá. Sem conhecer a rota não dá pra saber. Vamos ter que olhar em todos.

— Está bem. Mas, Sofia, não acredito que Elisa ficará nos esperando. Ela vai nos procurar também. Estou certo de que ela tentará voltar ao local onde nos viu. Não sei se conseguirá chegar até aqui, claro, mas ela vai tentar. Acho melhor nos separarmos. Você espera aqui, para o caso de ela aparecer, e eu procuro nos arredores.

— Tá maluco? Não vou correr o risco de perder você também. Vou ligar pra Nina e pedir ajuda.

Sofia usou o celular para mandar um recado a seus amigos, avisando sobre o ocorrido. Eles não estavam longe e em menos de dois quartos de hora se juntaram a nós. Sofia explicou o que havia acontecido em uma frase sem nenhum sentido:

— A Elisa tava no busão.

Ao menos para mim. Seus amigos pareceram entender.

— Pegou o número? — Rafael quis saber.

— Não tivemos tempo — Sofia grunhiu. — E o que está me deixando maluca é não saber por que ela vendeu os brincos.

— Ou foi forçada a vender — Nina sugeriu, preocupada.

— Não — descartei a ideia imediatamente. — Breno nos disse que Elisa parecia deslumbrada, mas não aterrorizada. Se ela estivesse em perigo, teria dado um jeito de pedir ajuda, e ela não fez isso. — Fitei Sofia. — Acredito que Elisa vendeu os brincos pela mesma razão que levou você a querer vender suas coisas para pagar pelos vestidos, logo que nos conhecemos.

— É, pode ser isso mesmo.

— Certo. — Rafael remexeu os ombros. — Vamos procurar em todos os pontos, então.

— Ela também nos viu — expliquei a ele. — Tenho certeza de que tentará voltar a este local. Acho melhor nos dividirmos. Assim conseguiremos cobrir uma área maior.

— Parece lógico — Rafael disse, surpreso.

— Porque eu sou uma pessoa lógica. — Eu o olhei com diversão. Isso o fez revirar os olhos, mas não argumentou. — Então, Rafael e eu vamos para...

— O quê?! — Sofia me interrompeu. — Ian, não!

Não posso negar que sua recusa em nos apartarmos me fez sorrir. Eu também não queria me separar dela nem por um instante. Entretanto, havia muito eu estava ciente da falta que a amiga lhe fazia. Nunca pude fazer nada quanto a isso, a não ser consolá-la. Agora eu podia.

— Sofia, é o melhor a ser feito.

Ela franziu a testa, examinando meu rosto.

— Precisamos de um minuto — Sofia disse aos amigos, puxando-me para longe deles. — Por que você quer se separar de mim?

— Mas eu não quero, meu amor. Você e Nina não se veem faz muito tempo. Talvez seja a última vez em que estarão juntas na vida. Pensei que gostaria de um tempo com ela.

— Sim, mas... — Algo reluziu em seus olhos. Parecia medo. — Mas... eu não quero ficar longe de você.

Fechei os olhos e balancei a cabeça, puxando-a para meu peito.

— Sei disso, meu amor. Será apenas por algumas horas. Fazemos isso o tempo todo em casa.

— É, mas aqui é diferente. Tenho medo de te perder de vista, e você... Ian, eu tenho pesadelos assim o tempo todo. Que você desaparece, que não me reconhece. Aqui, neste... mundo.

— Isso não vai acontecer — murmurei em seus cabelos, abraçando-a com mais força. — Confesso que sem ajuda seria muito provável que eu me perdesse, mas Rafael conhece este lugar. Ficarei bem. É com Elisa que devemos nos preocupar agora.

Ela ergueu os olhos para mim, a resistência ruindo pouco a pouco, mesmo que a contragosto.

— Não era pra você ter as ideias por aqui, sabia? Era pra você estar todo atrapalhado, como eu fiquei quando cheguei na sua casa.

— Mas eu estou! — Embora saber que, de algum modo, eu estava me saindo bem aos olhos dela tenha feito meu peito estufar.

— Sei. — Ela ficou na ponta dos pés e aproximou a boca da minha. — Tome cuidado e me prometa que não vai se meter em confusão até eu voltar.

Arqueei uma sobrancelha, achando graça. A especialista nesse assunto era ela, e nós dois sabíamos disso.

Ela revirou os olhos ao notar minha expressão.

— Eu não tenho culpa que todas as confusões do planeta resolvem me encontrar. — E me pegou pela mão.

Eu ainda ria quando voltamos para junto de Nina e Rafael. Ficou decidido que Nina e Sofia ficariam ali, e eu e Rafael procuraríamos a pé.

— Alguma ideia do que ela vestia? — perguntou Rafael assim que começamos a andar.

— O que pude ver era preto. Breno mencionou algo chamado jeans. O cabelo estava preso em um rabo de cavalo.

— Falou.

— Sim, falei. — Eu o fitei, confuso.

Ele gargalhou alto, pousando a mão em meu ombro e me sacudindo de leve.

— Você é uma figura, cara!

Andamos até o ponto que ele indicara. Procurei por minha irmã, vasculhando cada cabeça que pude enxergar. Mas ela não estava ali. Perto da esquina, porém, havia uma fileira de carros, todos iguais, com um triângulo iluminado com a palavra "táxi" fixo no teto. Sofia já me falara deles. Eram como caleches de aluguel. Resolvi arriscar, com Rafael me seguindo de perto, também vasculhando os arredores, um cartaz amassado na mão.

Assim que o condutor do táxi que estava na frente da fila nos viu chegar, endireitou-se no assento e ajeitou a lapela da camisa. Ele não vestia paletó. Quase ninguém mais vestia, constatei.

Inclinei-me para a janela, mas Rafael me deteve.

— Deixa comigo. — Então colocou meio corpo dentro do táxi. — Opa, tudo tranquilo?

— Pra onde? — o condutor quis saber.

— Na verdade queríamos uma informação, amigo.

O homem fechou a cara.

— Eu tenho credencial. — Apontou para um papel com um pequeno retrato seu pendurado em uma prancheta. — Sou legalizado.

— Fica sussa, cara. Não somos fiscais. Só queria saber se você viu uma garota. — E estendeu o panfleto amarfanhado.

— Um metro e sessenta e cinco, morena, olhos azuis, pele clara — ajudei.

Ele examinou o papel pelo mais breve segundo.

— Isso é um desenho.

— É um retrato — corrigi.

— Que seja. — Ele ergueu os ombros. — Não vi essa menina. Agora, se não vão querer a corrida, fiquem longe do meu táxi ou vou perder clientes. — Com isso, ele fez a janela de vidro subir, virando o rosto para o outro lado.

— Idiota — murmurou Rafael. Eu estava de acordo.

Partimos para o segundo carro. E depois o terceiro. As respostas eram sempre parecidas, assim como as atitudes pouco corteses. Fomos para o ponto seguinte, algumas quadras mais distante. Rafael decidiu abordar os transeuntes no caminho. Pareceu-me boa ideia a princípio, mas...

— Boa tarde, senhora — perguntei a uma mulher com uma espécie de óculos de lentes escuras escondendo os olhos e grande parte do rosto. — Estou procurando uma jovem...

— Garota — corrigiu Rafael, olhando-me de um jeito esquisito. — Procuramos uma *garota*.

Certo.

— Procuramos uma garota. Cabelos negros, olhos azuis, estatura mediana.

— Aqui, ó! — Rafael exibiu o panfleto.

Ela ergueu os óculos, revelando ávidos olhos amarelados, que me examinaram de cima a baixo.

— Ruiva de olhos cor de mel não serve, meu bem? — E fez um biquinho.

— Hã... Não. Minha irmã se perdeu. Ela é tímida, atende pelo nome de Elisa.

Ela abriu um sorriso.

— Não vi. Mas que tal me deixar o seu número? Te ligo se encontrar alguém assim. — Ela se aproximou e ergueu a mão para tocar meu braço.

Enfiei um cartaz em sua mão, amassando um pouco o papel. Ela pareceu surpresa e um pouco ofendida.

— Obrigado pela atenção. — Comecei a andar.

Rafael vinha logo atrás, rindo até os olhos lacrimejarem.

— Não tem graça — resmunguei.

— Tem sim. Já reparou como todas as mulheres reagem a você? Cara, você deve ter se divertido um bocado antes de casar, seu filho da mãe sortudo! — E deu um soco em meu braço.

Revirei os olhos. Rafael não sabia da missa a metade. As emoções eram mais contidas no meu tempo, e as damas raramente permitiam qualquer intimidade sem uma aliança no anular da mão esquerda. Naturalmente, nem todas as damas guardavam o recato que sua família desejaria. Nunca fui além de beijos e explorações da silhueta feminina, que me deixavam com uma dor insuportável na virilha por vários dias. Por isso Rafael não podia ter se equivocado mais.

— Opa, beleza? — falou ele ao abordar um senhor idoso. — Eu tô procurando uma garota.

— E quem não está, meu filho? E quem não está?

Parei um sujeito de paletó e gravata, que presumi ser um cavalheiro, e repeti as mesmas perguntas. Sorrindo, ele olhou para os lados, e meu coração se encheu de esperança.

— Olha, só vou te dar essa informação porque fui com a cara de vocês dois. — Retirou um cartão de papel do bolso e me entregou. — Só as melhores, cara! Top mesmo! E tem morena de olho azul, ruiva de olho verde, mulatas de fazer um homem perder o juízo, orientais... Ah, as orientais! Vocês vão se divertir um bocado! — E lançou uma piscadela para mim antes de sair andando.

Rafael riu tanto que teve de se encostar em um carro estacionado para manter o equilíbrio. Fitei o cartão. Havia a silhueta de uma mulher nua segurando os seios e ao lado, em letras pretas, lia-se: "Night Club Lafayette. O universo masculino nunca foi tão prazeroso".

Observei o cartão por um longo tempo. Será que o negócio da senhorita Anne Marie havia prosperado tanto que ainda existia?

Então um pensamento sinistro fez meus pelos ficarem em pé. Eu já ouvira falar de meninas sozinhas no mundo que foram recrutadas por bordéis, a única maneira de se manterem. Seria para um lugar assim que Elisa fora levada?

— Rafael, Elisa pode estar... — Engoli em seco.

— Não. — Ele parou de rir no mesmo instante. — Não, de jeito nenhum. Quer dizer, não vou mentir. A possibilidade existe, claro, mas vamos tentar não perder a cabeça. Se a sua irmã estivesse... metida com essas coisas, ela não teria vendido os brincos, certo? Porque teria grana. Além disso, ela parecia bem agora há pouco, não é?

— Diferente, mas bem. Pelo que pude ver, não se vestia como uma cortesã. — Não que eu soubesse como uma cortesã se vestia naquele lugar. — E não parecia estar ferida.

— Então pronto. Pode ficar tranquilo.

Bufei outra vez, esfregando a testa na tentativa de fazer a cabeça parar de doer.

— Só ficarei tranquilo quando ela estiver comigo. — E nós estivermos em casa, eu quis acrescentar.

E me senti mal por isso. Sofia abandonara tudo aquilo por minha causa e nunca se queixava. Eu, em contrapartida, não via a hora de escapar daquele pesadelo. Não era nada justo, eu sabia disso. Se tivesse de viver naquele tempo para permanecer ao lado de Sofia, eu viveria, mas não estava certo se não acabaria por perder o juízo.

O que Sofia estaria pensando de verdade?, eu me perguntei. Parecia tão louca quanto eu para fugir dali, mas o impacto de rever o que deixara para trás devia ter mexido com ela. Pois mexia comigo. E muito!

Rafael começou a tossir. A crise foi longa, deixando-o vermelho e com os olhos marejados.

— Você está se sentindo bem? — Bati de leve em suas costas.

— Tô meio podre. Provavelmente vem uma gripe por aí.

— Você não deveria ficar andando o dia todo, Rafael. Devia ter ido para casa para descansar.

— E deixar você na mão? Nem pensar, Ian.

Não pude evitar sorrir. Acredito que, como tudo o mais na vida, as amizades sinceras surgem nos lugares mais inesperados e justamente nos momentos em que mais precisamos.

— Fico grato, Rafael. De verdade.

— Deixa disso, cara. — E socou meu braço. Ele fazia muito aquilo. Desconfiei de que fosse um cumprimento que selasse algum acordo entre cavalheiros, então retribuí o gesto. — A Sofia está diferente — ele comentou, enquanto nos dirigíamos a mais uma parada de ônibus. — Parece mais serena. Vou confessar: eu não gostava de você até te conhecer. Quer dizer, você fez minha mulher sofrer quando levou a Sofia embora. Mas, agora que te conheci, entendi por que a Sofia preferiu deixar tudo para trás. Ela nunca foi muito namoradeira, mas, cara, tinha um dedo podre para escolher namorado que eu vou te contar... Só se enroscava com idiotas.

— Suspeito de que conheci um deles ainda agora.

— Tá de brincadeira? Quem?

— Um sujeitinho esquecível. — Trinquei os dentes.

Ele concordou com a cabeça.

— Bom, fico feliz que ela tenha te encontrado. A Sofia parece finalmente estar de bem com a vida. Você faz bem a ela.

— Eu tento. Mas a decisão foi dela, Rafael. Eu não a levei embora, como você disse. Ela escolheu viver comigo. E, vendo tudo isto — fitei a cidade em constante movimento, a modernidade em cada fachada, em cada poste, em cada rosto —, tudo o que vi hoje, me espanto que ela tenha cogitado essa hipótese. Quanto mais vejo, mais pasmo fico com o que ela deixou para trás.

— Não foi tanto assim, cara. A Sofia sempre foi muito sozinha.

Aquilo me fez andar mais devagar para poder olhar para ele.

— Você a conhecia quando os pais dela morreram, não é?

Sofia não falava muito sobre isso, da mesma maneira que eu também não mencionava a morte de meus pais.

Ele fez que sim, curvando-se como se as costas lhe doessem.

— A Nina e eu só estávamos de rolo naquela época, mas eu já conhecia a Sofia, sim. Ela recebeu a ligação contando do acidente quando estava na aula. Foi horrível. Mais ainda porque ela teve que fazer o reconhecimento dos corpos no IML. O carro pegou fogo, cara, não sobrou nada. A Nina não teve estômago, então eu fui com a Sofia. Foi a cena mais horrível que eu já vi na vida. — Seus ombros estremeceram. — Ela desmoronou. Levou meses para parar de chorar e seguir com a vida... Bom, não exatamente *seguir*. Ela era muito nova, teve que repensar tudo. Mudou de curso, arranjou um emprego, se virou. Não importa o que aconteça, a Sofia sempre arruma um jeito de sobreviver.

Meu coração se estilhaçou enquanto eu ouvia com mais detalhes sobre o período mais difícil da vida de Sofia. Não pela primeira vez, desejei tê-la conhecido nessa época, viver no mundo dela. Tomar as providências, aliviar sua dor emprestando meu ombro, dando-lhe meu coração se fosse necessário. Mas a vida se encarregara de nos manter em mundos opostos.

— Obrigado por cuidar dela — falei em um murmúrio, fitando minhas botas.

— Pode não parecer, porque a gente sempre brigou muito, mas eu adoro a Sofia, Ian. E... essa não foi a única vez que eu a vi meio morta por dentro.

Ergui a cabeça. Ele estava sério, o olhar acusador.

— Ela ficou muito mal quando você a chutou. Eu quis te arrebentar mais de uma vez.

— Eu nunca a chutei, Rafael.

Ele cruzou os braços sobre o peito.

— Quer dizer que a menina ficou chorando todo aquele tempo a troco de nada?

— Não. — Esfreguei o esterno, subitamente latejante. — Fomos obrigados a nos separar. Nenhum de nós queria isso, mas não tivemos como impedir. Você acha mesmo que eu teria rechaçado Sofia? Olhe para ela! Eu seria louco se não a agarrasse firme desde que pus os olhos nela. E foi isso o que eu fiz. Mas nem sempre a força dos braços basta.

— O que quer dizer? — Ele descruzou os braços lentamente, o cenho encrespado.

Subitamente, senti-me velho e cansado e desejei poder dividir aquilo com alguém. Nunca pude ser totalmente franco quanto ao sumiço de Sofia. Ninguém acreditaria em mim, de toda forma. Então eu sufocara com as emoções: o medo, a dor, a perda, a raiva desmedida. Esses sentimentos me acompanharam por muito tempo. E ainda me acompanhavam. Um homem não consegue esquecer uma coisa dessas, e a tortura de tê-la perdido estava mais viva do que nunca em minha mente. Era como se tivesse acontecido havia cinco minutos.

Ainda doía como se tivesse acontecido havia cinco minutos.

23

contecera em uma bonita tarde de outono, o que não me parecia justo. Estávamos dançando sob a sombra do cedro onde a estrada faz a curva, sua máquina do tempo fornecendo a música. A mesma canção que Sofia cantara para mim logo depois que fizemos amor pela primeira vez.

Ela tentava me ensinar a dançar de acordo com seus costumes, e fiz o melhor que pude, apesar de perturbado com a presença daquela máquina misteriosa.

— Agora, um de cada vez — instruiu ela, começando a balançar. A lateral de sua testa descansou em minha bochecha, seu corpo se colou ao meu de alto a baixo. Eu sentia tudo e ao mesmo tempo não sentia nada abaixo do pescoço. Como se meu corpo estivesse ligado ao dela.

— Gosto desta dança — sussurrei em seus cabelos. — Gosto muito, realmente.

O sol se punha no horizonte, tingindo o céu de rosa, laranja e lilás, pássaros cantavam na copa da árvore e até mesmo Storm se aquietara. Eu a segurei com mais força, e Sofia deixou escapar um resmungo que era mais um suspiro contente que uma censura. Não poderia haver momento mais certo que aquele. Então endireitei os ombros, respirei fundo e me coloquei na beirada do precipício.

— Sofia, tenho que falar com você. Pretendia ter essa conversa depois que o baile terminasse, mas as coisas não saíram como eu esperava.

— Tudo bem. Tem algo errado?

— Sim... e não. — Eu me fartara de seu corpo como um refugiado no deserto noites antes, mas seu dedo ainda permanecia nu. *Esse* era o problema.

— Não entendi, Ian.

— Você sabe como me sinto, não sabe? Com relação a você?

— Acho que sei. — Mas não parecia estar certa disso.

— Eu a amo, Sofia. Vou amá-la para sempre. Não tenho mais escolha. Mas acho que você deixou bem claro que me odeia — tentei brincar.

Depois de fugir do baile, eu a tinha encontrado encharcada e fria naquele mesmo local. Ela brigara comigo, mandara-me embora, afirmara me odiar por eu não ter acreditado que ela tinha vindo do futuro.

— Você sabe que eu te amo. Loucamente. Desesperadamente. — E seu olhar também me dizia isso.

Fechei os olhos, saboreando as palavras, e deixei minha testa se colar à dela. Meu coração batia rápido, cavalgava, zumbindo em meus ouvidos tão alto que eu já não conseguia ouvir a canção que nos embalava.

— Então... — Tomei coragem. — Vamos imaginar por um momento que você possa ficar aqui, se quiser.

— Tudo bem.

— E que quisesse viver aqui para sempre... — Ah, diabos, aquele não era o jeito certo de lhe oferecer minha mão. Que belo pateta eu me mostrava.

— Não entendo aonde você quer chegar.

Tomei fôlego.

— Imaginando que isso fosse possível, você poder e querer ficar aqui, e desconsiderando o fato de que me conhece há pouco mais de dez dias, você...

— Eu...?

Não estávamos mais dançando, e ela me encarava com evidente ansiedade.

— Sofia, acredita que eu possa fazê-la feliz?

— Muito feliz. A garota mais feliz do mundo! — O sorriso que esticou seus lábios aqueceu meu peito. — A garota mais feliz de qualquer século!

— Poderia ser feliz aqui? Pensei que detestasse este lugar. — Sobretudo depois que descobri sua origem.

— Detestava. Mas minha perspectiva mudou muito depois que te conheci melhor. Não é mais tão ruim assim...

O retumbar em meus ouvidos agora era tão alto que eu tinha de me esforçar para ouvi-la. *Faça a pergunta! Faça a maldita pergunta!*

— Então, se pudesse ficar comigo, se pudesse ser minha... por toda a vida. Se...

— Sim — ela respondeu antes que eu concluísse. Seus olhos brilharam úmidos com as lágrimas que subitamente lhe brotaram. — Se eu pudesse, seria sim.

Eu a beijei. Foi inevitável. Eu explodiria se não a beijasse. Tudo o que estava represado dentro de mim por tanto tempo extravasou em um beijo que beirou a violência. Sofia retribuiu com doçura, paixão e algo mais. Ela desejava ficar. Não partiria, se tivesse escolha. E, diabos, eu encontraria um modo de fazer com que tivesse essa escolha, mesmo que fosse a última coisa que eu fizesse na vida.

Algo interrompeu nosso beijo. Storm subitamente se alvoroçou, relinchando feito louco, sapateando na grama com raiva. Sofia relanceou sua bolsa de couro e só então percebi que a música havia cessado.

— Acho que isto o assustou. — Indiquei a máquina do tempo, que agora zumbia.

Ela olhou para o agitado Storm e depois para mim. Estremeceu em meus braços.

— Melhor ver o que é de uma vez. Ele vai continuar vibrando até que eu leia o que está escrito.

Apesar de minha resistência, antes que eu pudesse dizer alguma coisa, ela tocou meu rosto e me beijou a boca, soltando-se de meu abraço.

E então aconteceu.

Sofia caminhou até a bolsa e pegou a caixinha, examinando-a. Ergueu os olhos repletos do mais puro terror e gritou. Eu me precipitei em sua direção no mesmo instante.

— Sofia!

O urro de Storm foi gutural.

Eu estava a um passo dela quando a luz ofuscante me deixou cego. Continuei em frente, os braços estendidos, tateando sem ver. Meus dedos encontraram a casca fria do cedro.

— Não. Não. Não. — Ela não podia desaparecer assim, como mágica, não podia me deixar quando não queria mais. — Sofia!

Acabei tropeçando em sua bolsa e caí, batendo forte contra o solo. O ar foi expulso de meus pulmões. Rolei para o lado, tentando respirar, mas sufocava, e não estava certo se era devido à queda. A explosão de luz me deixou cego, e eu me arrastei pela grama, buscando-a, o braço ainda esticado.

— Sofia...

Mesmo que eu ainda visse tudo borrado, ainda que esticasse o braço até quase desprendê-lo do corpo, mesmo que pudesse gritar até os pulmões estourarem, sabia que não encontraria nada. Sabia disso porque meu peito havia silenciado minutos atrás.

Ela voltaria. Tinha de voltar! Por isso me recusei a deixar aquele lugar. Juntei seus pertences e fiquei ali, esperando por ela, até que a noite caiu. O clima tinha mudado, e o vento forte fazia as folhas caídas a meus pés alcançarem voo e se prenderem em minhas roupas. Não demorou muito para que a chuva desabasse, como lágrimas vindas do céu.

Sofia tinha...

Não. Não. *Não!*

Lutei contra a compreensão, contra qualquer lógica, contra a dor que ameaçava fincar suas garras e dentes no local onde meu coração costumava estar.

Eu não podia pensar. Não podia me permitir sentir.

Encharcado até as botas, eu tremia às convulsões quando Storm encostou o focinho em minhas costas, me empurrando para a frente. *Vamos para casa*, parecia me dizer.

— Me deixe em paz — cuspi, afastando-me dele.

O cavalo se aproximou de novo, cabeça abaixada, resfolegando de leve. Em nada parecia o demônio selvagem que eu adquirira meses antes. Ele me cutucou novamente, dessa vez em minha cintura.

— Me deixa em paz, caralho!

O animal abaixou a cabeçorra, como se também sofresse.

Fechei os olhos, levando um punho cerrado à cabeça, tentando lutar contra todos aqueles sentimentos que guerreavam dentro de mim, procurando libertação.

Trincando o maxilar, joguei a bolsa de Sofia no lombo de Storm, alcancei as rédeas e o montei. Cutuquei suas costelas com as solas das botas e gritei um comando. Storm saiu em disparada, lembrando-me do motivo pelo qual eu o escolhera. Nenhum outro era mais veloz que aquele demônio de quatro patas.

Encurtei as rédeas, inclinando-me para a frente e segurando firme a bolsa de Sofia. Storm acelerou ainda mais, até que senti que voávamos. As gotas de chuva se tornaram afiadas agulhas em minha pele, mas não importava. Cavalgamos feito loucos, tentando deixar a dor para trás, pulando cercas quando atravessávamos os limites de uma propriedade ou outra. Mesmo assim, eu começava a sentir.

Mais rápido, precisávamos ir mais rápido.

O céu se transformou em uma tela negra sem vida, alguns relâmpagos aqui e ali anunciando o fim do mundo. Do meu, ao menos.

Aticei o corcel, seu grande tórax se expandindo em busca de ar conforme ele acelerava mais. Diabos, eu acabaria matando-o naquele ritmo. Afrouxei as rédeas e o animal levou um tempo até perceber que deveria diminuir a velocidade.

— Pare.

Mas ele não parou. Continuou em frente, ainda que o ritmo agora fosse apenas um galope. Puxei as rédeas, tentando detê-lo. Storm não obedeceu.

— Pare, maldito cavalo dos infernos!

Em resposta, ele empinou, e tive de me agarrar ao largo pescoço para não cair.

Storm voltou a ficar sobre as quatro patas, mas eu não tinha forças para me levantar. Permaneci agarrado a seu pescoço, o conteúdo da bolsa de Sofia pressionado entre a sela e meu abdome.

— Pare — gemi em sua crina desgrenhada. — Apenas faça parar.

Seu relincho foi alto, algo parecido com uma lamúria. Abraçado a ele, lutei com todas as forças para manter tudo afastado, concentrando-me na respiração longa e pesada do cavalo. Foi quando as gotas que escorriam por meu rosto se tornaram quentes.

Muitas delas.

Não percebi que nos movíamos até divisar as luzes nas janelas de minha casa, maculando a escuridão. Storm tinha me levado para casa. Ele parou em frente às escadas e esperou. Passando a perna, que parecia pesar uma tonelada, sobre sua cabeça, abracei-me à bolsa e saltei. Minhas botas guincharam.

A porta se abriu.

— Ian! — exclamou Elisa, juntando as saias nas mãos e vindo a meu encontro. — Oh, meu Deus, eu estava tão preocupada com vocês. Esse temporal não pode ser bom para a saúde de... — Então parou, olhando em volta. — Onde está Sofia?

Elisa se aproximou até estarmos separados por apenas dois degraus. Seu rosto estava marcado de preocupação e medo. Eu não fazia ideia do que o meu exibia.

— Meu irmão...?

— Ela... — O nó na garganta me impediu de continuar, e foi ali, nas escadas em frente à casa onde nasci e cresci, vendo-me refletido nas íris azuis da menina que se resumia a minha família, que minhas defesas entraram em colapso e ruíram. Todas elas, pilar por pilar. Tudo dentro de mim foi sendo demolido até que o que me sustentava se tornou apenas uma espessa nuvem de poeira.

Meus joelhos encontraram o degrau molhado. A bolsa teve o mesmo destino. Curvei-me para a frente, tentando deter o que estava por vir, mas não fui capaz.

Eu sentia. A dor, a ausência, tudo. Sentia de maneira tão visceral que me espantei que ainda continuasse a respirar.

— Ian! — Elisa se abaixou, passando os braços ao meu redor, a mão buscando meu rosto. — Ian, por favor, me diga o que está acontecendo. Onde está Sofia? O que houve?

— Ela... se foi — consegui dizer em um sussurro. — Ela se foi, Elisa... Nem ao menos teve a chance de... Eu não pude.... Não fui rápido o bastante...

A agonia me pegou e extravasou na forma de soluços. Afundei a cabeça nas mãos, os ombros se sacudindo com violência.

Sofia se fora.

— Oh, Ian!

Elisa não disse mais nada, apenas me abraçou com força. Remexendo-se no chão de pedra molhada até acabar sentada, ela aninhou minha cabeça em seu colo e começou a acariciar meus cabelos. As lágrimas que lhe escorriam pelas faces se misturavam às gotas da chuva e pingavam em meu rosto, enquanto o inferno finalmente me alcançava e engolia...

— O que quer dizer com "nem sempre a força dos braços basta"? — Rafael repetiu, arrancando-me daquele pesadelo.

Puxei uma grande quantidade de ar para me recompor. Maldição. De todas as lembranças que eu deveria esquecer, aquela era uma delas. E, naturalmente, era a que permanecia mais viva.

Sacudi a cabeça. Rafael não sabia nada sobre a viagem de Sofia. Se ela tivesse a intenção de que ele soubesse de algo, já teria lhe contado. Além disso, Rafael parecia ser um homem pragmático, jamais acreditaria em mim.

— Sofia foi arrancada da minha vida sem que eu tivesse sequer uma chance de impedir — acabei dizendo a ele. — O mais perto que consigo descrever é que, se meu coração tivesse sido arrancado daqui de dentro e jogado em uma fogueira, teria doído menos. Mas isso eu teria suportado. O que me dilacerava era pensar que ela também se sentia assim. Por muito tempo desejei estar errado, Rafael. Desejei ter me enganado, e que o amor dela por mim não fosse tão grande, desse modo ela não estaria no mesmo inferno que eu.

— Acho que entendo o que você quer dizer. — Seus olhos vagaram para a aliança em seu dedo anular. — Minha vida sem a Nina seria um inferno... mas pensar nela sofrendo por minha causa seria... — Ele esfregou o rosto. — Cacete, não quero nem pensar nisso!

— Exatamente. — E ali estava eu outra vez, pensei com desgosto, fazendo-a sofrer por não me lembrar de nosso casamento.

— A Sofia nunca explicou o que aconteceu. E a Nina me disse que ela tinha tomado um pé na bunda, então eu... — Ele engasgou. A tosse o atacou, fazendo-o se curvar para a frente.

— É melhor cuidar desta tosse, Rafael.

— É, vou tomar alguma coisa quando chegar em casa.

A noite já tinha caído quando passamos pelo último ponto de ônibus e não encontramos nem sinal de Elisa. Contemplei o céu, bufando, e juro que vi uma estrela — vermelha! — se mover. Acompanhei a estrela contornar um prédio alto e então lentamente baixar e sumir em seu telhado. Eu estava cansado demais. Devia ser isso.

Desanimados, começamos a voltar para o local onde tínhamos deixado Sofia e Nina. No meio do caminho, porém, avistei um toco de madeira jogado na calçada ao passarmos por uma casa em obras. Abaixei-me e o peguei, girando-o nos dedos. Era pesado. Ia servir.

— Que foi? — Rafael me fitou com a testa franzida.

Estendi o toco a ele.

— Bata. — Se eu não podia encontrar Elisa naquela noite, ao menos me reencontraria com minhas memórias. — Com bastante força.

— Você ficou doido? — Rafael pegou o toco e o jogou em uma espécie de lata de lixo imensa. O som da madeira colidindo com o metal repercutiu como o badalar de um sino. — Não vou bater em você!

— Por que não? Você se ofereceu esta manhã.

— Porque eu não achei que você fosse me levar a sério! Além do mais, eu disse que faria isso *caso* a sua memória demorasse a voltar.

— E *está* demorando! Não quero voltar para Sofia sem me lembrar do que aconteceu no último ano e meio. Isso a está magoando, Rafael.

Ele esfregou o rosto.

— Ian, cara, olha só, eu te entendo. Isso é uma bosta. Mas te acertar na cabeça não é a melhor saída agora. Talvez mais pra frente, se as coisas continuarem na mesma. Além do mais, se a gente voltar pra casa e a Sofia souber que eu arrebentei sua cabeça, ela vai arrancar meu coro e mandar fazer um abajur. E a Nina vai ajudar.

Desconfiei de que ele tivesse razão, mas estava ficando cansado de não lembrar.

Voltamos a andar, e, assim que nos aproximamos do ponto de encontro, avistei minha esposa parada ao lado de Nina. Elisa não estava com elas.

Meus pés ganharam vida própria, acelerando. Os dela também, presumi, pois se pôs a correr tão logo me notou.

— Senti tanto a sua falta. — Ela se jogou em meus braços.

— Eu também. Mais do que você possa imaginar. — Eu a apertei com força até que seus pés deixassem o chão e afundei o rosto em seus cabelos, inalando seu perfume. Reviver aquelas lembranças sempre mexia comigo.

— Não conseguimos nada. Elisa não voltou pra cá.

— Também não a encontramos.

Como já era tarde e estávamos fatigados, comemos em uma espécie de taberna, que Sofia chamou de boteco, mas não nos demoramos. Sobretudo porque Rafael começou a se sentir mal. Não que ele tivesse dito qualquer coisa. Mas não era necessário. Bastava olhar para ele.

— Estou bem, Nina. É só uma gripe chegando — disse à esposa após uma crise de tosse, puxando grandes quantidades de ar, como se encontrasse dificuldade para levá-lo até os pulmões.

— É melhor a gente ir pra casa. — Ela se levantou. — Vou te colocar na cama e preparar um chá de camomila, mel e laranja.

Ele reclamou que não precisava de nada, mas Nina não estava disposta a ouvir um não. Então Rafael e eu pagamos a conta — sob os protestos das respectivas esposas —, e eles nos levaram para casa.

Quando entramos no apartamento, Sofia suspirou.

— Estou exausta, mas preciso de um banho.

— Terei prazer em lhe ser útil.

Eu a levei para a miúda sala de banho. Ela se sentou no vaso sanitário enquanto eu afastava a cortina e girava o pequeno pendente, como fizera com a torneira mais cedo. Testei a temperatura da água.

— Você tá se saindo muito melhor do que eu — ela resmungou, carrancuda.

Acabei rindo ao me ajoelhar diante dela.

— Creio que seja mais fácil lidar com coisas que tornem a vida mais simples, e não o oposto. E você se saiu muito bem.

— Bom, se você levar em consideração que eu fiquei com o mocinho no final, então acho que me saí foi bem demais.

Eu ainda ria ao começar a despi-la. Ela suspirou quando a livrei da blusa, mas seus dedos se fecharam em torno do relicário dourado.

— Mais uma noite longe dela. Não sei por quanto tempo mais posso suportar, Ian.

Eu também, eu quis dizer. Também sentia falta de minha irmã e não estava certo de por quanto tempo mais seria capaz de lidar com seu sumiço sem perder a cabeça.

Entrelacei nossas mãos, apertando seus dedos de leve.

— Esta será a última noite, meu amor. Amanhã estaremos com ela, em casa. Eu prometo.

Ela soltou o colar e afagou meus cabelos, então se inclinou para me beijar. Percebendo sua exaustão, eu a ajudei a ficar de pé e a levei para baixo do jato de água. Lavei seus cabelos, deslizei os dedos ensaboados por todo o seu corpo, massageando-a por inteiro. Depois a sequei com muito cuidado, sentindo-a relaxar pouco a pouco sob meu toque.

Carreguei-a para a cama, e Sofia estava tão exausta que apagou antes mesmo que eu a cobrisse com o lençol. Já eu não tive tanta sorte. Ainda não conseguia acreditar naquele dia, em quão perto estivemos de encontrar Elisa. E estava inconformado com as pessoas daquele século, que pareciam hipnotizadas por seus aparelhos tecnológicos e não notavam nada ao redor. Imaginei que, mesmo se um elefante surgisse no meio da rua, apenas uns poucos reparariam. Breno fora o único que vira Elisa. Ou que prestara atenção nela, pelo menos. Era como se ela tivesse se tornado um fantasma.

Enquanto eu me deitava e abraçava Sofia, peguei-me pensando se Elisa teria alguém para lhe secar as lágrimas. Para dar-lhe colo e consolo quando o medo a dominasse e ela não soubesse mais que rumo seguir. Um teto sobre sua cabeça já me aliviaria o coração.

Muitas perguntas pairavam em minha mente. Todas elas sem resposta. O sono tardou a chegar.

24

Tum-tum-tum.

— Senhor Clarke, o senhor precisa sair deste quarto — resmungou minha governanta, pela décima vez na última hora. — Preciso arrumá-lo. O senhor está enfurnado aí dentro há três dias! Não ficarei surpresa se encontrar ratazanas roendo suas botas! — *Tum-tum-tum!* — Senhor Clarke!

Levei o copo à boca, mas estava vazio outra vez. Alcancei a garrafa de conhaque e notei com amargura que estava quase seca também. Era apropriado. Tudo estava vazio desde que Sofia se fora.

Eu teria de mandar algum criado trazer mais bebida. Podia aproveitar que a senhora Madalena parecia disposta a colocar a porta abaixo e lhe pedir esse favor. Mas rapidamente descartei a ideia. Se a deixasse entrar, seria obrigado a suportar seu tagarelar incessante sobre meu mau comportamento nos últimos tempos e quanto isso magoava Elisa. E Madalena não precisava se dar esse trabalho — eu estava muito ciente de tudo isso. No entanto, permitir que minha irmã caçula assistisse à minha degradação não serviria de nada além de deixá-la ainda mais preocupada. Já bastava o susto que ela levara no mês passado, ao ir até a cidade me buscar na sede da guarda e me encontrar atrás das grades, com as roupas rasgadas, ainda bêbado e com um olho roxo e inchado como uma batata-doce. Por conta da expressão que vi em seu rosto — inquietação, repulsa, pena —, decidi que não passaria mais as noites me embebedando fora de casa. Eu podia fazer isso ali mesmo, no conforto de minha casa, sem me meter em confusão. Mas era imprescindível que fosse longe dos olhos de Elisa. Se não podia poupá-la, ao menos a manteria na ignorância.

— Mas que praga de homem teimoso o senhor me saiu! Ainda bem que sua mãe não está aqui para vê-lo agora. A coitadinha não o criou para se tornar um bêbado sem...

Esvaziei o restante do líquido ambarino dentro do copo enquanto me desligava do falatório, parando em frente ao retrato de Sofia. Sacudi a cabeça. Eu a havia retratado de maneira tão medíocre. Tão imperfeita. Não tinha conseguido captar o brilho selvagem em seu olhar, muito menos a aura contagiante de seu sorriso. O retrato era patético.

E era tudo que me restava dela.

Ela saíra de minha vida poucos dias depois de ter entrado nela, desaparecera da mesma maneira como surgira: rápida e inexplicavelmente. Desde então, eu buscava um modo de me juntar a ela. Nos últimos dois meses, eu tinha dedicado meus dias a pesquisas que nunca me levavam a nada, e as noites ao bom e velho conhaque, em uma tentativa de amortecer a dor em meu peito. Nenhuma das duas coisas tinha funcionado.

Admirei os olhos sem vida naquele retrato, e mais uma vez, como de costume, não me diziam nada, longe da profundidade dos originais. Ainda assim, também como de costume, não consegui me afastar da tela. Percorri com o olhar cada um de seus traços delicados, de novo e de novo e de novo. Nada me apavorava mais do que a possibilidade de um dia vir a esquecê-la. Causava-me náuseas a ideia de que o tempo pudesse apagá-la de minha memória, desbotar a maneira como seus olhos brilhavam quando sorria ou me impedir de invocar a imagem de seus lábios se abrindo naquele sorriso atrevido e encantador, que tinha o poder de fazer um homem se sentir consumido pelo fogo e ainda ser grato por isso. Ora, mas que inferno! Era inconcebível que eu me esquecesse das curvas selvagens de seus cabelos ou do tom petulante que lhe dominava a voz sempre que me desafiava ou ficava furiosa. Então eu passava horas — dias, semanas, quem se importava! — naquele quarto que fora dela e que jamais pertenceria a outra pessoa. Ele ainda guardava seu cheiro.

Por quê? Por que ela tinha de ser levada para tão longe justo quando eu finalmente conseguira alcançar seu coração?

Virei o conhaque e deixei o copo ao lado da garrafa quase vazia. A bebida desceu queimando minha garganta e esôfago. Puxei a cadeira e joguei minha carcaça cansada sobre ela. Àquela altura a dor devia diminuir, todos me diziam. Mas estavam errados. Tão errados. Não havia alívio, exceto aquele artificial trazido pelo álcool ardendo minha goela e dissolvendo meu cérebro.

Ela estaria feliz?, eu me perguntava. Ainda que não quisesse partir, estaria feliz em seu mundo?

Eu não podia acreditar que estivesse enterrada na mesma agonia na qual eu me encontrava, então rezava. Rezava em silêncio, implorando que ela não sofresse, que tivesse me esquecido e seguido em frente. Eu teria dado minha vida em troca disso se tivesse escolha.

A forte batida na porta me arrancou de meus pensamentos. Diabos, Madalena não desistiria nunca?

— Vá embora.

As batidas se tornaram mais intensas. Tentei ignorá-las, mas eram insistentes e faziam minha cabeça latejar. O que um homem precisava fazer para ter um pouco de paz em sua própria casa?

— Já pedi para me deixar em paz!

As marteladas continuaram até que me irritei o bastante para atender a porta.

— Eu já disse para ir embora!

Mais linda do que eu poderia imaginar possível, com os cabelos repletos de cachos e um sorriso enorme nos lábios, Sofia sorria para mim.

Diabos, eu devia ter parado com a bebida. Agora estava tendo visões.

Se bem que, se isso a trouxe para mim, mesmo que apenas uma miragem, valera a pena. Minha Sofia imaginária parecia tão real que eu podia sentir seu perfume invadindo e anestesiando meu cérebro. Muito mais eficiente que todo aquele conhaque, de fato.

— Tem certeza? — ela sorriu. — Eu vim de tão longe! Mas se quiser que eu vá emb...

Levei menos de um segundo para agarrá-la. Ainda que fosse apenas uma alucinação, eu não a deixaria ir outra vez. Minha boca procurou a sua com desespero, como se eu estivesse morrendo e ela fosse o antídoto para minha agonia. E então, em meio à embriaguez causada pela combinação de conhaque e seu perfume, notei que a mulher em meus braços era substancial demais, quente demais, macia demais para existir apenas em minha imaginação.

Assim que senti sua boca pressionada contra a minha, o calor de seu corpo inflamando o meu, tudo dentro de mim voltou a funcionar. Em meu peito oco, algo que eu já dera por morto pulsou, estremeceu e por fim disparou, ensandecido.

Ela estava ali. Era real.

Sofia tinha voltado para mim.

— Você está aqui — falei, segurando seu rosto entre as mãos, temendo que ela pudesse ser levada para longe outra vez.

— Estou! Desculpe ter demorado tanto. Mas acreditaria se eu te dissesse que levei dois séculos para conseguir voltar?

— Como? — foi só o que pude perguntar. Embora não importasse realmente. Ela estava ali e isso era tudo o que eu precisava saber.

* * *

Os raios de sol penetravam no quarto e incidiam sobre minhas pálpebras. Apertei os olhos e me virei para o lado. Preparei-me para a dor de cabeça que inevitavelmente me atingia a cada manhã — cortesia do conhaque —, mas ela não veio. Curioso.

Tentei me lembrar do que fizera na noite anterior, mas não tive certeza se poderia confiar em meu cérebro. Eu judiava dele sem dó nos últimos tempos. Eu me lembrava de ter ido até a cidade, de ter me metido em uma das casas de jogos, e da bebedeira. O mesmo de sempre. Então, quando a madrugada já avançava, um jovem barão que perdia nas cartas me acusou de estar roubando. Eu o acertei no nariz, como qualquer cavalheiro teria feito. Aí o caos se instaurou, e socos foram distribuídos a torto e a direito. Recordava-me de ter saído de lá aos tropeções, um dos olhos inchado, na companhia de um guarda.

Levei a mão ao olho esquerdo, encolhendo-me antecipadamente, porém tudo o que encontrei foi pele lisa. Experimentei abrir o olho. Como o inchaço havia cedido tão depressa?

Minhas memórias terminavam nesse ponto, e eu não me lembrava de ter colocado um cataplasma ou uma compressa sobre ele. Será que Gomes havia agido enquanto eu estava desmaiado? Diabos, eu não me lembrava nem mesmo de ter vindo para casa.

E como poderia me lembrar, pensei com amargura ao examinar o quarto estranho onde eu passara a noite, *de algo que nunca aconteceu?*

Apoiei-me nos cotovelos, surpreso que fosse capaz de fazê-lo, pois, se a ressaca me impedia de acessar as memórias da noite passada, presumi que minha cabeça *deveria* estar um pandemônio. Mas não estava. Uma ressaca indolor. Isso era novidade.

Deixei esse assunto de lado, tentando resolver o dilema mais iminente. Eu estava em uma pensão ou hospedaria de beira de estrada? O cômodo era pequeno, a mobília modesta, e havia um zumbido no ar que não me era familiar. O lençol escorregou por meu peito, revelando pele, pelos e nada mais. Eu estava completamente nu.

Como acabei aqui?, perguntei-me, trincando a mandíbula. *E por que diabos estou sem roupa?*

— Porra!

A conclusão a que cheguei me fez querer bater a cabeça na parede. Querer bater em alguém até moer todos os ossos da mão. Querer ser socado até perder a consciência. Querer me ajoelhar e chorar.

Naquele instante, jurei que nunca mais voltaria a colocar uma gota do maldito conhaque na boca.

Saltei da cama em busca de minhas roupas. Não as encontrei em parte alguma, porém achei uma calça de tecido grosso e estava lutando com o botão e uma coisa cheia de dentes quando me detive. Cheguei o nariz mais perto do bíceps. O aroma em minha pele era familiar. Dolorosamente familiar. Lembrava frutas e flores de primavera, e, se eu não soubesse que era impossível, teria jurado sobre o túmulo de meus pais que ele pertencia a...

— Sofia! — exclamei quando ela surgiu sob o batente da porta.

— Que bom que você já acord... Ei!

Lancei-me sobre ela com ímpeto, de modo que acabei nos desequilibrando. Sofia tentou me segurar, mas eu era pesado demais para ela e acabamos no chão. Por sorte, consegui fazer com que a maior parte de meu corpo se chocasse com o piso e não com seu corpo macio e delicado.

Minha mão tremia quando a levei a seu rosto tão amado. Percorri com o polegar a linha de seu maxilar, a bochecha, o nariz, o desenho perfeito de sua boca. Ela estava linda, os cabelos em desordem, os olhos brilhantes como topázios, a boca, cheia e rosada, entreaberta e surpresa.

— Estou sonhando? — Ouvi-me perguntar.

— Acho que não. — Ela fez uma careta. — Porque bati a bunda no chão e tá doendo pra cac...

Não esperei que ela terminasse. Abaixei a cabeça e tomei sua boca. Sofia pareceu surpresa. Como ela poderia parecer surpresa?

Entretanto, o espanto logo deu lugar a outra coisa, e o beijo se tornou feroz. Naturalmente, a culpa foi minha. Eu transformei aquele beijo quase em um ataque. Mas o que eu podia ter feito? A boca de Sofia tinha gosto de sonho, saudade, lar. Um gemido escapou de minha garganta, parte alívio, parte desespero, e, quando notei que ela ficava sem fôlego, tive de me obrigar a permitir que respirasse.

— Eu estava com saudades também. — Ela afastou com os dedos uma mecha de cabelo que me caía nos olhos. — Preparei o café. Não é tão bom quanto o da Madalena. Tem gosto de meia suja... e tem o mesmo aspecto também.

Que se danasse o café.

— Como aconteceu? — Deslizei a ponta do polegar pela veia na lateral de seu pescoço delicado, sentindo sua pulsação descompassada. — Como conseguiu voltar? Como me encontrou?

Ela piscou algumas vezes antes de perguntar, hesitante:

— Como eu consegui voltar para o quarto?

Sacudi a cabeça, rindo.

— Não, meu amor. Para o meu tempo. Para este século. — Peguei sua mão para levá-la aos lábios, mas me detive ao vislumbrar o brilho dourado da argola em seu dedo anular. Um anel fazia conjunto. Um nó se formou em minha garganta.

De todas as preces que fiz, entre todas as vezes que implorei por ajuda, por que justamente aquela deveria ter sido atendida? Certamente eu desejei que isso pudesse acontecer. Várias e várias vezes desejei que ela não estivesse sofrendo e encontrasse alguém em seu tempo para fazê-la feliz. Mas no fundo da alma eu sabia que o que sentia por Sofia era correspondido em igual intensidade, que aceitar outra pessoa em seu coração lhe era tão inconcebível quanto era para mim. Ao menos eu pensava que fosse.

— Você se casou. — Saí de cima dela no instante em que meu peito se calava.

— É, eu casei. — Sofia se apoiou nos cotovelos, me observando por um longo tempo, confusa. Ela vestia apenas uma camisa curta, que permitia vislumbrar seu umbigo, e uma minúscula calça rendada. Fiquei de pé e me virei, encarando a parede.

— Que... — Tive de pigarrear na tentativa de encontrar minha voz. — Que bom. Saber que está feliz significa muito para mim. Fico... feliz por você.

— Fica feliz por mim? — Ela riu.

Olhei por sobre o ombro. Ela me estendeu o braço, pedindo apoio. Quando a ajudei a ficar de pé, ela chegou perto. Bem perto. Muito perto.

— Você não está falando coisa com coisa, Ian. Vem tomar um pouco de café pra ver se acorda direito. — Ficou na ponta dos pés e me beijou.

Doeu. Deus, doeu demais ter de me afastar de seu toque.

— Acho melhor eu ir embora agora — murmurei, segurando-a pelos ombros.

Ela me fitou sem entender.

— Hã?

— Não quero lhe causar transtornos.

Mentiroso, gritou meu cérebro. Eu queria que ela fosse minha, e, se para isso tivesse de revirar seu mundo, então que fosse. Contudo, não era o que *ela* queria. O nome naquela aliança em seu dedo não era o meu. Não importava o que tivesse acontecido na noite anterior — porque obviamente minha nudez e a dela deixavam claro que havia acontecido alguma coisa, uma despedida talvez —, ela jamais me pertenceria. E era realmente doloroso, pois eu jamais pertenceria a outro alguém, apenas a ela. O fato de ela ter se casado não mudava isso.

— Seu marido pode não gostar de saber que esteve a sós comigo neste quarto — continuei, já que ela me olhava com uma expressão sombria.

Sofia ergueu as mãos espalmadas, como se tentasse me deter, a boca se abrindo e fechando sem nada pronunciar. Ela precisou de algumas tentativas.

— Por favor, Ian, diz que você tá brincando comigo.

— E por que eu brincaria com um assunto tão sério?

— Eu estou aqui me perguntando a mesma coisa.

Desviei o olhar do dela.

— Se me mostrar onde estão os meus pertences, deixarei este quarto o mais rápido possível.

Ela se aproximou outra vez, ficando na ponta dos pés, e eu não pude e *não quis* me distanciar. Seus dedos frios tocaram meu rosto. Meus olhos se fecharam por vontade própria. Eu tinha de sair dali antes que perdesse a cabeça e criasse um problema ainda maior. Ou a colocasse sobre o ombro e partisse.

— Ian, olha pra mim — suplicou ela, em um murmúrio.

— Sofia, eu não posso. — Se fizesse isso, perderia a cabeça e o que me restava de dignidade.

— Por que não?

— Porque... — Minha cabeça tombou para a frente, encontrando a dela. Inspirei fundo o doce aroma de seus cabelos. E a verdade saiu em um fôlego só: — Porque, se eu fizer isso, não serei capaz de sair deste quarto. Eu vou lutar, Sofia. Vou lutar por você e esta história certamente terminará ao amanhecer, comigo e seu marido em lados opostos. Não quero matar o homem que você ama. Eu a amo demais para isso. Por mais que meu coração esteja partido agora, tudo o que desejo é que você seja feliz e... — Sacudi a cabeça, desgostoso, e abri os olhos. Sofia estava pálida. — Diabos, não! Isso não é verdade. Estou tentando convencer a mim mesmo de que é isso o que eu desejo, mas não é. O que eu desejo é que você seja feliz *comigo*! E por essa razão devo partir imediatamente. Antes que eu faça uma besteira que fará você me odiar pelo resto da vid... — Ela me impediu de continuar ao pousar um dedo fino sobre meus lábios.

— Mas, Ian, *você é* o meu marido — murmurou com a voz entrecortada, pegando minha mão esquerda e praticamente a enfiando em minha cara. Havia um anel em meu anular. Não havia dúvida de que fazia par com o que ela usava.

Rapidamente peguei o dedo que ela ainda pressionava em meus lábios e virei sua mão. Olhando agora com atenção, o anel que ela usava com a aliança era o mesmo que eu desenhara e encomendara para ela, tantos meses antes.

Mas aquilo não fazia sentido. Eu me lembraria de ter dado o anel a ela. E, naturalmente, me lembraria de ter me *casado* com ela! Franzi a testa, sem compreender absolutamente nada. Retirei a aliança de seu dedo e fiz um pouco de pressão nas laterais. Ela se dividiu em duas, uma das metades revelando uma inscrição. *Para toda a vida.* Na outra estavam gravadas minhas iniciais e uma data.

Oito de maio de 1830.

Mas como seria possível se ainda estávamos em março?

— Eu... não entendo... — Sentei-me no colchão, o olhar fixo no anel.

Sofia se ajoelhou a minha frente, entre meus joelhos.

— Você não se lembra? Na capela da vila. O padre Antônio surtou geral porque eu não sei latim, e aí voc...

— Você não sabe lat... — Sacudi a cabeça. Isso não tinha a menor importância agora. — Sofia, você está tentando me dizer que conseguiu voltar para mim e então nós nos casamos?

Seu rosto tão adorado perdeu a cor.

— Ai, meu Deus, não!

— O que foi?

Sofia se levantou e começou a andar de um lado para o outro. Também fiquei de pé.

— Eu sabia! Eu sabia! — ela resmungou. — Sabia que devia ter te levado para o hospital. A pancada deve ter te deixado com uma concussão! Ai, meu Deus do céu, muito tempo se passou depois disso!

— Depois do quê?

Ela pegou minha mão, apertando-a entre as suas e contra seu coração, que batia descompassado.

—- Me conta a última coisa que você lembra. Qual é a sua última memória?

Fiz o que ela pediu. Esforcei-me ao máximo para me lembrar do que acontecera na noite passada, mas tudo parecia borrado e indistinto.

— Eu não tenho certeza. Eu... acho que fui até a cidade e me embebedei, porque, desde que você desapareceu, eu... Não importa. Lembro que acabei arrumando confusão em um salão de jogos e... bem, é isso. Então eu acordei aqui.

Olhando em volta, dei-me conta de que não fazia a menor ideia de onde era *ali*.

— Mais nada? — ela perguntou, em pânico.

Balancei a cabeça.

Ela se deixou cair de encontro a meu peito.

— Meu Deus, Ian.

— Sofia, o que está havendo? — Toquei a lateral de seu rosto e a obriguei a me olhar. Ela tentava deter as lágrimas que ameaçavam cair por seu rosto.

— Eu não sei, Ian. De verdade, eu não sei. Só sei que você tá piorando e eu vou te levar para o hospital. Quer você goste ou não.

Em um instante ela estava no guarda-roupa, revirando as gavetas.

— Meu amor, eu não preciso de um médico. E, se vir a precisar, posso chamar o doutor Almeida. Isso é, se estivermos perto de casa.

Ela se deteve, o corpo enrijecendo, mas permaneceu de costas.

— Sofia, onde nós estamos?

Seus ombros caíram e ela abaixou a cabeça. Então se virou. Seu rosto estava sério quando disse:

— No meu mundo, Ian.

Pisquei enquanto começava a juntar as coisas. Sofia não tinha voltado para mim. Eu é que a tinha encontrado. Santo Deus, no futuro!

25

— A ressonância não aponta nada de anormal. Não há concussão — disse o jovem médico que examinava retratos coloridos.

Do meu cérebro! Como diabos aquilo era possível?

— Tem certeza, doutor? — insistiu Sofia.

Mais cedo, depois de Sofia se recuperar, ela me enfiou dentro de seu carro e então partimos em direção ao hospital. Tivemos de fazer uma parada para "encher o tanque". Isso significava que o veículo precisava ser abastecido com o combustível que o fazia andar sem carecer da força de cavalos. O mundo passava depressa pela janela, mas não rápido o suficiente para que eu não percebesse as mudanças. Foi desorientador. Não ajudou muito que Sofia — minha esposa, ao que parecia — estivesse em meio a uma crise de nervos e mal ouvisse as perguntas que eu fazia. A preocupação de que algo pudesse estar errado com minha cabeça a deixara em pânico.

Então chegamos ao hospital, um prédio imenso, mais largo que alto. Sofia discutiu com a atendente, pois a moça exigia meus documentos. Sofia inventou uma história um tanto descabida, alegando que eu era estrangeiro e havia perdido todos os documentos. Quando a garota titubeou, ameaçou ligar para a embaixada da Inglaterra e acusar a Santa Casa de negligência para com um cidadão britânico. Aquilo funcionou tão bem que logo eu estava sendo examinado pelo médico, jovem demais para saber o que estava dizendo. Depois, apesar de meus protestos, fui conduzido para uma sala naquele grande complexo. Havia uma espécie de máquina lá dentro, uma caverna branca com uma esteira acolchoada nem um pouco confortável onde fui forçado a me deitar.

— Se não parar de se mexer, vou ter que sedá-lo! — avisou a enfermeira ao amarrar minha cabeça.

Eu não queria nada daquilo. Queria me levantar e sair correndo, mas a expressão alarmada de Sofia me fez ficar quieto e obedecer às ordens da mulher. Além disso, eu queria entender por que o último ano e oito meses tinham desaparecido de minhas lembranças. Era esse o período que Sofia assegurava que eu tinha esquecido.

Foi difícil me manter imóvel quando a esteira começou a se mover, levando-me para dentro da caverna. Então houve muito barulho e luzes verdes que incidiam sobre minhas pupilas. Fechei os olhos com força, trincando o maxilar e cerrando os punhos, mantendo-me quieto o melhor que pude. Assim que o tal exame terminou e fui libertado das tiras que me prendiam à esteira, voltamos até o consultório do médico e lá esperamos por quase dois quartos de hora.

— Sim, tenho certeza — o médico assegurou a Sofia, examinando as imagens presas a uma grande caixa iluminada. — A amnésia provavelmente é fruto de algum trauma psicológico. Fisicamente, está tudo bem com o seu marido.

— Mas ele começou a esquecer as coisas depois de receber a pancada! Tem certeza mesmo que não tem nada aí?

Ele lançou um olhar enviesado para Sofia.

— Tenho. Há algum fator novo que tenha alterado sua rotina? — Ele se voltou para mim. — Algum trauma ou problema que possa ter causado a perda de memória?

Dei de ombros, impaciente para sair dali.

— Como posso saber se não me lembro dos últimos dias?

— Certo. — Ele coçou a cabeça, parecendo sem graça.

— A irmã dele está desaparecida. — Sofia começou a se remexer na cadeira.

Eu fiquei de pé. Meu coração batia rápido.

— O quê? O que aconteceu com Elisa?

— Aí está. — O médico sorriu, mas eu não queria ouvir o que ele tinha a dizer. O que havia acontecido com Elisa? Onde ela estava?

Quando percebi que estava no século vinte e um, comecei a questionar Sofia. Ela dera voltas, mais preocupada com a perda de memória do que em responder às minhas perguntas. Em momento algum ela mencionara que Elisa estava desaparecida.

Por que diabos estávamos perdendo tempo naquele consultório quando minha irmã estava perdida?

Sofia me lançou um olhar suplicante, enquanto o médico voltava a falar.

— O que o seu marido precisa é de um pouco de repouso e descanso. Vou receitar algumas vitaminas que podem ajudar, mas a cura para a amnésia depende apenas do corpo dele. Assim que conseguir relaxar, a memória voltará naturalmente. — Ele pegou um bloco de papel e começou a rabiscar.

— O que aconteceu com Elisa? — perguntei a Sofia.

— Eu explico daqui a pouco. Prometo — ela murmurou.

Inquieto, esperei que o médico terminasse o que estava fazendo e me entregasse o papel. Sofia agradeceu e então saímos da sala para um corredor lotado.

— O que aconteceu com Elisa? — repeti assim que nos afastamos da porta.

— Ela encontrou a máquina do tempo e, bom... veio pra cá por engano.

— Como isso é possível, se você e aquele artefato sumiram no ar? — Se a máquina estivesse ao meu alcance, eu teria feito essa viagem muito antes. No momento em que Sofia partiu, para ser exato.

Ela soltou um longo suspiro.

— Tá legal, vou explicar desde o começo. Você não se lembra de eu ter voltado pra você, mas eu voltei. Encontrei a mulher que me vendeu o celular, que no fim das contas era minha fada madrinha. Aí ela...

— Fada madrinha?

— Eu sei. É meio difícil de acreditar, mas é o que ela é.

Se eu não estivesse naquele exato momento andando nos corredores brancos e frios, com botões e iluminação que não provinham de velas ou lanternas, poderia ter achado que Sofia tinha perdido o juízo.

— Prossiga — demandei.

— Aí ela me disse que eu havia nascido no tempo errado, e que estávamos no destino um do outro, então me deixou escolher onde eu queria viver. E eu escolhi você.

Eu a segurei pelo braço, obrigando-a a parar e me encarar. Um homem esbarrou em mim. Puxei Sofia para perto da parede.

— Você abandonou toda a sua vida por mim?

Os olhos dela cintilaram.

— Você me perguntou a mesma coisa quando eu voltei pra você, Ian.

Franzi o cenho.

— E qual foi a sua resposta?

— Que eu abandonei todo o resto para ficar com a minha vida.

Se ouvir aquilo não colocou um nó na boca do estômago e fez meu coração galopar...

— E você é a minha, Sofia. — Toquei seu rosto.

Ela cobriu minha mão com a sua, apertando-a de encontro ao rosto.

— Eu sei. Então você me pediu em casamento e nós casamos duas semanas depois. A cerimônia quase não aconteceu, porque eu não sabia latim, aí você tentou subornar o padre Antônio.

Balancei a cabeça, sentindo o peito doer. Não conseguia me lembrar nem mesmo de tê-la pedido em casamento. A conversa que tivemos, repleta de hiatos, pouco antes de ela partir não poderia ser considerada um pedido de casamento.

— Como foi? — perguntei.

— Você se ofereceu para pagar a conta do telhado novo.

— O casamento. — Sacudi a cabeça. — Foi como você sonhava?

— Foi mais, Ian. Você fez com que fosse ainda mais. — Ela desviou o olhar e começou a brincar com uma linha solta em sua roupa justa. Estava magoada. Eu não me lembrar dos últimos meses a magoava.

Eu quis socar alguma coisa. Minha própria cabeça, de preferência. Até que todos os parafusos soltos, que aquele médico e toda a sua tecnologia não conseguiram detectar, voltassem ao lugar.

— Venha cá. — Eu a puxei para perto e a abracei com força, tentando confortá-la. — Perdoe-me, Sofia. Desculpe-me por não lembrar.

— Não é culpa sua, Ian. Não se desculpe, por favor.

Uma jovem oriental em vestes brancas passou por nós. Seu olhar encontrou o meu brevemente, antes de ela continuar em frente. Então se deteve poucos passos depois e se virou, encarando-me. Eu talvez devesse ter me envergonhado pela demonstração de afeto em público, mas naquele momento não podia me importar menos. Tudo o que me importava era Sofia. E encontrar Elisa, claro.

— Hã... O-o-oi — disse a jovem, alisando os cabelos. Sua mão tremia ligeiramente.

Ora, também não era para tanto. Não era como se eu estivesse beijando Sofia de maneira escandalosa. Um abraço não era tão grave assim...

Sofia, que não havia percebido a presença da moça, olhou por sobre o ombro.

— Natália! — exclamou, surpresa, ao se virar. Eu a soltei, cruzando os braços nas costas.

— Que coincidência encontrar vocês — a jovem disse. — Estava indo agora mesmo ligar para a Nina.

— Por quê? — quis saber Sofia. — Você tem alguma notícia da Elisa, Natália? Ah, meu Deus, diz que tem!

Minha noiva... esposa... parecia conhecer a garota. E, a julgar pela forma como ela me olhava, suspeitei de que também já tínhamos sido apresentados.

— Mais ou menos. Aconteceu uma coisa esquisita. — Natália se dirigia a Sofia, mas seu olhar às vezes vagava em minha direção. — A ficha de atendimento da menina desapareceu.

— Aaaaaah... Nossa, que coisa estranha! — Sofia tentou parecer chocada, mas eu a conhecia o suficiente para saber que fingia. Por quê? Por que ela tentava demonstrar que estava tão surpresa?

— O documento ainda não havia sido digitalizado. Estão revirando todas as salas para ver se o encontram, sobretudo porque a polícia esteve aqui.

O que ela estava tentando dizer? Que Elisa estivera naquele hospital?

— Fica calmo. Ela estava bem — Sofia se adiantou, pousando a mão em minha barriga para me manter no lugar, como se pudesse ler meus pensamentos. E suponho que pudesse mesmo. — Ela não estava ferida, apenas confusa.

Tentando controlar a respiração e sem entender direito o que a moça dizia, assenti para Sofia.

— A senhorita sabe de algo que possa nos levar até Elisa? — eu quis saber.

— Não. Se ainda tivéssemos a papelada, poderíamos cruzar as informações com as de outros pacientes e tentar descobrir alguma coisa. De repente quem a levou estava acompanhando outro paciente, ou foi atendido... sei lá. Mas sem isso não podemos fazer nada.

— A ficha dela deve estar em algum lugar — garantiu Sofia.

— Tomara! A detetive Santana está no nosso pé. Ameaçou até investigar se alguém aqui está ligado ao tráfico de pessoas, caso essa bendita ficha não apareça.

— Merda — murmurou Sofia. — Hã... Continuem procurando. E me avise se tiver novidades. Temos que ir agora. Valeu, Natália.

— Sinto muito, foi tudo o que eu consegui. E, por favor, não contem a ninguém que eu andei xeretando. Posso perder o emprego.

— Fica tranquila. Ninguém vai saber de nada. Obrigada mesmo. — Sofia começou a me empurrar. Disparamos pelos corredores como se o prédio estivesse em chamas. Acabamos esbarrando em várias pessoas na urgência de achar a saída do prédio.

— Qual o motivo de estarmos com tanta pressa? — perguntei a ela quando chegamos à calçada.

— Porque nós precisamos da ficha da Elisa! Droga! — ela reclamou ao tropeçar em uma pedra do calçamento. Segurei-a pelo ombro, impedindo que caísse.

— E você sabe onde ela está?

— Claro que eu sei, Ian. Tá no criado-mudo do meu quarto.

— O quê? Como foi parar lá?

— Nós roubamos ontem. E agora tenho que pensar em como vamos devolver.

Eu me detive. Sofia tentou seguir em frente, mas, como estávamos de mãos dadas, foi obrigada a parar. Eu a encarei sem acreditar.

— Nem me olha assim! A ideia foi sua! — E apontou um dedo imperioso para mim.

Diabos. Aquele mundo, aliado ao desaparecimento de Elisa, não estava fazendo bem algum para minha cabeça. Absolutamente.

* * *

Chegamos ao prédio de Sofia ao mesmo tempo em que um casal passava pela porta de vidro.

— Nina, graças a Deus! — suspirou Sofia, beijando a jovem. O rapaz a seu lado tinha quase a minha altura e parecia abatido. Seu sorriso, porém, era franco. Presumi que eles fossem os amigos de quem Sofia sempre falava.

— Já ia te ligar — disse Nina, voltando a entrar no prédio. — Onde é que vocês estavam? Pensei que íamos procurar a Elisa juntos.

— Descobriram alguma coisa? — perguntou-me o rapaz (Rafael, eu desconfiava), como se fôssemos conhecidos. E talvez fôssemos mesmo.

— Não exatamente — respondi a ele. — Mas acredito que haja uma possibilidade.

— Como assim?

Sofia revirou os olhos.

— Temos que devolver para o hospital a ficha que o Ian roubou ontem, Rafa.

— Ai, meu Deus. Eles descobriram? — Nina levou a mão à boca.

Sofia negou com a cabeça.

— Não, mas sem ela não conseguem investigar quem foi que assinou a alta. Vão cruzar informações... — E então contou a eles o que a senhorita Natália havia dito.

Sofia esticou a mão para abrir uma porta, mas eu me antecipei, abrindo-a e revelando uma larga escadaria.

— Valeu — ela sorriu ao passar.

— Mas por que vocês foram para o hospital tão cedo? — Rafael me perguntou assim que começamos a subir os degraus.

253

— Porque parece que eu estou com amnésia.

— Porra, cara. Ainda? — E com isso se confirmou minha teoria de que já havíamos sido apresentados.

— Ao que parece, acordei pior e Sofia me arrastou para o hospital. Não que ela tenha me dado a oportunidade de dizer não.

Sofia, dois degraus à frente, apenas ergueu os ombros, nada arrependida. E, dado o resultado da visita ao hospital, eu também não estava.

— Estou quase arrastando o Rafa pra lá também — Nina disse a Sofia. — Ele queimou de febre quase a noite toda.

— Já falei que é só uma gripe, Nina. — Porém, ao chegar ao sexto andar, Rafael tinha dificuldade para respirar.

Sofia abriu a porta de sua casa antes que eu pudesse fazer isso e correu para o quarto onde eu acordara naquela manhã. Rafael se largou no sofá, a testa reluzindo de suor, a respiração curta, custosa. Nina se juntou a ele, colocando a mão em sua testa.

— Você tá um pouquinho quente.

— Seis lances de escada — ele se limitou a responder.

— Tudo bem, tá aqui. — Sofia voltou para a sala, nas mãos um papel marcado por vincos. — Agora só preciso pensar em um jeito de devolver isso sem acabar presa.

— Você não vai devolver nada. — Em duas passadas largas eu estava ao lado dela e gentilmente tomei o documento de suas mãos. — Eu roubei, Sofia. Eu devolvo. E acho que o mais simples seria entregá-lo à senhorita Natália. Assim não corremos o risco de ele se perder novamente.

— E você vai dizer o que pra ela? — Sofia colocou as mãos na cintura, o queixo apontando para o alto com atrevimento. — Olha aqui o papel que eu afanei ontem?

— E por que não? Certamente ela entenderá que agi movido pelo desespero e não por uma fraqueza de caráter.

— Ele tá certo — concordou Rafael.

Sofia mordeu o lábio, em dúvida.

— O médico disse que você precisa descansar, Ian.

— Não preciso de descanso. — Dobrei e guardei o papel no bolso da calça. — E você está louca se imaginou, mesmo por um momento, que eu ia permitir que se arriscasse sozinha.

— Ian...

— Sofia, ouça. — Tomei seu rosto entre as mãos. — Não há nada de errado comigo. Você ouviu o médico. E Elisa está aqui em algum lugar. É minha obrigação encontrá-la. Ela deve estar confusa. — Deus do céu, eu nem queria pensar no que poderia estar acontecendo com ela naquele instante.

— Mas, Ian, você não tá bem!

— Minha cabeça não está bem, só isso! A amnésia pode ser fruto de preocupação. Assim que encontrarmos Elisa, a preocupação não existirá mais.

— Faz sentido, Sofia — ajudou Nina. — Nem eu ando dormindo direito por causa do sumiço da Elisa. E eu nem a conheço.

Sofia apertou os lábios, debatendo consigo mesma, e percebi que ela entendera meu ponto.

— Tudo bem — gemeu, desamparada. — Então vamos comprar as vitaminas que o médico receitou e aí...

— Não preciso de vitaminas — atalhei.

— Eu sempre tomei os remédios que o doutor Almeida me dava sem reclamar! — Sofia estreitou os olhos, as mãos apoiadas nos quadris de novo, o narizinho petulante apontando para o alto. Fiz um esforço imenso para não a arrastar para perto e beijá-la.

— Pelo que eu me lembro, você reclamou, sim. Aliás, só tomou láudano enquanto estava desacordada.

— *Disso* você se lembra! — ela bufou.

Ergui os ombros, desculpando-me.

— Não preciso de nada além de saber que minha irmã não corre perigo.

— Tá legal — ela disse, vencida. — Vamos fazer do seu jeito e torcer para ninguém ligar para a polícia.

Rafael começou a tossir, de início mais pausadamente, em seguida em uma sucessão rápida que lhe deixou com o rosto escarlate. Nina deu leves tapinhas em suas costas.

— Vou pegar água — Sofia disparou para a cozinha.

Sem saber o que fazer para ajudar, ofereci o lenço a ele. Rafael o levou à boca, lutando para controlar a crise e tentar respirar. Assim que foi capaz, deixou-se afundar nas almofadas do sofá, os olhos lacrimejando.

— Tá tudo bem? — Nina perguntou, acariciando seus cabelos.

Ele fez que sim, como qualquer homem de valor. Sua aparência, porém, o contradizia.

— Valeu, cara. — E me devolveu o lenço.

Sofia retornou à sala com um copo de água. Nina lhe disse alguma coisa, mas não pude ouvir. Minha atenção estava no lenço. Havia agora uma mancha rubra maculando o tecido branco. Uma mancha que fez meus pelos ficarem de pé e meu estômago embrulhar.

Uma palma delicada pousou sobre meu antebraço. Ergui os olhos e encontrei os de Sofia. Minha expressão devia espelhar meu temor, pois ela empalideceu.

— O que foi? — indagou.

Voltei a fitar o lenço, o sangue. Aquele tinha sido um dos sinais da doença que levara meu pai deste mundo.

— Temos que levar Rafael ao médico, Sofia. Agora!

26

— Eles já estão lá dentro há tanto tempo — queixou-se Sofia, mordis cando a unha do polegar.

Alcancei o relógio no bolso para verificar as horas. Ao vislumbrar a peça, perdi a linha de raciocínio. Era muito bonito, moderno — bem, talvez eu devesse reconsiderar esse conceito, depois de tudo o que já vira naquele dia —, e reluzia como novo. Mas não era meu. Eu o examinei por todos os ângulos e acabei encontrando uma inscrição dentro da caixa. Uma inscrição assinada por Sofia.

Ela me dera aquilo.

Mais uma vez tentei transpor o muro que me separava de minhas lembranças. Teria sido mais fácil ensinar Storm a dançar.

Acariciei o mostrador, descobrindo a sensação de seu toque, sentindo seu peso em minha mão. Era perfeito, encaixava-se tão bem em minha palma, como se tivesse sido feito para mim. Assim como a mulher a meu lado, ponderei, admirando seu perfil. E eu teria de redescobri-la também, agora não apenas como a mulher que me roubara o coração e os pensamentos, mas como minha esposa

Eu a fitei demoradamente. De fato, os cabelos de Sofia pareciam mais longos do que eu me lembrava, e seu corpo ainda era magro, mas de alguma forma parecia mais feminino, um pouco mais arredondado no busto e nos quadris. Estava ainda mais linda.

E muito preocupada com o amigo, percebi. Eu também estava. Embora não conhecesse Rafael — ou não me lembrasse disso —, Sofia o adorava, e isso era motivo mais que bastante para me fazer temer pelo rapaz. Poucos tinham a sorte de sobreviver a uma pneumonia.

Tão logo eu mostrara o lenço a Sofia, ela entendera a gravidade do que poderia estar causando o mal-estar de seu amigo. E ele, naturalmente, protestara contra a ideia de se consultar com um médico. Eu não tinha mostrado nem a ele nem a Nina o que me alarmara tanto, apenas argumentara que, já que tínhamos de ir até o hospital, não custava nada dar um pouco de paz de espírito a sua mulher. A contragosto, ele acabara cedendo, mas passara toda a viagem carrancudo, como um menino de quatro anos que tivesse perdido uma de suas bolas de gude em uma disputa.

Então ali estávamos nós, esperando, naquele frio corredor de luz branca e desconfortável, por alguma notícia.

— Faz apenas um quarto de hora que eles entraram. Logo devem sair. — Guardei o relógio no bolso.

— Você acha mesmo que pode ser pneumonia?

— Não sei, Sofia. Mas espero ter me equivocado, e que os vestígios de sangue em meu lenço sejam apenas uma infeliz coincidência. — Do contrário, significaria que a doença estava avançando a galope e seria muito difícil detê-la.

— Não fica assim, Ian. A medicina avançou muito. Hoje em dia a pneumonia não é mais tão grave como antigamente. — Ela entrelaçou a mão na minha. — Foi assim com o seu pai?

Assenti uma vez.

— E foi assim que o doutor Almeida soube que toda aquela febre e prostração não eram causadas por um forte resfriado. Sempre que alguém apresenta os sintomas de um resfriado, fico apavorado. Como quando você esteve doente, depois de ter tomado chuva. Passei pelo inferno, Sofia.

— Ah, Ian. — Ela deitou a cabeça em meu ombro, os dedos apertando os meus.

A porta do consultório médico se abriu. Eu e Sofia ficamos de pé. Rafael e Nina saíram. Ele tinha as faces afogueadas, provavelmente em decorrência da febre. A expressão de Nina estava sombria.

— E então? — perguntei a eles.

— O Rafa tá com pneumonia.

Deus do céu.

— Caramba, Rafa! — exclamou Sofia.

— Não é nada — ele rebateu de imediato, lutando para parecer menos abatido do que realmente estava. Nina o fuzilou com os olhos. — Não precisa fazer essa cara.

— O que podemos fazer para ajudar? — ofereci, embora soubesse muito bem que não havia quase nada a fazer.

— Obrigada, Ian — Nina respondeu. — Tudo o que ele precisa é repousar e tomar os antibióticos. O médico até me deu uma amostra. Vou levá-lo direto para casa.

— Antibióticos? — minha testa encrespou.

— Para combater a infecção — explicou Sofia em um murmúrio. — É um remédio.

— Eficaz?

— Normalmente. — Ela ergueu os ombros.

— Vou levá-lo para casa. — Nina acomodou a bolsa no ombro. — Desculpem por não podermos ajudar na busca hoje.

— De modo algum — objetei. — Apenas cuide para que ele siga as recomendações médicas.

— Traíra — resmungou Rafael, me lançando um olhar enviesado que me fez rir.

Eles partiram logo depois, e, mesmo que Sofia tenha me explicado sobre os tais antibióticos (e eu pouco tenha entendido), não pude deixar de me preocupar com aquele rapaz. Nós o visitaríamos mais tarde, e eu esperava encontrá-lo mais disposto.

Então Sofia e eu saímos à procura de Natália. Infelizmente ela não estava, pois era o horário de seu almoço.

— Que droga! Vamos ter que esperar — resmungou Sofia, diante da porta de entrada. — Não aguento mais isso, Ian. Quero a Elisa aqui comigo! Quero acordar deste pesadelo e voltar para casa! — E levou os dedos ao cordão que trazia no pescoço, ao pequeno relicário.

Sem perceber o que fazia, eu o toquei também. Sofia prendeu a respiração enquanto eu o abria. Meu coração perdeu o ritmo enquanto eu admirava o minúsculo retrato que ele abrigava, então desatou a bater feito louco enquanto eu sentia como se caísse em um abismo de grandes olhos castanhos. Um eco, como uma canção tocada ao longe, tentou submergir em meu cérebro, mas não conseguiu perfurar a espessa camada de confusão. Tudo o que eu sabia era que meu coração batia por aquela menina no retrato.

— Quem é ela? — Mas eu sabia, não é? Os traços familiares, os cachos negros, aqueles olhos profundos...

Era minha. Aquela garotinha era minha.

— Ela é a pessoa mais importante do mundo para mim e para você. Marina.

— Nina — murmurei.

Os olhos dela se acenderam.

— Você se lembra?

Meu dedo percorreu o retrato como se eu tentasse acarinhar o bebê, como se com o gesto eu pudesse recuperar tudo o que havia perdido. O som de sua risada, a maneira como se encaixava em meus braços, a primeira vez em que a vi. Por alguma razão, eu estava perdendo tudo o que me era mais caro. Por quê? Por que todas as lembranças mais preciosas tinham ido embora?

Lentamente, sabendo que machucaria Sofia — e me odiando por isso —, afastei a mão do relicário e balancei a cabeça.

— Não me lembro dela, mas você me contou sobre sua amiga Marina. Imaginei que o apelido de nossa filha fosse o mesmo.

— Ah. — E, como eu sabia que aconteceria, o brilho em seu rosto se apagou.

— Por que não deixamos uma mensagem para a senhorita Natália? — sugeri, louco para apagar aquela tristeza de seu olhar. — Assim poderíamos sair e procurar Elisa.

— E quem vai entregar o bilhete? Aquela recepcionista que mal se dignou a nos dizer que a Natália tinha saído pra almoçar?

— Não custa nada arriscar. Espere um momento.

Deixei-a na entrada e me aproximei do balcão no canto direito. A jovem atrás do vidro não me dirigiu o olhar.

— Por gentileza, senhorita, poderia me arranjar papel e caneta?

— Aqui não é papelaria. Santa Casa, bom dia?

— Bom dia. Mas, senhorita, eu gostaria de deixar um recado para a senhorita Natália, que trabalha na enfermaria.

Ela bufou, mas pegou uma folha e a passou por uma estreita abertura entre o vidro e a bancada. Seus olhos se encontraram brevemente com os meus antes de retornarem para uma máquina. No entanto, ela se deteve, sem soltar o papel, e voltou a me contemplar.

— Uau.

Dei um suave puxão para libertar o papel e, assim que ela me entregou uma caneta, apressei-me em escrever o recado. Peguei o documento dentro do bolso e sobrepus a mensagem, então os dobrei. Gostaria de ter cera e um sinete à mão para lacrá-lo, mas tive de me contentar com as dobras. Rabisquei o nome de Natália nas costas da carta.

Quando terminei, percebi que era alvo do interesse da jovem. Ela havia puxado para o lado aquela parte do adorno de cabeça que lhe cobria a boca e me analisava de alto a baixo.

— Que jeito mais maneiro de dobrar o papel — comentou. — Nem precisa de envelope.

Sorri para ela.

— Poderia, por favor, entregar a Natália quando ela retornar? — Passei a carta a ela.

— Você por acaso é namorado da Naty? — Ela pegou o envelope e o colocou na mesa.

— Não, senhorita, eu não sou. — Que pergunta mais descabida.

— Peguete? Ficante?

— Perdoe-me, como disse?

Ela inclinou a cabeça para o lado.

— Você é hétero?

— O quê?

— Deve ser, sim. — Seu sorriso cresceu. — Você trabalha em quê?

— Eu preciso responder a tudo isso para que a senhorita possa entregar minha carta à senhorita Natália?

— Não! — Ela riu, batendo as unhas nervosamente no canto do balcão. — Mas, pra eu decidir se você será o pai dos meus futuros filhos, sim.

Ah.

— Eu fico... — Tive de pigarrear. — ... lisonjeado. Mas já sou casado, senhorita.

— Ah. É claro. — Ela suspirou com desânimo. — Se não é gay, nem desempregado, nem viciado em alguma porcaria, é casado. Onde eu estava com a cabeça para achar que um homem feito você ficaria dando bobeira no mercado por muito tempo?

— Eu... hum... agradeço pela ajuda com a carta.

Ela fez uma dispensa com mão.

— De nada. — Então ajeitou a alça do adorno novamente perto da boca e voltou a olhar para a máquina. — Santa Casa, bom dia?

— Bom dia, senhorita. — E me afastei do balcão.

Sofia veio ao meu encontro, uma expressão abismada no rosto.

— Você conseguiu que ela ficasse com a carta! — *Sim, e também consegui ser pedido em casamento.* — Assim não precisamos correr o risco de acabar presos. Uma carta anônima! Isso foi sensacional, Ian!

Ela estava tão contente e aliviada que não tive coragem de lhe contar que eu havia assinado a carta.

Então sorri, oferecendo o braço a ela, e a levei para fora daquele lugar, disposto a vasculhar cada canto da cidade até encontrar minha irmã.

* * *

Sofia e eu perambulamos por horas e horas, visitamos cada rua, entramos em cada comércio, perguntando por Elisa e distribuindo folhetos com seu retrato. Não obtivemos nenhuma notícia dela.

A noite havia caído fazia muito tempo quando, cansados, frustrados, demos as buscas por encerradas. Seguimos direto para a casa dos amigos de Sofia, e rezei durante todo o trajeto para que Rafael tivesse melhorado, mesmo que apenas um pouquinho.

— Como ele tá? — Sofia perguntou tão logo Nina abriu a porta, um pano de prato jogado sobre o ombro.

— Com fome. — Ela revirou os olhos. — Nem parece que ardeu de febre o dia todo.

— Isso é bom sinal. — Sofia a beijou e foi entrando.

— E você, Ian, ainda não consegue se lembrar das coisas?

Apenas neguei com a cabeça.

— Que saco. Entra. — Ela me puxou para dentro.

Encontrei Rafael no sofá. Sofia estava ao lado dele, alisando seu antebraço.

— Estou preparando o jantar. Estão com fome? — Nina secou as mãos no pano de prato. — Estou fazendo sopa. Tem bastante para todo mundo.

— Humm... Comida lavada, que delícia. — Rafael fez uma careta.

— Vou te ajudar — Sofia se prontificou.

— Hã... Obrigada, Sofs. Mas, sem querer ofender, eu nunca vi alguém tão incapaz na cozinha feito você.

— Ei! Picar coisas não tem segredo, Nina, e até eu sei fazer isso! — E a empurrou para a cozinha.

Eu me sentei ao lado de Rafael.

— Tem alguma coisa que eu possa fazer? — ofereci.

— Depende. Tem alguma chance de ter algo bem gorduroso no seu bolso?

Tateei a camisa sem bolsos e sorri.

— Sem sorte desta vez.

— Não custava nada tentar. — Ele inspirou fundo, como se sofresse. Uma respiração áspera, ruidosa.

— Como você está se sentindo de verdade, Rafael?

Ele deixou a cabeça pender no sofá, os olhos ligeiramente enevoados.

— Um pouco cansado e dolorido, só isso. O remédio já começou a fazer efeito. — Apontou para uma caixinha bordô sobre a mesa de centro, que trazia um nome estranho e uma tarjeta branca onde se lia "amostra grátis". — Amanhã estarei novo.

Era o que parecia. Sua cor estava melhor, e seu apetite era indício de alguma melhora. Soltei um longo suspiro, parte alívio, parte frustração. Estava contente com a melhora de Rafael, mas não consegui deixar de pensar que aquela caixinha bordô poderia ter salvado meu pai, se aquele tipo de antídoto estivesse disponível na minha época.

Ele voltou seu olhar para uma tela imensa. Nela, imagens reais de homens em largas vestimentas e capacetes deslizavam no gelo segurando bastões.

— O que é isso?

— Hóquei. Os Red Wings estão ganhando.

Olhei para o aparelho — o que quer que aquilo fosse — e tentei acompanhar o que estava acontecendo. Havia um pequeno disco em disputa. Homens de vermelho digladiavam com os de branco para conseguir o disco. Era ágil, brutal, e eu queria saber mais sobre aquilo.

— Nada da sua irmã ainda? — Rafael perguntou.

Balancei a cabeça, afundando no sofá.

— É como se ela fosse um fantasma, Rafael. Ninguém a viu, ninguém sabe dela, ninguém dá notícias. Estou perdendo o juízo com essa espera. — E com aquele mundo. Seria por causa dele que minha cabeça parecia ter um parafuso solto? Seria aquele mundo a causa da amnésia? Ou o jovem médico tinha razão e tudo era culpa do estresse causado pelo desaparecimento de Elisa?

Diabos! Sofia não se mostrara tão confusa quando caíra em minhas terras, em meu tempo.

Remexi-me no sofá absurdamente mole e esbarrei em alguma coisa. Olhei a tempo de ver o objeto atingir o chão e se despedaçar em três.

Abaixei-me e peguei os pedaços.

— Sinto muito, Rafael. Vou comprar outro... hã... celular para substituir este.

Ele me olhou com a testa franzida.

— Isso é o controle da TV, Ian — e apontou com o queixo o aparelho sobre a estante, onde dois jogadores retiravam as luvas e as mandavam longe, para então se lançar em uma disputa de socos.

— Ah. — Como eu poderia saber? — Vou ressarci-lo.

— Só desencaixou. Me dá isso aqui. — Ele pegou os pedaços e começou a montar. Ouviu-se um clique quando ele colocou os dois cilindros dourados dentro do retângulo maior e em seguida um pequeno pedaço chanfrado. — Agora esquece isso. Tá novinho em folha, como se nunca tivesse caído.

Ele me devolveu o controle e eu o peguei automaticamente, distraído por suas palavras. Elas se encaixaram de maneira desordenada em meu cérebro. *Esquece isso. Como se nunca tivesse caído.*

— Pode me fazer um favor? — Rafa voltou a se recostar no travesseiro. — Pode pegar minha carteira? Tá ali naquela gaveta. — E apontou para a estante baixa sob a TV.

Fiz o que ele pediu e lhe entreguei a carteira de couro preto. Ele a abriu com dificuldade e de lá retirou um envelope azul-anil.

— Quero que fique com isso, Ian. Eu ia levar a Nina hoje à noite, mas pelo visto o mais longe que eu vou é até o banheiro.

— O que é isso? — Peguei o envelope.

— Entradas para um show de rock. Leve a Sofia. Ela gosta dessa banda.

Humm... Sofia me falara disso uma vez. Ela adorava esse tal show de rock. Não que eu tivesse entendido o que era, naturalmente. Mas, como ela o mencionara em uma conversa sobre ópera e música, eu sabia que estava relacionado a algo do gênero.

Devolvi o envelope a ele.

— Rafael, não posso aceitar.

— Pode sim. Considere isso um presente de casamento atrasado.

— Eu agradeço, mas não posso ir a um concerto quando...

— Por que não? — ele me interrompeu. — Ficar aqui não vai fazer sua irmã aparecer, não. Você tá com cara de acabado, cara. Descanse a mente por umas horas. — Comecei a sacudir a cabeça, mas ele prosseguiu: — E isso vai te ajudar com a Sofia! Você reclamou que não aguenta mais magoá-la sem querer. Aí tá a sua chance de fazer ela esquecer tudo isso por algumas horas. Aproveite. E faça todas as coisas que ela gosta. Sei lá, fica grudadinho nela, canta no ouvido, diz que ela é muito gostosa...

— O quê?

— As mulheres adoram essas coisas. — Ele ergueu os ombros.

Eu estava pronto para argumentar. Estava disposto a lhe devolver o envelope. No entanto, o que Rafael disse me fez reconsiderar. Magoar Sofia inadvertidamente estava me matando. Se havia uma chance de fazer com que ela sorrisse, então eu não pretendia desperdiçá-la.

Dobrei o envelope e o guardei no bolso.

— Eu agradeço, Rafael.

Ele assentiu uma vez, parecendo satisfeito.

— Sabe, também estou com um problemão. — Coçou a nuca.

— Além de ter contraído uma doença com baixíssimo índice de sobrevivência, suponho — brinquei.

— É, além disso. — Ele deu risada. — Quebrei uma maquiagem da Nina sem querer, dois dias atrás. Era uma daquelas de marca famosa, e eu não disse nada pra ela ainda. Acho que vou aproveitar que estou doente e contar. Tem alguma dica para que eu consiga sair dessa com as minhas bolas intactas?

Acabei rindo também. Eu gostava daquele rapaz. Gostava mesmo.

— Desconfio que seu estado debilitado ajudará. E seja franco com ela, se desculpe. Pelo que vi nos olhos de Nina, ela o ama e vai perdoá-lo.

— É melhor você estar certo, ou vou ter que pedir asilo na sua casa.

— Será sempre bem-vindo, Rafael. — Mas relanceei a TV e o tal jogo de hóquei. Como eu voltaria para casa se ela estava a quase dois séculos de distância?

— Ian?

Voltei a atenção para ele.

— Você sabe como chegar ao local do show? — Rafael perguntou com as sobrancelhas franzidas.

— Não faço a mais remota ideia.

— Eu suspeitei. — Ele se inclinou para a frente. — Faz o seguinte...

Nina e Sofia retornaram no instante em que ele terminava as instruções.

— Aqui, meu amor. — Sua mulher lhe entregou a bandeja com o prato de sopa, sapecando um beijo em sua testa. Ele gemeu. — Ah, pobrezinho, tem alguma coisa que você queira?

Ele a fitou por entre as pestanas baixas.

— Não quero te dar mais trabalho.

— Não é trabalho nenhum, Rafa. Que tal um chazinho?

— Acho que eu preferia um suco. De caju...?

— Vou fazer agora mesmo! Quer também, Ian? — Ela ficou de pé, perdendo a piscadela que o marido me lançou. Ele tinha um plano.

— Ah... não, senhora Nina. Na verdade, eu e Sofia temos que ir agora. Mas voltaremos amanhã bem cedo, para ver como ele está.

— Poxa, que pena. — Então ela olhou em volta e, ao encontrar sua bolsa, abriu-a e começou a procurar alguma coisa ali dentro. — Então será que podem me fazer um favor? O Rafa vai precisar de mais antibióticos. O médico me deu uma amostra e eu estava com tanta pressa de começar a tratar o Rafa que pensei em ir até a farmácia mais tarde, mas não quero deixá-lo sozinho. Será que poderiam comprar pra mim e trazer amanhã?

— Será um prazer.

— É claro, Nina. — Sofia pegou o papel que a amiga estendia e guardou.

Partimos pouco depois. Acomodei-me a seu lado dentro do carro, os dedos tamborilando no joelho enquanto ela encaixava a chave que fazia o veículo funcionar.

— Poderia me levar a um lugar? — perguntei a ela.

— Pra onde? — A surpresa em seu rosto quase me fez rir.

Dei o endereço a ela.

— O que tem lá? É sobre a Elisa? Você pensou em alguma coisa?

— Não, Sofia. Isso diz respeito apenas a nós dois.

A curiosidade se inflamou em seu lindo rosto.

— De que jeito?

Acabei sorrindo.

— Você logo vai descobrir.

27

Encontramos um lugar para estacionar o carro um pouco afastado do local onde o concerto aconteceria. No entanto, ela reconheceu onde estávamos. Virando a chave para silenciar o motor, olhou para mim, a boca escancarada.

— Você tá brincando comigo? Você me trouxe a um show?

— Na verdade, foi você quem nos trouxe — brinquei.

Ela se pendurou em meu pescoço e sapecou um beijo em minha boca.

— Eu adoro essa banda, Ian! É uma das minhas favoritas!

— Eu sei. Rafael me contou. — E acabei sorrindo de sua reação quase infantil. Rafael estava certo. Precisávamos de um descanso. Precisávamos nos afastar dos problemas, mesmo que fosse por algumas horas ou iríamos enlouquecer.

Ela se afastou para me olhar.

— Foi assim que você descolou os convites?

— Bom... — Cocei a cabeça. — Se descolar significa receber um presente, então, sim, foi dessa maneira.

Acordes altos foram carregados pela brisa e entraram na cabine. Sofia levou a mão à maçaneta.

— Vai começar! Temos que correr, Ian!

Ela não esperou que eu descesse para abrir sua porta. Claro que não esperou; aquela era Sofia. Então me apressei também, e, pegando-me pela mão, ela disparou rua abaixo, desviando das pessoas que se espremiam na calçada. Todas marchavam em uma única direção.

— Qual o portão? — ela perguntou quando chegamos perto da construção moderna no fim do quarteirão.

— Humm... — Rafael não mencionara um portão em suas instruções.

Ela se deteve em uma parte do passeio público particularmente apertado ao notar minha hesitação.

— Tá nos ingressos — explicou.

— Ah!

Peguei o envelope e juntos analisamos as entradas.

— Pista — disse ela. — Beleza! É para o lado de cá.

Indo para a direita, Sofia tentou seguir na frente, mas eu a impedi. Apesar de alta para uma mulher, ela desaparecia em meio a tanta gente. Além disso, que espécie de homem eu seria se a deixasse ir na frente, em vez de garantir que seu caminho estivesse livre de qualquer imprevisto?

Com algum custo conseguimos alcançar a entrada certa. Homens da polícia formavam um cordão logo à frente. Estranho.

— Por aqui, senhora — um deles disse a Sofia. Uma mulher, percebi depois. Sofia lhe obedeceu e eu a observei se aproximar da guarda.

— Senhor, levante as mãos — outro oficial me disse.

— Certamente.

Ele começou a me revistar, correndo as mãos por meu tronco da mesma maneira que a guarda fazia com Sofia. Minha atenção se desviou quando o sujeito que procurava por alguma arma em meu corpo se agachou e começou a correr as mãos por meus tornozelos. E continuou subindo, subindo...

— O que pensa que está fazendo? — questionei, quando ele colocou as mãos entre minhas coxas.

— Gosto disso tanto quanto você. Agora cala a boca e fica parado. — E então, diabos, tateou meu traseiro.

— Caralho! — Pulei um metro longe, encarando-o. — Se tentar me apalpar de novo, não respondo pelos meus atos!

Recebi um revirar de olhos.

— Não me pagam o suficiente para isso. Juro que não. — Ele pressionou com o polegar e o indicador a ponte do nariz. — Vai, se manda daqui, maluco.

Eu o contornei, os olhos fixos nele para o caso de tentar mais alguma gracinha. Sofia já me esperava do lado de dentro das grades e tentava conter a gargalhada.

— O que é tão engraçado? — perguntei a ela.

— Você, todo ofendido por causa de uma revista policial.

— Você também ficaria se fosse homem e um sujeito a tocasse em lugares que nunca, em circunstância alguma, devem ser tocados por mãos masculinas.

Gargalhando alto, Sofia me explicou que, não muito tempo atrás, pessoas causavam confusão em espetáculos como aquele, levando até mesmo armas. Só entendi o perigo que aquilo poderia significar quando passamos por um arco de concreto muito espesso e adentramos um vasto salão. O lugar estava absolutamente tomado.

Segurando Sofia pela mão, olhei para cima, para os camarotes, e me deparei com um anel humano agitando algo luminoso. Lembrou-me ondas do mar que durante a noite, sob a luz da lua, transformam a espuma em uma corrente de estrelas. O piso sob meus pés estremecia de leve. O barulho era ensurdecedor.

— Vamos tentar chegar mais perto — Sofia gritou.

Como?, perguntei-me, ainda espantado com a quantidade de pessoas em pé. Não havia cadeiras, tampouco um corredor onde se pudesse transitar. Sofia me empurrou para a frente, esgueirando-se nos espacinhos que encontrava aqui e ali. Acabamos em uma pequena bolha próxima a uma torre metálica. Um homem estava ali, algo preso nas orelhas, uma espécie de piano preto a sua frente.

— Você quer beber alguma coisa? — berrou Sofia por sobre a agitação da multidão.

— Não! E quanto a você? — gritei de volta, e mesmo assim não tenho certeza se ela conseguiu me ouvir, pois as luzes se apagaram e gritos eufóricos reverberaram pelo imenso salão.

— Ai, meu Deus, aí vêm eles! — Sofia apertou minha mão, ficando na pontinha dos pés para poder enxergar algo no palco, um pouco à frente.

As luzes coloridas oscilaram, causando-me uma leve vertigem. Então o som de um instrumento preencheu meus ouvidos, reverberando por dentro de meu corpo como se o concerto acontecesse no centro de meu estômago. Cinco rapazes surgiram no palco. Quatro deles se posicionaram em cantos opostos, instrumentos em mãos; o quinto ficou em frente a um mancebo ou o que quer que fosse aquilo. Então vários acordes foram se juntando, engrossando, até se tornar uma melodia. Como eu suspeitara, era completamente diferente de qualquer coisa que eu já tivesse ouvido. Um tanto caótico e desordenado, mas em alguns momentos pude distinguir os acordes do piano ou o lamento de um violino. Meu pé começou a bater no ritmo da canção.

No entanto, pouco dei atenção ao que acontecia lá na frente. Como poderia, se Sofia fazia um espetáculo à parte? Ela cantava alto, desafinada, pulava no ritmo da música, balançava o corpo para todo lado. Isso me colocou um sorriso nos lábios. Eu não conseguia imaginar nada mais encantador que Sofia bailando daquela maneira.

Algumas das canções se tornaram menos ruidosas, mais suaves, e em uma delas Sofia se aconchegou a mim, pegando minhas mãos e as prendendo ao redor de sua cintura. Ela precisou fazer isso apenas uma vez. Sempre aprendi muito rápido. E então, abraçado a ela, apoiei o queixo próximo a sua orelha e balancei no ritmo estabelecido por ela. Ela pisou em meu pé algumas vezes, mas achei que fosse um pequeno preço a pagar para poder estar tão junto dela.

Lembrando-me do que Rafael tinha dito sobre fazer com que ela se sentisse melhor, e desesperado para fazer a coisa certa ainda que me parecesse estranho, aproximei a boca de seu ouvido e sussurrei:

— Você é muito gostosa.

— O quê? — Ela virou a cabeça e me olhou, boquiaberta.

— Eu... — Não era necessário ser um sabe-tudo para entender o que aquela expressão devia significar, sobretudo pela maneira como Rafael a tinha dito. E, por mais verdadeira que fosse, eu não estava certo se Sofia gostaria de ouvi-la. Observando sua reação agora, a resposta era não.

Para o inferno com Rafael e sua conversa tola!

— Eu disse que essa canção é gostosa de ouvir.

Ela girou em meus braços até ficar de frente para mim, um sorriso divertido lhe curvando a boca.

— Não, você disse que eu sou muito gostosa.

— Receio que você não tenha ouvido direito, com todo esse barulho... — Meu rosto pegou fogo.

— E eu acho que vou ter uma conversinha com o Rafael.

— Desculpe se a ofendi. — Apoiei uma das mãos em sua cintura, correndo a outra pelos meus cabelos. — Apenas queria fazer com que a noite fosse agradável para você.

— Você não me ofendeu, Ian. — Seus dedos passearam por meu peito e se detiveram em meus ombros. — Não é nada ruim saber que você me acha gostosa. Só fiquei surpresa por te ouvir dizendo algo assim. Não é o tipo de coisa que você normalmente diria. E, quanto a tornar esta noite ainda mais agradável, isso só seria possível se você me bei....

Não permiti que ela terminasse. Como eu disse, sempre aprendi rápido. E estava ansioso para beijá-la desde que eu soube que havíamos nos casado. E eu a beijei com vontade, segurando-a tão junto de mim que sentia o calor dela perpassar nossas roupas e envolver minha pele, deixando minha cabeça leve e o peito dolorido. Sofia me segurou pelos cabelos, ficou na ponta dos pés, e só parei de beijá-la quando percebi que ela tinha dificuldade para respirar. Ela recostou o rosto em meu peito, os olhos ainda fechados, e continuou a balançar suavemente enquanto eu era dominado por um tipo de emoção violenta. Deixei a cabeça pender para a frente, buscando seu ouvido.

— Gostaria que pudesse me ver por dentro — sussurrei. — Entender o que você faz comigo.

Ela sorriu sem abrir os olhos.

— *Isso* é algo que você diria. — E se espremeu mais de encontro a mim.

— Ah, mas não se iluda, Sofia. — Minhas mãos subiram por suas costas, acariciando-a ao mesmo tempo em que a mantinha presa. — Eu realmente a acho *muito* gostosa.

Ela deu risada e continuamos a dançar. Uma nova música começou. Uma daquelas mais rápidas, e todos começaram a pular ao mesmo tempo, mas nós dois continuamos colados, movendo-nos em nosso próprio ritmo.

O concerto chegava à metade quando senti Sofia se retesar dos pés à cabeça. Ela se desprendeu de mim.

— Acho que vou querer uma bebida agora — disse, sem me olhar nos olhos.

— O quê...? — comecei, confuso.

No palco, as luzes haviam mudado e tudo ficou tingido de vermelho. Uma chuva rubra teve início. Uma gota espiralou no ar, como se dançasse, e caprichosamente decidiu descansar em meu ombro. Eu a peguei, percebendo então que não se tratava de uma gota. Era uma pétala de rosa.

E então eu ouvi. Uma nova canção começava. Eu a reconheci logo nos primeiros acordes; o violão seguido de um piano, as batidas ritmadas de um tambor, talvez, e por fim a voz suave do intérprete.

Estavam tocando a nossa música.

A julgar pela expressão de angústia no rosto de Sofia, ela achava que eu a havia esquecido também.

Ela me deu as costas e começou a se afastar, mas eu a detive, segurando-a pela mão. Ela olhou por sobre o ombro para os nossos dedos unidos. Virei seu pulso para cima, soltei sua mão e depositei a pétala em sua palma, esperando que ela entendesse que eu oferecia muito mais que aquilo. Tão mais que aquilo.

Seus dedos se fecharam ao redor da pétala, o olhar subiu e se prendeu ao meu. Um brilho de esperança se espreitou ali.

— Me concederia a honra desta dança?

Sofia não disse nada, apenas concordou com a cabeça devagar. Eu me aproximei até que nossos corpos quase se tocassem. Envolvi seu tronco com o braço, atraindo-a para mim.

— Pensei que você tivesse esquecido —- ela sussurrou.

— Como eu poderia, Sofia, se cada palavra desta canção traduz como eu me sinto em relação a você?

— É como eu me sinto também. — Ela fechou os olhos e encostou a testa em meu queixo. Começou a cantarolar. — *I swear it's you. I swear it's you. I swear it's you that I've waited for...*

Meu coração começou a bater feito louco enquanto continuávamos balançando de um lado para o outro. Foi sobre ele que Sofia repousou a mão com a pétala, sentindo os batimentos urgentes se misturarem ao ritmo da música. Sua voz macia parecia nos envolver, criando uma bolha particular, isolando-nos do restante do mundo.

Toquei seu queixo, inclinando seu rosto para cima, pois eu *precisava* ver seus olhos. E aquelas íris castanhas enevoadas pelas lágrimas refletiam tanta doçura, tanto amor, que fui arrebatado por ela, tomado por uma sensação de queda livre na qual tudo o que eu podia fazer era ir ainda mais fundo.

Foi impossível não inclinar a cabeça e capturar seus lábios com os meus. E foi impossível não me comover com a maneira como ela correspondeu àquele beijo. Quente, doce, repleta de paixão. O sentimento que me dominou o peito teria me colocado de joelhos se eu não estivesse agarrado a ela com tanta força.

E então aconteceu. A dor de cabeça chegou sem aviso, atingindo-me por trás com tanta força que tive de apertar os olhos e o corpo de Sofia. As imagens e as emoções disparavam em meu cérebro como balas certeiras. Também doíam como tal.

Vi Sofia retornar e afugentar a escuridão de dentro de mim, vi nosso casamento, a descoberta da gravidez... e vi Marina. Minha menininha. Todas as lembranças se encaixando no lugar enquanto eu beijava aquela mulher.

A *minha* mulher.

— Você estava absurdamente linda — murmurei em seus lábios.

— Quando?

Afastei-me um pouco para poder ver seu rosto. Encaixei uma das mãos em sua bochecha, acariciando sua boca macia com o polegar.

— Em nosso casamento. Você estava linda. Quando eu a vi entrando na igreja, pensei que meu coração não suportaria. Ele batia tão forte que temi que estourasse.

Sua boca se abriu algumas vezes, mas nada saiu dali. Uma mecha de seus cabelos ricocheteou em seu rosto. Eu a afastei com os dedos e a enrosquei atrás de sua orelha delicada.

— Você se lembra! — Seu lábio inferior tremeu.

— Sim, meu amor, eu me lembro. — Eu a estreitei contra o peito, beijando seus cabelos, inspirando fundo seu perfume.

— Ah, meu Deus, Ian. — Ela se agarrou a meu pescoço, escondendo o rosto ali. Curvei-me para que ela não tivesse que se esticar tanto. — Eu estava tão preocupada! Fico em pânico cada vez que você fecha os olhos.

— Acabou. Está tudo aqui dentro.

Ela se afastou um pouco, escrutinando meu rosto.

— Tem certeza? Como pode saber que se lembra de tudo? Você se lembra da razão pela qual estamos neste tempo?

— Sim, Sofia, eu me lembro... — Alguém esbarrou em nós, empurrando-nos para trás.

O homem vestido em um traje de passeio completo, destoando de todos ali dentro, inclusive de mim, murmurou um "mil perdões" antes de continuar em frente. Eu trouxe Sofia um pouco mais para o lado e, naquele breve instante em que desviei a atenção dela, relanceei algo que me obrigou a dar uma segunda olhada. Atrás do homem de chapéu castanho, naquela TV gigantesca presa ao palco, estava o rosto de...

— Elisa? — murmurei, confuso.

— Isso. — Sofia soltou um longo suspiro de alívio. — E você se lembra de quando chegamos a este tempo? De tudo que já aconteceu por aqui?

— Não, Sofia. Olhe! Elisa está na TV!

— O quê?

Eu a peguei pelos ombros e a girei até que ficasse de frente para a tela imensa.

— Bem ali.

— Aquilo não é uma TV, é um... Puta merda, Ian! — ela arfou assim que deparou com a imagem. — A Elisa está aqui!

28

— Ela está aqui neste exato momento! — Sofia exclamou, meio rindo, meio arfando, o olhar preso na imensa tela que exibia o rosto de minha irmã.

Elisa parecia perdida. Parecia preocupada. Parecia procurar alguma coisa.

A imagem mudou e entrou a do intérprete, colando a boca naquele mancebo.

— Como sabe disso? — eu quis saber.

— Porque ela apareceu no telão. — Ela se virou para mim. — Não é uma TV. O que aparece ali é ao vivo, o momento presente. E se ela apareceu no telão só pode estar pertinho do palco!

Sofia começou a me puxar por entre a multidão até ficarmos presos em uma grade de metal que alcançava a altura do peito e separava o salão em dois. Sofia se esticou toda, procurando por Elisa, assim como eu. Mas, mesmo com a vantagem de minha estatura, era impossível encontrá-la no meio daquela multidão. A menos que...

Torcendo para que Sofia não me batesse por tomar liberdades com ela em público, agachei-me, segurando suas coxas e passando a cabeça entre elas.

— Ei, o que você... aaaah! — Ela prendeu as mãos sob meu queixo, montando em meus ombros. Segurando firme suas pernas, ergui-me com cuidado, temendo que ela se desequilibrasse. Sofia vivia tropeçando nos próprios pés e nunca foi muito habilidosa em montar. Cavalos, corrigi depressa. Ela nunca teve problemas quando estávamos no quarto e... enfim.

Ela se desequilibrou ligeiramente, agarrando-se a meus cabelos e os puxando até que achei que fosse ser escalpelado. Firmei a mão em seu joelho e com a outra alcancei seu traseiro, ajudando-a a ganhar equilíbrio.

— Valeu, Ian! Ah, saco, tem muita gente lá na frente. E a Elisa não é muito alta.

Vamos, eu murmurava, o olhar fixo no telão, esperando que a imagem de minha irmã se repetisse. *Vamos, Elisa, apareça!*

— Acho que encontrei! — Sofia se esticou um pouco. — Parece ela. Ali, no canto direito, perto das caixas de som.

Olhei para onde ela apontava, mas não consegui ver nada além de muitas cabeças. Abaixei-me para colocá-la no chão e imediatamente comecei a me mexer.

— Ian, espera, não podemos... — ela começou quando firmei a ponta da bota na barra e passei uma perna sobre a grade.

— Pode voltar, amigo. — Um homem vestido de preto apareceu do nada. Sua cara de poucos amigos me alertou de que ele me traria problemas se eu insistisse.

Isso não me deteve.

— Eu preciso...

— Ficar longe de confusão — ele atalhou, em um tom ameaçador.

Sofia me pegou pelo braço, puxando de volta, e me arrastou para longe da grade.

Eu a fitei sem acreditar.

— Sofia, temos de chegar até Elisa! Estamos do lado errado.

— Eu sei, mas não é assim que funciona. Nossos ingressos são para este setor. Não temos permissão para pular para o outro.

— O quê? — Esfreguei o rosto com força. — Sofia, minha irmã está a poucos metros de nós e você está me dizendo que não podemos ir até ela?

— Eu disse que nossos ingressos não permitem, não que não podemos. — Um brilho irônico se espreitou em seu olhar. — Mas tem uma boa chance de que a gente vá se meter em encrenca.

— Isso não importa!

— Imaginei que me diria isso. — Ela me segurou pelos ombros, o olhar fixo no meu. — Olha só, o segurança não vai deixar a gente pular para o lado de lá. Não vai rolar. Vão nos tirar da pista antes que a gente possa piscar.

— Posso lutar com ele.

— Com um deles, sim. Talvez até dois, mas, se você começar a distribuir socos, vai atrair a atenção de toda a equipe de segurança, e aí já era! Precisamos de um plano.

Eu quase ri. Sofia não percebia que tinha acabado de criar um?

— Ouça, meu amor. — Apanhei seu rosto entre as mãos. — Quero que se afaste de mim. Vou atrair a atenção dos seguranças. Assim que achar seguro, atravesse para o outro lado e vá até Elisa.

— O quê? Não! Ian, nós não vamos nos separar!

— É a única maneira, Sofia.

Ela sacudiu a cabeça.

— Não! Não vai adiantar nada se eu encontrar a Elisa e perder você. Além disso, sua cabeça anda muito estranha. E se a amnésia voltar?

— Não vai voltar.

— Como pode ter certeza?

Eu não tinha. Diabos.

— Não temos tempo para isso, Sofia — falei, impaciente. — Vamos nos encontrar do lado de fora. No mesmo portão por onde entramos. — Eu a beijei brevemente e a soltei.

Já me encaminhava para a grade de proteção, mas ela me agarrou pela camisa.

— Ian, não! Se você tiver outro lapso de memória...

— Não terei. Minha memória ficará bem pelas próximas horas. — Eu rezava para isso. — Pegue Elisa e me encontre na entrada.

— Que droga, Ian! — Ela soltou minha roupa a contragosto. — O que você pretende fazer?

— O que é preciso.

— Mas...

Diabo de mulher teimosa!

— Pelo amor de Deus, Sofia, vá!

— Droga! — Ela me lançou um olhar revoltado, mas acabou se afastando alguns passos.

Quando ela estava longe o suficiente, voltei para o gradil, passei a perna para o outro lado e saltei. O segurança me alcançou antes que meus pés tocassem o chão.

— Eu falei pra você voltar, camarada.

— Eu preciso encontrar uma pessoa do outro lado, senhor. — Não custava tentar a sorte.

— E eu preciso ficar rico e parar de trabalhar nesses horários malucos. Volta para o seu lugar.

Espiei Sofia, já um pouco mais à frente, espremida contra o gradeamento. Havia um segurança não muito longe dela.

— Anda, cara. Já falei pra você volt... Merda — ele resmungou um segundo antes de meu punho atingir seu nariz em cheio.

O sujeito cambaleou, tentando deter o fluxo de sangue que lhe espirrava das narinas. Corri para o lado oposto ao de Sofia, porém fui interceptado por outro segurança, que passou o braço ao redor do meu pescoço. Ergui o cotovelo e o golpeei no queixo. Um tanto zonzo, ele não foi capaz de me manter no lugar, e me livrei de suas mãos.

— Briga! Briga! Briga! — alguém da plateia berrou, entusiasmado.

Um terceiro apareceu e eu armei os punhos. No entanto, dois outros surgiram por trás, agindo depressa ao torcer meus braços. Fui empurrado e acabei com a cara pressionada contra o piso escuro. Nenhum deles me golpeou, mas tentavam me imobilizar. Eu lutei, atingindo-os com as pernas e os cotovelos. Um braço se enrolou em meu pescoço. Fui deitado de lado, um de meus braços indo para as costas, a mão quase tocando a nuca.

— Isso aí, grandão. Melhor desistir — um deles falou, com a respiração curta.

Fui erguido do chão com pouca cortesia, o braço peludo ainda ao redor de meu pescoço, e comecei a ser puxado para trás. Um borrão dourado cruzou a passarela que separava a plateia em duas.

— Ei! — Um dos seguranças também viu, disparando atrás dela.

Estendi a perna e o chutei atrás do joelho. Ele cambaleou, e, quando voltou a ficar de pé, Sofia já estava transpondo a grade do setor onde estava Elisa, desaparecendo entre as muitas cabeças. O segurança a perdeu de vista e olhou para mim com uma fúria desmedida.

Sorri orgulhoso. Nunca pensei que alguma vez diria isso, mas estava mais que satisfeito por Sofia ser uma especialista em fugas.

— Mostrem a saída para o esquentadinho — ele disse aos dois que me mantinham preso. — E se assegurem de que ele saia daqui *bem* calminho.

— Certo, chefe.

Como Sofia estava em segurança, parei de lutar e me deixei ser arrastado por um caminho diferente daquele que usamos para entrar. Este era mais estreito e parcamente iluminado. Ao passarmos por uma espécie de túnel, o segurança atarracado ao meu pescoço se ateve. Seu companheiro me cercou. E sorriu.

— Muito bem, grandão. Vamos acalmar você agora. — Ele movimentou a cabeça em círculo, como se o pescoço doesse. Ouvi um estalo enquanto ele me encarava com a mandíbula apertada, remexendo os ombros.

Diabos. Aquilo ia doer um bocado.

* * *

Eu andava de um lado para o outro havia mais de uma hora. O concerto terminara. Eu sabia disso porque não havia mais música no ar e uma onda de pessoas passava zumbindo pelo portão. Elas esbarravam em mim a todo instante e eu evitava grunhir.

Enquanto estava sendo surrado, protegi a cabeça apenas para impedir que a amnésia retornasse, já que havia garantido a Sofia que ficaria bem. Eu não precisava ter me dado esse trabalho. Os seguranças tinham se concentrado em meu tronco, então meu rosto estava intacto. Em contrapartida, o peito doía feito o diabo cada vez que eu respirava. Era provável que tivesse uma ou duas costelas quebradas. Pelo menos não havia marcas, consolei-me. Sofia não precisaria saber o que acontecera naquele corredor pouco iluminado uma hora antes.

Onde ela estava?

Eu já estava ficando louco com aquela demora, sem poder fazer coisa alguma além de esperar e rezar para que ela tivesse sido bem-sucedida. Por garantia, eu vasculhava a multidão em busca das duas. Mas nem ela nem Elisa estavam por ali.

— Você parece perdido — alguém disse atrás de mim.

O homem de paletó e chapéu castanho mantinha o olhar preso na multidão, mas sua face esquerda estava virada para mim, de modo que dessa vez foi impossível não reconhecê-lo.

— E você parece livre.

O rapaz com quem eu dividira a cela na delegacia dias atrás voltou os olhos cinzentos para mim, um sorriso de canto de boca lhe esticando os lábios e também a cicatriz.

— Só pareço. As coisas nem sempre são o que parecem. — Ele voltou a atenção para a multidão. — Principalmente quando rolam fatores que não conseguimos controlar.

— Entendo o que quer dizer. — Esfreguei a testa.

Não era apenas o desaparecimento de Elisa que estava me deixando louco. O vaivém de minha memória fazia minhas mãos suarem. Apesar do que havia dito para Sofia, não tinha como ter certeza de que dessa vez minhas lembranças criariam raízes. Não havia nada errado com meu cérebro, dissera o médico. Mas talvez ele fosse jovem e inexperiente demais para poder julgar, mesmo tendo a seu favor aquela estranha máquina que fotografara o interior de minha cabeça.

— Você veio assistir ao concerto? — perguntei a ele.

— Vim dar uma força pra um amigo. E você? Parece estar esperando alguém.

— Apesar de seu tom desinteressado, notei um quase imperceptível estreitar de olhos.

— Duas. Minha esposa e minha irmã ainda não saíram.

— Ah, então você encontrou sua irmã.

— Eu realmente espero que sim.

— Legal.

O homem retirou algo do bolso, mas alguém esbarrou nele e o objeto caiu. Um celular branco, que se partiu em alguns pedaços. Agachei-me para ajudar a recolher os destroços e entreguei a ele. Com agilidade, ele pegou todas as pequenas peças e foi encaixando uma a uma, até que o celular voltou à forma original.

— Ainda bem que essas porcarias são resistentes. Vivo derrubando. É um milagre que ainda funcione.

Vê-lo encaixar uma peça na outra me fez bufar. Algo parecido andava acontecendo em minha cabeça. Era uma sorte minha memória ter retornado naquele momento, ou eu teria perdido o juízo ao ver Elisa no telão.

Franzi a testa. Era realmente muito conveniente que minha memória tivesse retornado naquele momento. Quase como se as duas coisas estivessem interligadas: o sumiço de Elisa e o de minha memória. Humm...

— Eu tenho que ir. Boa sorte com a sua busca — disse meu ex-companheiro de cárcere.

— Boa sorte com o seu amigo.

Ele tocou a aba do chapéu e se embrenhou no meio da multidão.

— Ian! — Sofia gritou, vindo da lateral do prédio. E, que inferno, ela estava sozinha.

Apressei-me em sua direção, e não me detive até tomá-la pela mão e levá-la para um canto menos movimentado.

— Não conseguiu chegar até Elisa?

— Consegui, mas a menina que eu *achava* que era Elisa não era. Vasculhei cada centímetro da pista vip e nada. Droga! Fiquei lá até os seguranças me enxotarem.

— Ela não passou por aqui. Fiquei de olho. O que minha irmã fazia em um lugar como este?

— Não sei, Ian. Vai ver ela vendeu o brinco pra comprar os ingressos e... não.

— Ela balançou a cabeça, fazendo suas ondas sacudirem. — A Elisa não é assim. Ela deve ter vindo com alguém. E isso é bom, certo? A pessoa que está com ela não está mantendo ela em cativeiro nem nada disso.

Assenti, um pouco — bem pouco — aliviado.

— Você tá bem? — Ela tocou meu rosto, obrigando-me a olhar para ela. — Eles bateram em você?

— Estou bem. — Esperei que ela não notasse que eu havia respondido a apenas uma de suas perguntas. — Sabe se existe outra saída? Talvez Elisa a tenha usado e ainda esteja por ali.

— Tem um portão na outra lateral — Sofia respondeu, deixando o assunto de lado, como eu pretendera ao lhe fazer aquela sugestão. — Vamos rezar para que ela ainda esteja por lá.

Ela indicou o caminho e eu fui na frente. E de novo me peguei pensando na estranha coincidência de avistar Elisa segundos depois de minha memória ter retornado. Era como se, quando Elisa esteve ao alcance, quando havia uma chance real de recuperá-la, algo em minha cabeça tivesse reagido e tudo se encaixasse. Como se minhas lembranças estivessem diretamente ligadas ao paradeiro de Elisa. Como se, encontrando uma, a outra também...

Meu pulso disparou conforme o terror revirava meu estômago. Tentei rebater a ideia, mas era tarde demais.

Meu Deus, não!

— É ali, Ian. — Sofia apontou para um portão estreito na lateral do prédio vermelho. Sua atenção estava nas pessoas que por ali perambulavam. A preocupação com Elisa a deixou menos perceptiva, e ela não notou que eu estava sendo rasgado ao meio.

Minha irmã estava perdida naquele lugar, e nós tínhamos de encontrá-la. Eu estava tão certo de que seríamos bem-sucedidos que não parei para pensar no que aconteceria caso falhássemos.

E se não a encontrássemos?

Elisa e eu não pertencíamos àquele tempo, então o lógico seria imaginar que seríamos enviados para casa de toda maneira. Quanto a Sofia? Ela vivera e ainda viveria ali, naquele futuro, se assim tivesse escolhido. Ela nascera no tempo errado, e lhe fora dada a chance de experimentar, ainda que brevemente, como sua vida deveria ter sido. E ela me escolheu. Contra todas as probabilidades, ela decidiu abandonar tudo o que conhecia em seu século para viver comigo em outro, completamente distinto. Um tempo diferente, de fato. Mas igualmente seu. Sofia transitava em qualquer dos dois períodos, pois nascera em um estando destinada ao outro. Ao contrário de mim, que estava atrelado ao passado.

"Desde o seu retorno", eu dissera a Sofia pouco antes de sua fada madrinha nos encontrar, "sempre temi que fosse temporário. Que em algum momento você seria arrancada da minha vida."

"E é exatamente isso o que vai acontecer", respondera a mulher.

Eu não tinha captado a ameaça na época, pois todos os meus pensamentos estavam em Elisa. Mas agora eu entendia.

Se não localizássemos minha irmã a tempo e a levássemos para casa, Sofia seria arrancada de minha vida sem deixar vestígios.

29

O amanhecer já se insinuava no horizonte quando voltamos para casa, sem notícia alguma sobre o paradeiro de Elisa. Sofia se manteve calada durante quase todo o trajeto, irritada com quão perto estivemos. E falhamos.

Meus pensamentos seguiam o mesmo rumo, porém havia a adição de algo em que eu não queria acreditar. Um pesadelo onde cada volta do ponteiro do relógio se tornava mais e mais real. Se minhas suposições estivessem corretas, estávamos ficando sem tempo. Eu sabia disso porque, na última vez em que as memórias me abandonaram, quase me esqueci de Sofia por completo.

Eu me sentia meio morto por dentro quando ela encaixou a chave na porta de seu apartamento.

Talvez houvesse uma saída. Em algum lugar, talvez existisse uma solução que até então eu falhara em ver, além da óbvia: encontrar minha irmã. Sim, eu estava desesperado para revê-la, abraçá-la e garantir que estivesse em segurança, mas e se minhas suspeitas estivessem certas? Então a busca por Elisa ganharia outro sentido. Do resultado disso dependeria todo o meu futuro. Todo o meu passado.

— Você está tão quieto — comentou Sofia assim que entramos.

— Estou apenas cansado.

Não. Não pode ser isso, eu repetia sem parar, tentando controlar o temor.

— Não acho que seja só isso — ela disse, jogando a bolsa sobre a mesa bagunçada. — Sei que é muito frustrante ter chegado tão perto e acabar de mãos vazias, Ian. Eu sei que é duro, e, meu Deus, ficar tanto tempo longe da nossa Nina... É tão doloroso que às vezes acho que não vou conseguir respirar. Mas não vamos perder a fé, está bem? Não podemos!

Esfreguei o rosto, tentando desembaralhar os pensamentos.

— O que foi, Ian? Fala comigo.

— Eu... — Soltei uma lufada de ar, balançando a cabeça. Eu só podia estar perdendo o juízo. E de que adiantaria deixá-la apavorada com suposições feitas por uma mente que chegara ao limite da exaustão? — Acordei e pensei que você pertencia a outro homem, descobri que estamos no futuro, que minha irmã está perdida, depois que você era minha esposa e que eu sou pai de uma garotinha. Então o Rafael contraiu uma doença que me apavora até a alma, encontramos minha irmã e a perdemos de novo. E você brigou comigo porque eu não permiti que pagasse pelo remédio de Rafael — tentei brincar.

— Eu não briguei, só reclamei. É muito diferente!

Logo que as ruas nos arredores da casa de espetáculos tinham ficado completamente vazias, Sofia e eu acabamos desistindo e decidimos retornar para casa. Enquanto ela dirigia, flagrei-me pensando que Rafael jamais teria imaginado que seu presente quase nos tinha levado de volta para casa. Então, a promessa que tínhamos feito para Nina me viera à cabeça.

— Temos que comprar o remédio para o Rafael — eu lembrara a Sofia.

— Ah, é mesmo.

Ela parara o carro na primeira farmácia que encontramos no caminho. Uma espécie de botica onde se vendia de quase tudo e que cheirava a éter. Havia milhares de caixinhas coloridas, como a que eu tinha visto na casa de Rafael.

— São para todo tipo de doença — Sofia me explicara.

— Inacreditável. — Eu ainda não podia crer que aqueles pequenos estojos continham a cura para algo tão tenebroso como a pneumonia. Era um milagre. Um milagre que vinha dentro de uma caixa.

Sofia se dirigira ao balcão e conseguira o remédio. Naturalmente, ela reclamara ao chegar o momento de acertar a compra e me vira enfiar a mão no bolso.

— Que saco, Ian! — E fora esperar do lado de fora.

Eu deixara a farmácia pouco depois, fitando a caixinha, esperando sentir algum tipo de poder emanando dela, mas tudo o que eu sentia eram suas pontas duras cutucando minha palma.

Sofia sempre me falara de muitas coisas sobre o seu tempo, mas nunca havia mencionado os milagres que ocorriam nele. Claro que para ela uma pneumonia não devia ser tão assustadora quanto era para mim. Ela crescera sabendo que havia uma chance de cura. Uma cura que cabia na palma da mão.

O suspiro suave de Sofia me tirou do devaneio.

— Eu sinto muito, Ian. — Ela me abraçou pela cintura, comprimindo o rosto de encontro ao meu peito. — Sinto muito por tudo o que você passou hoje.

Toquei seu queixo, inclinando-o para cima. Aqueles grandes olhos de topázio questionavam. Mas eu não sabia o que dizer a ela, então mantive a mão em seu rosto, acariciando a pele suave de seu maxilar. A conjectura a respeito de minha falta de memória estar diretamente relacionada ao desaparecimento de Elisa não podia estar certa. O destino não podia ser tão cruel assim.

— Por que você tá me olhando desse jeito? — Franzindo a sobrancelha, ela afastou com os dedos os cabelos que me caíam na testa.

— Desse jeito como?

— Como se fosse me perder. Já te vi assim antes. Na época em que a maldição ainda te perturbava. O que foi, Ian?

Balancei a cabeça e busquei sua boca. O contato com seus lábios quentes aos poucos calou o ruído em meu cérebro. Porém despertou algo, um rugido que reverberou por todo o meu corpo e fez minhas mãos viajarem pela silhueta dela até encontrarem descanso na curva de sua coluna.

— Isso não é justo — ela murmurou em minha boca.

— O que não é justo? — Deslizei a boca por seu queixo.

— Você sempre me distrai! Sabe que eu não penso direito quando você me toca e usa isso quando não quer conversar sobre alguma coisa!

Acabei rindo de encontro à pele macia de seu pescoço.

— Se você ainda é capaz de pensar nisso... — Mordisquei aquela deliciosa curva onde o pescoço se juntava ao ombro. Ela estremeceu de leve, enroscando os dedos na frente de minha camisa de mangas curtas. — Então não estou fazendo minha parte da maneira que deveria. Permita-me tentar de novo. — E a beijei novamente. Desta vez, sem reprimir o caos emocional no qual eu sufocava, deixando a fome que eu sentia dela extravasar e amortecer qualquer outro sentimento.

Eu teria parado se pudesse. Teria de algum modo me afastado dela e a deixado em paz. Em vez disso, inclinei-me um pouco mais, os dedos afagando seu delicioso traseiro. Sofia comprimiu o corpo contra o meu, as mãos se infiltrando por dentro de minha camisa. Eu a puxei para cima. Ela não hesitou em enrolar as pernas ao redor de minha cintura.

Minhas mãos suavam quando eu a levei para o quarto e nós caímos no colchão. Tentei ser gentil, tentei amá-la sem pressa, mas aquele temor que eu tentava manter sob controle me deixou afoito, ansioso, bruto. Sofia puxou minha camisa pela parte de trás, passando-a por minha cabeça de qualquer jeito, e então se dedicou aos botões de minha calça. Naturalmente, eu a deixei nua em questão de segundos. O animal em que ela me transformava a devorou, a engoliu, se embebedou dela. Era como se eu a amasse pela primeira vez. E temi que também fosse a última.

* * *

Sofia acabou adormecendo sobre meu peito. Eu me mantive quieto, brincando com a ponta de seus cabelos e lutando contra o cansaço. Apesar de absolutamente esgotado, tive medo de fechar os olhos. Então ainda estava muito desperto quando os primeiros raios de sol invadiram o quarto.

Eu poderia escrever uma carta, pensei. Poderia relatar tudo o que acontecera e colocá-la em algum lugar onde eu a encontrasse, caso a amnésia retornasse. Havia papel e caneta na sala.

Não, era provável que eu nunca a encontrasse, levando em conta a bagunça de Sofia. O melhor era me manter acordado até descobrir o paradeiro de Elisa, decidi.

Entretanto, sem aviso, um entorpecimento se apoderou de meus músculos e pensamentos, como se eu tivesse bebido a noite toda. Sacudi a cabeça e pisquei, tentando fazer a visão voltar ao normal. A desorientação se intensificou, porém, a ponto de o quarto começar a rodar.

Não. Por favor, não!, implorei, apertando o corpo quente e macio de Sofia, lutando para manter os olhos abertos e a consciência. Eu precisava ficar acordado. Precisava deixar uma mensagem que eu pudesse encontrar. Precisava alertar a mim mesmo sobre o risco de perder Sofia, caso Elisa não fosse localizada. Mas não houve tempo. A desorientação se tornou forte demais, a dor que me apunhalou as têmporas me fez ver estrelas.

E então eu não estava mais ali, naquela cama com Sofia.

Estava em meu quarto, no casarão, refestelado na cama, ainda vestido. Eu encarava o teto já fazia certo tempo. Parecia que tudo que poderia dar errado naquele dia havia acontecido. Sofia tinha algo importante a me dizer. Algo relacionado a sua origem. Havia tempos eu queria entender melhor aquela mulher, e talvez, se eu soubesse de onde ela vinha, poderia compreender seus atos e suas maneiras tão peculiares. Só teria de suportar aquela noite e então poderia encontrá-la e ouvir o que ela tinha para me contar.

O perfume de flores noturnas entrava pela janela aberta e impregnava o ambiente. A lua estava cheia, um perfeito círculo rechonchudo e reluzente que clareava a noite, mas fazia muito pouco por meus pensamentos. Desisti da cama e joguei o paletó na poltrona, livrando-me da gravata e já enrolando as mangas da camisa.

O retrato de Sofia estava longe de ser finalizado e havia muito trabalho pela frente. Um pouco de distração me ajudaria a enfrentar a noite. Abrindo as bisnagas e depositando a tinta sobre a caixa onde eu guardava os pincéis, continuei de onde havia parado.

Não sei por quanto tempo fiquei ali, absorto em cada pincelada, mas deve ter sido longo, pois, quando ouvi uma suave batida na porta, a vela sobre o aparador já se ia pela metade e a lua tinha desaparecido da janela.

Temendo que alguma tragédia pudesse ter ocorrido na casa, abri a porta.

E me deparei com Sofia. Ela ainda usava o mesmo vestido do jantar, os cabelos soltos caindo em cascatas por suas costas e ombros.

Por que ela estava ali, em meu quarto, àquela hora da noite? Não sabia os riscos que corria? Não se importava? Não percebia que, por mais que eu me esforçasse para me comportar como um cavalheiro, havia atingido o limite?

— Ainda está acordado — disse ela. — Que bom! Vamos conversar? Agora!

— O que está fazendo aqui a essa hora?

— Eu te esperei até agora, mas, como você não me procurou, resolvi te encontrar, e te encontrei. Agora, vai me deixar entrar ou vamos conversar no corredor e acabar acordando a casa toda?

— Sofia, eu não posso deixá-la entrar! Você enlouqueceu?

— Tem alguém aí dentro com você? — Ela esticou o pescoço para dar uma olhada no quarto.

— É claro que não! — Por que espécie de homem ela me tomava? — O que você está pensando?

— Não estou! Agora me deixe passar. — E, sem esperar por um convite, espremeu-se entre mim e o batente e entrou.

Verifiquei se não havia ninguém no corredor e fechei a porta, desejando, e não pela primeira vez, que ela fosse um pouco mais prudente.

Tentei convencê-la a ir embora, a adiar a conversa, mas ela estava irredutível.

— Não saio daqui até que você me escute!

— Não pode esperar até amanhã?

— Não!

Eu queria gritar com ela. Queria beijá-la. Queria colocá-la porta afora. Queria deitá-la na cama e me enfiar entre suas saias. Seguramente aquilo não terminaria bem.

— Muito bem, então. — Reprimi um grunhido. — Vamos conversar.

— Vamos. — Mas Sofia se deteve. Suas mãos se retorciam em frente ao corpo, e ela fez algumas tentativas de dar início à conversa.

Obrigando-me a ficar onde estava para não correr o risco de perder a cabeça, foquei a atenção em suas reações. Ela estava ansiosa e inquieta. Assustada. Por quê? O que tinha de tão grave no que ela precisava me contar?

— Talvez... Talvez queira se sentar para ouvir tudo o... — Ela indicou a cama. E congelou ao reparar na tela inacabada.

Inferno. Eu havia me esquecido dela. Não queria que Sofia a visse, nem mesmo quando estivesse finalizada. Era apenas para mim. Uma prova de que aquela mulher existia, um meio de apaziguar meu coração quando ela se fosse. Porque ela iria embora. Sofia estava irredutível quanto a isso. Não havia nada que eu pudesse dizer que a fizesse mudar de ideia.

Exceto por uma coisa, eu rezava. Uma que eu estava cada vez mais resolvido a lhe propor. Mas não ali, em meu quarto, no meio da madrugada, como se ela fosse uma meretriz de cais de porto se esquivando pelas sombras. Ela merecia mais que isso. Eu precisava encontrar o momento certo e rezar para a divina providência colocar algum juízo na cabeça daquela mulher.

Sofia se aproximou da tela devagar. E arfou ao reconhecer seu rosto no tecido, muito embora ele não lhe fizesse justiça. Nenhuma justiça. Eu poderia tentar desenhá-la um milhão de vezes e jamais conseguiria reproduzir a vivacidade de seu olhar, a petulância sempre presente no desenho de sua boca, a aura de mistério que a cercava. Aquele retrato não passava de um rascunho malfeito.

Vi sua mão se erguer, os dedos trêmulos.

— Não toque! A tinta ainda está úmida. Vai... borrar — falei, sem jeito.

— Ian, por que me pintou? — Sua voz estava embargada. Se devido à emoção ou à mortificação, não pude ter certeza. — Pensei que não gostasse de retratar pessoas.

O que eu poderia dizer a ela? Que não sabia como viver o resto de meus dias depois que ela partisse, já que todos os meus pensamentos eram dela? Que não conseguia nem sequer imaginar acordar e nunca mais vê-la? Que desejava mais do que qualquer coisa que ela pudesse ficar comigo, pouco me importava que tivesse uma vida a esperando?

Sofia se virou, os olhos castanhos brilhantes como eu nunca tinha visto, e, diante daquele olhar, tudo o que pude fazer foi lhe dar a verdade.

— Porque... não posso perdê-la, Sofia! Porque, se tudo que posso ter é este retrato... — Parei quando senti um aperto na garganta.

— Ah, Ian.

Sofia abandonou no aparador a vela que segurava e se atirou em meus braços. Surpreso, não consegui me desvencilhar dela a tempo, e, quando sua boca colidiu com a minha e suas mãos se prenderam em minha nuca, eu não quis mais me afastar. Pelo contrário, a abracei pela cintura, seus seios comprimidos de encontro a meu peito, tentando inutilmente me aproximar mais, pois me parecia que nunca estaria junto dela o suficiente. Eu sentia seu coração bater unido ao meu, ambos em ritmo acelerado e urgente. O desejo se apoderou de mim, assim como um sentimento de posse primitivo, e tudo o que me ocorria era rasgar sua roupa para poder sentir aqueles seios colados em mim sem nenhum tecido entre nós.

E dessa forma ela acabaria no chão, comigo entre suas coxas. Diabos, não era assim que eu tinha planejado que acontecesse.

Juntando toda a força de vontade que provinha unicamente do senso de dever para com a mulher que eu amava, eu a segurei pelos ombros e me afastei. Meu corpo tremeu com rebeldia.

— Ian?

— Não posso fazer isso com você! Não posso desonrá-la dessa maneira. — A pulsação em minha virilha me fazia querer dobrar ao meio. Mas a dor era bem-vinda. Uma pequena punição, um lembrete do que eu teria feito se minha consciência tivesse me abandonado. — Não podemos!

— Podemos, Ian. Podemos sim!

Sacudi a cabeça, tentando desanuviar os pensamentos. Sim, eu sabia que ela estivera com outros homens, mas isso não significava nada. Apenas me fazia querer pegar a pistola e correr atrás daqueles malditos. Eu *ainda* a desonraria se me permitisse ser dominado pela paixão agora. Eu a desonraria em qualquer outro momento se um anel não pendesse de seu dedo anular da mão esquerda. Ela precisava entender isso.

— Devemos esperar um pouco mais. Eu pretendia lhe dizer isso de forma mais...

— Mas nós não temos mais tempo! — ela atalhou, fora de si, segurando-me pelos ombros. — Você não entende? Eu... eu não sei quanto tempo eu tenho. Mas tenho certeza que não é muito. Eu nem sei se ainda estarei aqui amanhã, Ian!

Eu queria chorar, e não apenas por causa da agonia em que meu corpo excitado se encontrava. Ouvi-la dizer que nosso tempo estava se esgotando fez meu peito silenciar. Deixei a cabeça pender para a frente, unindo a testa à dela, e fechei os olhos.

— Mas é errado, Sofia! Tão errado! Você mesma disse!

— Não é errado. O que sinto quando estou com você é... é a coisa mais certa que já senti na vida! Ian, pela primeira vez eu sei a qual lugar pertenço.

— Pertence a este lugar? — perguntei, fitando-a.

— Não. Pertenço a este lugar. — Sorrindo, ela deixou as mãos escorregarem por meu pescoço e percorrerem toda a extensão de meus braços. A excitação ameaçou sair de controle, mas eu a obriguei a retroceder. O que Sofia estava me dizendo ia além de saciar a carne faminta. Talvez pudesse saciar meu coração.

Com a franqueza estampada em seu lindo rosto, ela repousou a mão direita sobre meu peito. Sobre meu coração, que imediatamente despertou e se apressou em lhe mostrar que era todo dela.

— Pertenço a este lugar. Como pode ser errado?

Maldição, Sofia!

Ela não devia me dizer aquilo. Não quando sabia que ia partir. Era um dos motivos pelos quais eu não podia me render. Não podia simplesmente me deleitar com seu corpo e deixá-la ir. Eu queria mais, queria seu coração, sua alma e sua mão esquerda. E, exceto pela mão, ela agora me oferecia tudo o que eu sempre desejara, dificultando ainda mais as coisas. Eu não podia ceder. De maneira alguma. Não podia tratá-la de maneira tão abominável, como se fosse uma mulher qualquer, quando eu seria dela à mera menção da palavra "sim". Eu me arrependeria pelo resto de meus dias se cedesse agora. E no entanto...

E no entanto me arrependeria por toda a eternidade se nem ao menos tentasse lutar por ela.

Então eu a trouxe para perto e tomei sua boca, rendendo-me ao desejo. E eu soube. Simplesmente soube que tudo o que eu vivera me levara até aquele momento, até Sofia...

A imagem tremulou.

Espere! Não, por favor!

Lutei para manter a cena, para prosseguir com os acontecimentos daquela noite na qual Sofia se entregara a mim e eu a ela, mas tudo ficou fora de foco, começou a desvanecer.

Por favor, não. Por favor!, implorei em vão, assistindo impotente à lembrança se dissolver até se tornar apenas um borrão indistinto e, por fim, se apagar.

Tentei acordar, lutar contra o que quer que estivesse acontecendo, mas outra cena me jogou para uma direção diferente.

Era a noite do baile.

Minha cabeça zumbia, eu não conseguia pensar direito. Meu corpo tremia, tremia muito, e eu não parava de ouvir a voz de Sofia me dizendo aquelas coisas. Ela não estava brincando, eu vi isso em seu rosto. Falara sério. Acreditava mesmo que tinha vindo do futuro.

Meu coração estava acelerado, minha respiração rápida e curta. Sofia sempre foi diferente, era uma de suas adoráveis qualidades, mas estaria eu tão cego de amor que não notei sua loucura?

Entrei na sala onde o baile acontecia ainda atordoado. Ah! Lá estava o homem que eu procurava.

— Doutor Almeida, poderia me acompanhar?

— Aconteceu alguma coisa, senhor Clarke? — ele inquiriu, sobressaltado.

— Apenas me acompanhe, por favor.

Sua esposa me observou, atenta, buscando entender o que se passava comigo. Presumi que Letícia não conseguiria ir muito longe, já que eu mesmo não sabia o que sentir ou pensar.

— Claro, claro — Almeida concordou, já me seguindo.

Caminhamos em silêncio até meu escritório. Entrei e presumi ter fechado a porta. Não estava prestando muita atenção em nada.

— Ian, meu caro, está tudo bem?

— Não, não está! Aconteceu tanta coisa esta noite. — Esfreguei a testa, caminhando de um lado para o outro, sentindo-me tão velho e cansado como o próprio mundo. — Eu preciso de sua ajuda, doutor. De seus conselhos médicos, na verdade.

— Alguém está ferido?

— Certamente sim, mas ninguém que valha a sua preocupação. Graças a Deus eu cheguei a tempo e pude impedir que o pior acontecesse. Aquele... — trinquei a mandíbula — ... bastardo do Santiago tentou atacar Sofia.

— Meu Deus, Ian!

— Não quero nem pensar no que teria acontecido seu eu não... — Puxei uma grande quantidade de ar. — Mas não o chamei até aqui por causa disso, doutor. Estou preocupado com Sofia. Já deve ter notado que ela é diferente, suponho. — Continuei zanzando pela sala, sem saber como começar.

— Sim. Sua hóspede é um tanto... peculiar. Embora seja adorável.

— Até esta noite eu pensava que se tratasse apenas de uma diferença cultural. Mas então... — Como dizer a ele? Como explicar o que ela havia dito minutos antes?

— Mas então... — ele incitou.

— Então agora há pouco ela me disse algumas coisas sobre sua origem. Coisas que me perturbaram muito.

Alberto apenas assentiu, então continuei:

— Sofia me disse que nasceu quase duzentos anos à nossa frente. Ela acredita que veio do futuro. — Soltei uma grande lufada de ar. Como, em nome de Deus, eu poderia crer no que me fora dito? Eu tentava desesperadamente encontrar uma explicação, qualquer uma, por mais ordinária que fosse, para que o que Sofia me dissera pudesse fazer algum sentido. Qualquer um mesmo.

— Do futuro? — ele indagou de olhos arregalados.

— Sim, Almeida. Do ano 2010, para ser mais específico. Ela me disse, com muita convicção, que viajou no tempo. — Meu coração se apertou, assim como o nó na garganta, que tornou uma tarefa árdua articular qualquer sílaba.

— Ah! — Ele cruzou os braços atrás das costas. — Entendo.

— Entende? — Senti uma pontada de esperança. Ele era um médico, um cientista. Talvez soubesse alguma coisa secreta que o restante de nós não sabia.

— Eu já ouvi falar sobre isso. Sobre pessoas que, depois de sofrerem um trauma, perdem a percepção da realidade... Acho melhor se sentar um pouco, Ian. Sua cor não está boa. — Ele alcançou meu ombro e me guiou até o sofá. Deixei meu corpo cair ali.

— Acha que ela... que ela... — Ah, inferno!

— Veja bem, Ian, ela sofreu um trauma quando chegou aqui. Eu a vi logo que você a encontrou. Estava assustada e não dizia coisa com coisa. E o ataque desta noite... Bem, talvez a violência que sofreu tenha sido grande o bastante para que seu cérebro esteja tentando se proteger agora.

— Fugindo da realidade — completei quando ele não o fez.

— Precisamente. Percebo que se afeiçoou a ela, meu caro. E entendo seus motivos. A senhorita Sofia tem algo especial, vai além da beleza e do sorriso encantador. Mas, meu amigo, peço que ignore seus sentimentos e reflita um pouco. Há quanto tempo conhece essa jovem?

— Eu a conheço. Isso é o suficiente — retruquei. — Tem que ser o bastante. Ela é doce e leal. É solitária, mas nutre um apreço imenso pelos poucos amigos que tem. Eu a conheço, Alberto! E sei quem ela é.

Ele assentiu e se levantou, indo até a minha mesa e se recostando no tampo.

— Sendo assim, o que vou lhe dizer é apenas minha opinião médica. Creio que a senhorita Sofia foi acometida por uma neurose. Talvez com o tratamento adequado...

— Ela se curaria?

— Talvez sim. Talvez não. Dependerá dela. Não sabemos muito sobre os mistérios que habitam a mente humana, Ian. Há casos de pessoas que foram curadas.

Também há relatos de mentes que se perderam para sempre. É claro que eu precisaria examiná-la, talvez consultar um amigo especialista nos segredos da mente para poder lhe dizer o grau de sua... de sua imaginação. Se preferir, leve-a a uma casa de saúde. Creio que lá ela receberia o tratamento adequado. Além disso, o repouso pode fazer bem a ela.

— Interná-la? Não. De modo algum. Não! Não posso fazer isso. Não posso deixar que... Não! Deve haver outro jeito.

— Não que eu conheça. Reflita um pouco. Ela poderia voltar à razão.

— Mas... interná-la? — Deixei a cabeça pender entre as mãos. Queria acordar e sair daquele pesadelo. — Então, não há outra forma?

— Não, senhor Clarke. Sinto muito, mas não há outra forma. Pode ser apenas uma crise. Um surto. É normal acontecer isso depois de uma situação traumática. E, pelo que me contou, creio que seja este o caso. Sei que a estima muito, mas, se interná-la agora, antes que piore, talvez dentro de alguns meses ela possa recuperar a sanidade.

As palavras dele ainda ecoavam em minha cabeça quando a porta se abriu bruscamente. Sofia estava parada ali, com o rosto retorcido de dor.

— Você mentiu! Você mentiu pra mim! — Seus grandes olhos castanhos estavam inundados de dor, traição, medo. Vê-la daquela maneira era pior que imaginar que ela estivesse realmente doente da cabeça. Muito pior.

— Sofia, acalme-se, por favor! — implorei, ficando de pé. — Eu não menti. Apenas escute o que o doutor Almeida tem a lhe dizer.

— Senhorita Sofia, o senhor Clarke me contou o que lhe aconteceu esta noite. Talvez você apenas precise descansar um pouco, minha jovem. Conheço um lugar muito discreto onde...

Seus olhos dispararam em minha direção. Havia muita coisa neles. Cólera, medo, dor, traição.

— Você vai me jogar num manicômio? — Seu peito subia e descia em passo acelerado. O medo a deixou pálida. Nem mesmo quando eu a salvei de Santiago vira seu rosto tão amedrontado.

— Não é isso! Apenas ouça o que o doutor Almeida tem a lhe dizer. — Ela precisava se acalmar e ver que eu não tinha a intenção de mandá-la para lugar algum. Como poderia? Eu não conseguia ficar longe daquela mulher nem por um quarto de hora.

Tentei me aproximar, mas ela me repeliu, erguendo os braços como se eu fosse um dos moleques da criadagem, pronta para me golpear.

— Não toque em mim!

— Sofia, amor, você prec...

— Cale a boca, Ian! Só... cale a boca!

Ela continuou gritando comigo, proferindo uma porção de suposições tão ridículas quanto aquela situação. Como ela podia duvidar de meus sentimentos? É claro que eu a amava, é claro que não me importava que não agisse como as outras jovens. Mas ela não me deixou falar.

Olhei para o médico, suplicando ajuda, mas Almeida estava alarmado demais com o temperamento intempestivo de Sofia.

— Eu te odeio, Ian! ODEIO!

— Está enganada! — Apressei-me, pois ela se aproximava da porta. — Você não está entendendo, ouça-me...

— NÃO! — E disparou para seu quarto.

— Sofia! — chamei, mas isso apenas fez com que ela corresse ainda mais.

Então eu a segui, com o peito doendo e sem ar nos pulmões. Não pude alcançá-la a tempo e, quando cheguei até sua porta, encontrei-a trancada.

— Sofia, perdoe-me. Eu... estou confuso. — Tentei raciocinar. Ela não era louca. Era a minha Sofia, mas, mesmo que estivesse doente, eu ainda a amaria. Não a internaria em nenhum maldito manicômio. Se ela estava feliz inventando aquelas histórias que não faziam mal a ninguém, então tudo bem para mim. — Abra, por favor! Vamos conversar. Não vou deixar que a levem a parte alguma, eu prometo!

Ela não respondeu. Eu apenas ouvia seus passos lá dentro.

— Sofia, abra, por favor.

Diabos! Como aquilo tinha acontecido? Como pude assustá-la ainda mais, justamente depois de ter sido atacada por aquele miserável Santiago? Por que não permaneci ao lado dela? Por que não deixei que inventasse suas histórias? Que mal havia em pensar que tinha vindo do futuro?

O quarto ficou em silêncio. Grudei-me à porta, tentando ouvir alguma coisa. A ausência de ruído me fez pensar em todo tipo de coisa.

— Sofia! — Tentei a maçaneta. Ela tinha passado a trava.

Lancei-me contra o painel de madeira uma vez. E mais outra. Na terceira tentativa, eu a arrombei. Entrei no quarto com o coração aos pulos, vasculhando. Mas Sofia não estava ali dentro. A janela estava escancarada. Corri até ela, debruçando-me sobre o parapeito, escrutinando a noite escura.

Ela já não estava mais à vista.

Soquei o peitoril com raiva.

— SOFIA!

30

Quando abri os olhos, meu coração batia rápido, a respiração estava curta. Meu corpo se portava como se eu estivesse em grande perigo. Esfreguei o rosto, tentando acalmar a pulsação e ajustar a vista. Um suave calor me envolvia o peito. Baixei o olhar e me deparei com o emaranhado ondulado de...

Deus do céu!

Cobri o rosto com as mãos, amaldiçoando-me. Por todos os demônios, aquilo não podia ter acontecido.

Com muito cuidado, afastei sua cabeça para o lado e escorreguei para a beirada da cama, tentando ser silencioso para não acordar Sofia.

Não funcionou.

— Ian? — Ela se ergueu sobre os cotovelos, o lençol branco escorrendo por suas costas como se fosse líquido. Sua voz estava rouca pelo sono, seus olhos duas fendas estreitas, os cabelos selvagens como nunca, caindo feito duas cortinas douradas sobre os seios. Ela estava nua. Como eu.

Eu devia estar sonhando. Sim, sem dúvida se tratava de um sonho.

Que outra explicação haveria para que aquela mulher estivesse em minha cama?

Bastou uma olhada ao redor para que eu reformulasse o pensamento.

Que outra explicação haveria para que aquela mulher estivesse *naquela* cama, fosse de quem fosse?

Um sonho. Era isso.

Tinha de ser.

— O que faz aí? — ela perguntou.

— Ainda estou tentando decidir.

— Que horas são? — Ela se esticou em direção à mesa de cabeceira. Os cabelos escorregaram, revelando um dos seios.

Meu Deus, era ainda mais perfeito do que eu imaginara! Do tamanho certo, com o rosado mamilo intumescido no ar frio da manhã. Tentei desviar o olhar, tentei mesmo, mas me flagrei pensando em... em nada muito cavalheiresco, para ser honesto. E, ora, mas que inferno, era de manhã. É sabido que os homens tendem a acordar em "alerta" sem nem precisar de estímulos. Com aquela visão? Foi instantâneo.

Levantei-me, tentando ao máximo cobrir a orgulhosa ereção que me saltava dos quadris. O quarto era pequeno, e minha percepção de espaço estava ligeiramente alterada — quem poderia me culpar? Eu tinha acordado nu em pelo ao lado de uma Sofia igualmente nua! Acabei por bater o pé na base do criado-mudo. Xingando baixo, sentei-me na cama, envolvendo com uma das mãos o dedão latejante enquanto Sofia soltava uma risadinha.

Foi assim que eu soube. Quando a topada me fez soltar uma quantidade de imprecações das quais não me orgulhava muito, eu soube que aquilo não se tratava de uma ilusão. Eu realmente estava naquele aposento com Sofia. Eu havia feito amor com aquela mulher. Pela primeira vez, devo ressaltar. E, caralho, não me lembrava de absolutamente nada. Como chegamos ali, o momento em que lhe tirara a roupa... e todo o restante pelo qual eu ansiava desde que pusera os olhos nela. Nada!

Olhei para ela me perguntando se estivera bêbado na noite passada. Tinha passado dos limites a ponto de minha memória se apagar como o toco de uma vela?

Deus do céu, não! Eu não podia ter me embebedado tanto a ponto de não me lembrar da noite mais importante da minha vida — assumindo que ela realmente tivesse se entregado a mim, claro. Mas, ora, estávamos nus. O que mais poderíamos ter feito?

— Senhorita Sofia, eu...

— Do que me chamou? — Ela se sentou lentamente, a mão procurando o lençol para cobrir-lhe os seios, os olhos muito abertos.

Acabei grunhindo. Eu não podia não lembrar. Isso seria o mesmo que tratá-la como uma mulher qualquer, quando na verdade ela significava o mundo para mim. Deixei a cabeça tombar para trás e encarei o teto, tentando recordar o que havia feito na noite passada, mas tudo o que me vinha eram cenas soltas e nada esclarecedoras de um jantar, depois do qual cada um de nós terminou em seu próprio quarto. Quartos em minha casa, adicionei, fitando o teto. Por que diabos alguém pregara um prato ali?

Pressionei os lábios com força. Eu tinha um assunto mais urgente a resolver do que tentar descobrir onde tínhamos passado a noite.

— Eu... não sei o que lhe dizer, senhorita Sofia, exceto que lamento muito por tê-la colocado nesta situação delicada. Não sei o que me motivou a... — tive de clarear a garganta — a seduzi-la na noite passada. Apenas posso supor que o desejo que sinto por você tenha sobrepujado quaisquer outros anseios.

— Não... — ela sussurrou, desamparada.

Peguei o travesseiro, cobri o quadril com ele e fiquei de pé. Contornei a cama até ficar de frente para ela e me coloquei sobre um joelho. Admito, não era a melhor maneira nem o momento mais apropriado para lhe oferecer minha mão, mas tive de aproveitar a rodada de cartas que me coube e fazer bom uso dela.

— Sofia — peguei sua mão esquerda. — Desde que a conheci, não faço outra coisa que não seja pensar na senhorita. Por isso me ofereço por inteiro a você, meu corpo, minha alma e meu coração. E imploro que aceite se tornar minha esposa.

Ela fechou os olhos. Duas lágrimas silenciosas escorreram por seu rosto.

Aquilo não podia ser bom. Nada bom.

— Não quero que pense que estou lhe oferecendo minha mão apenas por... pelo que aconteceu — adicionei depressa. — Estou esperando pelo momento certo há dias.

Esperei sobre um joelho, o travesseiro cobrindo parte de minha nudez, o coração na garganta. Quando ela finalmente reabriu os olhos, parecia devastada. E me diria não, sem dúvida. Ela me entregara seu corpo, mas não seu coração. Eu jamais o alcançaria, não é?

— Ian, eu... vem cá.

Tentando manter o orgulho — e falhando miseravelmente —, ajeitei melhor o travesseiro e me sentei na beirada do colchão, esperando que ela verbalizasse sua recusa.

— Quero que você me escute, ok? — Apertou meus dedos entre os seus. — Apenas ouça tudo até eu terminar.

— Certamente. — Minha expressão deve ter revelado minha agonia, pois ela gemeu, prendeu o lençol entre os braços e acariciou meu queixo com a mão livre.

— Eu amo você, Ian. E a minha resposta é sim. Sempre será sim, não importa quantas vezes você pergunte.

— Sofia... — Envolvi sua mão com a minha, trazendo-a para os meus lábios. E me detive.

Havia uma maldita aliança em seu dedo.

— E era isso que eu pretendia te contar. Nós já casamos. — Ela deliberadamente tocou meu dedo anular, onde uma aliança idêntica à dela reluzia, orgulhosa.

— O quê?! — Eu devia ter fumado todo o ópio da vila na noite anterior. E como diabos consegui me casar tão rapidamente, sem correr os proclamas e...

Espere um momento.

Isso significava que Sofia *era* minha esposa?

— Tudo bem, só respira. Vai ficar tudo bem, tá? Só me escuta. — Então Sofia se pôs a narrar uma história cheia de palavras que não me diziam nada. Estávamos casados havia mais de um ano e meio Isso foi tudo o que consegui compreender.

— Onde estamos? — balbuciei.

— No lugar onde eu vivi minha vida toda. No... humm... futuro.

— Futuro — repeti devagar.

Ela me avaliou por um momento antes de estreitar os olhos, parecendo ligeiramente aborrecida. Apenas isso, nada além disso. Nada que deixasse transparecer que ela havia perdido o juízo.

A menos que ela tivesse fumado ópio também e ainda estivesse fora de si.

— Não faça isso de novo, Ian. Eu não estou louca.

— Eu não...

— Você anda tendo lapsos de memória e se esquecendo de umas coisas.

— Coisas como fazer amor com você? — Busquei seu olhar. — Como me *casar* com você? Como tudo... *isso?* — Abri os braços. O travesseiro ameaçou cair, então voltei a pressioná-lo contra o quadril.

Sofia ergueu as mãos em uma súplica.

— Tudo bem, tenta não pirar, tá bom? Vou explicar tudo com mais calma.

Quanto mais ela falava, menos sentido fazia. Fada madrinha, viagem no tempo, suborno de padre, guerra de rolhas, Elisa sendo sequestrada, uma garotinha concebida quando ela retornara para mim.

Ela havia partido?

E eu era *pai?*

Eu me lembrava das vitaminas que minha mãe me obrigava a engolir quando eu não passava de um garotinho, das broncas que ela me dava toda vez que me apanhava voltando de uma pescaria às escondidas, da vez em que me arrebentei em uma cerca por achar que já estava pronto para praticar saltos com um cavalo, das conversas infinitas com meu pai, das terríveis aulas de alemão. Eu me lembrava de cada um de meus arrendatários, dos números que escrevera pela última vez no livro-caixa... ou ao menos achava que lembrava. Mas não me recordava de nada do que Sofia dizia. Ou ela estava brincando comigo, ou aquilo tudo realmente acontecera, pois nem mesmo o mais louco dos seres seria capaz de criar algo com tantos requintes de estranheza e detalhes descabidos. E, a julgar pela seriedade de sua expressão, a segunda opção era a mais plausível, embora meu cérebro discordasse.

Ainda assim, mesmo com todos aqueles fatos absurdos pairando em minha mente, outro fato, um que trouxe um sorriso bobo a meu rosto, dominou meus pensamentos.

— Você me ama — murmurei. — Se aceitou se casar comigo, então me ama.

Seu olhar se tornou doce, apaixonado.

— Ah, eu amo, Ian. Tipo, loucamente!

Se ouvir isso não fez meu peito inflar como o de um pavão...

— Eu pretendia pedi-la em casamento. Ainda ontem... — Esfreguei a testa quando a memória me falhou. — Fiz um esboço do anel que eu... — Ela me mostrou a mão esquerda, girando a pedra que estava na direção de sua palma. O anel em formato de flor que eu havia idealizado. — Ah. Bem, parece que fui bem-sucedido.

— É, você foi.

Ela se arrastou sobre o colchão, uma das mãos se prendeu em meus cabelos, e não hesitei em trazê-la para mais perto. Minha pulsação disparou quando nossos lábios se colaram e eu senti sua doçura. Um beijo que, pela primeira vez, não continha incerteza de sua parte. Ou não, corrigi depressa. Quantas vezes eu a tivera em meus braços assim, entregue? Eu esperava que tivessem sido muitas. E, mesmo ouvindo tudo o que ela contara, que estávamos casados havia mais de um ano, aquela era a primeira vez que eu tinha Sofia em meus braços sem roupa alguma. Diabos, era a primeira vez que eu tinha uma mulher sem roupa alguma em meus braços, ponto.

Algo começou a zunir. De início pensei que fosse apenas em minha cabeça, já que meu sangue fervilhava e sibilava em minhas orelhas, mas Sofia se deteve, então ela também tinha ouvido. Uma sineta irritante e alta que se repetia sem cessar.

A fonte do ruído era uma pequena caixa preta deixada sobre a cômoda. A coisa se acendeu como uma brasa. Ela se apartou de mim com uma careta e desceu da cama, o lençol que lhe cobria o corpo caindo ao chão.

Um chiado me escapou da garganta. Aquilo podia já ter acontecido centenas de vezes — milhares, com sorte —, mas aquela era a primeira vez de que eu me lembrava.

Sofia me olhou por sobre o ombro. Um minúsculo sorriso lhe curvava os lábios.

— Você não pode me olhar desse jeito, Ian. Senão não sairemos deste quarto antes da noite cair.

— Não consigo evitar. Eu poderia passar o restante de meus dias olhando para você e ainda não seria suficiente para mim.

Ela se deteve, a diversão em seu rosto dando lugar a outra coisa.

— Você disse algo parecido na nossa noite de núpcias — murmurou, com a voz embargada.

Eu me levantei, ainda segurando o travesseiro sobre os quadris. Chegando mais perto, mantive os olhos atrelados aos dela e, meu Deus, eles me diziam tudo aquilo que eu não conseguia lembrar.

— Eu também disse que a amo mais que qualquer coisa neste mundo? Porque eu a amo, Sofia. Amo tanto que me dói.

Ela fez que sim, os lábios entreabertos, a respiração se tornando superficial. A minha não estava diferente. Ao que parecia, minha cabeça não andava boa, mas meu corpo tinha suas próprias memórias e se recordava de Sofia com muita exatidão.

Inclinei-me para beijá-la.

A maldita sineta voltou a tocar. Sofia piscou algumas vezes e então sacudiu a cabeça, indo até a cômoda para pegar a fonte daquele ruído infernal. Ela levou a caixinha preta à orelha.

— Oi. Sou eu, Sofia.

— Eu sei que é você — eu disse a ela, confuso.

— Telefone... — Ela apontou para o retângulo, como se aquilo fizesse algum sentido. Antes que eu pudesse questionar, seu corpo se retesou, a boca se entreabriu em um *o* mudo, os olhos muito largos. — Ah, não, Nina. Como é que ele tá agora? Tá legal, fica calma. Estamos indo pra aí.

Ela afastou a caixinha da cabeça e, com um movimento do polegar, fez a coisa se apagar.

— O Rafa piorou. Teve que ser internado. A febre voltou com tudo, e apareceram umas bolotas por todo o corpo. O tratamento parece que não tá fazendo efeito. — Seu rosto estava pálido.

Nina e Rafa. Os amigos de Sofia naquele mundo. Não era de espantar que ela estivesse tão alarmada.

— Como podemos ajudar?

Ela sacudiu a cabeça.

— Não sei, Ian. Acho melhor irmos pra lá e ver se podemos fazer alguma coisa por ele ou pela Nina. Ela está muito assustada. Vou chamar um táxi enquanto a gente se arruma.

Táxi?

Mesmo sem saber do que ela falava, aquiesci, a cabeça latejando.

* * *

Nina era uma mulher muito bonita, embora seu rosto estivesse contorcido em angústia ao abraçar Sofia, aos soluços, tão logo entramos no quarto, no segundo andar do hospital.

Sofia me atualizara sobre algumas coisas no trajeto até ali. Rafael estava com pneumonia. Eu já o conhecia, assim como a sua mulher. Eles haviam se casado pouco antes de ela voltar para mim. E, sim, ela havia ido embora. Desde que eu acordara naquele mundo, desorientado e esquecido, essa era a primeira vez em que me sentia grato por não ter todas as minhas lembranças. Não estava certo se gostaria de recordar o momento de sua partida.

— Como é que ele tá? — Sofia perguntou, ainda abraçada à amiga.

— Mal. Ele não está mais reagindo. Não sei o que fazer, Sofia. Os médicos também estão perdidos.

— Ah, Nina... — Sofia beijou seu ombro e a apertou com força. — Eles vão encontrar uma solução. Têm que encontrar!

Elas se soltaram e Nina fixou os olhos verdes em mim.

— Lamento muito, senhora Nina — murmurei.

Ela fez uma careta.

— Sua cabeça continua pifada, né?

— Parece que sim.

Um gemido veio do fundo do quarto. Nina se precipitou em direção à cama estreita onde estava Rafael, um homenzarrão que mal cabia naquele leito. Havia uma espécie de máscara cobrindo-lhe a boca. Sua luta para levar o ar para dentro dos pulmões me trouxe recordações e uma sensação de agonia e impotência que havia muito tempo eu não sentia.

Sofia e eu nos aproximamos dele. Ela pegou sua mão.

— Ei.

Ele olhou para ela. Seus olhos estavam brilhantes, avermelhados em decorrência da febre, mas um sorriso frouxo surgiu por trás da máscara.

— Tá certo que eu não tô legal... — A voz dele saiu abafada. — Mas também não precisa me olhar assim, Sofia.

— Desculpa. Se não quer que eu te olhe assim, então fique bom logo.

— Não é por falta de vontade, Sofs. Tá me dando nos nervos ficar aqui deitado, com essas enfermeiras me espetando toda hora. Poderia me fazer um favor?

— Claro, Rafa. Qualquer coisa.

Ele franziu o cenho. Um furinho se fez visível em sua testa.

— Leve a Nina para comer alguma coisa.

— Rafa... — sua mulher começou a protestar, mas ele seguiu em frente.

— Ela não come nada desde ontem à noite. Só enfia qualquer coisa na goela dela.

— Eu estou bem! — Nina deslizou os dedos por sua testa.

— Um café que seja, Nina — ele suplicou. — Você não pode ficar sem comer. Vai acabar desmaiando, e eu não estou em condições de te acudir.

— Eu não posso te deixar sozinho!

— Eu fico com ele — ofereci. — Seu marido tem razão. Não deve ficar sem se alimentar. Ou não será capaz de cuidar dele.

Os olhos do rapaz encontraram os meus. Gratidão reluzia neles.

Nina resmungou alguma coisa, mas acabou cedendo. Eu me acomodei na cadeira ao lado da cama enquanto Sofia e ela deixavam o quarto. Assim que a porta se fechou, Rafael girou a cabeça para me encarar.

— Eu tô morrendo... não tô? — perguntou sem rodeios, entre uma inspiração e outra. — O médico disse... alguma coisa pra Nina e ela não teve coragem de... me contar, não é?

Seu estado era tão semelhante ao de meu pai em seus últimos dias que me deu calafrios.

— Fala a verdade, Ian. Não tenta... me poupar. Se eu estou morrendo, tenho o direito... de saber.

— Até onde eu sei, seu estado é grave, mas Sofia me disse que agora há medicamentos para combater a pneumonia.

Ele fechou os olhos e sacudiu a cabeça.

— Essa porcaria não anda fazendo nada além de mexer com o meu estômago.

— Lamento muito. Espero que se cure o mais rápido possível.

Ele me fitou por um instante.

— Sua cabeça ainda tá fodida?

Eu não teria escolhido palavra melhor.

— Completamente, Rafael. Acordei hoje sem saber que sou um homem casado.

— Puta que pariu! Não consigo imaginar como deve... ser isso. — Ele esfregou o esterno com a mão, onde um tubo transparente havia sido fixado. — Acordar um dia e se ver casado sem saber como... aconteceu.

— É um inferno — garanti a ele.

— Faço ideia. A Sofia deve estar arrasada com isso. Eu acho que... ah, caralh... — Rafael levou a mão ao rosto, empurrando a máscara para o lado, e cobriu a boca. Seu peito se sacudia em espasmos. Ele tentou se sentar. Olhando em volta, avistei um balde pequeno e corri para pegá-lo. Estava repleto de papéis rasgados. Virei-o no chão e me apressei de volta para a cama. Posicionei o cesto de lixo sob a cabeça de Rafael bem a tempo de ele colocar para fora tudo o que tinha no estômago, engasgando-se muitas vezes. Dei leves batidas em suas costas, tentando ajudá-lo de alguma maneira.

— Odeio... isso — comentou Rafael quando as ânsias começaram a ceder, recostando-se na cabeceira.

Havia um cômodo conjugado àquele quarto e eu divisei o toucador moderno, semelhante ao da casa de Sofia. Deixei o balde na mesa ao lado da cama e marchei até ele, pegando a toalha pendurada em uma argola. Tive um pouco de dificuldade para fazer a bica funcionar, mas acabei conseguindo e umedeci o tecido macio.

Quando voltei para junto de Rafael, ele tinha os olhos fechados, a testa encrespada, lutando para controlar as necessidades do próprio corpo. O pobre perdeu a batalha. Ajudei-o outra vez, e me peguei pensando que gostaria que o doutor Almeida pudesse examiná-lo. Enquanto ele se contorcia, esvaziando o estômago, a camisola com abertura nas costas se abriu, revelando seu pescoço e parte do peito.

Havia muitas coisas naquele mundo, dentro daquele quarto, que eu não fazia ideia do que eram, não sabia nomear ou para que serviam. Mas as pequenas marcas vermelhas no corpo do rapaz, essas eu reconheci de imediato.

Meu estômago embrulhou.

Não. Claro que não devia ser isso, apressei-me. Se Rafael vivesse em meu mundo, não restariam dúvidas. Mas ali, naquele lugar onde tudo era movido a óleo ou eletricidade, não havia a menor possibilidade.

Ainda assim, ouvi-me perguntando:

— Rafael, você se locomove utilizando o carro, certo? — Coloquei o balde no chão quando ele terminou e entreguei a toalha a ele.

Ele a pegou, agradecido, e a esfregou no rosto pálido.

— Você às vezes pergunta as coisas mais esquisitas, Ian.

— Mas este é o seu meio de transporte — insisti.

— É claro que é. Às vezes pego ônibus, mas só de vez em quando.

O alívio me derrubou na cadeira.

— Por que você me perguntou isso? — Rafael me fitou, com a máscara pendendo do rosto.

— Apenas queria me certificar de que você não teve nenhum contato com cavalos.

— Ah. Isso não é pra mim. — Ele puxou a máscara sobre a boca e inspirou fundo. O chiado em seu peito ecoou pelo quarto. — Tem uns quinze dias que tentei montar um cavalo e acabei... com a bunda no chão.

— O quê?! — Meu peito começou a retumbar.

— Levei a Nina para um hotel fazenda. Ela até que se... saiu bem, mas eu acabei com o traseiro dolorido e a cara... coberta de baba de cavalo.

— Virgem Santíssima! — Fiquei de pé.

— O quê? O que foi?

A porta se abriu, e Nina e Sofia entraram. Eu me antecipei e peguei Sofia pelo braço.

— Preciso falar com a senhorita. — E comecei a conduzi-la para fora.

Fechei a porta, deixando Rafael sem resposta e Nina com a confusão estampada no rosto. Sofia exibia uma expressão semelhante. Eu só comecei a falar quando estávamos longe o bastante para que seus amigos não me ouvissem.

— O que foi, Ian? Ele piorou?

— Rafael tem manchas e caroços por todo o pescoço e o tórax. Preciso falar com o médico dele. Sabe como posso encontrá-lo?

— Sei, é só avisar uma das enfermeiras que elas mandam chamá-lo. Mas o que está acontecendo?

Respirei fundo, criando coragem para dizer aquilo em voz alta. Deus do céu, nem eu mesmo podia acreditar.

— Acho que sei por que Rafael piorou — contei a ela. — Ele não está com pneumonia, Sofia. É muito fácil confundir as doenças, os sintomas são parecidos, mas essas manchas não aparecem no doente de pneumonia.

— O quê? Como você sabe?

— Porque eu já testemunhei o ataque das duas doenças. — E em nenhuma delas o paciente sobrevivera.

— E o que ele tem? — Seu olhar escrutinou meu rosto.

— Uma doença avassaladora que dizima os estábulos. Às vezes um ou outro tratador acaba se contaminando. É um pesadelo chamado mormo.

— Nunca ouvi falar. E como é que se trata isso?

É claro que ela faria a única pergunta que eu não queria responder. Eu devia ter esperado por isso.

Tentei rebater as imagens do incidente na fazenda do finado senhor Dornelles, das carcaças dos animais em chamas naquela imensa fogueira, o cheiro acre da fumaça impregnado em meus cabelos, em minha pele, em minha alma.

— Com os cavalos, não há muito a fazer além de... — Minha voz, mesmo que eu tenha me esforçado muito para mantê-la estável, me traiu.

Sofia me encarou por um momento, os olhos perdendo o foco, como se ela estivesse presa em uma memória. Pela palidez e pela maneira como seus joelhos bambearam, suspeitei de que não fosse uma lembrança agradável.

— Ah, meu Deus, Ian! — Ela tombou para o lado. Passei o braço em torno de sua cintura, impedindo que ela caísse.

Acomodei Sofia na cadeira verde mais próxima e olhei para a porta do quarto onde estava Rafael, meu coração se condoendo. Tão jovem. Rafael era ainda tão jovem. Tinha uma vida inteira esperando para ser vivida, provavelmente muitos sonhos, tantos planos a serem concretizados.

Tudo em vão. O homem sobre aquela cama não teria sequer uma chance.

31

Se havia uma coisa que eu já tinha entendido a respeito daquele século, era que o tempo era precioso. Assim que se recuperou do choque, Sofia procurou uma das enfermeiras e avisou que precisávamos falar com o médico de Rafael. Ela não conseguiu localizá-lo, de modo que decidimos ir em seu encalço. Sofia me fazia perguntas que eu não queria responder. Então, apenas segurei sua mão e garanti que tudo ficaria bem, embora soubesse que era uma grande mentira.

Encontramos o médico cerca de dez minutos depois, sentado a uma mesa do que parecia ser um restaurante bem no meio do hospital. O jovem, na casa dos vinte e poucos anos, consultava um livro enquanto bebericava uma xícara de café.

Sofia o abordou sem muita sutileza e se apressou em lhe contar sobre minha suspeita. O rapaz a ouviu com cara de enfado a princípio. E um pouco mais interessado depois que eu me intrometi, aprofundando-me nos sintomas. Ele começou a revirar as páginas, os dedos correndo no rodapé.

— Mormo — ele leu. Uma careta surgiu. — Pode ser uma possibilidade, mas acho difícil. É uma doença quase extinta. — Então marcou a página com uma caneta, fechou o volume e me estudou. — Como sabe tanto sobre essa doença?

— Crio cavalos — respondi, ao mesmo tempo em que Sofia dizia:

— Ele é veterinário.

— Humm... — resmungou, desconfiado. — As doenças não se manifestam em humanos da mesma maneira que nos animais.

— Estou ciente disso. — Trinquei a mandíbula. Era isso ou sacudir aquele moleque. — Mas já vi alguém doente de pneumonia e outra pessoa que contraiu mormo. A princípio podem ser semelhantes, mas os sintomas começam a diferir conforme a doença progride. E Rafael teve contato com um cavalo cerca de quinze dias atrás.

O médico cruzou os braços.

— A vigilância sanitária tem uma política muito rígida no que se refere ao mormo.

— Não estou questionando isso. Muitos criadores que conheço também foram cautelosos. Não permitiam que novos animais entrassem no estábulo antes de um período de quarentena. E isso não impediu que a doença se instalasse em suas propriedades.

Ele se levantou abruptamente, a cadeira correndo pelo piso claro. Estava irritado comigo, disso eu não tinha dúvida.

— Muito bem. Pedirei um novo exame apenas para descartar essa hipótese. Mas já adianto: não acredito que seja mormo.

Presumi que ele iria imediatamente até o quarto examinar Rafael, como prometera. Mas foi apenas até a sala onde uma placa com a palavra "enfermagem" fora pendurada, conversou com um enfermeiro e foi embora. O rapaz se dirigiu ao quarto de Rafael e o exame foi feito. Não pude ver os procedimentos, pois Sofia e eu fomos impedidos de entrar.

— Até sair o resultado, o doutor Inácio alertou que ele não deve receber mais visitas — avisou o rapaz de cabelos ruivos encaracolados ao sair do quarto com uma bandeja prateada nas mãos.

Sofia o fuzilou com os olhos, mas não discutiu. Assim que ele desapareceu em uma das portas do corredor, ela se sentou em uma das cadeiras verdes, carrancuda. Ocupei o assento a seu lado.

— Gostaria de poder fazer alguma coisa por Rafael — murmurei.

— Eu também, Ian.

— Por que mentiu para o médico dizendo que sou veterinário? — perguntei, curioso. — O que isso significa?

— Eu não menti. Você é veterinário, não importa que não tenha feito faculdade. Você cuida dos animais com o que dispõe. E é muito bom nisso.

Senti o rosto esquentar.

— Não tão bom quanto gostaria, senhorita Sofia. — Afinal, cada vez que meu limitado conhecimento me deixava à deriva e eu tinha de sacrificar um de meus animais, uma parte de mim parecia extinguir-se.

— Sabe o que mais me machuca? — Ela então fixou os olhos nos meus. — Ouvir você dizer "senhorita Sofia". Isso dói demais, Ian, porque eu sou a senhora Clarke já tem tanto tempo e... Bem, no começo eu odiava, mas agora gosto. Adoro ser a sua senhora Clarke, e toda vez que você me chama de senhorita é como se tudo o que vivemos tivesse sido apagado.

Minha senhora Clarke.

Um misto de orgulho e dor me dominou. Eu a puxei para perto pelos ombros, como tantas vezes desejei fazer, mas não ousava.

— Tentarei me lembrar disso. — Beijei seus cabelos. — A última coisa que quero é magoá-la. Lamento tanto, senh... Sofia. Desculpe por não lembrar. Estou tentando. Estou lutando para transpor esse muro de nada dentro da minha cabeça, mas, quanto mais eu tento, parece que mais me distancio.

— Sei disso. — Ela enredou os dedos em minha camisa. — Não é culpa sua, Ian. Então não se desculpe, por favor.

Meu peito foi preenchido por um sentimento agridoce ao vislumbrar sua coragem e sua força para ocultar a mágoa, enquanto uma sensação esquisita, um zumbido insistente, ressoou por minha cabeça, como se sugerisse que eu deixava passar algo muito importante.

Mas, diabos, o quê?

Permanecemos abraçados, esperando por notícias de Rafael. Mas as que chegaram não foram animadoras. Ele havia piorado muito na última hora. A ponto de ser levado para uma área chamada unidade de tratamento intensivo, onde, ao que parecia, apenas pessoas com algum risco eram internadas.

Eu desejei estar errado. Desejei ter me equivocado quanto aos sinais, mas o doutor Inácio apareceu no fim daquela tarde e confirmou meus temores.

— O exame deu positivo para mormo. Vamos entrar com a medicação correta e ver como ele reage. Vou notificar a vigilância sanitária para que possam tomar as devidas providências.

Estávamos no corredor, em frente a uma larga porta com as letras UTI gravadas em tinta negra. Nina apenas assentiu para o médico, pois seu choro a impedia de formular palavras. Sofia, abraçada a ela, lutava contra as lágrimas.

O médico começou a se afastar. Eu o alcancei antes que desaparecesse outra vez.

— Doutor, o senhor mencionou uma medicação para combater a doença. Isso... isso é verdade? Existe tratamento para mormo? Rafael tem chance? — *Por favor, diga que sim.*

Ele pousou uma das mãos em meu ombro. E foi assim que eu soube que as palavras que ele ia proferir não eram nada boas. O gesto era o mesmo que o doutor Almeida repetira a cada fim de tarde depois de sair do quarto de meu pai. Peguei-me pensando se isso era ensinado no curso de medicina.

— Não vou enganar você, Ian. O tratamento não é tão eficaz, embora exista algum para os humanos, diferente do que acontece com os cavalos. O estado de Rafael é grave. A doença está evoluindo rapidamente. Vou introduzir a medicação indicada para esse caso e rezar para que não seja tarde demais. Se eu fosse você, faria o mesmo.

— Eu... — lutei contra o nó que obstruiu minha garganta — ... agradeço pela franqueza.

— Acho que sou eu quem deve agradecer. Jamais teria suspeitado de mormo se você não tivesse mencionado. — Ele apertou meu ombro com firmeza.

Eu o observei desaparecer no corredor apinhado de gente, então olhei para o outro lado, para as duas mulheres aos prantos. Suprimindo meus sentimentos da melhor maneira que pude, juntei-me a elas e tentei oferecer palavras de conforto. Era tudo o que eu podia fazer naquele instante, além de seguir a recomendação do médico.

O som de sapatos repicando no piso frio me fez virar a cabeça. Uma enfermeira de origem oriental acompanhava uma mulher. Elas pararam diante de nós.

— Detetive Santana! — Sofia exclamou, secando o rosto e soltando a amiga.

— Desculpem. Percebo que o momento não é dos melhores, mas eu realmente preciso falar com vocês dois. — E olhou para mim.

— Do que se trata? — eu quis saber. "Polícia civil", lia-se na lateral de sua camisa preta. Ser abordado pela guarda nunca era boa coisa.

— Consegui as imagens da câmera de segurança. Quero que me acompanhem até a sala de vídeo.

— Mas a Nina... — começou Sofia.

— Eu fico com ela — a enfermeira se prontificou, passando um braço pela cintura da jovem.

— Tudo bem, Sofia. Pode ir. — Nina secou as bochechas nas costas da mão e tentou sorrir. — Não vou sair daqui, de todo jeito. Pode ser importante.

— Você nem imagina quanto. — A investigadora começou a andar.

Sofia beijou a amiga e eu me despedi, curvando-me sobre sua mão e beijando-lhe o dorso. Ela sorriu, agradecida, e apertou meus dedos antes que eu os soltasse e fosse atrás de Sofia.

A policial marchava como um bravo soldado nos corredores iluminados de branco, mas Sofia e eu ficamos um pouco mais para trás.

— O que está acontecendo, senh... Sofia? Por que a guarda está procurando por nós?

— Ah... Você não lembra. — Ela mordeu o lábio, mas manteve o olhar na jovem mais à frente.

— E você não respondeu a minha pergunta. — Muito embora eu soubesse, *sentisse* que não ia gostar da resposta.

Sofia confirmou isso ao se deter, o rosto sério, o olhar intenso recaindo sobre mim. Pegando minha mão e a pressionando de encontro ao peito, no local exato onde seu coração pulsava alvoroçado, ela me disse:

— Tá legal, quero que você me escute agora e não diga nada até eu terminar...

* * *

Estávamos naquela sala havia horas. Eu já estava ficando maluco. Diabos, Elisa também estava em algum lugar daquele futuro. E o que estávamos fazendo para reavê-la?

Olhando para aquele maldito computador... TV... o que fosse... de novo.

— Pare — disse Sofia à investigadora Santana.

A imagem na tela congelou outra vez. Um homem com o rosto escondido pela aba do chapéu segurava o braço de minha irmã ao passar pela porta de saída.

— Não, não dá pra ver o rosto! Saco! — Sofia se lançou contra o encosto da cadeira.

— Apenas um pedaço do queixo — concordei, e isso não significava nada. Não havia nada de marcante ali que pudesse nos levar ao seu rastro. No entanto, eu sentia como se conhecesse cada parte daquele sujeito, exceto por seu rosto àquela altura. Fazia duas horas que nós três estávamos debruçados sobre o computador da segurança do hospital, assistindo à filmagem.

Levei um tempo para entender do que se tratava, naturalmente. O tal filme era uma sucessão de retratos muito realistas, que, quando vistos em alta velocidade, entravam em movimento. E nós os vimos de todas as maneiras possíveis. Acelerado, ainda mais rápido, ampliado — porque isso era possível no futuro, sem usar uma lupa —, lento como o passo de uma tartaruga.

— Isso não vai nos levar a nada — resmunguei, passando as mãos pelos cabelos, em total frustração.

— Calma, Ian — a investigadora disse, deixando a imagem prosseguir. — Ele parece saber onde estavam as câmeras e se esconde de propósito. Ali, viu como ele vira o rosto para o outro lado?

— O que isso significa? — perguntei.

Ela me encarou com cautela.

— Que ele sabia que procuraríamos por ele.

Isso não era bom.

— Pelas roupas — prosseguiu —, parece ter entre vinte e trinta anos. Cabelos escuros, em torno de um e oitenta de altura. Droga, não tem nada nele que possa ser relevante. Tudo absurdamente comum.

Sofia suspirou.

— Por que ele fez isso? Por que levou Elisa dali? Não é possível que ele tenha ido até o hospital atrás dela especificamente.

— Mas é o que parece — comentei.

— Concordo. — A investigadora voltou para o começo do filme. — Ele entrou e não falou com ninguém, foi direto para o segundo andar e seguiu para o leito de Elisa. Ele sabia que ela estava lá. Só vejo uma explicação: ela contou para ele.

— Não — sacudi a cabeça e me levantei da cadeira. — Ela não contou. Ela não conhece ninguém aqui. Não saberia como contatá-lo.

— Isso é verdade, detetive. — Sofia puxou os cabelos para trás e os prendeu em um nó frouxo. — Além do mais, Elisa parece surpresa ao vê-lo.

E depois aliviada. Ao deixar o hospital escoltada por aquele sujeito, ela gesticulava com animação, nem um pouco assustada. O que ele teria dito a ela? Como sabia que ela estava ali?

— Vamos lá. De novo. — A policial fez o filme retroceder e recomeçar.

Bufei e voltei a me sentar. Diabos, eu já não aguentava ver aquela cena sem desejar socar alguma coisa. Esfreguei o rosto para me livrar do desconforto causado por aquela luz branca que iluminava a sala, e também pelas coloridas providas pela tela. Pisquei algumas vezes e então voltei a examinar o filme.

Lá estava ele, passando pela porta de entrada com as mãos nos bolsos e a cabeça baixa, sem olhar para ninguém. Então se enfiou no elevador e manteve a mesma posição. Ele saiu, sem hesitar sobre qual direção tomar, e entrou em uma sala. A investigadora acelerou o vídeo, pois os três minutos e vinte e um segundos em que ele esteve dentro do quarto de Elisa não foram filmados. E ali estava minha irmã, sem ferimentos, mas em uma bagunça total. As roupas estavam amassadas, os cabelos soltos e desordenados como a crina de Storm. Ela parecia surpresa, mas sorria para o sujeito. Falava com ele como se fossem amigos. O rapaz a segurou pelo cotovelo, mas eu estaria mentindo se dissesse que não havia gentileza no toque. Ele a conduzia da mesma maneira que eu conduzia Sofia ou a própria Elisa. Eles passaram em frente a uma larga janela, aproximando-se do elevador. A mão livre se ergueu para pressionar o botão e...

— Pare! — demandei, levantando-me da cadeira.

— O que foi? — Sofia quis saber, ficando em pé também.

Fixei os olhos na imagem, chegando mais perto do aparelho.

— Ele virou o rosto. Não dá pra ver — Sofia comentou.

— Não exatamente. — Apontei para o outro lado da cena, em que eu não tinha prestado atenção nas outras vezes, sempre focando o rapaz e Elisa. Parte do rosto dele foi refletida no vidro da janela quando ele se virou para o outro lado.

— Filho da mãe! — A investigadora apertou uma série de botões, e a imagem se ampliou uma vez. E mais uma, e outra ainda, até tudo se resumir a quadradinhos minúsculos e indistintos. O rosto dele se misturava às árvores do lado de fora, tornando difícil distinguir uma coisa da outra. — Ah, meu Deus. Diz que eu tô com sorte e isso é uma cicatriz e não um galho! — ela resmungou, pegando algo na cintura. — Central, me ligue com a perícia. Preciso de um oficial aqui e...

— Ele parece sorrir. — Sofia examinava o rosto fantasmagórico na tela. — Como se estivesse zombando da gente.

— É provável que esteja. — Deus, como eu queria poder encontrar aquele sujeito e então liberar a ira que me sacudia por dentro. — Isso pode nos ajudar?

— Ah, sim! Os peritos fazem maravilhas com essas imagens rebuscadas. E, assim que fizerem sua mágica, vamos poder ver o rosto dele direito e tudo ficará mais fácil. Quem sabe a polícia consegue localizá-lo.

Assenti uma vez.

A investigadora Santana guardou de volta no cinto o objeto com que havia falado e então me examinou com seus olhos díspares.

— Você é bom. Muito perceptivo.

— Gosto de pintar. — Dei de ombros. — Fui ensinado a prestar atenção nos detalhes menos importantes.

— Também te ensinaram a afanar documentos? — Seu olhar marrom e cinza se estreitou.

— Perdão, como disse?

— Ah, merda — Sofia resmungou, afundando na cadeira.

A policial cruzou as mãos sobre a mesa, examinando-me com atenção.

— O que pretendia fazer com aquela ficha, Ian?

— Que ficha?

— Detetive — interveio Sofia —, o Ian está com amnésia e não lembra de nada a respeito dos últimos dias. O médico disse que é por causa do desaparecimento da Elisa, mas eu ainda acho que é por causa da pancada que ele levou na cabeça.

— Conveniente, não? — A jovem olhou para ela com escárnio.

— Lamento, mas devo discordar. — Dei risada sem nenhum humor. — Não há nada de conveniente em esquecer o próprio casamento e outras tantas coisas importantes que devem ter acontecido nos últimos vinte meses.

— Ah, eu não sabia disso. Sinto muito. — E pareceu sincera. — Presumo que queria descobrir o nome de quem assinou a alta de Elisa, por isso roubou o documento.

— É isso aí — Sofia bufou. — Só isso, porque a menina da recepção não quis dizer nada pra gente.

— Eu roubei um documento? — perguntei a Sofia.

— Prefiro pensar que pegou emprestado.

A investigadora bufou, revirando os olhos.

— Vou deixar vocês se safarem dessa porque o hospital não apresentou queixa de roubo, mas estou avisando: não pisem fora da linha outra vez, ou serei obrigada a cumprir o meu papel.

— Beleza. Podemos ir agora? — Sofia pegou minha mão, pronta para sair dali. Eu fiquei de pé.

— Podem ir. Entro em contato de novo assim que tiver novidades.

— Valeu, detetive.

— Fico realmente muito grato. — Fiz uma mesura para ela.

— Ah... Só estou cumprindo meu trabalho. — Suas bochechas estavam coradas quando deixamos a sala no quarto andar e seguimos em direção às escadas.

— Por que me deixou roubar um documento? — perguntei a Sofia quando alcançamos o patamar.

— Eu bem que tentei te impedir. — Ela me olhou feio. — Mas você e o Rafa se juntaram num plano maluco. Ninguém conseguiu convencer vocês dois.

— Eu cometi mais algum crime?

— Hã... Não. Nenhum crime. — Mas ela desviou o olhar. Diabos! O que mais eu tinha aprontado? — E você ouviu a investigadora. É melhor não tentar nada de agora em diante ou vamos pra cadeia. Meu Deus, nós temos que encontrar a Elisa e dar o fora daqui. Este tempo não anda te fazendo bem, não.

— Concordo.

— Ian. — Ela me deteve quando chegamos ao terceiro andar. — Quem pode ser aquele cara? Por que ele parecia conhecer a Elisa?

— Não sei, senh... Sofia. — Eu estava apavorado com as possíveis respostas.

Tudo o que eu sabia era que, quem quer que ele fosse, seria um homem morto se tivesse ousado fazer algum mal a minha irmã.

32

É inacreditável como as horas custam a passar dentro de um hospital, não importa em que século se esteja. É como se o tempo desacelerasse, prolongando a agonia, adiando o desfecho pelo maior tempo possível.

Sofia e eu não conseguimos ver Rafael, mas falamos com Nina, que havia parado de chorar e tinha sido levada para fazer exames também, pois, pelo fato de ter contato íntimo com o doente, poderia ter se contaminado. Já era tarde e o resultado só seria conhecido no dia seguinte. Ela tinha sido autorizada a entrar na tal UTI e passaria a noite ali, então não havia nada que pudéssemos fazer, de modo que acabei levando Sofia para casa. Aliás, foi ela quem me levou, naturalmente. Apesar de eu estar muito curioso e ansioso para dirigir um daqueles carros, não podia negar que seria imprudente de minha parte.

Estávamos exaustos ao entrar em seu apartamento. Tranquei a porta enquanto via Sofia analisar aquele aparelho preto barulhento que me interrompera de manhã. Um segundo surgiu, mas esse era prateado. Seja lá o que ela esperava, não gostou do resultado.

— Nenhuma notícia de parte alguma. — Abandonou-os sobre uma mesa muito bagunçada. — Quer comer alguma coisa?

— Não. Mas um banho seria bom.

Ela assentiu e me levou para o banheiro. Não me demorei sob o tal chuveiro, embora os jatos massageassem minha musculatura tensa. Enrolei uma toalha ao redor da cintura e abri a porta. Sofia falava com alguém. Com aquela caixinha preta, percebi ao entrar na sala sem fazer barulho. Mas foi o tom melancólico de sua voz que me deteve sob o batente.

— Não, Nina. E daqui a pouco nós vamos para a cama e eu já estou apavorada. Tem sido assim a cada vez que ele dorme.

Ela não era a única com medo ali. A jugar pelo esgotamento físico, eu vinha guerreando contra o sono. Pelo que eu havia entendido, era ali que minhas memórias se perdiam.

— É como se o cérebro dele reiniciasse, só que faltando várias informações. Todas as que são relacionadas a mim. — Ela deixou escapar uma risada repleta de dor. — Eu meio que sonhei com isso, sabia? Com o Ian me esquecendo, não sabendo o que eu significo pra ele. Dói demais. E ainda tem a Marina. É doloroso estar com os braços vazios, sobretudo a essa hora da noite. Nunca fiquei tanto tempo longe dela. Estou maluca de preocupação, Nina. E tem a Elisa, que não dá sinal de vida... — Ela soprou o ar com força. — É, vou tentar. Você também. Me liga a qualquer hora, tá bem? Qualquer notícia que tiver. Manda um beijo pro Rafa. Até.

Meu coração se partiu ao vislumbrar o tamanho de sua aflição, vendo-a pressionar aquela caixinha falante até a luz se apagar, e então ficar encarando-a em suas mãos. Ela manteve um braço apertado sobre a cintura, como se tentasse não se partir ao meio, balançando-se levemente para a frente e para trás. Sua outra mão se fechou ao redor do delicado relicário que trazia no pescoço. Lágrimas silenciosas lhe escorriam pelo rosto. Ela sussurrava uma canção que falou direto à minha alma:

— *Não sei se o mundo é bom, mas ele ficou melhor quando você chegou e perguntou: "Tem lugar pra mim?"*

O canto, aliado à visão de Sofia, tão frágil e indefesa, causou-me tanta angústia que cheguei a pensar que minha vida se extinguiria ali mesmo. A desolação e o medo nela eram tão evidentes que chegavam a ser quase uma presença na pequena sala.

Não me dei conta de que me movia até Sofia se virar. Como a garota corajosa e forte que era, ela tentou esconder os sentimentos, secando o rosto discretamente e esboçando um sorriso. Naquele instante, eu me apaixonei por ela novamente.

— A febre do Rafa baixou um pouquinho. Ainda é cedo pra comemorar, mas já é alguma coisa. Ele até comeu um pouco.

— Isso é bom. — Continuei me aproximando.

— Quer comer alguma coisa? A Nina trouxe umas besteiras outro dia e... Você pode estar com...

Eu a abracei. Sua cabeça pendeu para a frente e encontrou refúgio em meu ombro. Passei o braço atrás de seus joelhos e a suspendi, sentando-me no sofá e a acomodando em meu colo. Seus ombros se sacudiram de leve. Gotas quentes molharam meu ombro. Eu a abracei ainda mais forte.

— Por favor, não chore. — Beijei seus cabelos. — Por favor, Sofia.

— Des-desculpa. Não consigo parar.

— Diga-me o que posso fazer para aliviá-la. Diga qualquer coisa!

— Só m-me abraça, Ian. Bem forte, e nã-não...

— Não a soltarei nunca mais — completei, tendo a estranha sensação de já ter proferido aquele juramento antes.

Sofia se apertou mais contra mim. Seu pranto fazia meu peito latejar, mas eu a deixei extravasar a dor, segurando-a até seus soluços diminuírem e por fim cessarem. Sua respiração se tornou cadenciada ao se entregar à exaustão.

Temendo acordá-la ao me levantar para levá-la até a cama, mantive minha promessa, abraçando-a bem forte ao me esticar no sofá e aconchegá-la sobre mim.

Foi quando uma dor aguda atingiu meu cérebro. Era como se uma faca o estivesse atravessando, cravando-se em minha nuca.

* * *

Eu não podia acreditar no que tinha feito. Não podia acreditar que havia ido até aquela pensão à procura do tal homem que poderia ajudar Sofia a encontrar o caminho de casa. Ele podia ser o sujeito errado, alguém perigoso que eu estupidamente convidava a entrar em minha casa, colocando Elisa também em perigo. Além de, é claro, existir a possibilidade de que o sujeito levasse Sofia para longe de mim. Mas ela queria se encontrar com o tal Santiago — e eu não tinha dúvidas de que se encontraria; Sofia não era de deixar um assunto de lado —, então que fosse sob as minhas condições: em um local onde eu pudesse protegê-la caso ele não fosse quem ela esperava.

Pelo pouco que ela tinha dito, eu não seria capaz de encontrar sozinho o lugar onde ela vivia, mesmo se tentasse. Então, enquanto atravessava a casa, peguei-me pensando em por que diabos eu estava ajudando a apressar sua partida.

Encontrei a dama em questão na sala de leitura, acompanhada de minha irmã e de Teodora. Um pequeno sorriso curvou a boca de Sofia quando lhe contei que Santiago viria para o jantar.

E ali estava a razão pela qual eu teria movido céus e Terra para ajudá-la. Ser merecedor de um daqueles sorrisos fazia meu peito doer de um jeito diferente, bom.

Deixei a sala o mais rápido que pude, pois me era completamente impossível afastar os olhos dela quando me sorria daquela maneira — e eu sabia que ela não gostaria de tanta atenção. Sofia evitava a todo custo manter-se próxima de mim, provavelmente por ter percebido quanto havia me cativado. Elisa tinha sido a primeira a notar.

Aconteceu na mesma noite em que Sofia chegara a nossa casa.

Apesar de estar exausto devido à viagem, que me levara a cavalgar durante quase a madrugada toda, eu estava acordado, zanzando em meu quarto. Pouco antes de chegar em casa, tinha encontrado Sofia ferida e assustada, e dali em diante aquele dia se tornara uma verdadeira confusão.

Sofia não era parecida com nada que eu distinguisse, e ainda assim eu sentia como se a conhecesse havia anos. De suas maneiras ímpares ao modo de se expressar, tudo nela me intrigava e me fazia querer descobrir um pouco mais a seu respeito.

Uma batida na porta me chamou a atenção. Era Elisa, em sua camisola de dormir e de tranças, como se ainda tivesse oito anos.

— Imaginei que estivesse desmaiado a esta hora. — Entrou e fechou a porta.

Acabei sorrindo.

— Não imaginou, não. Ou não teria vindo me procurar.

Ela riu e se sentou ao pé da cama.

— Tivemos um dia muito agitado, não?

Fiz uma careta diante de seu eufemismo.

— Para dizer o mínimo. — Eu me sentei ao lado dela. — Este dia foi... humm... diferente.

— Teodora acha que a senhorita Sofia está tramando alguma coisa, e que pretende nos assaltar de madrugada. Eu disse a ela que estava enganada, mas sabe como é Teodora... — Ela revirou os olhos.

— Não imagino que ela planeje nos fazer mal, Elisa. Jamais a teria acolhido se suspeitasse de que ela pudesse lhe trazer algum risco.

— Eu sei disso. E concordo com você. Acho a senhorita Sofia inofensiva. — Ela ergueu as pernas, fincando os calcanhares no colchão e abraçando os joelhos. — Eu gostei muito dela, na verdade.

— Eu também. — Muito mais do que deveria, eu quis acrescentar.

— Ah, eu percebi. Você não pôde evitar ficar olhando para a senhorita Sofia. Sobretudo quando ela estava distraída!

— Não sei do que está falando. — Meu rosto esquentou. Rapidamente me levantei e fui até a janela.

— Sabe sim, Ian. Eu sei que você tem se esforçado para encontrar uma jovem que dê uma boa esposa, por minha causa. Mas, meu irmão, eu cresci! Não preciso de alguém que cuide de mim. Preciso de alguém que faça você feliz, assim eu serei feliz também. Eu só queria que você soubesse que não quero que se sacrifique por minha causa.

Trinquei a mandíbula e continuei olhando para o lado de fora. Ouvi Elisa se mover e seus passos se aproximando.

— Se não quer pensar em si mesmo, ao menos pondere sobre a culpa que vou sentir a cada vez que olhar para você e vir a infelicidade em seu rosto.

Permaneci calado, pois não havia muito que eu pudesse dizer a respeito. Parte de mim concordava com ela. Ainda assim, um homem tem de fazer o que precisa ser feito.

Elisa pousou a mão em meu ombro e esperou. Colocando as emoções em seu devido lugar, inspirei fundo e me virei. Seu rosto demonstrava preocupação, mas, em vez de insistir no assunto, ela beijou minha bochecha.

— Boa noite, Ian.

— Durma bem, Elisa.

Ela já estava na porta, a mão na maçaneta, quando se virou e sorriu.

— Sabe? Você não podia ter feito escolha melhor.

Corri a mão pelos cabelos e bufei.

— Elisa, eu mal conheço a senhorita Sofia. Como poderia ao menos *cogitar* me casar com ela?

Seu sorriso se alargou.

— Eu não mencionei a senhorita Sofia. Foi você quem pensou nela. Suponho que seja porque ela não lhe sai dos pensamentos.

— Isso não é um assunto que eu queira discutir com ninguém, muito menos com a minha irmã de quinze anos!

— Já tenho quase dezesseis! — ela rebateu, erguendo o queixo. — E, se não quer que eu discuta esse assunto, devia se esforçar mais. Deus do céu, Ian, até o senhor Gomes percebeu a maneira como você olha para a senhorita Sofia. E olhe que, como todo homem, ele não é de dar atenção a essas coisas. Acho pouco provável que você consiga permitir que a senhorita Sofia saia de sua vida, agora que a encontrou. — E então foi embora, fechando a porta depois de passar, sem fazer barulho ou esperar por uma réplica. Não que eu soubesse o que dizer a ela. Com sua pouca idade, Elisa entendera muito antes de mim como eu me sentia em relação a Sofia.

Por isso, enquanto eu caminhava em direção à cozinha no intuito de avisar à governanta que colocasse mais um prato na mesa, perguntava-me o que estava fazendo ao trazer aquele sujeito para perto de Sofia.

Encontrei o senhor Gomes no caminho e pedi que desse o recado à senhora Madalena. Ele grunhiu ao receber a notícia.

— A senhora Madalena vai falar pelos cotovelos. Ela odeia ser avisada assim, em cima da hora.

— Eu sei, mas não tive opção. Diga a ela que não é necessário apresentar nada elaborado. O que ela já havia planejado deve servir. Não pretendo impressionar.

Não, o que eu queria eram respostas. Não que eu esperasse consegui-las por meio desse tal Santiago, mas poderia compreendê-las nos olhos de Sofia. Ela era clara como um cristal, todos os sentimentos e pensamentos transpareciam em seu olhar.

— Darei o recado. Pedirei a Sebastião que lhe prepare o banho.

— Fico grato, Gomes.

Segui para o quarto e me livrei do casaco e da gravata. Corri a mão pelo queixo e percebi que precisava me barbear se quisesse parecer apresentável. Abrindo a gaveta do toucador, encontrei a navalha e o pincel.

Sebastião apareceu quando eu estava finalizando o pescoço.

— Eu posso terminar para o senhor — ele ofereceu, esperançoso como sempre depois de terminar com a banheira.

— Não é necessário, Sebastião — respondi, como de costume. Um homem faz a própria barba, ainda que seja rico o bastante para que outros possam se ocupar com isso. — Apenas quero tomar um banho.

— Deseja que lhe separe algum traje especial?

— Eu mesmo encontro algo decente para vestir.

— Uma bebida para aliviar as preocupações, patrão?

— Não, obrigado. — Limpei a lâmina na toalha.

— Quer que eu lhe separe a correspondência, então?

— Já fiz isso, Sebastião.

Os ombros dele caíram.

— Bem, há *alguma coisa* que eu possa fazer pelo senhor?

Tive de conter a risada. Sebastião ainda era muito jovem e tentava impressionar. E achava que para tanto deveria desempenhar mais do que sua função no estábulo, por isso vivia me atormentando em busca de pequenas tarefas.

Enxaguei o rosto e o sequei.

— Humm... Você poderia... hã... verificar a roda da carruagem. Elisa reclamou de um barulho outro dia.

— Sim, claro. Imediatamente! — E, sorrindo, deixou o quarto em uma euforia só.

Terminei de me despir e entrei na banheira. Não me demorei muito. Estava ansioso em níveis tão diferentes que mal me reconhecia. Era assim que me sentia ao ficar longe de Sofia, agitado, inquieto, em guarda. Desse modo, vesti-me adequadamente e saí para procurar a mulher a quem meus pensamentos pertenciam nos últimos dias.

Encontrei-a deixando seu quarto. Usava o vestido rubro que eu comprara para ela no ateliê de madame Georgette, os cabelos soltos lhe caindo nos ombros como um véu de ouro. Ela me tirou o fôlego. Sofia seria o próprio pecado encarnado, não fosse pelo rubor que lhe coloriu as bochechas conforme eu a contemplava.

Tentei parar de olhá-la, mas me sentia atraído por ela da mesma maneira que um inseto pela chama da vela. Uma atração irresistível, prazerosa e fatal.

— Vejo que meu presente lhe caiu muito bem, senhorita.

— Obrigada. Já estou pronta. Estava indo agora mesmo procurar por você e Elisa.

— E eu vim justamente saber se estava pronta! Está encantadora esta noite, senhorita Sofia.

— Obrigada, Ian.

Toda vez que ela me chamava pelo nome, eu imaginava como seria beijá-la e, naturalmente, ouvi-la gemer meu nome de encontro a minha boca. Toda maldita vez.

— Posso acompanhá-la até a sala?

— Não precisa, Ian. O caminho para a sala eu já conheço. Este é um dos únicos em que eu não me perco.

— Eu insisto. — Alcancei sua mão e a repousei na dobra do cotovelo, simplesmente porque precisava tocá-la de alguma maneira. — Uma dama tão encantadora deve ser conduzida por um cavalheiro. Sei que lhe desagrada que seja eu o cavalheiro em questão, mas sou o único presente no momento.

Ela refutou a ideia de imediato, tagarelando sobre estar habituada a um cotidiano repleto de agitação e encontrar dificuldade para se adaptar a épocas de calmaria. Não pude evitar sorrir. Nunca tinha conhecido alguém mais impulsivo, petulante e agitado que Sofia.

— Já percebi isso — falei. — Mas não pode negar que hoje à tarde você fugiu de mim.

Eu a encontrara no estábulo, conversando com Storm. A cena parecia uma pintura, vista de longe. Os cabelos claros de Sofia se agitavam suavemente enquanto ela acariciava o pescoço do animal selvagem. Desejei ter uma tela e um grafite à mão e imortalizar aquele momento. Porém, tão logo me aproximei, ela se apressou em voltar para casa. Desconfiava que a tivesse ofendido, só não sabia de que maneira exatamente. Desconfiava, mas, em se tratando de Sofia, não ousava afirmar nada.

— Não fugi, não! — Mas seu rosto ficou todo vermelho. — Eu realmente prometi me encontrar com Elisa hoje à tarde. Não teve nada a ver com você. Nada a ver mesmo!

— Não precisa se explicar. Eu compreendo. — Ou ao menos imaginava compreender. — Você não quer ficar sozinha comigo. Imagino que não queira que nos vejam juntos e tirem conclusões erradas. Entendo perfeitamente, não se preocupe.

— Não é nada disso! Sabe que não me importo com esse tipo de coisa. — Ela corou de novo, desviando o olhar. Como podia ser tão doce e atrevida ao mesmo tempo?

— E então por quê?

Eu podia ouvir a voz de Elisa conforme nos aproximávamos da sala, por isso detive Sofia, colocando-me a sua frente para impedir que prosseguisse. Seus olhos encontraram os meus, e eu senti como se estivesse sendo sugado por eles.

— Porque... eu fico meio... inquieta quando você me olha do jeito que está olhando agora. E isso não é bom. Pra ninguém aqui!

— E por que não é bom?

Ela estremeceu com meu sussurro, e os pelos de minha nuca se eriçaram em resposta.

Desamparada, ela abriu os braços.

— Porque eu vou embora logo, Ian. Não tem sentido me afeiçoar a ninguém aqui.

— Mas você está aqui agora. Por ora, este é seu lugar. — Levei a mão a seu ombro. Mesmo com o tecido, o calor de sua pele atingiu o centro de meus ossos e a quentura se espalhou feito um rastro de pólvora por todo o meu corpo. Quando suas mãos se apoiaram em meu tórax e ela deu um passo mais para perto, meu coração disparou, galopando no peito. Parecia música. Parecia dizer o nome dela.

Ela inclinou o rosto para cima, os olhos nos meus, os lábios se entreabrindo para mim. Enrosquei o braço em sua cintura, grudando-me a ela. Naquele instante, abraçado a Sofia, senti que meu mundo era perfeito, que tudo fazia sentido, afinal. Por causa daquela garota. Dela e apenas dela.

Curvei-me para ela, dizimando a distância entre nossa boca. Entretanto, antes que eu pudesse alcançá-la, Sofia sacudiu a cabeça e, como se acordasse de um sonho, arfou, empurrando-me de leve para se soltar.

A risada de Teodora me chegou com certo atraso, e só então me dei conta do que estava prestes a fazer.

Como podia ter tentado beijá-la no corredor, onde qualquer um seria capaz de nos surpreender? Como eu podia ser tão hipócrita, tentando protegê-la do tal Santiago, quando na verdade ela precisava de proteção contra mim, seu anfitrião? Diabos, eu devia deixá-la em paz!

E teria deixado, se pudesse. Porém, toda vez que eu me aproximava de Sofia, ela me roubava os pensamentos, o pulso e o juízo. Cada pensamento era dela. Cada batimento cardíaco era para ela. E não havia nada que eu pudesse fazer, porque... porque eu... tinha perdido meu coração.

E, inferno, se eu não conseguisse fazer Sofia mudar de ideia, ela iria embora, levando-o consigo para onde quer que fosse e...

Subitamente a imagem mudou, tornou-se uma mancha escura que foi reduzindo de tamanho até virar um ponto miúdo e desaparecer. Algo suave tocou minha mão. Com algum custo, abri os olhos e imaginei ter visto Sofia pairando sobre mim.

— Desculpa, Ian, mas vai ser melhor assim — pensei ter ouvido em meio à bruma sonolenta na qual eu me encontrava, enquanto ela deslizava um anel de meu dedo.

33

Despertei com o corpo inteiro protestando, dolorido. Meu pescoço estava rígido, a coluna gritava, as costelas latejavam. Gemendo baixo, rolei para o lado na tentativa de me ajeitar na cama e acabei caindo no chão. Abri os olhos ao desalojar a cabeça de dentro de uma de minhas botas, perscrutando o quarto.

Ora, mas que inferno! Aquilo não era um quarto, e a *cama* não passava de um minúsculo sofá! E, devo ressaltar, não era um sofá com o qual eu estivesse familiarizado.

Com o corpo todo reclamando, consegui me sentar no chão. Esfreguei o rosto em busca de alguma clareza. A desordem reinava absoluta naquele aposento, entre vários objetos curiosos.

— Que diabos...

— Bom dia — veio a voz suave do outro lado da sala.

Fiquei de pé no mesmo instante, tropeçando nas botas abandonadas no assoalho e engolindo uma imprecação. Havia uma toalha em torno de meus quadris, e ela ameaçou ir ao chão. Segurei-a firme, tentando prendê-la com os dedos atrapalhados.

Sofia estava parada sob o umbral da porta, examinando-me com atenção por detrás de uma caneca lilás de porcelana.

— Bom dia, senhorita Sofia.

Algo no que eu disse a desagradou. Não que eu soubesse o que era, mas seu olhar entristeceu e seu suspiro de desamparo me atingiu direto no peito. Ela olhou para sua caneca e eu para ela. Suas roupas eram... bem... bastante escandalosas, para ser franco. Algo muito semelhante ao que vestia quando a encontrei: uma blusa justa sem mangas, que mais lembrava uma roupa de baixo do que algo que pudesse ser exibido em público, e um pequeno retalho que lhe cobria os quadris e mal chegava a esconder as coxas. Coxas firmes, bem torneadas, da cor do alabastro. Imaginei como seria deslizar os dedos por elas de alto a baixo. Depois, refazer o caminho com a boca.

Pare com isso, idiota!

Com algum esforço, consegui desviar o olhar para o chão, o rosto pegando fogo, e encontrei seus sapatos vermelhos incomuns.

— Eu... tentei fazer café. — Ela se aproximou e me ofereceu a caneca. — Não ficou muito bom.

Era essa a razão de sua tristeza? Porque o café não saíra a contento?

— O cheiro está delicioso. — Peguei a caneca e experimentei um grande gole.

E tive de reprimir a vontade de cuspir tudo de volta. Deus do céu, o que ela havia colocado ali dentro? Terebintina?

Inexplicavelmente, sua pouca habilidade na cozinha me fez sorrir. Ela não era perfeita, afinal. Seria mais fácil tentar convencer meu cérebro de que eu não andava fantasiando aquela mulher.

— Não precisa tomar. Tem uma padaria logo ali na esquina — Sofia se apressou.

— Não será necessário. — Engoli o restante da bebida com algum custo. E ela cumpriu seu papel: senti-me subitamente desperto, então pude examinar o ambiente mais uma vez. Mesmo agora, com os pensamentos desanuviados, eu ainda não fazia ideia do que estava vendo. — Senhorita Sofia, onde estamos?

— Nós estamos... — Ela se virou e começou a recolher algumas peças de roupa jogadas sobre uma mesa. — Na minha casa. É isso. Você... hã... me ajudou a... encontrar o caminho e... hummm... me trouxe pra cá na noite passada.

— Ah. — Infelizmente, meu desânimo ficou evidente.

O que me surpreendeu foi seu tom se assemelhar ao meu ao responder, o olhar em qualquer coisa que não fosse no meu:

— Pois é.

Franzi a testa, fazendo um esforço hercúleo para evocar as lembranças da noite passada. Por mais que me esforçasse, sempre acabava deparando com um muro de absoluto nada.

— Não consigo me recordar disso.

— Deve ser culpa do vinho. Nós bebemos um pouco pra comemorar. Vai ver você tá de ressaca. — Ela continuava recolhendo objetos, dando-me as costas enquanto falava, mantendo aqueles olhos de topázio fora do meu alcance, então não tive certeza se estava me dizendo toda a verdade. Mas suspeitava que não. Sofia media as palavras, como se tivesse algo a esconder.

Então a questão era: Por que ela mentiria? Qual o intuito de ocultar de mim o que tinha acontecido na noite passada? Ela estava desesperada para voltar para casa desde que nos vimos pela primeira vez, e eu sempre soube disso. Por que, agora que estava ali, parecia qualquer coisa exceto satisfeita?

Deixei a caneca sobre a baixa mesa de centro, bem ao lado de um estojo repleto de botões com números. Diabos, o que era aquilo?

— Sua casa é muito... peculiar, senhorita.

— É, acho que é mesmo. — Com os braços cheios de roupas amassadas, ela seguiu em direção à porta por onde entrara minutos antes.

Eu a segui.

— Por que está fugindo de mim?

Ela se deteve sob o batente, mas não se virou.

— Não estou, Ian.

Estava, sim. Isso era evidente. Por quê? Por que ela fugiria de mim se...

Um pensamento terrível me fez deter as passadas e estancar no chão como um burro xucro. Minhas bochechas esquentaram, e, mesmo que Sofia permanecesse de costas e não pudesse ver o rubor que surgiu em meu rosto, tive de desviar o olhar para meus pés descalços.

E então me lembrei da falta de roupas.

Por todos os infernos!

Estiquei o braço e alcancei a primeira coisa que encontrei — um roupão macio e fofo, mas curto demais e com corações por toda parte. Passei os braços por ele, fechando-o como pude.

— Senhorita Sofia, por acaso ontem à noite eu fiz algo de que deveria me desculpar?

Ela se virou, abraçando com força as roupas em seus braços.

— Claro que não, Ian! Você é e sempre foi um homem muito correto.

— Então por que... — Detive-me quando outra linha de raciocínio surgiu. A casa estava silenciosa. Muito silenciosa. — Há mais alguém aqui? Criados?

— Não. Estamos só nós dois.

Assenti uma vez, finalmente entendendo tudo. Pela primeira vez Sofia agia com prudência. Ela estava se mantendo longe para preservar sua honra. Sua reputação estaria arruinada caso alguém descobrisse que passamos a noite em sua casa, completamente a sós. A única maneira de salvá-la da ruína seria eu me casar com ela.

Humm... Uma ideia bastante agradável, de fato. Tentadora seria a palavra mais adequada. Talvez comprometê-la não fosse assim tão ruim...

Praguejei baixo, correndo a mão pelos cabelos. Eu nunca seria capaz de fazer isso com ela, não de caso pensado. Além disso, Sofia não veria a situação com meus olhos. Dado tudo o que eu sabia sobre ela, estava certo de que se oporia veementemente a um casamento por obrigação. Eu não sabia se o que a desagradava era o casamento em si ou o possível noivo. Considerando a maneira como meu coração se portava perto dela, eu realmente esperava que fosse a primeira alternativa.

Recuei um passo e assisti a Sofia desaparecer no cômodo seguinte.

Comecei então a procurar minhas roupas em meio àquela baderna. Era muito irritante tentar recordar como cheguei ali, como descobri o caminho para sua casa, e não conseguir. Mais enervante ainda era não lembrar o motivo que me fez levar Sofia para casa tão depressa. Não que eu não estivesse disposto a ajudá-la. Eu estava! Mas também queria mais tempo com ela. Um pouco mais de tempo para... bem... descobrir por que meu coração se comportava daquela maneira em sua presença. Ou quando eu pensava nela. E, obviamente, investigar se havia alguma possibilidade, ainda que ínfima, de que seu coração também perdesse a cadência quando eu estava por perto. Se por acaso ela viesse a me conhecer melhor e, quem sabe, decidisse viver na vila por uns tempos, digamos que eu pouco veria minha irmã nos próximos meses. Desconfiava de que aquilo tinha um nome, mas não ousava sequer pensar nele. Ainda não.

Seja lá o que tivesse me motivado a agir tão depressa, o que importava agora era que ela estava em casa. Um apartamento pequenino, ao que parecia, onde o sofá ainda era um sofá, mas não exatamente. O mesmo ocorria com os livros que encontrei espremidos em uma estante. Afastei a cortina e dei uma espiada pela janela. E então congelei. Estávamos no alto, muito alto, rodeados por outras imensas construções. Lá embaixo, a rua era um tapete escuro e estreito, coberto por coisas que se moviam rápido demais e sem cavalo algum à vista. As pessoas andavam em direções diversas e, pelo pouco que pude enxergar, vestiam-se como a senhorita Sofia. E os sons, tão indistintos e ainda assim altos o bastante para me fazer encolher os ombros.

Não me admirava que ela tivesse estranhado tanto os costumes e os hábitos da vila. Aquilo era, sem dúvida alguma, o lugar mais caótico que eu já vira. Na verdade, eu nunca tinha nem ao menos ouvido falar de algo como aquilo. Era como se o que eu estava vendo pertencesse a outro mundo, a outra realidade.

— Bem diferente, né? — Sofia estava de volta, parada a poucos passos, as mãos se retorcendo uma na outra.

— Para dizer o mínimo.

A cidade — pois era imensa demais para ser um vilarejo — se derramava no horizonte até onde a vista alcançava. Nem mesmo a enorme Londres, a mais populosa da Europa, se equipararia àquilo. Agora que ela estava em casa, não havia mais desculpas para minha permanência. Eu teria de partir em breve, mas não sem antes me assegurar de que poderia encontrar aquele lugar outra vez. Não era possível simplesmente esquecer Sofia e seguir com a vida.

— Aqui você vai ver um monte de coisas que nem poderia imaginar que já existem, Ian.

— *Vou* ver? — perguntei, cético, observando a rua lá embaixo, aqueles carros sem condutores ou cavalos. Uma espécie de pequeno trem, talvez? Não, não havia trilhos à vista.

Voltei-me para Sofia disposto a perguntar sobre o funcionamento do que quer que fosse aquilo. Mas, quando olhei para ela, vi os raios de sol incidirem sobre sua figura, fazendo reluzir algo que ela trazia no pescoço. Havia dois colares. Do mais curto, pendia um delicado relicário. Do outro, mais longo, uma letra I lhe caía na altura dos seios e... aquilo era uma aliança?

Meus olhos instantaneamente vagaram até sua mão esquerda. Não havia anel algum.

— Ian, eu preciso sair e adoraria que você me acompanhasse.

— Será um prazer, senhorita.

Eu devia ter perguntado para onde iríamos, mas tudo em que podia pensar era a quem pertencia aquela maldita aliança em seu pescoço.

— Vou pegar sua roupa. Aí vamos para o hospital primeiro. Estou maluca de preocupação com o Rafa. — Pelo seu tom, a voz embargada, eu soube que era esse o motivo pelo qual Sofia estava com tanta pressa de voltar para casa. Ela era comprometida. E o sujeito estava doente.

* * *

Sofia falou pouco a caminho do hospital, tão perdida estava em pensamentos. Minha situação não era muito diferente, sobretudo quando eu olhava pela janela do carro — era assim que ela chamava aquele veículo que se movia sozinho.

Aquela cidade era ainda mais impressionante vista do chão, e havia algo, uma informação que eu sabia estar ali em algum lugar, mas não era capaz de discernir. No entanto, não era isso que preenchia minha cabeça. Não, o que estava me tirando a paz era o fato de que passei a viagem toda guerreando contra o pensamento odioso e pouco honroso de que, se o tal Rafa estivesse gravemente doente, Sofia poderia ficar livre.

Que belo calhorda eu tinha me tornado.

Cerca de três quartos de hora depois, entramos no grande edifício de vidraças altas e portas largas. Sofia trouxera uma maleta e eu me ofereci para carregar para ela.

Ela foi entrando nas instalações sem esperar que eu lhe oferecesse o braço, mas me puxou pela mão e se dirigiu a uma área onde as letras UTI se penduravam no teto. Uma mulher nos informou que o tal Rafa não estava mais ali. Tinha sido removido para outro local. Então seguimos para o segundo andar e o encontramos na porta de número 243.

Sofia parou e bateu.

— Entra — disse uma voz feminina.

Eu respirei fundo, abri a porta e dei passagem a ela.

Dentro do quarto bem iluminado, a jovem de olhos verdes saiu de perto da cama onde um homenzarrão estava deitado e, para meu espanto, agarrou-se a meu pescoço.

— Obrigada, Ian. Meu Deus do céu, obrigada! — murmurou em meu peito.

Um tanto sem jeito — e sem ter ideia de como ela me conhecia —, acabei dando leves tapinhas em seus ombros.

— Eu... humm...

— O Rafa melhorou, Nina? — indagou Sofia.

Ah. Sofia mencionara esse nome uma vez. Aquela devia ser sua melhor amiga.

— Muito! Ainda tem febre, mas está mais baixa e os intervalos estão ficando maiores. E isso graças ao Ian. — Ela fixou aqueles olhos de joias em mim. — Se não fosse por você, eu nem sei o que teria acontecido. Você salvou o meu Rafa, Ian. Se eu já te amava antes, agora amo dez vezes mais!

O *seu* Rafa? Então esse tal de Rafa não era o homem com quem Sofia estava comprometida?

Era bom eu estar perto de um mancebo ou teria tombado no chão, já que minhas pernas ameaçaram se dobrar de alívio.

— Trouxe pra você. — Sofia pegou a bolsa que eu carregava para ela e entregou à amiga. — Tem roupas e produtos de higiene, além de uns lanchinhos.

— Valeu, Sofia.

— Eu não sei se gosto da ideia de você ficar dizendo que ama outro cara bem na minha frente — veio a voz abafada do sujeito sobre a cama, logo seguida por uma crise de tosse. Ele tinha uma máscara tapando parte do rosto, a pele coberta de manchas avermelhadas, sobretudo na região do pescoço. Alguns caroços também estavam aparentes. Havia apenas uma doença que eu conhecia que apresentava aqueles sintomas. Meu. Deus.

— Deixa de ser besta! — Nina colocou a maleta na mesinha ao lado da porta e fitou a amiga. — Meu exame deu negativo.

— Graças a Deus — suspirou Sofia, abraçando-a.

— É. O médico disse que o Rafa pode receber visitas, mas não podemos tocar nas lesões ou ter contato com qualquer secreção — explicou Nina. — Não é bom vocês chegarem muito perto.

Minha atenção continuava no rapaz. Algumas das manchas haviam supurado, tornando-se feridas úmidas e, eu podia apostar, muito doloridas. Mormo.

— Meu bom Deus — murmurei.

O olhar de Rafa encontrou o meu.

— Eu sei. Fiquei uma gracinha nessa camisola. — Os cantos de seus olhos se enrugaram. Ele sorria sob a máscara transparente.

— Uma belezinha. — Apesar do alerta da jovem, não resisti e me aproximei da cama. — No momento, estou lutando para não perder meu coração — tentei brincar para ocultar meu pesar. Que inferno! O rapaz parecia ter a mesma idade que eu! E, no entanto, seu futuro se perdera no momento em que ele se encontrara com o mormo.

— É o que todos dizem.

Sofia se juntou a mim, ficando a meu lado. A mão se encostou à minha. Sem parecer ter consciência do que fazia, seu dedo procurou o meu. Abri a mão e tomei a dela, nossos dedos se tornando um embolado tal qual um novelo de lã.

Ela sorriu para o rapaz.

— Você quase nos matou de susto, sabia?

— E isso serviu de lição. Melhor deixar os cavalos para o Ian. — Ele pigarreou, então fez uma careta. — Poderiam me dar um pouco de água?

— É claro. — Mas a jarra sobre a mesa ao lado da cama estava seca.

— Vou pegar mais no corredor e já volto — anunciou Nina, alcançando o recipiente e indo em direção ao corredor. Ela mal acabara de fechar a porta quando esta se abriu de novo e um jovem entrou. Ele vestia um longo paletó branco e tinha uma maleta nas mãos.

— Que bom vê-lo acordado, Rafael — disse ao entrar.

— Pode acreditar que eu também estou feliz com isso, doutor Inácio.

— Vim apenas checar seus sinais vitais. Já reportei seu caso à vigilância sanitária. Eles virão falar com você ainda hoje.

— Preciso olhar minha agenda e verificar se não tenho nenhum compromisso para hoje... — ele brincou.

— Humm... Eu vou ajudar a Nina — Sofia se apressou em direção à porta para dar privacidade a Rafael, enquanto o médico calçava luvas brancas e removia a camisola de seus ombros feridos.

Afastei-me da cama para lhes dar espaço e sentei-me na cadeira ao lado de uma mesinha logo na entrada do quarto. Havia jornais sobre ela. Coloridos e repletos de retratos muito vivos, devo ressaltar. Curioso, empurrei para o lado a maleta que Sofia trouxera e peguei um deles, examinando a imagem de perto. Minúsculos pontinhos se juntavam para formar o retrato. Uma técnica que não reconheci, mas achei muito interessante. Ergui o olhar para a manchete, mas acabei lendo o cabeçalho.

Oito de novembro de 2011.

Fui para a página seguinte. O erro estava em todas as folhas.

A imagem de um... ah, eu não fazia ideia do que era aquilo... surgiu em preto e branco quando fechei a impressão. Sobre a figura, a seguinte frase:

Rússia lança sonda para explorar Fobos, a maior lua de Marte, retomando missões ao Planeta Vermelho

— O quê?! — Levantei-me da cadeira.

O artigo sob aquela manchete? Dizia que uma *espaçonave* chegaria ao planeta Marte. *Marte!* Bom Deus!

— O que foi? O dólar disparou outra vez? — Rafael perguntou, enquanto o médico examinava suas costas.

Sacudi a cabeça, não querendo interromper o exame.

— É um pouco cedo — disse o doutor, ao retirar as luvas e descartá-las em um cesto de lixo. — Mas arrisco dizer que você está totalmente fora de perigo. A medicação está funcionando, seu corpo está reagindo bem. O mormo está cedendo.

Medicação? Havia medicação para *mormo*? E realmente podia combater a doença?

Voltei a olhar o cabeçalho do jornal ainda em minhas mãos.

Oito de novembro de *2011*.

Eu precisava mostrar aquele jornal a Sofia. Precisava perguntar a ela se a data naquele papel estava certa. Eu já estava na porta, a mão na maçaneta, quando me detive.

Ela já sabia, não é?

A maneira hesitante como sempre se referiu ao lugar onde vivia, as palavras vagas ao descrevê-lo. Agora fazia sentido. Ela nunca dissera nada porque ninguém acreditaria. Nem mesmo eu.

O médico terminou o exame e prometeu que voltaria mais tarde. Antes de sair, parou diante de mim e sorriu.

— Obrigado, Ian. Se não fosse por sua sugestão, eu teria perdido um paciente. É muito chato quando isso acontece.

— Sobretudo para o paciente — ouvi-me dizer. Inúmeras perguntas giravam em minha cabeça, deixando-me tonto a ponto de ser obrigado a me apoiar no encosto da cadeira para conter o atordoamento.

O médico ainda ria ao deixar o quarto.

— Então você salvou a minha vida — Rafael disse.

— Não vejo como. — Ainda mais porque eu tinha acabado de conhecê-lo e...

Espere um pouco. "Se não fosse por sua sugestão, eu teria perdido um paciente", dissera o médico. Isso significava que eu já o conhecia? O mesmo acontecia com Nina e Rafael?

Era possível. Havia uma lacuna em minhas memórias que eu não conseguia preencher.

— Deixa disso, cara. Eu sei que é por sua causa que eu ainda tô aqui. E eu... não sei como te agradecer. Vou te dever para sempre, Ian. Você tem em mim um irmão agora. Mexeu com você, mexeu comigo. — Com o punho fechado, ele bateu duas vezes no peito, sobre o coração, então esticou dois dedos em minha direção.

— Humm... Eu fico grato, suponho.

Ele franziu a testa.

— Você não lembra de ter dito para o médico que o que eu tinha não era pneumonia, e sim mormo, não é?

— Não. — Coloquei as mãos nos bolsos da calça ao me aproximar da cama. Diabos, eram apertados demais. Além disso, havia uma caixinha de papelão ali dentro.

A porta se abriu. Nina e Sofia retornaram.

— Aqui, meu amor. Trouxe um pouco de gelo também.

Afastei-me da cama para que Nina pudesse cuidar dele. Percebendo a fadiga de Rafael, sugeri a Sofia que o deixássemos descansar.

— É, nós temos mesmo que ir — ela concordou antes de se dirigir à amiga. — Nina, me liga a qualquer momento. Não me deixe sem notícias.

— Pode deixar. — E beijou o rosto de Sofia.

— Pode ir tranquila, Sofs. — Rafael pegou uma pedra de gelo e afastou a máscara do rosto. — Não vai ser dessa vez que eu vou bater as botas.

— Ainda bem — ela disse, soprando-lhe um beijo. — Vê se melhora logo.

Despedi-me de Nina, em seguida de Rafael. Antes que eu pudesse me afastar, porém, ele me chamou de volta.

— Se cuida, cara — disse com intensidade.

— Você também... cara. Adeus.

— Boa sorte com a sua irmã.

Minha irmã? O que Elisa tinha a ver com tudo aquilo?

Já estávamos do lado de fora do quarto quando Sofia perguntou:

— Você já se deu conta de que salvou a vida do Rafa? — E me fitou com os olhos cintilando feito duas estrelas. — Nunca tinha ouvido falar nessa tal mormo. Ou é *esse* tal mormo?

— Quando você pretendia me contar que veio do futuro? — soltei, impaciente.

Ela se encolheu.

— Agora...?

— Por que não me contou antes? — bufei, correndo a mão pelos cabelos e lutando contra a urgência de sacudi-la. E depois beijá-la.

— Porque você não reagiu bem das outras vezes. Eu só queria te proteger, de algum jeito.

— Me proteger de... *Outras vezes?* — Então minha suspeita estava correta. Eu havia me esquecido muito mais do que a noite passada. — Senhorita, há quanto tempo estamos aqui?

— Cinco dias. Você anda tendo alguns lapsos de memória. É por isso que não se lembra de como chegamos aqui... e de mais algumas coisas.

Vasculhei a cabeça em busca de minha última memória antes de acordar em sua casa. Eu me lembrava de ter discutido com Sofia por conta de sua resistência em aceitar alguns vestidos de presente. Entretanto, olhando para ela agora, notei algumas coisas que antes me escaparam. Seus cabelos pareciam um pouco mais longos do que eu me lembrava. Seu rosto estava mais fino, mas seu corpo, talvez por culpa das roupas apertadas, parecia ligeiramente mais curvilíneo. Sobretudo a parte superior do corpo. Mudanças sutis que poderiam passar quase despercebidas. Sutis, sim, mas que não podiam ter acontecido no decorrer de uma noite.

— De quanto tempo estamos falando? — Escrutinei seu rosto, seu corpo, guardando na memória cada uma daquelas pequenas mudanças.

— Eu não sei mais, Ian. Um ano e dez meses, acho. Talvez um pouco mais.

— O *quê?!*

— E é por isso que eu não queria te contar nada dessa vez. — Ela soltou um longo suspiro.

— Como nós viajamos no tempo?

— Já te expliquei isso antes.

— E quanto à aliança em seu colar?

— Expliquei isso também. — Ela fez uma careta.

— E vai explicar novamente?

Ela gemeu, olhando para a frente, enfiando as mãos nos bolsos daquele pequeno retalho que lhe cobria os quadris.

— Provavelmente só vai te deixar mais confuso.

— Você o ama?

Ela voltou os olhos para os meus no mesmo instante, sem hesitação alguma.

— Mais que qualquer coisa no mundo, Ian.

Ouvir aquilo abriu um buraco em meu peito.

— E onde ele está agora? Por que não está aqui com você, compartilhando de sua angústia?

— Ele... — ela voltou a olhar para a frente — precisou se ausentar. Foi forçado a isso.

— Entendo. — Muito embora não entendesse. Que o diabo o carregasse, se era assim que ele costumava lidar com Sofia, deixando-a sozinha com um completo estranho que estava louco para estreitá-la nos braços. — Mas ele não está aqui agora.

— De certa maneira, eu diria que está, sim.

— Só há uma maneira, senhorita Sofia. E o único homem a seu lado sou eu.

— Sofia. Apenas Sofia, Ian. — Ela empurrou os cabelos para trás, como se eles a irritassem ou a tivessem ofendido.

— Já me pediu isso antes.

Ela fixou os olhos nos meus.

— E você vive esquecendo.

Estávamos do lado de fora do prédio àquela altura. Ofereci o braço a ela e tentei lembrar onde ela havia deixado seu veículo.

— Senhorita, o que Rafael quis dizer com "boa sorte com a sua irmã"?

— Ah... éééé... — resmungou Sofia, desviando os olhos para os sapatos vermelhos.

E foi assim que eu soube. Estar no futuro, ter perdido a memória, ter descoberto que Sofia estava noiva de outro homem? Não. Nenhuma dessas coisas era o meu maior problema.

34

O sol estava alto e o mormaço parecia me atingir de todos os lados, sobretudo do chão. Minha cabeça latejava, mas não tinha a ver com o calor fatigante. Era o sumiço de Elisa que estava me deixando louco.

— Diga-me mais uma vez o que fizemos para tentar recuperá-la — supliquei a Sofia, puxando-a para o lado quando um homem segurando guias de uma dúzia de cachorros passou por nós.

Logo depois de sairmos do hospital, Sofia sugeriu deixar seu carro ali mesmo e andarmos pelo bairro, na tentativa de descobrir alguma informação sobre o desaparecimento de minha irmã.

— Distribuímos e colamos cartazes na cidade toda — disse ela. — Tentamos seguir o rastro que Elisa deixou, que no caso foi ter aparecido na sua casa neste tempo, o que nos levou à delegacia e ao hospital. Roubamos a ficha dela, devolvemos, e então pedimos ajuda da polícia, e ontem eles conseguiram a imagem do cara que levou a Elisa embora do hospital. E eu acho que devíamos tentar alguma coisa com o rádio. E um detetive particular também. Quem sabe... — Sofia parou abruptamente, os olhos fixos no outro lado da rua.

— O que foi? — Acompanhei seu olhar. Tudo o que pude ver foi a grande construção lilás que me pareceu muito familiar.

— É aquela casa, Ian. A que você pretendia comprar pra Elisa.

A fachada estava um tanto diferente, mas, sim, era a mesma propriedade que eu cogitara comprar para minha irmã dias antes... anos antes... séculos antes. Eu não sabia mais.

No entanto, o letreiro no portão não fez sentido algum.

"Conservatório Elisa Clarke."

— Por que leva o nome de Elisa? — pensei em voz alta.

— Não faço ideia, Ian, mas vamos descobrir agora mesmo.

Oferecendo-lhe o braço, atravessei a rua e passamos pelo portão aberto. Subimos lado a lado os degraus da entrada. Havia um tipo de recepção na sala de visitas. Móveis parecidos com os que eu tinha visto no apartamento de Sofia dominavam o ambiente.

— Oi, posso ajudar? — perguntou uma jovem pouco mais velha que Elisa, de cabelos escuros. As pontas eram roxas, porém, como se ela as tivesse mergulhado em suco de uva. Fiz uma mesura para ela.

A garota me avaliou com curiosidade, e um pequeno sorriso amigável surgiu nos lábios coloridos de azul.

— Oi — começou Sofia. — A gente queria conhecer o conservatório.

— É sobre a vaga de professor de artes? — E voltou os olhos para mim. Pude notar que suas íris amarelo-gema eram exatamente como as de um gato, a pupila apenas um risco. Pobrezinha. Não devia ser nada fácil conviver com aquela deformidade.

— Hã... — resmungou Sofia, olhando ao redor.

— Sim, eu sou professor de artes — tomei a frente. E não era exatamente mentira. — Eu gostaria de conhecer as instalações, saber mais sobre o conservatório.

— É claro! Eu tô com tempo livre agora. Posso te mostrar tu-di-nho.

— Claro que pode — resmungou Sofia, estreitando os olhos em direção à menina.

— Excelente. — Sorri para a jovem. — Encantado em conhecê-la, senhorita...

— Allanis, com dois Ls. Já nos vimos antes? Porque eu acho que sim. Você me parece tão familiar.

— Receio que ainda não tive esse prazer.

— Tem certeza? — Sua testa se franziu. — Nem no Facebook?

Eu não sabia onde ficava o Facebook, mas, se era naquele mundo, então a resposta só podia ser uma:

— Não.

— Que pena. Me adiciona lá, então. Me cutuca! — Ela piscou um dos olhos de gato.

— Eu jamais seria tão rude a ponto de cutucá-la, senhorita Allanis.

— Ahhhhh. — Pareceu-me decepcionada. — Tudo bem, vamos lá. Vou te mostrar as salas de aula primeiro. É... esqueci seu nome.

— Eu ainda não disse. Sou Ian Cla...

— Clausen — Sofia se apressou. — Ian Clausen.

A jovem de aparência incomum lançou a Sofia um olhar enviesado.

— E você é quem mesmo?

Sofia grunhiu, parecendo muito irritada. Mas por quê, se tudo estava correndo tão bem? Por garantia, toquei seu cotovelo, segurando-a com delicadeza.

— Esta adorável jovem é minha esposa, senhorita Allanis — menti.

Sofia voltou os olhos para os meus. Eles questionavam, exigiam, e acima de tudo reluziam com um tipo de emoção que não fui capaz de definir. Esperança, talvez.

— Esposa? — A jovem levou à boca uma das pontas roxas do cabelo. — Mas você é tão novo pra já ter se amarrado assim...

— Senhorita Allanis, poderia nos mostrar o conservatório agora? — E segurei o cotovelo de Sofia com mais força, já que ela tentou dar um passo à frente. — Estou com um pouco de pressa.

— Tá certo. — Ela sorriu de um jeito estranho, soltando o cabelo colorido. — Vem comigo. Sua mulher pode esperar aqui. Vou pedir para alguém trazer uma água ou um suco pra ela. Tá muito quente hoje, não tá?

Sofia bufou antes que eu pudesse responder.

— Esperar aqui o cac...

— É muita bondade sua. Mas prefiro que ela me acompanhe — interrompi antes que Sofia praguejasse. Eu não tinha ideia de por que ela se mostrava tão pouco cordial com a jovem que estava nos ajudando. Ou que poderia nos ajudar, de qualquer modo. Foi a minha vez de fitá-la sem entender, e em troca recebi um olhar zangado.

Mas o que foi que eu fiz?

— Que seja. — Allanis revirou os olhos e começou a andar.

Eu a segui, guiando Sofia pelo braço, mas ela se afastou com um safanão.

— Está aborrecida porque eu menti que era minha esposa? — perguntei baixinho.

— Não. — Aquela emoção que eu vira pouco antes em seu olhar esvaneceu, deixando apenas a ira que parecia dirigida a mim.

— É porque eu disse que era professor de artes?

— Não. Foi uma grande ideia.

Bufei, correndo a mão pelos cabelos.

— Então por que está tão zangada?

— Por nada. — Ela pressionou os lábios e desviou o olhar.

— Não minta, senhorita. Cheguei a pensar que você ia agredir a menina. E a senhorita Allanis está sendo muito gentil conosco.

Ela se deteve brevemente, os olhos faiscando.

— Você não tá ajudando, Ian.

— Sim, começo a notar. — Cocei a cabeça. — Apenas não consigo entender o que estou fazendo de errado.

— Não é nada, tá legal? Só vamos olhar por aí. — E foi em frente, deixando-me para trás.

Engoli uma imprecação. Às vezes era impossível compreender aquela mulher.

— Acho que você vai gostar das instalações, Ian. — Allanis sorriu, esperando por mim. — Todos os professores elogiam. Temos tudo o que é importante aqui. Materiais de qualidade, professores capacitados e muita *paixão* pelo que fazemos. Muita paixão mesmo. — E então pousou a mão em meu braço, sem que eu o tivesse lhe oferecido.

Ah.

Mas que inferno.

Afastei-me de seu toque, olhando rapidamente para Sofia, mais à frente. Irada nem chegava perto de descrevê-la.

— Começo a compreender — murmurei. — Um tanto tarde demais, ao que parece. Sofia, espere!

Ela apressou o passo, pisando duro, indo em frente sem olhar para trás.

— Senhorita Sofia — chamei de novo.

— Eu vou olhar por aí. — Ela não se virou. — Por que você não vai com a Allanis até a sala de artes pra entender melhor de que tipo de paixão ela tá falando?

— Por favor, senhorita Sofia, espere.

Mas ela não se deteve. Seguiu em frente e dobrou o corredor. Depois subiu a larga escadaria e se enfiou na primeira porta que encontrou. Passei pelo batente antes que ela pudesse fechá-la. Partituras e pedestais estavam espalhados por todo o ambiente. Uma sala de música.

— Por favor, senhorita, olhe para mim.

Teimosa como era, ela permaneceu de costas, os braços cruzados com insolência. Segurei-a pelos ombros e a fiz girar sobre os calcanhares.

— Eu não sabia! — murmurei.

— Não? — Havia tanta mágoa naquela única sílaba. E isso deveria ter me feito sentir mal, mas tudo o que fiz foi começar a sorrir. Ela estava enciumada.

Ela se importava. Ainda havia uma chance, mesmo que aquela aliança em seu pescoço dissesse o oposto.

— É claro que eu não sabia. Como poderia se...

— Ah, vocês bem que podiam ter dito que queriam conhecer a sala de música primeiro. — Allanis foi entrando e se apoiou em uma das cadeiras.

Sofia tentou se esquivar de minhas mãos, mas eu a tomei pela cintura, pressionando-a junto a mim, buscando seus olhos. Ela os desviou.

— Temos oito turmas completas — continuou a jovem. — De violão a violino. Você gosta de música, Ian?

— Ai, meu Deus! — Sofia arfou.

Eu a estudei, tentando desvendar qual era o problema agora. Seu olhar estava fixo na parede dos fundos. Procurei o que atraíra tanto sua atenção. E encontrei.

— Elisa — murmurei.

— É linda, né? — tagarelou Allanis, batendo a ponta das unhas no encosto da cadeira. — Todo mundo se encanta com ela.

— Você viu essa menina? — Sofia perguntou, sem tirar os olhos da tela pendurada na parede.

— Claro que não, doida! Esses aí são os patronos do conservatório. É gente do século dezoito!

— Dezenove — eu a corrigi.

Ela apenas ergueu os ombros.

— Aquele é Thomas Clarke, e a garota é a esposa dele, Elisa. Eles eram primos, sabe, mas se casaram mesmo assim.

— Não! — gritou Sofia, ao mesmo tempo em que eu perguntava:

— O quê? Isso é um equívoco. — Só podia ser. No retrato, Elisa, em um vestido azul de mangas curtas, os cabelos para o alto como de costume, estava sentada em uma cadeira. Thomas, em pé, descansava a mão no ombro dela. Ele estava sério, altivo, e parecia contente. Já minha irmã...

— Ela está infeliz — Sofia murmurou, ecoando meus pensamentos. O brilho nos olhos de Elisa se apagara. Era triste olhar para ela.

— Parece, né? — comentou Allanis. — Muitos dos nossos estudantes de artes usam Elisa como musa. Eles tentam capturar a melancolia de seu olhar, mas não conseguem. Esse retrato foi feito pelo irmão dela logo depois do casamento.

— C-como...? — Sofia gaguejou, o olhar fixo no quadro.

— Ah, sabe como é. Thomas foi fazer uma visita ao primo logo que ele se casou, e Elisa já estava crescida. Ele a pediu em casamento alguns dias depois e ela aceitou.

— Não é possível. — Elisa e Thomas? Não que eu não gostasse de meu primo, mas jamais detectara inclinação alguma de sua parte. Naturalmente, na última vez em que ele vira minha irmã, ela não passava de uma criança, mas ainda assim.

— Mas não foi desse jeito que aconteceu! — Sofia gemeu, em desespero.

— Ei, só estou contando o que eu sei. O senhor Ian Clarke casou, depois foi a vez da Elisa. Ela nunca foi uma grande musicista, mas amava a música e passava boa parte de seus dias se dedicando a isso. Uma família talentosa, esses Clarke. Você precisa ver os quadros que o irmão pintava. Um mais bonito que o outro. Tem um de um cavalo que eu *amo*! Se quiser ver, está na sala dedicada à história da família. Acho interessante você conhecer, Ian. O trabalho de Clarke é muito intrigante. E não é legal vocês terem o mesmo nome? Ei, você tá meio verde, garota. — Ela se aproximou de Sofia.

De fato, Sofia parecia a ponto de vomitar.

— Poderia arrumar uma taça de vinho, senhorita Allanis? Faria bem a ela.

— Vinho? Rá! Se o dono descobre que eu tô servindo vinho aqui, me manda pra rua na hora!

— Água, então? — tentei.

A jovem incomum hesitou por um segundo.

— Tá... Tudo bem, mas, se ela for vomitar, é melhor não fazer isso nas partituras ou eu tô ferrada.

Assim que ficamos sozinhos, Sofia se agarrou à gola de minha camisa.

— Isso não pode ter acontecido, Ian! Não pode!

— Também não consigo acreditar. Thomas tem a minha idade! O que estava pensando ao pedir a mão de Elisa? Ela é apenas uma menina, e aquele...

— Esse não é o ponto! Thomas *casou* com a Teodora, a Elisa está noiva do Lucas. Tá tudo errado!

— Minha irmã está o *quê*? — Primeiro ela estava desaparecida, agora *noiva*? Sofia suspirou, esfregando a testa.

— Desculpa. Esqueci que você não lembra. Mas confie em mim, Ian. Sei exatamente como cada história deve acontecer. Elisa e Thomas não ficam juntos. Isso tudo é um erro!

— Certamente é. Eu jamais permitiria que Elisa noivasse aos quinze anos!

— Ela já tem dezessete.

— O *quê*?! — Mas que diabos!

— Eu disse, você esqueceu um bocado de coisas. Mas isso não importa agora. Como esse quadro é possível? — E apontou para a tela.

Analisei a pintura por um instante.

— Reconheço as pinceladas. É algo que eu posso ter pintado, mas acho que a senhorita Allanis se equivocou.

— Então somos dois. Vamos dar uma olhada por aí e ver se descobrimos por que esse quadro foi pintado. Ela disse que tinha uma sala com a história da família, não disse? Talvez lá possamos encontrar alguma pista dessa maluquice toda.

Eu concordei, pois era exatamente nisso que estava pensando. Abri a porta e dei passagem para ela. Abrimos algumas outras no corredor, mas a maioria dava para salas com muitas cadeiras.

— Por que você disse para a Allanis que eu era sua mulher? — Sofia perguntou, examinando mais uma saleta.

— Sendo franco, senhorita?

Ela voltou a atenção para mim.

— É claro.

— Foi a primeira coisa que me ocorreu.

— Ah. — O brilho em seus olhos se extinguiu.

— Mas — prossegui —, já que precisei mentir, optei por uma mentira que eu gostaria que fosse verdade.

— G-gostaria? — Ela me observou por um instante, mordendo o lábio inferior. Dei um passo, dizimando a distância entre nós. Sofia elevou o queixo para me fitar. Seus longos cabelos se balançaram nas costas.

— Ah, gostaria muito, Sofia. — Toquei seu queixo, simplesmente porque foi irresistível. Ela tremeu com o contato, despertando em mim um grito, um rugido que implorava que eu não parasse de tocá-la.

Uma porta bateu ali perto. Sofia pulou um metro longe.

— Temos que encontrar a sala certa antes que a Allanis volte. — E disparou corredor abaixo.

Tudo bem. Aquela reação era natural para ela. Nada que eu já não esperasse. O que eu não esperava era o que vi em seus olhos. Um tipo de sentimento tão precioso quanto raro. Tão casto quanto lascivo. Tão profundo e intenso que quase me pôs de joelhos.

Eu tinha de encontrar Elisa e me certificar de que ela estava a salvo. Depois disso? Faria tudo o que estivesse a meu alcance para conquistar Sofia.

— Aqui tem alguma coisa — ela disse ao investigar a quarta sala. Eu a segui, fechando a porta depois de passar por ela. — Não dá pra dizer que isso tudo não é real — Sofia murmurou, examinando a sala.

— Não, não dá. — Quadros que eu me lembrava de ter pintado estavam dispostos na parede e sobre cavaletes. De outros, porém, apesar de reconhecer como meus, eu não me lembrava em absoluto.

Sofia começou a remexer nas gavetas da mesa em frente à janela em busca de informação. Entretanto, tudo o que encontrou foram antigos documentos do conservatório. Decidi vasculhar as estantes. Em uma almofada de veludo verde, encontrei uma das pistolas que foram de meu avô. Eu a peguei, sentindo seu peso, deslizando a ponta dos dedos no cano decorado por um emaranhado de ramas. Era a mesma arma que agora estaria trancada junto a seu par em uma caixa de madeira, na última prateleira do armário de meu escritório?

Acabei esbarrando o braço em uma cristaleira. O chacoalhar dos vidros ecoou pela sala. Com a mão livre, eu a amparei, tentando deter o barulho. Havia algumas joias dentro da cristaleira, porcelanas e minúsculos retratos em molduras douradas. Muitos daqueles objetos pertenciam a minha família havia décadas. Foi estranho, de fato, olhar para minha própria história. Coloquei a pistola de volta em seu lugar para examinar melhor os objetos na cristaleira.

— Teve sorte aqui? — Sofia se juntou a mim, estudando os relicários. — Família Clarke — leu ela. — John Clarke e Laura Bittencourt Clarke. Seus pais eram lindos... Uau! Você se parece um bocado com seu pai. Gostaria de ter conhecido os dois.

Não pude reprimir o sorriso.

— Eles a teriam adorado antes mesmo que lhes dissesse olá.

— Aqui, Ian. Olha! — Ela apontou para duas miniaturas. — Thomas Clarke II e Elisa Clarke. Casados em 1832. Mas, cacete, isso não pode estar certo. — Ela se colou mais ao vidro. — O Thomas casou em 1830. Deve ter algum outro retrato aqui da Teodora que explique m...

Ela se interrompeu no momento exato em que meus olhos também encontraram meu retrato. Uma miniatura delicada bem ao lado da de minha esposa.

E ela não era Sofia.

35

O pequeno retrato ao lado do meu estava manchado, envelhecido, mas ainda assim fui capaz de reconhecer aquele rosto. Claro que reconheceria a menina que fora minha vizinha a vida toda. O que eu não compreendia era como ele poderia estar ali, ao lado do meu.

Sim, a mãe dela deixara claro mais de uma vez seu desejo de unir a filha à família Clarke. Mas nunca, em momento algum, sequer cogitei a hipótese de que Valentina pudesse vir a ser minha esposa. Por Deus, ela era apenas dois anos mais velha que minha irmã. Não passava de uma menina! E Deus me livre de ter que aturar a senhora Albuquerque mais do que exigia a boa educação em jantares e bailes.

Não havia dúvida, porém, de que os objetos naquela sala pertenceram a minha família. E, inferno, eu não queria aquele futuro. Queria Sofia.

— Senhora Valentina Albuquerque Clarke...? — Sofia arfou. Os joelhos dela fraquejaram e eu a segurei pela cintura, prendendo-a a meu corpo.

— Eu não entendo — murmurei.

— Você e ela... Você e Valentina... Vocês dois... — Sofia engasgou, levando a mão ao peito. — Eu preciso... — Então se desprendeu de mim e saiu correndo antes que eu pudesse detê-la. Desceu as escadas tão depressa que quase derrubou Allanis, que voltava com o copo de água.

— Sofia! — Pulei os degraus de dois em dois.

— O que aconteceu? — Allanis perguntou quando passei por ela.

— Quisera eu entender!

Sofia correu como se sua vida dependesse disso, mas teve dificuldade para encontrar a saída. Acabou entrando em um cômodo escuro, onde finalmente consegui detê-la.

— Me solta, Ian!

Ela lutou comigo, tentando se desvencilhar. Mas eu era mais alto e mais forte, e não foi difícil prendê-la pela cintura.

— Não posso, Sofia! Sinto que, se eu a soltar agora, jamais voltarei a vê-la.

— Eu não quero que você me abrace. Me solta!

Ela voltou a me empurrar, mas eu a segurei com mais força. Percebendo que não conseguiria fugir, ela cerrou os punhos e começou a socar meu peito. Muitas e muitas vezes, até que um som agudo, um gemido de dor de alguém em profunda agonia, escapou de sua garganta. Ela escondeu o rosto entre as mãos. Aquilo me acertou na boca do estômago como um murro.

— Não, Sofia. — Eu a mantive tão firme entre os braços que pude sentir suas costelas protestarem. Ela, porém, não reclamou. — Por favor, não chore.

Passando os braços em meu pescoço, ela afundou o rosto ali, soluçando alto. Sem saber o que dizer para acalmá-la, fiz a coisa mais idiota e extraordinária de toda a minha vida.

Eu a beijei.

Precisava daquilo, embora soubesse que não devia. Meu corpo e meu cérebro já não estavam em sintonia. A razão e o coração seguiam caminhos distintos. Mas eu tinha de assegurar a ela — e a mim mesmo — que nada do que vimos dentro daquela casa era possível, pois só havia uma pessoa para mim. Sofia.

Desde que a encontrara, desorientada e ferida, em minhas terras, eu tentava imaginar como seria tê-la em meus braços, como seria seu gosto, sentir seu perfume assim de tão perto. Mas nada que eu pudesse ter fantasiado chegou próximo da realidade. Daquela deliciosa e arrebatadora realidade.

Dizer que eu a beijava seria um eufemismo. Eu a devorava! E estava pronto para ser rechaçado. Ouvir uma reprimenda e ter de conviver com seu desprezo. Eu esperava até um tabefe muito merecido pela ousadia. Em vez disso, Sofia retribuiu o beijo. E sua boca se encaixou na minha como deveria ser: perfeita, macia, quente, aflita, como se sua alma estivesse embutida em cada movimento de seus lábios. Fui dominado por todo tipo de sensação e emoção, amplificadas pelo sabor único da boca de Sofia.

Então eu a beijei como se ela fosse minha, um beijo possessivo, intenso, e, Deus do céu, naquele instante ela *era* minha, pois se entregara sem resistência alguma, como se havia muito esperasse por aquele momento. Naquele instante, perguntei-me como pude viver sem ela por tanto tempo.

Minhas mãos vagaram por sua silhueta, como se conhecessem cada curva, cada segredo. Ela gemeu em minha boca, e a urgência endureceu meus sentidos... entre outras coisas. Eu estava perto de perder a cabeça. Deus, tão perto que precisei de muita força de vontade para afastá-la, pois não confiava em mim mesmo. Mas doía. Doía muito não beijar Sofia.

— Você me beijou — ela sussurrou, sem fôlego. — Você me beijou!

— Eu deveria dizer que lamento — minha voz espelhava a dela —, mas não vou. Estaria mentindo. — Alcancei o lenço no bolso da calça. Atrapalhei-me um pouco para pegá-lo, pois aquela caixinha de papel se enroscou nele. Empurrei a caixa para o fundo do bolso e então levei o lenço a seu rosto, apagando os vestígios das lágrimas. — E... a senhorita também me beijou.

— É. E eu também não lamento.

Se aquilo não me fez querer beijá-la outra vez...

No entanto, o desalento e o medo em seu semblante me deixavam inquieto.

— Venha. Vamos sair daqui. — Pois suspeitei de que permanecer naquela casa, sob o mesmo teto que aquele futuro odioso, só pioraria seu estado. Guardei o lenço e lhe ofereci o braço.

— Pra onde vamos? — ela perguntou, a voz miúda.

— Não sei. Apenas quero ir para longe disso tudo.

Sofia concordou com a cabeça, mas o desespero e o desamparo a atordoavam de tal modo que ela ficou olhando para o braço que eu lhe oferecia, como se não soubesse o que fazer. Peguei sua mão gentilmente e a coloquei na dobra de meu cotovelo. Então a ajudei a encontrar a saída e nos apressamos em direção à calçada. No entanto, Allanis surgiu sob o batente da porta de entrada.

— Ei! Aonde você vai? — berrou. — Não te mostrei tudo, Ian!

— Agradeço por ter nos mostrado as instalações do conservatório, senhorita. Mas temos de ir agora. — Fiz uma mesura apressada, empurrando Sofia em direção ao portão.

— Tudo bem, mas não esquece. Me segue no Instagram!

Encarei Sofia enquanto apertava o passo.

— Por que ela fica me dizendo essas coisas?

— Isso é ela flertando com você. — Ela ergueu os ombros.

Sacudi a cabeça.

— Este lugar é estranho, de fato. Flerta-se cutucando e perseguindo as pessoas?

— Posso te perguntar uma coisa? — Ela mordeu o lábio inferior.

Já estávamos na rua a esta altura. Pousei a mão sobre a dela, na dobra de meu cotovelo.

— O que quiser, senhorita.

— Você não sacou mesmo que a Allanis tava te azarando?

— Azarando?

— Flertando, paquerando, dando em cima, te dando mole.

— Não até ela me tocar. Me perdoe.

— Por quê? Você não fez nada errado, só... foi você mesmo. O cara gentil de sempre.

— Nunca imaginei que isso um dia me poria em apuros. — Balancei a cabeça.

Não sei se por causa do beijo, que despertou em mim algo primitivo, ou se pelo fato de seu corpo estar muito próximo do meu, mas quando chegamos à rua eu estava bem ciente dos trajes reveladores que Sofia usava. No entanto, ninguém parecia se impressionar. Na verdade, se se levassem em consideração as roupas de duas damas com quem cruzamos, Sofia parecia recatada, mesmo com tanta pele à mostra.

Ela havia parado de chorar, mas seu semblante ainda expunha dor e desespero. Não prestava atenção em nada, imersa em um tipo de horror que a deixou entorpecida, movendo as pernas sem perceber o que estava fazendo, me permitindo guiá-la para onde eu bem entendesse. Eu nunca a vira tão abalada assim.

— Você sempre morou aqui? — perguntei.

— A vida toda. Nasci e cresci aqui.

— Nunca imaginei que o mundo pudesse mudar tanto.

Por quê? Por que ela ficara tão mexida ao ver meu retrato ao lado do de Valentina? A resposta parecia óbvia, e tive medo de ter esperanças.

Andamos mais um pouco, sem saber ao certo nosso destino, até que avistei uma pequena praça. Um grupo de cavalheiros na esquina conversava e fumava despreocupadamente. Eu não sabia de que tipo de sujeitos se tratava, e não toleraria se faltassem com o respeito a Sofia. Como não poderia bater neles e protegê-la ao mesmo tempo, preferi mudar o curso e dar a volta na praça, afastando Sofia de possíveis olhares maliciosos.

Passamos por um banco cinzento; um imponente cedro estava mais atrás e, por alguma razão, pareceu-me dolorosamente familiar.

— Quer se sentar por um instante? — ofereci.

Seus grandes olhos castanhos encontraram os meus, questionando, mas sua cabeça balançou afirmativamente. Eu a ajudei a se sentar e me acomodei a seu lado, impondo certa distância entre nós. Uma agitação sem sentido se apoderou de mim.

Não estava certo. Aquilo não estava certo.

Levantei-me em um rompante.

— O que foi? — perguntou Sofia.

— Não é nada.

— Não parece nada.

Minha cabeça começou a doer. Esfreguei a testa, tentando me livrar do desconforto, mas em nada ajudou. Relanceei o velho cedro.

— Venha aqui. — Estendi a mão para ela, que aceitou, ficando em pé.

Desviando de uma pedra, levei-a pelo gramado e parei sob a copa da árvore. Sofia me examinou com a testa franzida. Eu mesmo devia ter uma expressão muito parecida enquanto a ajudava a se sentar na grama. Ajeitando-me a seu lado, ombros colados, aquela inquietação começou a ceder.

— Assim está melhor — pensei em voz alta.

Ela não disse nada, apenas continuou me observando como se buscasse respostas.

— Ian, por que me trouxe aqui? — ela perguntou em voz baixa.

— Eu não sei, senhorita.

A decepção tingiu suas faces pálidas, e ela estremeceu de leve. Levei a mão à gola do casaco, na intenção de oferecê-lo a ela para que se aquecesse, apenas para lembrar que não havia casaco algum.

— Mas — prossegui — pareceu-me apropriado. Como se aqui fosse adequado para nós dois. Embora não faça nenhum sentido.

Ela ergueu a cabeça, e nossos rostos ficaram tão próximos um do outro que, se eu respirasse mais profundamente, meus lábios roçariam os dela.

— Faz sentido pra mim, Ian. — Seu olhar estava preso ao meu, e não pude (e não quis) me desvencilhar dele. — Você nem faz ideia de quanto.

Ainda me fitando, Sofia chegou mais perto, até a lateral de seu corpo se colar totalmente ao meu, e deitou a cabeça em meu peito. Eu a abracei sem hesitar, e não resisti a deixar a cabeça pender sobre a dela, enfiando o nariz em seus cabelos. Ela tinha o perfume da primavera. Desejei que o mundo pudesse parar de girar por um instante e eu fosse capaz de viver naquele breve infinito. E, Deus, ela se encaixava tão perfeitamente em meus braços, como se tivesse sido feita para mim.

E ela é, um sussurro quase inaudível repercutiu por minha cabeça.

Diabos, era injusto que alguém a tivesse encontrado antes de mim, porque eu sabia — *sentia* — que era por ela que eu esperava. Eu conhecia muitas damas havia tanto tempo, algumas até que foram bastante claras em suas intenções e insinuações. Sempre dispostas e disponíveis. Qualquer uma daria uma boa esposa, dedicada à família, saberia guiar Elisa com maestria. E isso era tudo. A única que fazia aquela tormenta dentro de mim se acalmar ou se inflamar era Sofia. Também era a única que não estava disposta nem disponível.

— Senhorita, onde está seu noivo?

— Hã?

Toquei a aliança que pendia de seu colar.

— Ah. Perto, Ian. Não o bastante, mas ainda está aqui. — Ela ergueu os olhos. — E eu sei que uma hora dessas ele vai voltar pra mim.

A tristeza em seu semblante amainou um pouco, o que era a intenção daquele passeio, certo? Então por que eu sentia como se meu peito estivesse oco?

Alcancei o relógio no bolso da calça, a fim de ter uma desculpa para desviar o olhar do dela.

Encrespei o cenho. Que estranho. Aquele não era o meu relógio. Era muito bonito, de linhas elegantes e prata polida, com um bonito entalhe do símbolo do infinito no exterior. Virando-o nas mãos, abri a parte traseira na esperança de encontrar algo que indicasse como ele viera parar em meu bolso.

E acabei encontrando. Havia uma inscrição. Uma jura de amor junto às minhas iniciais, e na assinatura as iniciais de Sofia.

Por que ela tinha me dado aquilo? Não sabia que um presente como aquele selava um compromisso quase indissolúvel? Como podia ter dado aquele relógio estando comprometida com outro?

A menos que...

Observei meus dedos em torno do relógio. Uma fina linha pálida marcava meu dedo anular.

A menos que o idiota ausente não estivesse exatamente ausente.

— Obrigada, Ian.

— Por quê? — Seria possível? Aquela aliança que pendia em seu pescoço era minha?

— Por lutar por mim. — Sofia se aconchegou mais em meu peito.

Como se eu pudesse não lutar por ela, pensei. Eu teria mais sorte se tentasse fazer crescer pelos nos dentes usando a força da mente.

Acariciei seus cabelos enquanto me perguntava por que ela mentia sobre nós. E isso me fez pensar em tudo o que tinha visto naquela mansão. Sobretudo no que se referia a mim. A única maneira de me fazer desposar Valentina seria forçando-me a isso.

— Posso lhe fazer mais uma pergunta, senhorita? — indaguei.

— É claro.

— Você pareceu muito segura com relação ao futuro de minha irmã. Estou aqui me perguntando o motivo disso.

Ela se remexeu, endireitando as costas para poder ver meu rosto.

— Isso não é uma pergunta — falou, por fim.

— Por que não quer me contar?

Ela inspirou fundo, recostando-se no tronco da árvore, o olhar perdido a sua frente.

— Porque eu não quero te confundir ainda mais.

— Receio que não existam meios de eu ficar mais confuso do que estou agora.

— Ah, existem sim, Ian. Pode acreditar que existem.

— Experimente. Não imagino que eu vá me sentir pior do que já estou me sentindo.

Ela encontrou uma linha na blusa e começou a puxá-la.

— Tudo bem. Você se lembra de quando eu apareci na sua vida? Tudo o que eu queria era voltar para casa.

— E cá estamos. — Assenti uma vez. — De alguma maneira.

Ela negou com a cabeça.

— Não, Ian. Essa não é a primeira vez que eu volto. — Ela abandonou a linha e levou a mão ao bolso daquela saia ridiculamente minúscula. De lá, retirou um retângulo prateado e voltou a brincar com a linha. — Aconteceu poucos dias depois do baile na sua casa.

O maldito baile. Elisa não falava em outra coisa. Ela estava ansiosa pela data... que aparentemente já se fora havia muito tempo.

— E esse artefato...?

— É uma máquina do tempo. Foi por causa dela que eu voltei pra cá. A ironia é que eu consegui voltar quando já não queria mais.

— Por que não? — não pude evitar perguntar.

— Por sua causa. — Ela manteve os olhos no fiapo, que agora estava esganando seu dedo. — Então eu tentei de todo jeito retornar pra você. Isso 'aqui já não era pra mim. — Ergueu os ombros. — E, em uma das muitas ideias malu-

349

cas que eu tive, visitei a sua casa, aqui neste tempo. Falei com um descendente de Elisa e ele me contou as histórias da família, o que tinha acontecido com você, com ela. É por isso que eu sei que o que vimos naquela mansão está errado.

— Tudo?

Ela assentiu. Não pude deixar de sentir alívio.

— O que eu não entendo é o que vimos agora há pouco, Ian. Não bate com o que eu soube da outra vez. Muito menos com o que já vivemos. Está diferente.

— Diferente como?

— Quando eu falei com o Jonas, o tataraneto da Elisa, ele me contou sobre a paixão dela e do Lucas, como eles foram felizes. Também me disse que você ficou tão arrasado com a minha partida que não conseguia... não pôde... — Ela sacudiu a cabeça, baixando o olhar. — Eu não gosto de lembrar disso.

Pelo buraco que se abriu em meu peito ao imaginar que nunca mais a veria, deduzi como aquela história acabaria.

— Acho que entendo.

— Por isso estou tão confusa. — Ela soltou um pesado suspiro. — O que nós vimos na mansão é completamente diferente. A Elisa casou com o Thomas, você com a Valentina. Por quê? O que mudou?

— Não acredito que algo possa ter mudado a maneira como me sinto em relação a você. — Porque, depois de tê-la conhecido, minha vida nunca mais foi a mesma. Jamais seria. E eu queria que continuasse assim. O único jeito de aquilo que vimos na sala da mansão se tornar uma possibilidade seria se eu nunca a tivesse conhecido... se eu nunca tivesse posto os olhos em...

Não. Por favor, isso não!

Mas só podia ser. A simplicidade de tudo chegava a ser complexa.

— Meu Deus, não! — balbuciei, lutando por ar.

— O que foi? — perguntou Sofia.

Eu a encarei, o tremor sacudindo meus ossos dentro da carne.

Era essa a razão de meus lapsos de memória, não era? Eu jamais poderia me lembrar daquilo que não tinha vivido. Não conseguia me lembrar do último ano e meio porque Sofia era grande parte dele. Meu destino estava se alterando, pois o passado não era mais como eu o deixara antes de viajar no tempo atrás de Elisa.

Por alguma razão, ele estava sendo reescrito.

E Sofia já não fazia parte dele.

36

Isso seria possível? O que já foi vivido desaparecer como a chuva que apaga pegadas na estrada?

— O que foi, Ian? — indagou Sofia, o olhar preocupado buscando o meu.

Era difícil tentar deduzir qualquer coisa que fosse com tantas lacunas em minha mente. E a pessoa que poderia me ajudar a entender era a única que eu não queria que soubesse os rumos que meus pensamentos tomavam.

No entanto, não era algo que dizia respeito apenas a mim.

— Como conseguiu esta máquina? — apontei para a peça em sua mão.

— Ah... ganhei da minha fada madrinha.

— O *quê*?

Sofia revirou os olhos.

— Eu disse que só ia te confundir ainda mais.

— Não se preocupe com a minha sanidade. Prossiga.

Então ela me contou a história mais maluca e extraordinária. Ouvi tudo com atenção, mas, em determinado momento de sua narrativa, tive de me levantar, pois estava agitado demais para permanecer sentado. Comecei a andar de um lado para o outro tentando juntar os fatos. O olhar de Sofia me acompanhava, e tive a impressão de que ela ocultou algo importante. Relacionado a nós dois, talvez? Afinal, ela não disse uma palavra sobre a aliança que carregava no pescoço.

— Ian, quer parar de andar de um lado para o outro e me dizer no que você está pensando?

— Sendo franco, senhorita?

— É claro!

— Estou pensando que esse anel em seu pescoço se encaixaria em meu dedo com perfeição.

Ela piscou algumas vezes antes de perguntar:

— O que te fez pensar nisso?

— A maneira como retribuiu meu beijo. A menos que esteja brincando comigo, e não acho que seja o caso, não me beijaria daquela maneira se seu coração pertencesse a outro homem. Além disso, há o relógio.

— Saco, esqueci dele. — Ela estalou a língua.

— Estou certo, senhorita? — Aproximei-me até ficar de frente para ela. — É o meu nome que está gravado nessa aliança?

Ela não disse nada, apenas ficou ali sentada, observando-me. Mas seus olhos estavam límpidos como uma fonte natural, e neles eu vi... Ah, Deus do céu, eu vi tudo o que ela não disse.

Lentamente, agachei-me até estar sobre os joelhos. Até meu rosto estar na altura do dela.

— Por que não me contou? — murmurei.

— Porque isso tudo é confuso! — Uma cortina de lágrimas anuviou seu olhar. — Deixei você aflito das outras vezes em que contei, então pensei que, se eu não dissesse nada... sei lá, te protegeria. Além disso, você acordou me chamando de "senhorita". E você não me chama assim já tem muito tempo. Desde que me beijou pela primeira vez. Deduzi que você tinha esquecido que me ama. Como é que eu podia te contar que éramos casados?

Ali estava. A palavra que eu andava evitando com medo de assustá-la. No entanto, se ela já sabia...

Espere um momento.

— Nós nos *casamos*?

— Sim. Não foi o que você quis dizer? — E pareceu confusa.

— Não! Pensei que estivéssemos noivos!

— Ah...

Ergui a mão e toquei seu rosto. Ela inclinou a cabeça para o lado. Quando fechou os olhos, duas lágrimas silenciosas escorreram por suas bochechas. Inclinei-me e as sequei com os lábios.

— Você devia ter dito — murmurei contra sua pele. — Eu a amo, Sofia.

Ela segurou meus ombros e me empurrou de leve, apenas o suficiente para que pudesse ver meu rosto. Seu olhar cintilava.

— Você lembra?

— Eu sinto. Bem aqui. — Peguei sua mão esquerda de meu ombro e a reposicionei, apertando-a sobre meu peito. — Onde cada batida parece gritar seu nome. Eu a amo, Sofia.

— Ah, Ian... — Ela se lançou sobre mim, abraçando-se a meu pescoço, a boca buscando a minha.

Aquele beijo foi diferente. Como se eu tivesse acabado de voltar para casa. A doçura dos lábios de Sofia era inebriante, assim como pensar que aquela mulher era minha. E me amava. Ela não havia dito isso, mas não era preciso. Sofia era inteligente e determinada. Mas, acima de tudo, era teimosa feito uma mula. Uma de suas mais desconcertantes qualidades, em minha opinião. Se ela aceitara minha mão, só podia haver uma razão.

— Eu te amo tanto, Ian.

Ali estava. A emoção que me dominou deve ter sido a mesma que os grandes conquistadores sentiam ao avistar uma terra inexplorada. Mas ela rapidamente foi suprimida pelo medo. Segurei seu rosto entre as mãos, e com muito custo me afastei o bastante para poder olhar em seus olhos.

— Sofia, eu temo ter encontrado a resposta para as suas dúvidas. A respeito do que vimos na mansão.

— Você encontrou?

Assenti uma vez. Estávamos tão próximos que a ponta do meu nariz resvalou em sua bochecha.

— Então me fala, Ian! Porque eu já estou ficando louca aqui.

— Acho que o que vimos vai acontecer. E o que vivemos, não.

— Hã?

Tive de concordar com ela. Inspirei fundo e então soltei:

— A única maneira de eu me casar com alguém que não seja você seria se eu nunca a tivesse conhecido. E eu ando me esquecendo de um bocado de coisas.

— Sobre mim — completou.

— Sobre você. — Acariciei com o polegar a lateral de seu rosto. — A única explicação que me ocorre é que talvez... de algum modo, o passado está se apagando. Por isso não consigo me lembrar das coisas que você me contou.

— Como a carta que eu te mostrei e que tinha... — Ela engoliu em seco, os olhos dardejando conforme a compreensão a atingia. Enroscou os dedos em minha camisa. — Ai, meu Deus! Você pode ter razão! Como não percebi isso antes?

— O que eu não compreendo é como isso é possível. Por que está acontecendo e por que apenas um de nós está se esquecendo.

— Mas eu entendo, Ian! — Ela se remexeu até ficar sobre os joelhos, a mão ainda agarrada à minha roupa. — Imagino que foi isso que ela quis dizer com perigoso. Ela nos avisou!

— Ela quem?

— A minha fada madrinha! — Sofia respondeu, impaciente. — Ela avisou que seria perigoso! Por quê? Por que seria perigoso para você e não para mim?

Abri a boca algumas vezes, piscando uma dezena delas.

— Não tenho certeza se ainda estou acompanhando tudo o que me diz, Sofia.

— Eu sei! Mas pensa comigo, Ian. Eu pertenço a este tempo tanto quanto ao século dezenove. Para mim, ambos são o presente, mas para você não, ele acontece de maneira diferente. Seu presente é lá, e aqui é o futuro. Pra Elisa também deve ser assim! E neste *exato momento* a Elisa está sozinha aqui no futuro, mas não pode ficar por muito tempo. Vai acabar voltando pra casa de um jeito ou de outro, e você também, porque este tempo não é o de vocês. E quanto a mim... Ah, meu Deus!

— Você...?

Seu olhar se fixou no meu. Sua voz estava baixa e trêmula:

— Se a gente não fizer nada, eu serei deixada aqui! E... — Ela começou a tremer. — Não, não é isso. Eu não serei deixada para trás. Eu nunca terei ido ao seu encontro! Ah, meu Deus, é por isso que as suas memórias estão sumindo! Porque o que nós vivemos está se apagando, como aquela carta que você escreveu para mim! O acordo que eu fiz com a minha fada madrinha está sendo desfeito!

Eu a abracei, pois foi tudo o que pude fazer enquanto tentava acompanhar seu raciocínio.

— Por que teria sido desfeito?

— Porque... Eu não sei. Acho que alguma coisa deu errado — ela murmurou em meu peito. — Temos que encontrar a Elisa, Ian. É o único jeito de impedir que o que vimos naquela mansão aconteça... — O mais absoluto horror lhe contorceu as feições quando ela arfou um nome: — Marina!

— Quem?

— Nossa filha! Meu Deus, se não encontrarmos a Elisa, nossa bebezinha... ela... — Sofia começou a tremer.

Tínhamos uma filha? Eu era pai?

A julgar pelo desespero que dominava Sofia, sim, tínhamos. E, sim, eu era pai. E essa era a questão. Se nosso passado estava se desfazendo, então...

— Não, isso não pode acontecer! Não vou deixar. Temos que fazer alguma coisa! — Ela balançou a cabeça, consternada. — Mas não temos muito tempo, Ian. Você já mal lembra que me ama.

— Mas eu sinto, Sofia, já lhe disse.

— Você não vê, Ian? Em pouco tempo você não vai mais lembrar que me conhece. E esse deve ser o nosso prazo final. Ela disse que não teríamos muito tempo. Temos que encontrar a Elisa antes que você me esqueça por completo! Acho que assim tudo volta ao curso, como foi quando eu soube o que tinha acontecido com você, e aí consegui voltar e o futuro que eu vi deixou de existir. Mas, se não conseguirmos achar a Elisa, então aquilo que vimos... Então aquele baile, justo na época em que o Lucas estava visitando o doutor Almeida, seria diferente. Ele e Elisa não ficariam a sós por algumas danças, porque eu não estaria lá pra atrapalhar com toda aquela história do Santiago. E você estava procurando uma esposa na época em que nos conhecemos. Se isso não aconteceu, pelo que diz aquela mansão, você acabou fazendo a escolha que eu achei que faria, tempos atrás. Escolheu a Valentina. Aí a sua tia deve ter aparecido com o Thomas no seu casamento, e, como a Elisa não tinha ninguém no coração, aceitou o pedido do primo.

— Não gosto dessa hipótese. — O gélido arrepio que subiu por minha espinha me fez tremer. — Por infinitas razões.

— Eu também não, Ian! — Ela se inclinou para poder me olhar nos olhos. Seu rosto delicado estava pálido. — A gente precisa encontrar a Elisa de qualquer jeito. Não se trata só de nós dois. Não sei o que pode acontecer com a Marina, mas, seja lá o que for, não vou deixar que aconteça. Temos que encontrar Elisa a qualquer custo!

Eu concordava. Resgataria Elisa, a colocaria em segurança e não permitiria que o futuro que aquela mansão abrigava se concretizasse, ou que qualquer coisa ruim acontecesse com a filha de quem eu não me lembrava. Ainda que para isso eu tivesse de fazer o impensável, o impossível!

— Então, deixe-me ver se entendi — comecei. — Se sua conjectura está correta, o resultado do passado depende do que será feito aqui, no que para mim é o futuro.

— Isso!

— O que vimos naquela mansão, então, se deve ao fato de não termos encontrado Elisa. E realmente não a encontramos ainda. Então, assim que descobrirmos onde ela está, tudo voltará ao lugar certo. Inclusive minha memória e o nosso... hã... passado. É isso mesmo? — Já que, àquela altura, pouca coisa fazia sentido para mim.

— É! O que vimos ali dentro foi o passado baseado no que estamos fazendo agora, no presente. Ou no futuro, no seu caso. É como da outra vez, quando eu soube que você tinha... — Seu rosto se contorceu em agonia. Ela sacudiu a cabeça. — E então eu voltei para você e mudei o seu destino. Aquilo que eu vi nunca chegou a acontecer.

Esfreguei a testa. "Confusão" não seria a palavra para descrever o que eu sentia. Não estou certo se havia uma palavra que pudesse fazê-lo. O que Sofia dizia era absurdo. E, ainda assim, ali estava eu, respirando no ano 2011.

— Se encontrarmos Elisa a tempo, então o que vimos naquela mansão nunca chegará a se concretizar — concluí.

— Podíamos tentar a rádio! — Ela estalou os dedos. — Fazer um apelo. De repente alguém acaba ouvindo e funciona, já que os cartazes não deram em nada. Tinha uma aqui perto, a umas cinco quadras. Quer tentar?

O único rádio que eu conhecia era o osso que todo ser humano tem no antebraço, mas estava quase certo de que não era a ele que Sofia se referia. Porém, àquela altura, minha cabeça dava um nó. Uma coisa a mais sem sentido, que diferença faria?

— Faça o que achar necessário. Apenas me diga uma coisa: quando encontrarmos Elisa, o que acontece?

Porque a Sofia da qual eu me lembrava era hesitante e reticente. A Sofia de quem eu me lembrava só desejava uma coisa: voltar para casa. Mesmo se sentindo atraída por mim, ela lutava contra e fazia de tudo para me manter afastado.

A Sofia que estava diante de mim ainda era a mesma, mas, de certa maneira, não era mais. Esta Sofia era minha esposa, me amava, dividia a vida comigo e havia abandonado aquele mundo para viver no meu. E eu não sabia como ela se sentia a respeito de tudo isso; se sentia falta daquele lugar desesperadamente ou se conseguira se adaptar em meu mundo, se sentia falta dos amigos, se sonhava um dia voltar a viver ali. Eu não sabia absolutamente nada sobre como ela pensava agora.

— Não sei bem, Ian. Acho que minha fada madrinha vai saber quando localizarmos a Elisa e vai mandar a gente de volta pra casa — ela respondeu, sem ter compreendido o que eu havia perguntado. Mas o que disse a seguir era resposta mais que suficiente para mim. — Meu Deus, eu espero que seja mesmo isso, porque não vejo a hora de dar o fora daqui.

Aliviado a ponto de sentir os dedos dos pés dormentes, fiquei de pé e a ajudei a se levantar, a resolução dentro de mim ganhando força, refletida em meus músculos.

Naquele dia eu acordara e pensara que Sofia pertencia a outro. Depois descobri que eu pertenceria a outra. E agora era informado de que a única coisa que já desejei nesta vida me seria tomada sem deixar vestígios. Ao diabo com isso. Pouco me importava se estávamos lidando com forças misteriosas, uma profecia ou o raio que fosse. Nada nem ninguém poderia me manter afastado de Sofia. Não enquanto eu respirasse.

Ofereci o braço a ela e começamos a andar na direção da tal rádio. Caminhamos por algumas ruas, e percebi que o número de pessoas nas calçadas aumentava vertiginosamente. Um calafrio percorreu minha espinha, como se anunciasse uma profecia. Quando dobramos uma esquina e avistei a confusão que nos aguardava, já era tarde demais.

Sofia se deteve no instante em que percebeu que havia algo errado.

— Que diabos... O que está acontecendo aqui? — perguntei, examinando a multidão que se esparramava pela rua. Alguns gritavam, mãos erguidas em punho. Outros levavam cartazes. Os ânimos pareciam alterados demais.

— Não sei. Parece algum tipo de protesto. — Sofia estudou a algazarra, os olhos astutos ganhando um brilho novo.

— Vamos sair daqui, senhorita.

— Não, Ian. Espera! — Ela se colocou a minha frente, as mãos espalmadas em meu peito, mas o olhar fixo em um canto da larga praça, onde um homem equilibrava um artefato no ombro, apontando-o para uma jovem que falava sem parar segurando uma espécie de escova de cabelos próxima à boca. — Tive uma ideia.

* * *

— Repita outra vez por que não podemos simplesmente pedir que eles nos ajudem — eu disse a Sofia.

— Porque eles não nos dariam ouvidos, ainda mais com tudo isso acontecendo. Ninguém vai ligar para o sumiço da Elisa.

O sol já havia se posto, e os ânimos naquela praça permaneciam exaltados. Estávamos perto do homem com a câmera, segundo me dissera Sofia. Eram "gente da TV". Isso queria dizer que contavam as notícias por meio de imagens, uma espécie de jornal teatral ou algo semelhante, e ela achava que essa poderia ser a nossa grande chance.

— Esses protestos costumam dar bastante audiência — ela seguiu explicando. — Todas as emissoras vão exibir. A chance de alguém nos ver, da própria Elisa nos ver, é imensa, Ian!

— Assim como a chance de acabarmos presos. — Olhei para dois guardas não muito distantes da "gente da TV", que observavam a algazarra com postura firme. — Não gosto do seu plano.

— Eu também não, mas temos que tentar, e você é a única arma de que dispomos no momento.

Expirei com força.

— Isso não vai funcionar, Sofia.

— Faça como eu falei. — Ela alisou minha camisa. — Fique bem atrás da câmera e só seja você.

Praguejei durante todo o tempo conforme nos aproximávamos da "gente da TV". A jovem segurando o microfone — seja lá o que isso queria dizer — parecia muito concentrada em sua missão de contar o que estava acontecendo. Por isso eu tinha certeza de que o plano de Sofia não funcionaria. Ainda assim, seguindo suas instruções, parei bem atrás do homem com a câmera ao passo que Sofia o contornava e se aproximava o máximo que podia da correspondente, sem atrair muita atenção.

— ... já reúne cerca de duas mil pessoas — dizia a jovem da TV —, segundo a contagem da polícia. A maioria são professores que reivindicam aumento de salário e condições melhores de trabalho. A manifestação é pacífica até este momento, mas a estimativa é de que mais de cinco mil pessoas se concentrem aqui na praça até o fim da noite. O governo ainda não se pronunciou...

Ela mantinha o olhar fixo na câmera, sem se permitir distrair pela algazarra a seu redor. Corri os dedos pelos cabelos, praguejando. Sabia que aquilo não daria certo.

Exceto que seu olhar se desviou pelo mais breve instante, acompanhando meu movimento. Fixei os olhos nos dela e tentei fazer o que Sofia tinha pedido. Sorri.

— ... mas uma coletiva foi marcada para... hãã...

Ela não teve tempo de voltar a atenção para a câmera. Antes que a jovem pudesse piscar, Sofia havia se lançado entre as pessoas aglomeradas em torno da gente da TV e tomado o microfone.

— Mas o quê... — começou a repórter, lutando para manter seu artefato, mas Sofia já o segurava em frente ao rosto.

— Elisa, se você estiver me vendo agora, por favor, venha nos encontrar depressa. Eu e o Ian estamos te esperando aqui na pr... Ei, me solta! Me larga! — Um homem de camisa preta e com a palavra "APOIO" escrita nas costas passou os braços em torno de Sofia e a arrastou para longe da câmera, ao mesmo tempo em que a repórter recuperava seu microfone.

Abandonei meu posto e corri para acudi-la. Sofia se debatia sob o abraço do sujeito.

— Solte-a — ordenei a ele.

O homem não discutiu e empurrou Sofia para os meus braços.

— Mantenha essa maluca longe da minha equipe!

Antes que ele pudesse dizer mais alguma coisa, eu já tinha passado um braço pelo ombro de Sofia e a levado para o outro extremo da praça.

— Deu certo! — ela comemorou. Alguém a empurrou. Desfiz o abraço e a peguei pela mão, tentando mantê-la um pouco mais atrás, onde eu poderia protegê-la. — Agora é torcer para que ela tenha me visto e venha encontrar a gente.

Olhando um pouco mais à frente, não tive certeza se tinha sido boa ideia. Os ânimos, antes exaltados, agora estavam inflamados. Cerca de trinta homens uniformizados sobre cavalos imponentes tomavam a rua e se aproximavam.

— Merda — Sofia murmurou ao seguir meu olhar. — Vem, Ian. — Ela me puxou na direção oposta e começou a seguir para o meio da multidão.

— Sofia, não. Não me parece seguro.

— Ficar na linha de frente da tropa de choque também não. Temos que nos afastar o máximo que pudermos.

— Então eu vou primeiro. — Tomei a dianteira, abrindo caminho com o corpo e segurando sua mão com força. Levei diversas cotoveladas e muitos esbarrões. Palavras que eu preferia que Sofia não tivesse ouvido foram ditas. Tudo o que eu queria era tirá-la daquele tumulto, mas nosso avanço foi lento conforme nos embrenhávamos mais. Um empurra-empurra tornou difícil seguir adiante, de modo que, mesmo alterando um pouco a rota, escolhi um caminho que parecia mais livre. Este nos levava direto para a frente da igreja, e tive a impressão de que aquela torre era muito semelhante à da capela da vila, exceto pelo relógio no alto dela.

Um ruído ensurdecedor ecoou atrás de nós. Tudo o que pude fazer foi puxar Sofia para mais perto e cobrir sua cabeça.

Então o inferno explodiu.

— Meu Deus!

Os manifestantes se avolumavam para a frente, em uma onda humana. Na outra ponta, homens de preto empunhando escudos e cassetetes tentavam conter os ânimos. Fogos de artifício pareciam ser direcionados contra eles. A cavalaria havia chegado e se enfileirara, jogando os cavalos sobre a multidão.

Eu precisava tirar Sofia dali imediatamente.

— Vamos! — eu disse a ela, ainda a abraçando, tentando perfurar a barreira humana.

Um grupo se amontoou, travando nosso caminho. Alguém me empurrou para a frente. Sofia foi puxada para trás. Nossas mãos se desprenderam. Virei-me para pegá-la, mas ela estava sendo levada pelo grupo.

— Sofia! — Tentei alcançá-la, mas o bando marchava como um único ser, obrigando-a a acompanhá-lo.

— Pra frente, cara — um deles me disse.

— Ian! — O braço de Sofia estava esticado, como se pudesse me tocar, e seus olhos espelhavam o desespero que os meus deviam refletir.

Os sinos da igreja dobraram e eu os senti badalando em meu cérebro.

Blem! Blem! Blem!

A dor de cabeça me atingiu, fazendo-me ver estrelas, mas lutei contra ela, passando por cima de um ou dois idiotas no caminho. Sofia estava mais longe agora.

— Ian! Iaaaaan!

Blem! Blem!

Minha visão ficou borrada, outras imagens se sobrepondo às reais. Pisquei algumas vezes, sacudindo a cabeça. Não funcionou.

Blem!

Cambaleando, busquei apoio ao redor e não encontrei nada.

Blem! Blem!

Senti como se uma espada atravessasse meu crânio. Pressionei os punhos nas têmporas, tentando deter a dor, mas foi inútil.

— Sofiaaaaaaaaaaa! — o grito irrompeu em minha garganta no exato instante em que fui tragado para as imagens em minha cabeça.

37

O sol já ia alto. O céu sem nuvens fazia daquela uma manhã perfeita para a pesca. Quem sabe no dia seguinte. Tudo o que eu queria era uma boa cama e mais nada. Tinha cavalgado quase a noite toda e estava perto de casa agora. Graças a Deus, pois estava todo dolorido. Não gostava de me ausentar por tanto tempo, e havia deixado Elisa sozinha por quase uma semana inteira. Minha irmã era gentil demais para se queixar, mas eu sabia que se sentia solitária, mesmo tendo Madalena e Gomes por perto. Além do mais, eu me sentia extremamente ansioso por voltar, embora não pudesse precisar o motivo.

Tive de refrear a vontade de esporear Meia-Noite para acelerar a corrida assim que atingi os limites de minha propriedade. Ele também estava cansado, pois tínhamos parado apenas uma vez. Tomei a estrada que me levaria para casa, já antecipando a alegria de Elisa. No entanto, por um breve instante pensei que toda aquela cavalgada alucinada tivesse derretido meus miolos, pois avistei um brilho dourado esvoaçando perto do cedro.

Encurtei as guias e me inclinei, fazendo Meia-Noite disparar. Conforme eu me aproximava, o reluzir se tornava mais e mais nítido, até que percebi que não se tratava de uma aparição, e sim de uma jovem. Ela estava no chão, e, pela expressão em seu rosto, suspeitei de que não era para descansar.

Parei bem perto dela, pulando da sela rapidamente, apenas para hesitar quando os grandes olhos castanhos encontraram os meus. Seu olhar se tornava mais intrigante com aqueles cílios escuros e longos. Senti-me tragado pelo marrom intenso, como se caísse em um profundo abismo, em um vórtice vertiginoso em que tudo o que eu podia fazer era cair, cair e cair...

Meu coração enlouqueceu, como se não soubesse o que fazer. Desacelerou, errou uma batida, disparou feito louco. Isso se repetiu por alguns segundos. Ele estava... dançando?

A jovem piscou, libertando-me de seu encanto, e aproveitei para examinar seu rosto em busca de sinais que pudessem explicar a razão pela qual ela se encontrava caída em minhas terras. Comecei pela boca rosada, então o nariz delicado que carregava um ar de petulância, o queixo ligeiramente elevado com atrevimento. Sua pele clara parecia ser tão macia quanto o mais fino veludo. E estava maculada de vermelho.

Por Deus, o que havia acontecido com ela?

O talho em sua testa deixou claro o que havia acontecido: aquela jovem fora atacada. E em *minhas* terras. Procurei em volta apenas por instinto. É claro que os bastardos haviam fugido àquela altura.

— Está bem, senhorita? — perguntei, estupidamente, ao me aproximar dela. Claro que ela não estava bem. O pavor era nítido em seus olhos. Pobrezinha.

Era incompreensível que alguém tivesse tido coragem de atacar uma jovem tão delicada e indefesa. Como tinham se atrevido a assustar alguém tão frágil?

— O-o quê? — sussurrou ela, com a voz tão abalada que tive de me inclinar um pouco para poder ouvi-la.

— A senhorita tem um ferimento na cabeça. Está sangrando muito.

Estaria ferida em outras partes? Desci os olhos por seu corpo, procurando algum indício de ferimento ou sangue, mas tudo o que encontrei foi um pouco de grama e pele cor de alabastro. *Muita* pele, aliás. Apenas uma tira azul cobria seus quadris, e uma camisa branca sem mangas era tudo o que protegia seu tronco. E, por Deus, todo o restante estava ali, exposto, para o deleite de meus olhos.

Mas que diabos. Que espécie de homem eu me tornara, que não conseguia parar de olhar para as belas e muito bem feitas coxas daquela pobre moça ferida?

Sim, era a primeira vez que eu via pernas em toda sua magnitude, e não por meio das gravuras de livros que não me orgulhava muito de olhar vez ou outra. E, sendo franco, nenhum daqueles desenhos beirava a perfeição do que eu tinha bem à minha frente agora. Um tornozelo aqui e acolá quando a crinolina se eriçava por conta de um movimento mais brusco era toda a sorte que um cavalheiro podia esperar. Mas aquilo? Pernas completamente perfeitas em tantos graciosos detalhes?

Um suspiro suave escapou-lhe, fazendo-me perceber que eu a fitava de uma maneira que provavelmente apenas a assustaria ainda mais.

Estúpido!

Envergonhado por assediar a frágil jovem, voltei a observar seu rosto e jurei que jamais voltaria a olhar para qualquer lugar abaixo de seu pescoço.

Para minha sorte, minha falta de compostura — ou educação — lhe passou despercebida. Ela contemplava os arredores como se tentasse entender o que via. Eu, porém, concentrei-me no talho em sua testa. Apesar de pequeno, o corte era profundo. Só esperava que não houvesse a necessidade de uma sutura. Instintivamente, ergui a mão para tentar estancar o sangramento, mas me detive. Ela parecia assustada, atordoada até. Ter mais um estranho a tocando não faria nenhum bem.

E se os assaltantes tivessem lhe roubado bem mais que alguns pertences? E se ela se encontrasse naquele estado seminu por uma razão ainda mais alarmante?

Minhas mãos se fecharam, e subitamente senti um desejo incontrolável de bater em alguma coisa.

— O que aconteceu? Parece assustada e... suas roupas... hã...

— Cadê a cidade? — ela atalhou.

Não. Não podia ser isso, podia? Se ela tivesse sido molestada, não estaria agora preocupada com sua localização. E haveria outros sinais. Marcas que suas parcas vestes não seriam capazes de esconder.

— Foi de lá que a senhorita veio?

Ela se agarrou à gola de meu paletó e, olhando em volta, desatou a fazer perguntas sem sentido, os olhos dardejando. Definitivamente, eu queria socar alguma coisa.

Não sei ao certo o que me atingiu primeiro, se o seu perfume — doce como uma manhã de primavera — ou o calor de sua pele perpassando minhas roupas e incendiando meu peito. Minhas mãos suadas tremeram na ânsia de tocá-la, a boca ficou seca enquanto eu só conseguia fitar a dela. Desejei enterrar os dedos entre seus cabelos para descobrir se eram tão macios quanto eu imaginava.

Havia alguma coisa errada comigo, disso eu estava certo. Meu coração batia de maneira diferente, errante, uma batida atropelando a outra.

Uma lágrima de sangue desceu por sua têmpora, trazendo minha atenção para o que realmente importava.

— Melhor levá-la até minha casa e chamar o médico. Depois arrumarei uma carruagem para levá-la até sua casa.

Ela concordou, fitando-me com a testa franzida. Já nos conhecíamos? Eu achava difícil, pois me lembraria dela. Mas algo naquela garota parecia me dizer que já tínhamos nos visto antes.

De súbito, ela soltou meu paletó, deixando-me com uma estranha sensação. Caindo de novo.

Recompondo-me, ofereci ajuda, pois me pareceu que naquele estado ela não seria capaz de se firmar sobre as próprias pernas sozinha. Ela concordou com a cabeça outra vez. Seus dedos quase tocaram os meus, então ela os puxou bruscamente.

— Carruagem?

Sangue ainda gotejava da ferida em sua testa, e isso estava me deixando nervoso.

— Talvez seja mais prudente permitir que o doutor Almeida a examine primeiro. Um ferimento na cabeça pode ser muito perigoso. — Ou até mesmo fatal. Estremeci ao pensar nessa possibilidade.

— Não é nada. Nem sei como aconteceu. Você também viu aquela luz?

— Luz? Refere-se à luz do sol?

— Não! A luz branca insuportável que fez tudo desaparecer! — ela esbravejou, consternada.

Presumi que fosse normal, depois de ter sofrido um ataque, ela estar abalada e não dizer coisa com coisa.

Consegui persuadi-la a me acompanhar até em casa. Dessa vez ela aceitou minha ajuda, mas quase desfiz o contato. Sua mão na minha queimava, como se eu tivesse mergulhado os dedos nas labaredas de uma fogueira. Um rugido feroz me sacudiu por dentro.

Levantar-se deve ter causado algum mal-estar na jovem, pois ela balançou, de modo que passei o braço ao redor de sua cintura fina, amparando-a, e tentei o melhor que pude ignorar aquele grito infernal que demandava que eu a beijasse.

— Não é prudente que uma jovem como a senhorita fique sozinha neste lugar, ainda mais com seus trajes nestas condições — tagarelei, ridiculamente instável com tamanha proximidade, enquanto a guiava até Meia-Noite.

— Por que está vestido desse jeito? Estava indo para alguma festa? — Ela tocou a lapela de meu casaco.

— Estou voltando de uma viagem longa.

— Não acha que seria melhor usar uma roupa mais confortável? E por que você foi a cavalo?

— Creio que estou vestido adequadamente, senhorita. E prefiro ir a cavalo. É bem mais rápido que a carruagem. — E muito mais prazeroso. Não havia nada melhor que sentir o vento batendo no rosto, sacudindo as roupas, o trote vigoroso do animal fazendo o sangue correr rápido. Bem, não havia nada melhor que eu já tivesse *experimentado*. Podia apostar que beijar aquela dama seria algo... *Pare de pensar nisso!* — Contudo, sei que é pouco prudente de minha parte. Muitas coisas mudaram nessa última década. Acredito que não seja mais tão seguro, com tantos vândalos e golpistas por aí se aproveitando de viajantes solitários. — Eu a olhei de soslaio. Não sabia como abordar o assunto sem lhe causar agitação. Ela já parecia instável o bastante.

— Ah! Não. Eu não fui atacada por ninguém. Eu não sei o que aconteceu. — Ela se deteve ao alcançar Meia-Noite. — Num minuto, eu estava na praça e, segundos depois, estava aqui neste... campo, e tudo... *puf*! — Ela gesticulou com as mãos. — Sumiu.

— Tenho certeza que se lembrará de tudo assim que sua cabeça melhorar. Mas penso que foi atacada por ladrões sem escrúpulos. Seria essa a única explicação para terem deixado uma dama nestas condições! — E fitei minhas botas.

— Que condições?

— Suas vestes, senhorita. Mal posso crer na audácia de tais bárbaros! — Não podia acreditar que tiveram a audácia de tocar nela. Se não estivesse tão preocupado com sua cabeça, teria montado Meia-Noite e revirado as redondezas até encontrar aqueles malditos e dar-lhes uma boa surra.

— O que é que tem minhas roupas? — A jovem examinou suas parcas vestes como se não entendesse.

Diabos, toda aquela falação só estava nos atrasando. E eu ainda teria de ir buscar o médico depois que a deixasse confortavelmente instalada em minha casa.

— As coisas mudaram muito depressa, como eu disse. Não acho prudente que mais alguém a veja praticamente sem... — *Não acredito que estou tendo essa conversa.* — ... roupas.

— Como assim, sem roupas? — Ela apoiou as mãos na cintura, desvencilhando-se de meu toque. Seu olhar reluzia faíscas furiosas, o queixo empinado com indignação, a boca puro atrevimento.

Aquele rugido bestial se repetiu dentro de mim. Eu *tinha* de beijá-la.

Ah, esplêndido. Eu estava me transformando em um libertino. O primeiro libertino virgem da história da humanidade. Eu teria rido se uma súbita e incômoda fisgada na virilha tivesse me permitido. Reprimi um grunhido e inspirei fundo. Eu era um homem, pelo amor de Deus, não mais um garoto de quinze anos com o corpo e os hormônios fora de controle.

Eu disse alguma coisa a ela e, mal a tocando para evitar pensamentos indesejados, indiquei que subisse.

A moça, porém, recuou.

— Sabe de uma coisa? Eu tô legal! Vou tentar descobrir como cheguei aqui e depois vou voltar para casa. Mas valeu pela ajuda, moço.

Ela me deu as costas e começou a se afastar. Eu estava prestes a ir atrás dela, mas por alguma razão ela se deteve a poucos passos, os cabelos ondulando nas costas. Sem se virar, perguntou:

— Está tendo um desfile ou coisa parecida por aqui?

Uma carruagem se aproximava. Maldição, era o senhor Albuquerque. E o cocheiro já havia notado a dama. Eu não queria ter de bater nele. Juro que não. Mas, se ele olhasse para a jovem de qualquer maneira que não fosse respeitosa, eu o sovaria como a uma massa de pão. Na verdade, seria melhor se ele nem voltasse os olhos na direção dela. O mesmo valia para o senhor Albuquerque e para qualquer cavalheiro que o acompanhasse.

A jovem fez uma pergunta sobre o destino da carruagem. Agitado, dei uma resposta qualquer, mas a dama de maneiras e linguagem peculiares me interrompeu. Não que isso já tivesse acontecido antes.

De onde ela vem?, eu quis saber. Seu sotaque era totalmente estranho para mim, assim como a maioria de suas palavras.

Não tive tempo de ponderar sobre o assunto, já que a carruagem parou na estrada antes que eu pudesse levar a jovem para longe de olhares curiosos — o cocheiro quase caiu do assento ao observá-la. O rosto do senhor Albuquerque apareceu na janela e não tardou a adquirir um tom rosado na pele e um arquear de apreciação nas sobrancelhas. Era só o que faltava!

Eu os encarei de maxilar trincado, colocando-me à frente da garota. Era tudo o que me restara para protegê-la. Isso fez os dois homens perceberem que se excediam; o cocheiro se virou para o outro lado, e o senhor Albuquerque ao menos teve a decência de baixar os olhos, envergonhado.

— Está tudo bem, senhor Clarke? Algum problema? — perguntou ele

— Esta jovem foi assaltada, senhor Albuquerque. Vou levá-la para minha casa. A pobre tem um ferimento na cabeça.

Ele ofereceu ajuda, espiando a garota curiosa, que se inclinava para o lado e dava uma boa olhada na cena, fazendo-me engolir uma imprecação. No entanto, havia algo que ele poderia fazer: sem cerimônia, pedi que avisasse ao médico da vila que eu precisaria de seus serviços. Ele concordou prontamente.

— Avise-me se precisar de mais alguma ajuda — falou, antes de acenar para o cocheiro e de partirem em alta velocidade.

Apenas quando vi a carruagem fazer a curva e sumir de vista me permiti respirar. Virei-me para a jovem:

— Podemos ir, senhorita?

Seu rosto estava ainda mais pálido, a boca escancarada em um O mudo.

— O que está acontecendo aqui? — Sua voz tremeu quando voltou a falar.

— Não tenho certeza se a compreendi.

— Por que você fala desse jeito estranho, tá vestido com essas roupas e tem carruagens passando pela estrada?

Ah, senhor. Ela estava sofrendo dos nervos. Eu já ouvira falar disso. Era grave e precisava de muito repouso e silêncio para se curar. E ela encontraria as duas coisas em minha propriedade. Eu garantiria isso.

Insisti que a jovem fosse razoável e aceitasse minha ajuda. Tentei alcançá-la, mas ela se afastou. Assustada, desconfiada, zangada e, não pude deixar de notar, absurdamente encantadora.

— Não vou pra sua casa, ficou doido? Eu sei lá o que você pretende fazer comigo? Você pode muito bem ser um psicopata que quer me cortar em pedacinhos e me guardar dentro do freezer pra comer aos poucos. Não sabe em que ano estamos?

— Estamos no ano de 1830 e garanto-lhe que sou um homem de bem. — Perdi a paciência. Já dera provas de que não lhe faria nenhum mal. Está certo, só Deus sabia o que aqueles malditos assaltantes haviam feito com ela, mas ela precisava me diferenciar deles. Simplesmente precisava nos colocar em categorias diferentes. E o que diabos era um freezer? — Não tenho outra intenção que não seja ajudá-la!

E foi então que ela começou a gargalhar de um jeito tão escandaloso e natural como há muito eu não via em uma dama. Meu rosto esquentou. Não tenho certeza se de vergonha por ser motivo de escárnio ou — embaraçosamente, devo acrescentar — por conseguir fazê-la rir daquela maneira.

— Mil... Mil... oitocentos e trinta! — ela articulou em meio à crise de riso. — Boa piada! Muito engraçada mesmo!

— Não lhe contei piada alguma.

— Então acha que eu tenho cara de idiota!

Engoli um gemido. Por quê? Por que ela não poderia ser como as outras damas que eu conhecia e aceitar minha ajuda? Qual o motivo para tanta petulância? E por que, em nome de Deus, eu gostei tanto disso?

Depois de argumentar que minha única intenção era ajudá-la, afinal fora em minhas terras que ela havia sido atacada — querendo ou não, eu me tornara o responsável por ela daquele momento em diante —, ela acabou aceitando meu auxílio. Secou as lágrimas de diversão que se empoçavam naqueles olhos de topázio antes que eu pudesse lhe oferecer o lenço.

— Tá bom, maluco. Vamos até sua casa. Láááá no século dezenove!

Ignorei seu comentário disparatado e indiquei o cavalo. Ela se aproximou de Meia-Noite, mas se deteve. Parecia estar com medo. Lutei para não bufar e me fiz útil, ajudando-a a subir. Entretanto, no instante em que nossa pele se encontrou de novo, aquele grito infernal em minha cabeça retornou.

Ela hesitou por um instante, os olhos nos meus, a testa encrespada em confusão, então piscou uma vez e tomou impulso para montar o cavalo. Tive de me esticar e segurá-la pelo cotovelo para que não caísse do outro lado, pois, ao que parecia, sua habilidade na arte da montaria era inexistente. Eu não quis olhar para suas pernas — bem, quis sim, mas a questão é que não devia querer —, porém como poderia não ter notado a vastidão de pele nua e lisa praticamente colada ao meu rosto?

Maldito fosse o sujeito que ousou lhe tirar a roupa.

Maldito fosse o sujeito que ousou tocá-la!

Sacudi a cabeça e a alertei para que se segurasse, metendo o pé no estribo. A garota se agarrou à sela, resmungando um "opa!" quando esta balançou sob meu peso. Passei o braço por sua cintura, pretendendo lhe oferecer alguma segurança. Ao menos eu tentava me convencer de que aquele era o motivo do abraço. Não tinha relação alguma com sua pele quente e macia se grudando em mim. Muito menos com o fato de cada curva dela se acomodar perfeitamente aos contornos ásperos e duros de meu corpo. E, naturalmente, nada tinha a ver com seu delicado perfume me embriagando os sentidos. De maneira alguma.

— Você precisa mesmo me apertar tanto? — Ela se agitou em meus braços, o quadril roçando o meu e... Diabos, um homem simplesmente não consegue evitar que certas reações físicas aconteçam.

Praguejando baixo, afastei-me dela o pouco que pude, esporeei o cavalo e pela primeira vez desde que me tornara adulto me senti tentado a dar ouvidos aos conselhos de meu mordomo e ir até a cidade, ao estabelecimento da senhorita Anne Marie — de cuja existência Elisa não fazia ideia, e eu preferia que permanecesse assim — em busca de algum alívio. Era bobagem, eu sabia disso. O tipo de fome que eu sentia agora era diferente daquela a que estava habituado.

Esta era específica. Quando se tem fome de um bom filé, é idiotice tentar enganar o estômago com legumes. Ele pode até se aquietar por um tempo, mas a fome não cessa até que se lhe dê o que ele quer. E eu estava faminto por aquela jovem.

— Posso soltá-la, se estiver disposta a cair e bater a cabeça novamente.

Ela se prendeu em meu braço como uma gata assustada, e eu acabei rindo.

— Não tente nenhuma gracinha — falou, em um tom deliciosamente irritado que fez muito pouco por minha sanidade. — Eu sei alguns golpes de jiu-jítsu. Quebro seu nariz em dois tempos!

Apesar da ameaça — tão doce e quase infantil —, percebi que ela voltara a falar coisas sem nexo, o que varreu de minha mente toda aquela porcaria pouco honrosa.

— Estou, de fato, muito preocupado com sua cabeça, senhorita. Não está dizendo palavras coerentes. A senhorita precisa ver o doutor Almeida.

— É... Acho que você tem razão. Preciso muito. Muito mesmo!

Então ordenei que Meia-Noite voasse pela estrada. Em menos de dez minutos eu a ajudava a desmontar em frente a minha casa. Sua atenção, porém, estava na fachada.

— Por aqui. — Eu a conduzi para dentro, segurando seu cotovelo.

Andamos apenas alguns metros antes de Gomes nos interceptar. Justamente quem eu queria ver.

— Senhor Gomes, prepare o quarto de hóspedes. Já mandei chamar o doutor Almeida. Onde está a senhora Madalena?

— Por Deus, senhor Clarke! O que houve? — O olhar do homem se prendeu na jovem a meu lado, o assombramento lhe esticando a cara toda.

Elisa entrou na sala, acompanhada da senhorita Teodora.

— Meu irmão, voc... Oh! — Ambas notaram a presença da jovem de imediato. Minha irmã levou a mão à boca enquanto sua amiga soltava um gritinho agudo que fez minha cabeça latejar.

— Mas que gritaria é... — Madalena apareceu, secando as mãos no avental, e sua reação ao ver a jovem ferida foi semelhante à das garotas. — Oh, minha Virgem Santíssima!

— Senhora Madalena, prepare um chá e o leve ao quarto de hóspedes. — Voltei-me para a jovem, que analisava tudo boquiaberta. — Deseja comer alguma coisa?

Ela negou com a cabeça, mas não tenho certeza se chegou a ouvir minha pergunta.

Elisa se antecipou e me abraçou, cheia de saudade e preocupação.

— Meu irmão, o que está havendo? Você está bem? Quem é esta jovem?

— Estou ótimo, Elisa. E não sei quem ela é. Eu a encontrei caída em nossas terras. Foi vítima de um assalto, suponho.

Ela arfou, afastando-se um pouco, mas me segurou pelos ombros.

— Assalto, aqui? Tão perto da nossa casa?

— Receio que sim.

— Por Deus, Ian! — Suas mãos se apertaram contra o peito, os olhos esbugalhados de pavor.

— Não se preocupe, Elisa. Estou aqui. Nada de mau vai lhe acontecer. — Então me dirigi a meu mordomo. — Mande alguns criados percorrerem a propriedade, e outro para avisar a guarda. Quero ser informado caso surja qualquer...

— Oh, céus, Ian! — exclamou Elisa. — A pobrezinha vai cair desmaiada!

A jovem oscilou para a frente. Eu me adiantei e a peguei no colo quando seu corpo se rendia à exaustão. O pedaço de tecido que lhe cobria os quadris subiu um pouco e eu imediatamente fitei Gomes. Mas ele desviara o olhar muito antes disso.

Deixei as três mulheres matraqueando na sala e atravessei a casa com aquela bela jovem de língua afiada e olhar misterioso inconsciente em meus braços.

— Não se preocupe — murmurei para ela, embora não pudesse me ouvir. — Vou cuidar de você. Ficará bem. Está em casa agora...

Um solavanco me arrancou de onde quer que eu estivesse e me lançou ao inferno. Perdi o equilíbrio e cambaleei como um bêbado enquanto minha mente entrava em colapso. Então me vi no centro de uma praça tomada de pessoas vestidas de maneira estranha e quase imprópria, gritando feito loucas. Havia explosões, corre-corre, gritos. Muitos gritos.

Onde diabos eu havia me metido?

38

Onde é que eu estava? E, o mais importante, como tinha ido parar ali? A última coisa da qual me lembrava era ter ido até a Fazenda Boa Esperança em busca de novos garanhões. E aquele lugar não se parecia *em nada* com o que havia no percurso entre a fazenda e minha propriedade. Nada mesmo!

— Quer protestar comigo? — uma jovem me abordou, sorrindo.

A morena de cabelos curtos que mal chegavam aos ombros trazia uma espécie de cartaz nas mãos. Era bonita, apesar dos trajes diferentes.

— Eu não... Perdoe-me, mas creio que estou no lugar errado.

Ela franziu a testa.

— Você tá perdido?

— Parece que sim, embora eu não tenha nenhuma ideia de como isso aconteceu. — Afinal, eu conhecia o caminho entre meu fornecedor e minha casa como a palma da mão.

— Olha, não vai lá pra frente. — Ela apontou para o que me pareceu ser uma batalha. — Uns idiotas jogaram fogos de artifício na polícia e a coisa ficou preta. Você tá sozinho?

— Estou. E gostaria de me lembrar de onde deixei o meu cavalo.

— Você veio aqui de cavalo? Sério? Que coisa maluca. — Ela riu. — Quer que eu te ajude a encontrá-lo?

— Agradeço, mas não será necessário.

Ela piscou algumas vezes, um tanto decepcionada, antes de dar de ombros e seguir em frente.

Eu precisava encontrar o caminho de casa e dar o fora dali. Elisa estava sozinha, e eu detestava deixá-la aos cuidados dos criados. Não que a senhora Madalena não fosse a mais zelosa das mulheres ou Gomes o mais cuidadoso e observador dos mordomos. Mas, quando se tratava de Elisa, a responsabilidade era minha. Havia muito éramos apenas nós dois. Minha irmã caçula sentia tanto a minha falta quanto eu a dela, quando as malditas viagens se mostravam inevitáveis.

O problema era que meu peito ardia, como se estivesse esperando por algo ou alguém. Ora, mas que diabos, meu pulso corria mais rápido que aquele maldito corcel negro que eu comprara meses antes.

Esfregando o centro do peito para me livrar da ardência, percebi que minhas roupas eram tão estranhas quanto as de qualquer outro homem ali. Não tinha certeza do que aquilo poderia significar, mas não me pareceu um bom sinal. Talvez eu tivesse bebido. Sim, muito conhaque, que me impedia de lembrar qualquer coisa.

Fiz a volta e comecei a me mover entre a multidão, indo para o lado contrário ao do confronto. Eu marchava no sentido oposto ao da turba, por isso recebi diversos olhares e xingamentos que prefiro não repetir. Era surpreendente a quantidade de damas presentes, no entanto. Ainda mais surpreendente era a maneira como elas pareciam exercer a liderança.

— Ei!

Olhei para a moça de cabelos escuros a tempo apenas de vê-la se agarrar a meu pescoço e grudar a boca na minha. De olhos arregalados, afastei-a como pude.

— Senhorita!

— A aula hoje é na rua! — Ela riu e seguiu em frente.

Limpei a boca nas costas da mão para me livrar do gosto de álcool e... charuto, talvez?

Subitamente, uma pequena clareira se abriu e então... E então eu me detive de imediato, tropeçando no piso áspero quando a vi. Alguém colidiu comigo e disse algo que não escutei. Como poderia, se o meu pulso zumbia alto em meus ouvidos?

A jovem no centro da pequena clareira deixou meu coração confuso. Primeiro ele se deteve, então tropeçou e disparou, tremendo em meu peito, quase como se dançasse. Era compreensível. A moça perdida entre o mar de rostos era a coisa mais linda em que eu já tinha posto os olhos. Seus longos cabelos, dourados como mel, ondulavam na brisa noturna, o rosto delicado mostrava força e fragilidade conflitantes.

Seus olhos encontraram os meus e então tudo dentro de mim chacoalhou. Não percebi que um grupo se aproximava dela até que fosse tarde demais. A jovem foi empurrada para trás e desapareceu de vista. Disparei em sua direção, lutando contra as pessoas que me impediam de ser mais ligeiro. Quando finalmente cheguei até ela, encontrei-a no chão. Sangue lhe escorria do cotovelo.

Agachei-me a seu lado, tentando protegê-la das pessoas que passavam sem notá-la ali, caída e indefesa.

— Fiquei com tanto medo de nunca mais te encontrar — ela murmurou.

— Eu... Perdoe-me. Já nos conhecemos?

Ela ergueu os olhos, duas grandes gemas castanhas, e os fixou em mim. Estavam marejados. Um nó na garganta me fez engolir em seco.

Levei a mão ao bolso do paletó, apenas para me lembrar de que não vestia um. Tateei a calça de tecido áspero e encontrei o que procurava. Estendi o lenço a ela, mas não ousei tocá-la.

— Posso... Cuidado! — Empurrei o pé grande que ameaçou esmagar sua canela. O rapaz franzino quase caiu, tropeçando nos próprios pés.

— Foi mal.

— Tenho que tirá-la daqui. — E, sem esperar por seu consentimento, passei os braços sob suas pernas e a suspendi.

Ela não protestou, mas, dada a maneira como parecia aterrorizada, deduzi que nem ao menos percebeu que eu a carregava. Ela não pesava muito, mas foi difícil vencer a multidão, sobretudo porque eu tentava evitar qualquer tipo de colisão contra o corpo dela. Como que por milagre, avistei um canto livre no fim da praça e foi para lá que a levei. Com cuidado, acomodei-a em uma mureta de pedras escuras que ladeava o jardim.

O sangue que escorria de seu braço havia ensopado minha camisa, ou o que quer que fosse aquilo. Suas roupas pouco escondiam, e pude ver que seu joelho também estava arranhado, mas achei melhor cuidar do ferimento no cotovelo primeiro. Era o que sangrava mais.

Tentando tocá-la o mínimo possível, amarrei o lenço em seu braço, cobrindo a ferida e rezando para que aquilo detivesse o fluxo até que eu pudesse descobrir onde encontrar um médico por ali. Porém o tecido ficou tingido de vermelho em poucos instantes.

Engoli um palavrão.

— Está sangrando muito. Vou procurar ajuda — eu disse a ela. — Sabe onde posso encontrar um médico para a senhorita?

— Você já não lembra de mim. — Sua voz mal passava de um sussurro alquebrado.

— Eu...

— Não lembra. — Uma lágrima escorreu por sua bochecha. Tive de cerrar as mãos em punhos para conter o desejo de secá-la.

— Estou tendo um dia difícil — falei, porque *tinha* de lhe dizer alguma coisa.

— Perdoe-me. Isso não aconteceria em circunstâncias normais.

— Acabou! Nosso tempo acabou. A história... a nossa história já... — Ela soluçou e se abraçou a minha cintura, enterrando o rosto em meu peito. Por um momento, perdi-me na sensação de ter seu corpo quente tão próximo ao meu.

— Não chore. Por favor, não chore! — Um tanto desajeitado, passei os braços ao redor dela. Então, findo o espanto ao notar quão bem ela se encaixava em mim, apertei-a com mais força.

— Era assim que teria acontecido — ela ergueu a cabeça, os olhos buscando os meus —, se minha vida não fosse uma bagunça, não é?

— Acontecido o quê?

— Que nós teríamos nos conhecido. — Sua voz estava baixa, o olhar percorrendo meu rosto, como se o memorizasse.

Eu devia fazer a coisa certa. Dizer que ela estava me confundindo com outra pessoa, que aquilo não passava de um engano. Mas não pude. Isso significaria que eu teria de soltá-la.

— Teria sido assim — ela prosseguiu. — E você teria pedido meu número e ligado no mesmo dia, porque você é esse tipo de cara. Então a gente ia terminar se apaixonando sem nem perceber, e um tempo depois... um tempo depois a gente ia se casar, já que eu não suportaria viver longe de você, nem mesmo por algumas horas. — A ponta de seus dedos tocou meu queixo e algo me atingiu. Fogo, caos, ternura, o mundo todo naquele toque. — Nós teríamos vivido felizes para sempre. Uma história de amor comum, como tantas outras, mas que pra gente seria especial, pois é assim pra quem ama, não é? E eu te amo! Te amo tanto!

Ainda que se tratasse apenas do delírio de alguém claramente em choque, peguei-me querendo que o que ela dizia fosse mesmo dirigido a mim. Naquele instante, com aquela mulher em meus braços, desejei mais do que já desejara qualquer coisa na vida ser o homem a quem todo aquele amor era destinado.

Mas eu não era. E me pareceu cruel continuar com a farsa. Assim como me pareceram atrozes as palavras que proferi em seguida, mesmo sendo o correto a fazer.

— Receio que esteja me confundindo com alguém, senhorita. Você está ferida e assustada. Precisa de cuidados. Se me disser onde posso encontrar ajuda, partirei agora mesmo.

Ela balançou a cabeça com urgência. O desespero que dominava suas feições teria me feito cair de joelhos se eu já não estivesse nessa posição. Era como se o mundo girasse ao contrário. Como se o sol nunca mais fosse nascer.

— Não há mais ajuda. Acabou, Ian. Tudo o que eu quero é que você me abrace.

Ela sabia meu nome. Mas como? Eu jamais teria me esquecido daquele rosto ou da maneira como seus olhos brilhavam, disso eu tinha certeza. Como ela me conhecia?

— Senhorita, eu... — Mas me detive. Como perguntar a ela, se eu mesmo não conseguia entender por que não me lembrava dela, mas meu corpo parecia reconhecer o seu?

— Você me conhece, Ian — disse ela, como se tivesse ouvido meus pensamentos, enroscando os dedos em minha camisa. — Melhor até do que conhece a si mesmo. Sabe do que eu preciso antes mesmo que eu me dê conta de que preciso de alguma coisa. Sempre foi assim. Desde a primeira vez.

As lágrimas rolavam sem controle. Não resisti à urgência e apaguei algumas delas com o polegar. Sua pele era ainda mais macia do que eu tinha imaginado.

— E isso acontece porque você foi feito pra mim, assim como eu nasci pra amar você... — Ela deixou a cabeça tombar para a frente, repousando a testa em meu queixo, os dedos ainda agarrados a minha roupa. — Em um mundo diferente, em outro tempo, onde tudo fazia sentido. E o meu coração não quer mais bater sozinho, agora que conheceu o seu. Simplesmente não pode mais! Você não se lembra disso. — Uma de suas mãos se desvencilhou do tecido e percorreu o caminho de meu peito, detendo-se sobre meu coração. Este, que já batia enlouquecido, desesperou-se, tentando abrir caminho a pancadas para chegar até aquela palma. — Mas tá aí. Tá tudo aí. *Tem* que estar, porque... — Um soluço lhe impediu de continuar.

Eu a beijei.

Pela primeira vez na vida, agi de acordo com o que minhas emoções imploravam, sem me importar com as consequências. Inclinei-me sobre ela e tomei sua boca sem nenhuma permissão, sem acanhamento algum, sem um único pensamento lógico. E sem nenhum arrependimento.

Não tenho ideia do que me motivou a beijá-la daquela maneira: se suas lágrimas, suas palavras ou o olhar desesperado. O fato é que, quando nossos lábios se encontraram e uma emoção desconhecida, porém arrebatadora, incapacitante até, extravasou dentro de mim, correndo por minhas veias tão depressa que me deixou tonto, acreditei que ela pudesse estar certa. Eu havia nascido para aquela mulher.

Enlacei sua cintura e a trouxe para mais perto, colando-me a ela de um jeito que teria merecido um tapa. Um empurrão. Uma série de gritos histéricos. O cano de uma arma apontado para a cabeça. Ainda assim, nada disso teria me feito parar. Exceto, é claro, se ela pedisse. O que não aconteceu. Ao contrário, ela moldou seus contornos suaves à dureza de meu corpo acostumado ao trabalho bruto no estábulo, e, naquele instante, naquele breve e extraordinário instante, o mundo ganhou um novo sentido.

Um zumbido, um resmungo que era quase um lamento reverberou no ar e em meu peito. A jovem em meus braços se retesou dos pés à cabeça, as unhas cravando-se em minha pele, como que implorando ajuda.

A umidade desceu por meu rosto, e não estou certo se aquelas lágrimas eram da mulher cujo nome eu não sabia, mas que de um instante para o outro tinha virado meu mundo de cabeça para baixo.

Então eu a abracei com mais força, a ponto de sentir dor, tentando desesperadamente colocá-la sob minha pele e protegê-la daquilo que parecia estar vindo lhe buscar.

39

Libertei seus lábios, embora isso me doesse na alma. Ela abaixou a cabeça, uma das mãos agarrada a meu pescoço, a outra deslizando para o bolso de sua... bem, acredito que aquilo fosse uma roupa, embora mal cobrisse seus quadris. De lá, ela retirou um artefato prateado que reluzia tal qual uma estrela. Ele era a fonte do zunido. A julgar pela falta de cor em suas feições, também era a fonte de seu terror.

A jovem ergueu aqueles olhos castanhos para mim, a dor e o medo tão densos e profundos que os tornaram quase negros. Seus dedos trêmulos se desprenderam de meu pescoço apenas para encontrar outro porto seguro: um delicado relicário aninhado em seu decote.

— Isso veio buscá-la, não é? — perguntei com a voz instável, fitando aquele artefato luminoso.

Ela negou com a cabeça, as lágrimas descendo pelas bochechas pálidas.

— Não, Ian. Ele vai levar você e tudo... tudo o que nós construímos juntos. Mas não a mim.

Acabou, Ian.

Eu não entendia o que ela queria dizer, mas de uma coisa estava certo: eu não permitiria que acabasse algo que parecia estar apenas começando. Por isso tomei de suas mãos o que quer que aquela coisa fosse.

— Ian, não!

Mas já era tarde. Atirei a peça com tanta força que ela voou por uns oito segundos antes de se encontrar com a fachada da igreja. E então explodiu. Curvei-me sobre a jovem, protegendo-a como podia, mas foi difícil, já que ela tentou se desvencilhar de mim.

— O que você fez? — Ela me empurrou, o desespero a fazendo tremer por inteiro.

— O que julguei necessário.

Algo zumbiu perto de minha orelha. Um fogo de artifício que se deteve apenas ao encontrar a copa de uma árvore. A batalha estava avançando.

— Venha. — Eu a segurei pelo cotovelo, estudando o melhor trajeto para escaparmos dali.

— Para onde? Não temos mais a máquina do... Aaaahhh!! — Ela se abaixou segundos antes de outro foguete passar muito perto de seus cabelos.

Não esperei mais nada. Coloquei-a na direção certa e, ainda segurando seu braço, comecei a correr, embrenhando-nos na multidão que também recuava, assustada.

Ela tropeçava muito, pálida e com os olhos ainda marejados, enquanto avançávamos. Em determinado momento, ela me puxou, alterando nosso curso. Alcançamos a rua. Cabines metálicas estavam paradas bem no meio da via, luzes brilhantes piscavam na parte inferior dianteira. Os rostos ali dentro demonstravam impaciência.

Dobramos a esquina, e uma rua relativa e abençoadamente vazia nos recebeu. A jovem me segurou pela roupa, empurrando-me de encontro à parede fria. Eu devia ter imaginado algo assim. Não se pode sair por aí beijando uma garota cujo nome nem se sabe ainda e não esperar um bom acerto de contas.

— Por que você destruiu o celular? Agora nenhum de nós vai conseguir voltar, Ian!

— E por isso mesmo o destruí. Não sei para onde ou como ele ia me levar, mas estou certo de que era para longe de você.

Ela acenou com a cabeça uma vez, o rosto parcialmente oculto pelas sombras.

— Então eu fiz bem — continuei. — Um mundo sem a senhorita não me parece um lugar bom para estar.

Uma explosão fez o chão sob minhas botas tremer. Um sujeito dobrou a esquina correndo, passando a centímetros dela. Eu a puxei para o lado, colocando-me à sua frente. Não demorou muito para que um homem uniformizado surgisse em seu encalço. Um guarda da cavalaria veio logo a seguir. O cavaleiro conseguiu alcançar o fugitivo primeiro e, quando chegou perto o bastante, saltou sobre ele. Os dois começaram a lutar. O policial que seguia a pé se juntou à briga.

— Temos de ir — eu disse a ela, com urgência. — Para onde devo levá-la?

— Eu não sei! Temos que ficar aqui e esperar sua...

Outra explosão aconteceu em meio à briga. As labaredas do fogo de artifício que o fugitivo disparou contra os homens da lei se avultaram sobre um deles. Ele rolou no chão, praguejando, debatendo-se contra as chamas em sua calça. O outro policial lutava com o fugitivo, protestante, arruaceiro ou o que quer que ele fosse. O cavalo, assustado, disparou rua abaixo.

Pegando a jovem pelo cotovelo com a maior delicadeza que pude mediante a urgência de tirá-la dali, eu a levei para o outro lado da rua, conservando o corpo na frente do seu. Ela relutava, entretanto.

— Ian, não. Temos que ficar aqui.

— De maneira alguma permitirei que fique no meio desta guerra!

— Mas nós temos que... Ahhh! — Ela gritou quando, impaciente, eu me abaixei e a joguei sobre um ombro. — Ian, para! Não podemos sair daqui! Ainda que a máquina...

— Inferno. — Estávamos quase na esquina agora, mas avistei um grupo surgir no fim da rua. Trazia pedaços de madeira nas mãos e o rosto marcado pela obstinação.

— O que... Ah, merda — ela praguejou quando viu o que se aproximava.

O cavalo da guarda passou por mim, perdido e assustado. E era exatamente o que eu precisava. Levei a jovem até o meio do quarteirão e a coloquei sobre os próprios pés, oculta nas sombras de uma árvore.

— Fique aqui — eu disse a ela, mirando o cavalo pouco mais à frente.

— Ian, você ficou louco? — Ela me puxou pela camisa. — Não pode roubar um cavalo da polícia!

— Não pretendo roubar. Apenas pegarei emprestado.

— Mas, Ian, nós temos...

— Fique aqui. — E, porque me pareceu a coisa certa a fazer, roubei-lhe um beijo.

Atravessei a rua buscando o olhar do animal. Não consegui precisar sua linhagem. Era alto como um holsteiner, gracioso como um sela francês, musculoso e imponente tal qual um puro-sangue inglês. Talvez fosse resultado de cruzas das três raças, ponderei. De qualquer maneira, era um magnífico animal. E um tanto arisco, já que fora treinado para obedecer apenas aos comandos do guarda caído em algum lugar na rua de cima. Ainda assim, tentei uma aproximação amistosa, mantendo seus olhos sempre fixos nos meus. Era inteligente o filho da mãe. A cada vez que eu tentava alcançá-lo pela direita, ele se esquivava para o lado oposto, sempre dando um passo à frente, pronto para disparar. Ergui as mãos e me coloquei em seu campo de visão. Alarmado, o animal resfolegou, empinando.

— Calma, não vou machucá-lo. Só preciso da sua ajuda. Vamos lá, rapaz. — Tentei chegar mais perto. O cavalo recuou, patinando no piso duro e áspero, os grandes olhos negros acompanhando cada movimento meu. — Tranquilo. Não vou feri-lo.

Eu estava perto o suficiente para estender a mão e pegar a rédea que lhe caía na lateral. Fiz tudo isso devagar, paciente. Ele bufou uma vez, mas, tão logo toquei seu focinho e permiti que desse uma boa cheirada em mim, a tensão em seu corpo cedeu.

— Isso mesmo, apenas preciso da sua ajuda.

Enfiando o pé no estribo, subi em seu lombo. Experimentei alguns comandos para ter certeza de que ele não se rebelaria. Quando senti que era seguro, levei-o até onde a jovem aguardava. Desviei da copa da árvore e lhe estendi a mão.

Ela olhou para o lado, para o grupo armado com tocos que gritava palavras de ordem e raiva, e de volta para mim.

— Você ficou doido! — Mas aceitou minha mão.

Ofereci o pé a ela, para que tivesse apoio e ganhasse impulso. Ela conseguiu se acomodar entre meus braços com certa facilidade. Familiaridade até.

Então cutuquei as costelas do cavalo, afastando-nos do grupo que subia e deixando aquela batalha para trás em alta velocidade. Nunca em toda minha vida me metera em uma situação como aquela. E, mesmo com toda a confusão, sentia-me contente. Foi naquele caos que a encontrei. Ainda sentia a boca formigando pelo toque de seus lábios. Meu coração continuava executando aquele ritmo estranho que lembrava uma dança.

— Venha comigo — ouvi-me dizendo.

— Para onde?

— Para a minha casa. Moro perto de uma pequena vila, um lugar calmo que destoa e muito deste aqui, mas lá poderei protegê-la. Lá não existirão objetos misteriosos perseguindo você.

— Ian...

— Eu lhe darei o meu nome. Um lar. — E o meu coração, desejei acrescentar, mas temi assustá-la. — Tenho uma boa renda. Serei capaz de lhe dar tudo o que desejar.

Ela se virou em meus braços, o rosto a um suspiro do meu.

— Você está me pedindo em casamento?

Não pude evitar grunhir.

— Obviamente não de maneira apropriada, tampouco romântica, mas, sim, eu estou.

Ela inclinou a cabeça de leve, e um de seus cachos escorregou por seu ombro.

— Mas você nem sabe o meu nome! Não sabe nada sobre mim. Como pode me pedir em casamento?

— Posso pedi-la em casamento por infinitas razões. Mas meu corpo está pinicando agora. Na verdade, começou no instante em que nossos olhares se encontraram, no meio daquela confusão. É como um formigamento, só que dentro dos ossos. Sinto no corpo todo. Ou se trata de um caso grave de paixão aguda, ou estou tendo um ataque de apoplexia neste exato instante.

Ela riu, e o som de sua risada reverberou em meu peito, aquecendo-o. Definitivamente, não se tratava de um caso médico.

— Não acredito que você se apaixonou por mim de novo.

De novo?

Eu tinha a intenção de perguntar o que ela quis dizer com aquilo. Tinha mesmo. Mas como um homem é capaz de formular um pensamento que seja quando a mulher que lhe roubou os pensamentos e o coração lhe furta também um beijo?

Não, é impossível. Ao menos para esse homem.

— Ian, eu caso com você. Caso quantas vezes você me pedir. Mas temos que voltar para aquela praça. A Elisa pode...

Uma sineta ecoou na noite. Olhei para trás. Uma daquelas cabines vinha em minha direção, luzes azuis e vermelhas dançando no alto do teto.

Exigi mais do animal, suas patas patinaram ao fazer a curva; aquele tipo de piso não era adequado para uma cavalgada tão rápida. Encurtei as guias um pouco mais e tentei controlá-lo. No entanto, um intenso clarão surgiu a minha frente e parou abruptamente. A montaria se assustou, empinando sobre as patas traseiras. Só tive tempo de passar os braços ao redor da jovem e rezar para que meu corpo absorvesse o pior da queda. Senti o impacto nas costelas, o ar foi expulso de meus pulmões. Ouvi o gemido de dor dela e o grito de rodas contra o concreto. Olhei para a moça, tingida do vermelho e azul das luzes tremulantes.

— Você... está bem? — consegui perguntar.

Ela fez que sim com a cabeça. Estava sem fôlego, mas não parecia ferida. Então voltei o olhar para a fonte daquelas luzes. Uma mulher de uniforme preto descia da cabine e se ocultava parcialmente atrás da porta. Uma pistola surgiu.

Uivando de dor, tentei me sentar.

— Parados! — a guarda ordenou.

— Somos nós, detetive. — A jovem se apoiou em um cotovelo. — Ian e Sofia.

— *Sofia* — experimentei, enquanto pontos brilhantes dançavam diante de meus olhos. Era um belo nome.

— Ah, pelo amor de Deus! — A guarda... a detetive hesitou, examinando-nos, então baixou a arma. — Eu disse para não se meterem em nenhuma confusão e vocês decidem roubar um animal da cavalaria?

Do outro lado, a porta da cabine que assustara o cavalo se abriu. Aquele veículo trazia uma pequena placa no teto com a palavra "táxi" iluminada. De dentro dele saiu um rapaz. As luzes coloridas do carro de polícia passaram por seu rosto.

Ele me fitou, as mãos enfiadas nos bolsos da calça, o paletó aberto. Um sorriso lento acentuou a cicatriz na lateral de seu rosto.

— Você! — rugiu a detetive, voltando a erguer a pistola e mirando a cabeça do rapaz. — Seu filho da mãe! Mãos onde eu possa ver! Cadê a menina?

— Que menina, detetive? — Ele ergueu as mãos devagar.

— Não se faça de engraçadinho. Você levou Elisa Clarke do hospital. Onde é que ela está?

— Não sei do que você está falando. — Mas seu olhar cruzou com o meu. E, por alguma razão, ele me lançou uma piscadela.

Então o inferno me encontrou.

Minha cabeça foi de encontro ao concreto quando a dor apunhalou meu cérebro.

— Ian! — A voz da jovem, Sofia, soou muito longe quando imagens explodiram em minha mente, uma atrás da outra.

Senti as mãos dela em meu peito. Ela parecia dizer alguma coisa, mas eu não conseguia juntar as sílabas e colocá-las em ordem. Tudo o que eu podia ouvir, ver ou sentir eram as imagens em minha cabeça, que continuaram surgindo em um ritmo desordenado e furioso. Com cada nova cena, uma emoção também surgia. Era como se um punhal atravessasse meu cérebro de um lado ao outro, como se meu corpo não suportasse todos aqueles sentimentos de uma única vez. Senti os olhos revirando nas órbitas.

Uma imagem se sobrepunha à outra, e eu já não sabia o que via, o que sentia.

Pareceu-me que o homem parado na frente das luzes dianteiras do táxi continuava a sorrir. Pareceu-me que uma sombra passou atrás dele. Uma silhueta feminina que pouco a pouco foi perdendo a escuridão e se revelou.

— E... lisa... — tentei dizer. O que ela fazia ali? E que diabos eram aquelas roupas?

— Iaaaaan! — minha irmã gritou de volta.

— O quê? — Sofia olhou para trás.

Elisa estava ali, correndo em minha direção. Eu quis me levantar, quis perguntar como ela tinha chegado até lá, mas a agonia em que me encontrava não permitiu que eu me movesse. As malditas imagens me rasgavam ao meio.

Acompanhei com o olhar a jovem debruçada sobre mim ficar de pé e disparar em direção a Elisa, os braços estendidos. Assisti à minha irmã observá-la com confusão, mas sorrir, ainda que de maneira hesitante. Também a vi se deter e seu rosto se transformar em uma máscara de dor, os olhos revirando nas órbitas.

— Elisa! — Sofia tentou segurá-la, inutilmente.

O corpo frouxo de minha irmã foi de encontro ao chão no mesmo instante em que fui tragado pela escuridão.

* * *

— O que você fez com eles? — exigiu saber a voz feminina, com firmeza e autoridade.

— Eu não fiz nada — retrucou a masculina.

— Elisa, você consegue me ouvir? — A terceira voz eu reconheci. Teria de estar morto para não reconhecer. — Ian? Por favor!

Abri os olhos e a primeira coisa que vi foi o rosto da mulher mais linda que eu já contemplara, a um passo de distância, ajoelhada sobre o corpo de Elisa. A cabeça de minha irmã descansava sobre seus joelhos e ela lhe acariciava os cabelos, mas os olhos estavam em mim.

— Ian! — ela arfou, tentando se aproximar. Como sustentava o corpo imóvel de Elisa, não conseguiu se mexer muito.

Apoiei-me nos cotovelos para me sentar e reprimi uma imprecação. Diabos, tudo me doía.

— O que você fez com eles? — A detetive Santana, reconheci, apontava a arma para o homem parado em frente às luzes do táxi com o motor ainda ligado, enquanto se agachava para tocar o pescoço de Elisa. O alívio varreu seu rosto e meu peito.

— Já disse que não fiz nada — ele respondeu calmamente.

— Alguma coisa você fez. — Ela se endireitou e firmou a arma na direção do sujeito.

Não consegui ficar de pé, então me arrastei para perto de minha irmã. A mulher a quem meu coração pertencia manejou o corpo de Elisa, de modo que a cabeça dela descansasse em suas coxas, e chegou mais perto.

— Você tá bem? — perguntou, trazendo a boca para a minha, a mão percorrendo minha cabeça, meu rosto.

— Estou bem — murmurei com dificuldade, puxando sua palma para minha boca e depositando um beijo ali. — E Elisa? — Cheguei mais perto, pegando seu pulso e o sentindo com a ponta de dois dedos. Estava instável, mas forte até.

— Não sei, Ian. Ela está respirando, mas não acorda! Tem certeza que você tá bem?

— Tenho. Se sobrevivi ao episódio da guerra de rolhas, creio que posso sobreviver a uma queda de cavalo. Não é a primeira vez que isso acontece, como você bem sabe.

— Mas você bateu a cabeça e... — Ela titubeou por um breve instante. Seu olhar buscou o meu.

Isso mesmo, meu amor, eu me lembro de você. A mulher que surgira em minha vida como um meteoro, devastando tudo o que eu conhecia, modificando meu mundo, alterando-o para sempre e o deixando mais bonito, trazendo sentido a ele. Lembrava-me da mulher que amei desde o primeiro instante, desde o primeiro olhar, que havia me ensinado a enfrentar tudo de maneira diferente, que me mostrara quão maravilhosa a vida pode ser, mesmo quando tudo parece perdido.

Minha mulher. Minha Sofia.

— Ah, Ian... — Sua cabeça pendeu para a frente, encontrando apoio em meu ombro. Ela soluçou alto. Pousei uma das mãos em suas costas e a apertei contra mim.

— Está tudo bem. Vai ficar tudo bem.

Sobretudo se Elisa acordasse logo.

Como se tivesse ouvido meus pensamentos, minha irmã deixou escapar um suave gemido. Sofia e eu nos endireitamos no mesmo instante.

— Elisa. — Toquei seu rosto. — Pode me ouvir? Elisa, sou eu, Ian.

— O que você fazia com a garota? — ouvi a investigadora perguntar outra vez.

— Ué, o que um taxista faz. Estava levando a menina para o lugar que ela pediu.

Os olhos de minha irmã tremularam.

— Elisa — chamei de novo.

— Elisa, acorda. — Sofia tomou sua mão e a esfregou.

Ela abriu os olhos. Um azul intenso e brilhante que demonstrou profunda confusão, mas me causou tanto alívio que pensei ser uma coisa boa eu estar sentado, ou teria tombado de encontro ao chão.

— Ian...

— Estou aqui, querida. — E afaguei seu rosto.

— Oh, meu irmão! — Ela estendeu o braço e tocou minha bochecha. Lágrimas se empoçaram em seus olhos. — Me perdoe.

Descartei a ideia com um gesto de cabeça.

— Não há nada que perdoar.

— Eu não devia ter mexido nas suas coisas. — Então desviou o olhar para Sofia. — *Suas* coisas, suponho, minha querida irmã.

— Me desculpa, Elisa. Eu não sabia. — Sofia beijou as costas de sua mão. O lábio inferior de Elisa tremulou.

— Shhhh... Vai ficar tudo bem — eu disse às duas.

Mas não ia ficar tudo bem, não é? Porque eu havia destruído a única chance que tínhamos de voltar para casa.

Caralho!

Estávamos presos naquele tempo para sempre, já que mais uma vez eu fora um cretino que não pensara nas consequências de seus atos. Não importava que eu não me lembrasse dos riscos. Eu tinha feito, de novo, exatamente a mesma coisa que nos colocara naquela maldita situação. Se eu não tivesse me precipitado e escondido o celular de Sofia, nada disso...

Espere um momento.

— Elisa, precisamos da máquina — eu disse a ela.

Minha irmã tentou se sentar, mas não conseguiu.

— Que máquina?

— O celular. O objeto que a trouxe para cá. Precisamos dela para poder ir para casa.

Ela balançou a cabeça.

— Eu não sei onde está. Devo ter deixado cair quando a polícia apareceu em nossa casa, neste tempo, e me levou para a sede da guarda. — Ela balançou a cabeça. — Foi horrível. Primeiro pensaram que eu fosse uma ladra, depois que havia perdido o juízo. Foi um pesadelo! Tenho tanto para lhe contar...

— Inferno! — Esfreguei o rosto com raiva. E agora, o quê? O que faríamos?

— O que foi? — Elisa quis saber, apoiando-se com dificuldade em um cotovelo.

— Aquela máquina era a nossa única chance de voltar para casa — Sofia respondeu, já que eu não pude. Tudo o que me ocorria era o rosto perfeito e sorridente de Marina. O que aconteceria agora?

— O que faremos? — minha irmã quis saber.

— O que você fez com eles? — repetiu a voz autoritária da policial.

— Já disse que não fiz nada — o sujeito em frente ao táxi disse. — Por que tanta implicância comigo?

— Eu não sei, Elisa. — Sofia sacudiu a cabeça. — De verdade, eu não sei o que faremos.

— Acho muito estranho os dois sofrerem convulsões ao mesmo tempo — a investigadora retorquiu.

— E eu acho muito estranho a detetive desviar sua atenção desse jeito. Tive a impressão de que você estava perseguindo alguém.

Um sussurro reverberou ali perto e foi carregado pelo ar. Os pelos da minha nuca se eriçaram de imediato. Ergui os olhos e pela primeira vez me dei conta de que o taxista na verdade era o meu ex-companheiro de cela.

Também era o filho da mãe que levara Elisa do hospital. A ira me dominou. Apoiando-me com as mãos, preparei-me para levantar e socá-lo até não poder mais, mas o sibilo voltou a se repetir e me paralisou. O ruído vinha do sujeito em frente às luzes do táxi.

Ele levou a mão ao bolso do paletó. A investigadora Santana apertou os olhos, destravando o cão da arma.

— Nem pense nisso, meu chapa. Mantenha as mãos onde eu possa ver.

Ele a estudou por um instante, a cicatriz se tornando mais larga conforme suas sobrancelhas se juntavam.

— Desculpa aí, moça, mas é importante.

E enfiou a mão no paletó.

O som inconfundível de um disparo repercutiu pela noite. A bala encontrou o ombro do rapaz. Elisa gritou, os olhos subitamente cortinados de lágrimas e horror.

— Não! — Comecei a me levantar, mas Sofia me puxou e eu caí de joelhos.

Uma mancha rubra tingiu a camisa branca por baixo de seu paletó. Ele caiu de joelhos e apoiou uma das mãos no concreto. Em seguida, seu corpo tombou por inteiro.

Ele não podia morrer antes de me responder por que levara Elisa. Por que não me dissera que estava com ela quando nos reencontramos.

Eu me arrastei até ele.

— Não toque nele! — A investigadora Santana tentou me impedir, mas me esquivei de suas mãos e alcancei o rapaz, virando-o.

O sangue que empapava sua roupa me embrulhou o estômago. Levei a mão à ferida, pressionando de leve, tentando deter o sangramento.

— Um médico. Ele precisa de um médico! — gritei.

O rapaz ergueu os olhos nublados para mim, então esboçou um sorriso.

— Você podia parar de tentar bancar o maldito herói e começar a me ajudar de verdade, sabia?

— Central, preciso de uma ambulância. Um homem foi ferido... — ouvi a detetive dizer em algum lugar ali perto.

— Não vou deixar que você morra antes de lhe dar uma boa surra — eu disse a ele. — Depois quero saber por que esteve com Elisa esse tempo todo.

Lentamente, ele tirou a mão de dentro do paletó. Havia sangue nela. Ele a escorregou pelo peito até alcançar a minha, empurrando algo frio de encontro a minha palma.

— Se manda, Ian.

— Mas você...

— Cai fora antes que não seja mais possível.

Fitei o objeto coberto de sangue em minha mão. Ele ainda zumbia.

— Quem é você? — murmurei.

— Um amigo, eu já disse. Agora pare de perder tempo. Volte para casa e salve o seu amor. Vá!

A investigadora estava perto e se abaixou, ainda apontando a arma para ele. Ela disse alguma coisa, mas eu não ouvi. Afastei-me, mantendo o olhar fixo no rosto do homem que acabava de salvar minha vida e tudo o que me era mais precioso no mundo. "Obrigado", fiz com os lábios. Rezei para que a ferida não fosse fatal. Que ele se recuperasse e que, de alguma maneira, a vida pudesse lhe retribuir o favor que ele me fazia, já que eu nunca poderia.

Ele assentiu uma vez.

Virei-me para Sofia. Ela ajudara Elisa a se sentar. O olhar de minha esposa se iluminou ao reconhecer o que eu tinha na mão.

— Ian...

— Todos vocês terão que ir para a delegacia! — avisou a investigadora Santana, atrás de mim. — E quero explicações sobre o roubo do cavalo, Ian.

Eu a olhei por sobre o ombro.

— Lamento muito, detetive. Mas meu futuro está à minha espera.

A confusão que contorceu suas feições me deu tempo suficiente para passar um braço pela cintura de Sofia, sem hesitação, e outro pelos ombros de Elisa.

Então pressionei o botão verde, que piscava como um vaga-lume. O botão que me levaria de volta ao meu destino.

A luz branca explodiu a nosso redor, mas dessa vez mantive os olhos bem abertos — e pude ver o rosto do rapaz se contorcendo em um sorriso exultante antes de o clarão me cegar.

40

Eu estava deitado de costas. O matagal espesso pinicava a pele de meu braço. Sentia as pontas duras do carrapicho-picão alfinetar meu dorso cada vez que eu respirava. O aroma de mato e terra se misturava ao cheiro de lenha queimada em algum lugar ali perto. O latido insistente de um cachorro era carregado pela brisa fresca. Assim que minha visão se ajustou, tudo o que vi acima de minha cabeça foi o céu negro repleto de pontos brilhantes onde nada se movia, exceto algumas poucas nuvens que teimavam em encobrir a lua.

Estávamos em casa.

— Vocês estão bem? — eu imediatamente quis saber.

Elisa mantinha o rosto escondido em meu ombro e apenas fez que sim com a cabeça. Sofia permanecia abraçada a mim, os olhos apertados, os dedos agarrados ao tecido de minha camisa.

— Me diz que estamos em casa — murmurou ela.

— Não em nossas terras, mas próximos o bastante, meu amor.

— Graças a Deus! — Ela relaxou, os dedos se abrindo.

Minha irmã se ergueu sobre o cotovelo, o olhar sondando a escuridão.

— Estamos na propriedade dos Moura? — indagou.

— Não é tão longe de casa. — Sofia tentou se sentar, mas não conseguiu. Seus cabelos haviam ficado presos em uma moita de carrapicho. Ajudei-a a se soltar, mas bolotas espinhosas haviam se grudado por todo o comprimento de suas madeixas.

— De modo algum. Podemos ir andando. — Eu me sentei também, e minhas costelas protestaram. — Maldição.

— Oh, que praga. — Minha irmã também havia caído na moita de espinhos e ficou de pé, tentando removê-los das roupas.

Eu a observei com atenção. Ela estava cansada, mas sua aparência era tão diferente que eu mal a reconhecia. É claro que aquelas roupas não combinavam com ela. Naturalmente, eu sempre imaginei que minha irmã tivesse todas as partes do corpo, e isso incluía um traseiro, mas não significava que eu precisasse estar ciente de sua existência, espremido dentro de uma calça. No entanto, não era isso que a tornava tão diferente. Era o olhar. Em algum momento durante os cinco dias em que estivemos separados, ela havia crescido, deixado para trás a menina que era e se tornado mulher.

Levantei-me e estendi a mão para Sofia. Eu ainda segurava o celular sujo de sangue, e ela relanceou a máquina.

— Como aquele cara tinha um desses no bolso? — Ela aceitou a ajuda, batendo as mãos no traseiro para se livrar da sujeira.

— Suspeito de que ele não é apenas um *cara*, Sofia. — Porque, agora que tinha a memória de volta, percebi algo. Aquele sujeito estivera presente em todos os episódios nos quais encontrar Elisa se tornava uma possibilidade. Aliás, ele de alguma maneira sempre dava um jeito de conseguir minha atenção e, dessa forma, garantir que eu não perdesse o rastro de minha irmã. Por quê? Ele sabia que eu estava procurando por ela, eu havia dito a ele naquela cela fétida. Por que então tentar me alertar sobre a presença de Elisa para depois desaparecer com ela? Qual era o intuito daquele jogo? E por que ele havia ajudado no fim?

— Você o conhecia, Elisa? — questionei.

— Sim, e não entendo por que ele mentiu para aquela mulher. Não sei o que teria acontecido comigo se Alexander não tivesse me acolhido. — Elisa arrancou alguns espinhos da calça. — Ele era meio estranho. Discutia sozinho às vezes, mas é um doce de pessoa, apesar de suas roupas me assustarem um pouco no começo. Então ele começou a usar trajes mais comuns para me alegrar. Não vejo a hora de chegar em casa e me livrar destas roupas. Estas calças pinicam muito!

— Há quem discorde — Sofia murmurou. — Mas ele te tratou bem?

— Ah, muitíssimo bem. Me entupia de comida e tentava me fazer sorrir contando histórias engraçadas. Quando a minha memória se embaralhava, era muito compreensivo. — E sorriu.

— Vocês ficaram sozinhos esse tempo todo? — Ah, diabos, era só o que faltava.

Ela hesitou, parecendo assustada.

— Bem, sim. Mas ele é diferente, Ian. Quando estava com ele, eu me sentia protegida. Me sentia... como me sinto quando você está por perto. E ele jamais me faltou com o respeito. Jamais me olhou de forma que me deixasse constrangida. Ele é um verdadeiro cavalheiro.

— Elisa... — Eu me detive ao ouvir o estalar de um galho sendo esmagado por botas pesadas.

No instante seguinte, o cano de uma espingarda estava apontada para o meu peito.

— Quem vem lá? — perguntou o senhor Moura, erguendo uma pequena lamparina. Seu rosto iluminado pela chama exibiu primeiro temor, em seguida espanto, ao me reconhecer. — Senhor Clarke!

— Boa noite, senhor Moura. Como tem passado?

— Muito preocupado com o senhor e sua família. Estamos há dias esperando por notícias suas. Mas ninguém sabia dos senhores ou da menina Elisa. E os boatos que chegavam não eram bons. Nada bons.

— Se importaria de apontar a arma para outra direção, senhor Moura?

— Ah, decerto! — Ele a jogou no ombro, soltando a trava. — Perdoe-me, senhor. Estou um bocado nervoso e quase não o reconheci nestes trajes tão... humm... diferentes. Diga-me que esta não é a nova moda vinda da Europa.

Acabei rindo.

— Não é, senhor Moura. Ocorreu um pequeno problema com as nossas roupas e tivemos de improvisar com estas.

— Graças ao bom Deus... — ele suspirou, aliviado.

— Perdoe-nos por tê-lo alarmado a esta hora. Teríamos evitado, se pudéssemos.

— Está tudo bem. Ouvi os cachorros se alvoroçarem e decidi verificar se estava tudo em ordem.

— Desculpa, seu Moura — se intrometeu Sofia. — Mas a quais boatos o senhor se referiu ainda agora?

— Bem... sobre a sua cunhada, senhora Clarke. Não que eu e Bernadete tenhamos acreditado em uma única palavra. Imagine se a menina Elisa se meteria em uma situação dessas!

— Que situação, seu Moura? — ela insistiu, puxando alguns carrapichos da roupa imprópria para aquele século.

— Que a senhorita Elisa... bem... — Ele fitou suas botas. — Que a menina precisou ser levada para longe e só retornaria depois que o *assunto* fosse resolvido.

— Mesmo com a parca iluminação, eu o vi corar.

Ora, mas que inferno. Era só o que me faltava agora.

— Que assunto? — Sofia perguntou, impaciente.

— Um assunto que demoraria nove meses para ser solucionado — sussurrei a ela.

A indignação coloriu suas faces.

— Mas isso não é verdade, seu Moura!

— É claro que não, senhora Clarke. E, assim que todas aquelas mexeriqueiras da vila virem que a menina está em casa, terão de inventar outra história. Agora venham. Vamos para casa. Vou lhes servir uma bebida. Perdoem-me pela franqueza, mas vocês parecem ter saído do inferno.

Meu olhar se encontrou com o de Sofia. Ela enlaçou os dedos nos meus enquanto eu respondia:

— O senhor não poderia estar mais certo, senhor Moura.

* * *

A carruagem dos Moura sacolejava na estrada que nos levava para casa. Uma pequena lanterna fornecia a iluminação necessária para que eu pudesse ver Sofia, sentada a meu lado, ainda tentando retirar o carrapicho dos cabelos.

— Não acredito que estão dizendo isso de mim. — Elisa coçava os braços. Ela sempre teve essa reação depois de se deitar na grama. — Eu nunca agi de maneira alguma que não a honrada! É injusto que apenas um deslize inocente destrua a reputação de uma vida inteira e que essas mexeriqueiras inventem histórias escabrosas a meu respeito.

— Daremos um jeito nisso — assegurei a ela. — O senhor Moura estava certo ao dizer que, quando você retornar, os boatos deverão cessar.

— Não imaginei que fosse isso que me esperava. Ainda mais porque agora estou noiva! — E enterrou o rosto nas mãos.

O que ela, em sua inocência, não percebia era que, exatamente por estar noiva, o boato havia se espalhado. Elisa, que jamais se metera em escândalos, agora se via bem no centro de um. De um beijo no jardim para uma gravidez inapropriada era um pulo.

— Essa é a parte que eu mais estranho aqui. — Sofia puxava os espinhos grudentos com cuidado. — Todo mundo toma conta da vida de todo mundo.

— Vendo tudo o que vi — Elisa se recostou no assento —, me pergunto como você foi capaz de se adaptar tão bem a este tempo, minha irmã. São mundos tão diferentes que, se alguém me dissesse que eu estava em Marte e não na Terra, eu teria acreditado. Como conseguiu viver naquele lugar por tanto tempo sem perder o juízo?

— Não é tão ruim assim, se aquilo for tudo o que você conhece... Ai! — resmungou Sofia quando uma farpa lhe perfurou o dedo.

Tomei sua mão e puxei o espinho preto com delicadeza. Uma lágrima rubra surgiu. Levei seu dedo à boca. Seus olhos chisparam nos meus instantaneamente.

— Suponho que esteja certa — continuou Elisa. — Mas, para alguém como eu, aquilo é pior que um manicômio.

O sangramento parou, então libertei seu dedo e, fazendo Sofia se virar levemente para me dar mais acesso a suas madeixas, continuei o trabalho por ela. Havia carrapicho em suas roupas e também no lenço amarrado a seu cotovelo.

— Entendo o que quer dizer, Elisa. — Puxei as bolotas espinhosas dos fios, que, sob a parca claridade, ganhavam um tom acobreado.

Sofia inspirou fundo ao passarmos naquela parte da estrada que margeava os estábulos do senhor Moura.

— Estava com saudade desse cheiro — ela contou.

— De estrume de cavalo? — Lutei para não rir.

Ela me olhou por sobre o ombro.

— Vai me dizer que não é cheiro de casa pra você também?

Dessa vez, não me contive e acabei gargalhando.

— Não, não vou, Sofia, pois estaria mentindo.

— Jamais gostei desse odor, mas estou contente por senti-lo. — Elisa olhou pela janela. — Os cheiros daquele lugar são esquisitos. Me deixavam enjoada a maior parte do tempo.

— Elisa, o que aconteceu com você, afinal? — Terminei com os cabelos de Sofia e segui para sua camisa sem mangas.

— Bom, foi tudo muito confuso. Por muitas vezes achei que estivesse perdendo a cabeça. Na noite em que tudo aconteceu, eu fiquei com muito medo, Ian.

— Você foi até o meu escritório — ajudei.

Ela fez que sim.

— Eu tinha deixado meu livro lá. Estava tão furiosa e decepcionada que não conseguia pensar direito. Achei que um livro me acalmaria. Então, quando entrei, um ruído muito sutil capturou minha atenção. Vinha da sua gaveta. Sei que não devia ter mexido, mas a curiosidade foi mais forte e então encontrei aquele negocinho, iluminado feito um grande vaga-lume, se sacudindo. Quando toquei em seu brilho, aconteceu o mesmo que agora há pouco.

— Você foi mandada para o meu tempo — Sofia ajudou.

— Sim. A casa parecia a mesma quando consegui enxergar alguma coisa, mas todo o restante estava errado. Procurei em todos os cômodos, chamei por vocês, por Gomes ou Madalena, mas eu estava sozinha e trancada. Quase enlouqueci. Pela manhã, uma mulher muito mal-educada me abriu a porta e, quando tentei dizer a ela o que havia acontecido, ela me acertou com uma vassoura!

— Eu sabia que ela tinha te agredido antes. Sabia! — Sofia resmungou.

— E então ela chamou a polícia. — Trinquei os dentes. Se aquela governanta tivesse mostrado um pouquinho de compaixão e esperado para tomar providências, teríamos encontrado Elisa tão logo pisamos naquele tempo.

— Suponho que sim — Elisa suspirou, o olhar voltado para as mãos em seu colo. — A guarda não me fez nenhum mal, mas o lugar era assustador, e tudo que eu pude fazer foi gritar. Gritar muito. Não me lembro de tudo, só de me levarem para outro lugar. De estar em um quarto muito branco onde as pessoas me furavam.

— O hospital — Sofia assentiu.

— Eu chamava por vocês como alguém que perdera o juízo, e Alexander apareceu. Me disse que os conhecia e que estava ali para me ajudar a voltar para casa. Me contou que era seu amigo, Ian. Eu estava assustada, mas não sou tola. Fiz algumas perguntas também. Coisas que ele só saberia se realmente os conhecesse. E ele sabia tudo sobre vocês, então aceitei a ajuda. Ele me tratou muito bem. Fez todo o possível para que eu me sentisse à vontade em sua pequena casa. Mas ele estava passando por um mau momento. Algo muito importante estava pondo em risco a vida dele, ou algo assim.

— O quê? — Terminei com as roupas de Sofia e joguei o punhado de picão pela janela.

— Eu não sei, ele não quis me contar. Pensei que pudesse ser um problema financeiro, então, quando ele me disse que precisava ir para o centro da cidade, pedi para ir junto e vendi os meus brincos. Queria ao menos ressarci-lo pelas despesas extras que estava tendo comigo.

— Quase nos encontramos — contei a ela. — Estivemos no antiquário pouco depois de você ter estado lá.

— Estiveram?

Fiz que sim com a cabeça.

— O que aconteceu depois? — Sofia quis saber.

— Bem, Alexander recusou o dinheiro, obviamente. Disse que o problema era com o trabalho e que nada tinha a ver com dinheiro. Então estávamos voltando para casa quando eu os vi na rua. Mal pude acreditar que eram mesmo vocês. Tentei fazer aquela caleche parar, mas demorei para conseguir e os perdi de vista. Alexander não chegou a vê-los e ficou muito decepcionado por nos desencontrarmos.

Que belo embusteiro era Alexander. Ele nos vira, sabia que eu estava do outro lado da rua. Mas me mantive calado, querendo entender tudo o que havia acontecido para então tentar juntar os fatos.

— Caminhamos até anoitecer procurando vocês — ela prosseguiu. — Quando ficou claro que não iríamos encontrá-los, voltamos para casa e ele prometeu que me ajudaria a procurá-los no dia seguinte. Mas naquela manhã eu acordei confusa. Esquecia das coisas. Não lembrava nem mesmo que ele era meu amigo.

— Que merda — Sofia murmurou.

— Foram dias muito turbulentos, minha querida irmã. Não gosto de me sentir confusa.

— Ninguém gosta, Elisa — comentei, com o coração apertado. Ao menos eu tinha Sofia a meu lado para me ajudar toda vez que a memória me falhava. Pobre Elisa.

— Então Alexander apareceu com uns ingressos para um concerto e disse que adoraria que eu o acompanhasse. Eu não gostei muito. As pessoas me empurravam e nem ao menos se desculpavam. Eu quis ir embora mais cedo.

— Estivemos lá também. Nós a vimos na imensa TV. — Estiquei as pernas e meus joelhos estalaram. As costelas latejaram. Mudei de posição até encontrar uma em que não me doesse tudo.

— Telão, Ian. Aquilo era um telão — corrigiu Sofia.

Minha irmã franziu a testa.

— Eu não sabia que estavam no concerto, ou teria procurado vocês também. Estranho, não? Naquela noite minha memória estava perfeita. Mas quase todos os dias eu acordava e perdia uma parte dela. Naquela noite não foi assim.

— Para mim também. — Bem como eu havia desconfiado. O retorno da memória naquela noite não fora coincidência.

— Esta noite eu estava confusa outra vez. Então vi Sofia naquela caixa mágica, pedindo que eu a encontrasse. Alexander estava comigo. Ele resmungou "já era hora" antes mesmo que eu lhe pedisse para me levar até o local em que Sofia estava, embora eu não soubesse quem ela era. Mas ela mencionou você, Ian, então eu entrei no veículo. Na metade do percurso, esqueci o motivo de estar ali, para onde ia, tudo. Foi um pesadelo. — Ela sacudiu a cabeça. — Aí o carro parou e eu o vi caído. Desci desesperada e vi Sofia, mas não a reconheci. Aquela dor de cabeça me apanhou desprevenida e eu acordei com vocês sobre mim. E Alexander foi ferido porque mentiu! Por que ele mentiu, Ian? Por que fingiu para aquela policial que não sabia que eu era sua irmã?

— Eu também gostaria de saber. — Trinquei os dentes.

— *Alguma coisa* ele queria — Sofia disse, também frustrada.

— Concordo, e receio que nunca vamos descobrir do que se tratava.

— Você acha que ele vai ficar bem, Ian? — Elisa se arrastou para a beirada do assento, as mãos agarradas aos joelhos. — Que Alexander vai se recuperar do ferimento?

A bala o acertara no ombro. Ele sangrara muito, decerto, mas um bom médico seria capaz de fechar a ferida. Ele ficaria bem. Deus, eu esperava, de todo o coração, que ele ficasse.

— Espero que sim, Elisa. Sejam quais foram as razões pelas quais ele a escondeu esse tempo todo, tenho uma dívida com ele. Ele nos deu a chance de voltar para casa.

— Mas ele mentiu sobre vocês também, não é? Ele não os conhecia.

— Não, ele não nos conhecia. Ao menos quando a levou do hospital. Eu o conheci depois disso. Estivemos na mesma cela da prisão.

— Você foi preso? — Seus olhos se alargaram, ao mesmo tempo em que Sofia perguntava:

— Você o conheceu? Por que não me contou?

— Porque eu não conseguia me lembrar, meu amor. Ele me fez algumas perguntas enquanto estivemos confinados, alegando estar entediado. Depois eu o vi por toda a cidade, sempre que Elisa estava por perto.

— Puta merda, Ian!

— Teria sido de alguma ajuda se minha memória estivesse em ordem. — Esfreguei a testa. — Mas a questão não é essa. De alguma maneira, ele sabia onde ela estava, que precisava de ajuda, e foi até ela muito antes de eu ser detido. Suspeito de que ele estivesse a serviço *daquela* mulher, Sofia.

— Como o Storm? — Os olhos de minha esposa quase saltaram das órbitas.

— O que Storm tem a ver com tudo isso? — eu quis saber, confuso.

— Hum... nada. Deixa pra lá. Mas acho que entendi seu ponto. E pode muito bem ser isso mesmo. Minha fada madrinha é cheia dessas paradas misteriosas.

Minha irmã deixou escapar um suspiro, o olhar perdido na janela.

— O que foi, Elisa? — Estiquei-me na cabine e toquei sua mão.

Ela voltou o rosto para mim e um sorriso tristonho lhe curvou os cantos da boca.

— Escutar vocês conversando sempre me espanta... Foi assim há mais de um ano, quando ouvi sem querer parte de uma conversa entre vocês dois e descobri que Sofia não pertencia a este tempo, e me perguntei como seria o futuro. Era tão difícil que acabei desistindo de tentar. Nunca imaginei que se tratasse de tanto tempo, porém. Mas eu gostei, em grande parte. Não poderia viver em um lugar como aquele. Creio que não tenho habilidade para isso, mas gostei de ter conhecido aquele mundo. Se não por minha curiosidade, ao menos esclareceu muitos pontos sobre minha irmã.

Sofia gemeu.

— Não tenho certeza se isso é uma coisa boa.

— É, sim — Elisa e eu murmuramos em uníssono.

— Agora entendo muitas das suas atitudes, minha querida irmã — Elisa prosseguiu. — Você sempre nos viu, nós, mulheres, em pé de igualdade com os homens. Essa é uma das coisas que sempre me fascinaram em você. Depois de ver o seu mundo, de assistir à mudança que ocorreu, que tirou as mulheres de seu posto de objetos decorativos e as colocou realmente no mundo para viver aventuras, decepções, alegrias, eu a entendo.

Eu não podia discordar dela. O tempo de Sofia era mais duro, porém mais justo, sobretudo para as damas. Agora, depois de ter visto mulheres nas mais variadas atividades — da condução de um veículo de aluguel ao manejo de uma pistola —, as ações e crenças de Sofia tornavam-se claras como cristal para mim.

— Ainda há muito a ser feito, Elisa — minha esposa disse. — A igualdade ainda não é uma realidade. Ainda não chegamos lá.

— Mas chegaremos. E fico satisfeita por saber disso, ainda que eu não vá viver essa realidade.

— O que quer dizer? — perguntei a Elisa. — O que você gostaria de fazer que não pode por ter nascido mulher?

Ela balançou a cabeça.

— Não sei, Ian. Realmente não sei, meu irmão. Presumo que não fui criada para pensar no que não posso fazer, e sim no que devo fazer. — Havia mágoa em seu tom.

Imaginei que aquilo estivesse relacionado a seu noivado forçado, e teria falado com ela sobre o assunto. Mas nossa casa entrou em meu campo de visão, e então o som mais triste de todo o universo chegou a meus ouvidos. O pranto de minha filha.

Sofia e eu nos entreolhamos brevemente.

A carruagem ainda estava em movimento quando abri a porta e nós saltamos.

41

— Marina! — gritamos juntos ao atravessar a porta da sala. — Senhores! — Madalena arfou, tentando acalmar nossa filha. — Ah, minha nossa, como é bom tê-los em casa!

Assim que nos viu, Marina parou de chorar e começou a se esticar toda em nossa direção. Sofia a pegou e eu as abracei. A suavidade de sua pele me atingiu como um coice. Seu cheiro puro e doce penetrou meus sentidos. Os sons de contentamento que lhe escapavam da garganta ecoavam diretamente em meu peito. Sua mão pequenina deu leves tapinhas em meu rosto.

Ela tinha razão. Eu merecia aquilo.

— Parece que ela está mais pesada! — Sofia disse, enquanto Marina segurava seu nariz e o colocava na boca.

— E cresceu pelo menos uns três centímetros. — Brinquei com um de seus cachos escuros. — O que andou comendo, meu amorzinho? Fermento?

Ela arrulhou uma resposta, largando o nariz de Sofia para levar a mão coberta de baba à minha boca. Eu sentira tanta saudade disso. Mesmo quando não lembrava que sentia falta dela.

— Ela tem estado muito manhosa nestes últimos dias. — Madalena tinha os olhos presos em meus trajes. Pela maneira como suas sobrancelhas estavam contraídas, ela não gostou da moda do século vinte e um. — Presumo que seja pela falta dos pais e da tia. Eu não sabia mais o que fazer.

Sofia me entregou nossa filha e abraçou Madalena.

— Obrigada, Madalena. Obrigada por cuidar dela enquanto estivemos fora.

— Não há nada que agradecer, minha querida. — Ela apertou Sofia com força e subitamente a soltou. — Oh, senhora Clarke! A senhora está um desastre.

Sofia riu.

— É! Mas um desastre que finalmente voltou para casa! — E sapecou um beijo na bochecha da mulher, que logo adquiriu um tom rosado.

— Onde está a... senhorita Elisa! — Madalena exclamou, ao vislumbrar minha irmã passar pela porta.

O olhar de Elisa vasculhou a casa, do chão ao teto, como se ela não a visse havia mais de cem anos, e não apenas cinco dias. Então ela sorriu para a governanta e correu para os braços já à sua espera.

— Ah, senhora Madalena.

— Minha menina! Por onde andou? E que trajes são estes?

— É uma longa história, senhora Madalena.

— Oh, é claro. A senhorita parece exausta. Senhor Gomes! Senhor Gomes! — E soltou Elisa. — Por onde andaram? Por que não nos deram notícias? A guarda está há dias procurando por vocês!

— Não tivemos como avisar — Sofia se apressou, pegando Nina quando esta se jogou em seu colo outra vez.

— *Tititititi* — Marina resmungou, esticando a mãozinha em direção à tia, os dedos gorduchos se abrindo e fechando.

— A titia também sentiu saudade, princesinha. — Elisa pegou sua mãozinha e a beijou. — Muita mesmo!

— É melhor mandar alguém avisar a guarda que estamos em casa — ponderei.

— Minha nossa, eu mal dormi estes dias, patrão! — Madalena uniu as mãos sobre o peito. — Ficava imaginando que algo terrível tivesse acontecido, e os boatos... Oh, senhor Clarke, se o senhor ouvisse o que estão dizendo da senhorita Elisa... — Os olhos dela marejaram.

Gomes escolheu esse momento para entrar. O alívio que lhe coloriu as feições foi logo substituído pelo estranhamento de nossas vestes. Ele se recompôs o mais depressa que pôde, ao contrário da governanta, que continuava fitando meus trajes e os de Elisa com o cenho encrespado. Ao que parecia, as roupas de Sofia, apesar de mais reveladoras, não a surpreendiam tanto assim. Acabei sorrindo.

— Senhor Clarke. É muito bom tê-los de volta — meu mordomo disse, naquele seu tom austero.

— Obrigado, Gomes. É bom estar em casa. Pode pedir a Sebastião ou a Isaac que vá até a vila e avise as autoridades que retornamos de nossa viagem?

Ele pareceu surpreso.

— Viagem, senhor?

— Viagem, senhor Gomes.

Ele não questionou, apesar de saber muito bem que eu mentia. Bem, não era exatamente mentira.

— Farei isso imediatamente. — Ele se apressou em se retirar, mas eu o detive, pousando a mão em seu ombro.

— Como Marina se comportou?

— Bem, senhor. Admito que colocá-la para dormir foi um suplício. Nem eu nem a senhora Madalena conseguimos acalmá-la. Sua tia tem vindo aqui todos os dias para nos socorrer. Estranhamente, a senhorita Marina parece gostar dela.

Sofia deu risada, beijando a testa de nossa menina, que agora se divertia com seu colar.

— O senhor Guimarães também esteve aqui algumas vezes — ele comentou. Relanceei Elisa, que agora tinha o olhar fixo em meu mordomo.

— Ele esteve aqui? — ela quis saber.

— Sim, senhorita. No dia de seu desapa... de sua viagem, ele ficou aqui até a noite cair. O mesmo aconteceu no dia seguinte. Chegou cedo, à procura de notícias, e só foi embora quando a lua já estava alta. Ontem ele retornou, mas não se demorou muito.

— E hoje? — Sofia exigiu saber, a testa franzida.

O senhor Gomes manteve a postura e a expressão, mas pude ver um pequeno estreitar de desagrado no canto de seus olhos enrugados.

— Ele não apareceu, senhora.

— Mas deve ser porque o doutor Almeida também viajou — apressou-se Madalena, lançando a Gomes um olhar afiado. — Agora ele é o único médico da região, e deve ter tido tanto trabalho que acabou impedido de vir em busca de notícias suas.

— Com certeza — Sofia concordou depressa.

— Decerto — Elisa murmurou, forçando um sorriso. Não fui o único que percebeu seu abatimento.

Sofia me entregou Marina, o olhar buscando o meu. Ela estava preocupada. Eu também.

— Madalena, poderia preparar um banho para a Elisa? — ela pediu. — E para o Ian também. Estamos imundos, sujos de terra.

— E carrapicho-picão! — A mulher baixou as sobrancelhas. — Quase tenho medo de perguntar o motivo.

— A mamãe já volta — Sofia disse a Marina, afastando os finos cabelos negros que lhe caíam na testa. — E aí eu vou querer saber tudo o que você andou aprontando enquanto eu e o papai estivemos fora.

— Papa! — Mas Marina se inclinou em direção a Sofia, fazendo-me segurá-la com mais firmeza. Ela espalmou as bochechas da mãe e plantou um beijo molhado em seu nariz. Quando se endireitou, um fio de baba se esticou entre seu rosto e o de minha esposa. Sofia riu, usando o dorso da mão para secar a boca de nossa menininha, depois seu nariz.

— Senti tanta saudade de você, Nina... — Seus olhos cintilavam ao se esticar para retribuir o beijo. — Vejo vocês dois daqui a pouco. Vem, Elisa. — Sofia se juntou a minha irmã e passou um braço em torno de seus ombros. — Vou te ajudar a se livrar do carrapicho nos cabelos. — E começou a guiá-la em direção ao quarto. Elisa parecia entorpecida ao acompanhá-la.

Eu precisaria ter uma conversa com minha irmã, sem demora.

— Papa! — Marina deu palmadinhas em meu rosto.

— Sim, meu amorzinho?

Percebendo que ela queria ir para o chão, eu me abaixei com cuidado. Ela engatinhou para baixo da mesa de centro e retornou com um brinquedo na mão. Um cavalo de madeira que Gomes entalhara para ela no mês anterior.

— *Oite*, papa! — Ela me entregou o brinquedo.

— Não me diga que já quer um só para você.

— *Pocó!*

Acabei rindo.

— Verei o que posso fazer, em... dois ou três anos. Que tal começarmos com um bonito pônei?

Gomes, parado pouco atrás de mim, tentou disfarçar o riso com uma tosse.

— O que foi? — perguntei a ele.

— Suponho que sua senhora não vá gostar da ideia.

— Mas o que pode ser mais natural para uma menina do que ganhar um pônei, não é, Marina?

Ela não prestava atenção. Arrulhava uma sucessão de *pocó-pocó-pocó-pocó* enquanto batia o cavalo de madeira no assoalho.

— Por que sua camisa está suja de sangue, senhor? — Gomes quis saber, tentando manter a fachada austera, mas falhando. — Está ferido?

Olhei para as manchas vermelhas que eu não notara até então.

Alexander.

Perguntei-me se um dia viria a saber o que fora feito dele. E se eu descobriria o motivo de estar tão intrincadamente envolvido no caso de Elisa. Provavelmente não.

— Não, senhor Gomes. Eu... humm... ajudei um rapaz que havia se ferido.

— Virgem Santa, senhor Clarke! E ele está bem?

— Espero que sim, Gomes. Realmente espero. — Passei a camisa pela cabeça. Não queria minha filha perto daquele sangue.

Gomes a pegou antes que eu pudesse jogá-la no ombro.

— Vou providenciar seu banho e mandar alguém até a vila para contar as novidades.

— Obrigado.

Marina empurrou o cavalo de madeira em minha coxa e esfregou os olhos. Ela estava cansada.

Não pude evitar sorrir.

— Vamos lá. Vamos fazer você dormir. — Eu a peguei no colo e imediatamente sua cabeça pendeu em meu ombro. Comecei a cantarolar.

Não percebi que Gomes se retirava até me dar conta de que estava sozinho com minha filha. Dancei com ela pela sala toda, embalando-a e me sentindo tão grato por ter a chance de fazer aquilo mais uma vez que um nó se formou em minha garganta e fui obrigado a parar de cantar e apenas murmurar sua canção preferida. Marina adormeceu em pouco tempo, mas custei a soltá-la. Permaneci ali, com ela em meus braços, a mão espalmada em suas costas, sentindo as batidas rápidas de seu coraçãozinho, o sobe e desce de seu peito, enquanto fitava tudo o que me cercava. Por um instante, com o asfalto sob meu corpo, pensei que tudo estivesse perdido para sempre. Que jamais voltaria a pôr os olhos na casa onde nasci, na família que deixei para trás.

— Obrigado — murmurei para o nada, abraçando minha filha com mais força, esperando que de alguma forma Alexander pudesse me escutar.

Beijei a testa de Marina e lentamente atravessei a casa até chegar a seu quarto. Mantive-a no colo enquanto ouvia a movimentação do preparo da banheira no quarto ao lado. Quando tudo se acalmou, eu a coloquei no berço com cuidado e fiquei observando-a. Sofia me encontrou ali. Ela me abraçou pela cintura, beijando meu ombro nu, e também ficou admirando nossa menininha. Perdemos a noção do tempo, velando o sono de Marina por quase uma hora, e eu teria ficado ali a noite inteira se não tivesse percebido o esforço que Sofia fazia para se manter de pé. Ela, porém, não reclamou uma única vez e parecia mais do que contente com o desconforto.

— Vamos — eu disse a ela. Sofia pegou a mão da filha e depositou um beijo em sua palma antes de deixar o quarto.

Fechei com cuidado a porta de ligação entre os dois aposentos. A água da banheira já esfriara, e o vapor que exalara mais cedo deixara o ar saturado. Uma sensação muito parecida com o que ocorria em minha cabeça. Eu não dormia direito havia muito, e toda a confusão em que nos metemos começou a pesar em meus ombros.

— Como está Elisa? — perguntei a ela, começando a esvaziar os bolsos sobre a cômoda.

— Chateada. Ela está com medo que o Lucas tenha ouvido os boatos e acreditado neles.

Eu me detive.

— E ele acreditaria nisso porque... humm... — tive de pigarrear — há essa possibilidade?

— É claro que não, Ian! A coisa mais ousada que a Elisa já fez na vida foi sucumbir a um beijo! Mas ela tá com medo de que o Lucas acredite nos boatos, que pense que ela tinha um amante.

Coloquei sobre o móvel as notas de dinheiro que já não me tinham serventia alguma, assim como os brincos que comprara de volta no antiquário.

— Falarei com ele, meu amor. Explicarei o que aconteceu. Em parte, pelo menos. Mas antes vou falar com Elisa e me assegurar de que ainda sei o que ela quer.

Sofia colocou as mãos em minhas costas, virando-me.

— Como assim?

— Não posso forçá-la a se casar se não for isso o que ela deseja.

— Não pode? — E suas íris castanhas cintilaram.

— Não. — Procurei mais nos bolsos da calça apertada. Meus dedos esbarraram na caixa de remédios que eu tinha comprado para Rafael e nunca tive a chance de entregar. Eu a joguei sobre a cômoda também. O celular veio a seguir.

— Mas e quanto às fofocas? À reputação de Elisa? — ela quis saber.

— Não importa, Sofia. Podemos pensar em alguma coisa. O que não posso é condenar minha irmã a uma vida infeliz. A escolha será dela.

Ela ficou boquiaberta. Aproveitei para atravessar o quarto e remover da parede o quadro de Sofia, revelando o cofre. Girei a catraca até destrancá-lo e joguei ali aquela coisa. Eu era o único que conhecia a senha. Estaria seguro, ao menos até que eu tivesse tempo para me livrar dele.

— Andei pensando, Ian. Você não hesitou — ela murmurou atrás de mim. Detive-me por um breve instante antes de fechar a porta e girar a trava. Ela prosseguiu, embora não fosse necessário. Eu sabia bem do que ela estava falando. — Esta noite, na rua. Quando pegou o celular, você não vacilou. Não me perguntou se era isso mesmo que eu queria.

— Não, eu não perguntei. — Pendurei o quadro, mas me mantive de costas para ela.

— Porque tinha medo da resposta?

— Eu... — Esfreguei o rosto, esgotado demais para mentir para ela. — Agora que tenho minha memória de volta, percebo uma coisa. Você não usou seus equipamentos tecnológicos, a menos quando foi necessário, como no caso da copiadora. Havia uma TV em sua sala, mas você não a ligou uma única vez. O mesmo vale para o micro-ondas de que você tanto falava. Então, estou aqui tentando me convencer de que não hesitei pois eu sabia qual seria sua resposta. Mas com você eu nunca sei, Sofia. E sempre pensei que, se fosse preciso abrir mão de você para que fosse feliz, eu abriria. Mas não sou capaz. Não sou capaz de deixá-la ir, mesmo que você queira. Sou mais egoísta do que você pensa.

— Ian?

Inspirei fundo antes de me virar, esperando ver a decepção estampada em seu rosto. Em vez disso, vi Sofia parada ao lado da banheira com o coração nos olhos.

— Nada do que havia naquele apartamento me importava. Exceto o homem que acordava sem memória todas as manhãs. — Sua voz estava repleta de amor e, se eu estivesse entendendo direito, alívio. — E eu também sou egoísta pra caramba. Não sou capaz de viver sem você. E estou pouco me lixando se é isso o que você quer — ela brincou.

Em duas passadas largas eu estava junto dela. Passei os braços por sua cintura e me inclinei, encostando a testa na sua. Meu rosto estava tão perto do dela que nossa respiração se tornou uma só. Era apropriado.

— Você está com algo que me pertence — murmurei, fitando-a.

— Eu... não sei do que... Ah! — Entendendo, ela levou a mão à nuca e soltou o fecho do longo colar. Trazendo-o para a frente, fez minha aliança deslizar pela correntinha até cair em sua palma. Guardou a corrente com o pingente de minha inicial no bolso da saia e de lá retirou seu anel e sua aliança. Eu os peguei e me afastei apenas o suficiente para tomar sua mão esquerda.

— Eu soube que estava perdido no instante em que pus os olhos em você.

— Deslizei a aliança por seu dedo. Seu olhar se inflamou, fazendo meu peito arder. — Naquele momento, eu entendi por que parecia que eu estivera prendendo o fôlego desde sempre. Eu esperava por você, Sofia. Eu a amei no primeiro olhar. Eu a amei no primeiro sorriso. E no segundo, e no terceiro, e em todos os que vieram depois. Todo dia eu acordo e penso que é impossível amá-la mais do que já amo. E todo dia eu descubro que me enganei. Eu a amo cada dia mais, a cada dia de uma maneira diferente. — Empurrei o anel de safira até ele se juntar à aliança. E então trouxe sua mão para minha boca e beijei seus dedos e os elos que simbolizavam nosso comprometimento. — E será assim por toda a vida, pois eu nasci para amar você.

Os olhos marejados de Sofia estavam nos meus quando ela pegou minha mão esquerda e encaixou a aliança na ponta do meu anular.

— Não existe nada mais extraordinário do que encontrar alguém que nos ama da maneira que somos. E você sempre me aceitou do jeito que sou, sem jamais tentar me mudar. Eu ultrapassei obstáculos, medos e inseguranças, o mundo todo, para poder estar com você. E faria tudo de novo. Porque eu te amo. — Ela encaixou a aliança em meu dedo. — Amo seu sorriso, o jeito como olha para mim, como se eu fosse a coisa mais bonita que você já viu, e então seus dedos começam a se mover como se você estivesse me desenhando mentalmente. Amo como você se importa com o problema de todos e tenta ajudar. Amo o pai que você é para a Marina. Por muito tempo eu me senti só, completamente desamparada. E então você entrou no meu coração, e agora eu sei que nunca mais estarei sozinha. Existem amores que foram feitos para durar a vida toda. O nosso, eu sei, é assim. Porque eu também nasci para amar você, Ian.

Tomei seu rosto entre as mãos e me inclinei, colando minha boca à sua, selando nossos votos. As emoções que me dominavam faziam meu peito doer, se aquecer, querer explodir.

Eu estava finalmente em casa.

42

Sofia tinha adormecido havia muito tempo, mas, apesar do esgotamento, eu ainda estava bem desperto naquela madrugada. Já não temia fechar os olhos. Porém, apesar de estar em casa, os problemas não haviam desaparecido como mágica. Não todos.

Escapei da cama sem fazer barulho, vestindo uma calça e uma camisa qualquer. Na ponta dos pés, fui até o cofre e peguei o celular. Tanto se devia a ele. Tudo o que eu tinha, na verdade. Mas ele também quase me deixara sem nada, sem vida. Era perigoso demais. Aquele tempo não estava preparado para ele. *Eu* não estava preparado para ele.

Detive-me em frente à cômoda por um instante e coloquei no bolso os brincos de Elisa. Então passei a mão nas botas abandonadas ao lado da banheira e saí. Parei para calçá-las já na cozinha, onde peguei uma lamparina e uma caixinha de madeira em que Madalena costumava guardar linhas e agulhas. Eu a esvaziei sobre a mesa e joguei o celular ali dentro. Não gostava da sensação de tê-lo em minhas mãos.

Desci para o estábulo e verifiquei cada baia. O pangaré que eu comprara do senhor Bernardi levantou a cabeça, desinteressado. Fiz um rápido exame. Ele estava se recuperando bem. E eu ainda não sabia o que fazer com ele. Talvez o aposentasse. O pobre já tivera de lidar com muito mais do que deveria nas mãos daquele animal.

Storm, ao me ouvir chegar, alvoroçou-se.

— Também senti saudades, amigo. — Eu o trouxe para fora, selando-o com um pouco de pressa.

O cavalo sacudiu a crina, que eu tentava manter desembaraçada com algum custo. Assim que ele ficou pronto, deixei a lamparina pendurada em um gancho e peguei uma pá.

— Vamos lá, Storm. — Acomodei-me em seu lombo. Deus, como eu sentira falta daquilo! — Vamos enterrar esse assunto de uma vez por todas.

Como se soubesse o que eu tinha em mente, Storm nos levou para o canto mais longínquo de minha propriedade. Um pedaço de terra onde o dente-de-leão crescia desordenado e que, muitas décadas antes, meu avô julgara ser o ponto ideal para enterrar os animais. Quase ninguém vinha ali. Apenas eu e Isaac, quando um dos meus cavalos morria.

Desmontei de Storm, jogando a pá no ombro, e passei pelo local onde deixara Meia-Noite, uma das melhores montarias que já tive, mais de um ano atrás. Segui em frente, as botas roçando nas flores brancas, fazendo as sementes se desprenderem e espiralarem no ar úmido da noite. Parei onde a mata terminava, onde nada crescia devido à grande quantidade de cascalho no solo. Retirei a pá do ombro e comecei a cavar.

Eu não sabia o que o futuro guardava. E nem queria saber. Se havia uma coisa que eu tinha aprendido era que, mesmo que se possa dar uma boa olhada no que está por vir, ele ainda pode mudar de rumo, tomar outra direção e se tornar algo totalmente inesperado. Então, não. Eu não destruiria aquela máquina como tinha feito com a outra. Mas tampouco permitiria que minha família convivesse com algo tão perigoso.

Por isso, escavei as pedras até encontrar a terra e ali depositei a máquina do tempo dentro da caixa de madeira, cobrindo-a com uma espessa camada de cascalho. Aquele pesadelo não voltaria a me perseguir. Não mais.

Amarrei a pá no alforje da sela e me afastei dali caminhando, sem olhar para trás, puxando Storm pelas guias. Colhi alguns dentes-de-leão no caminho, usando um dos talos para mantê-los unidos. De todas as flores que conhecia, aquela sempre fora a preferida de minha mãe.

Caminhei por um quarto de hora até deixar o campo de dentes-de-leão para trás e adentrar um jardim no meio do nada. Gomes cuidava do canteiro com esmero, e não havia uma única erva daninha à vista. Amarrei Storm em um arbusto e andei por entre as flores até encontrar as lápides, uma ao lado da outra. Abaixei-me, depositando o singelo buquê sobre a de minha mãe. Na de meu pai apenas senti a frieza do mármore na ponta dos dedos antes de me endireitar. Meti as mãos nos bolsos.

— Sei o que devo fazer, e isso entra em conflito com tudo o que vocês me ensinaram. Suponho que, se ainda pudessem fazer alguma coisa, agiriam diferente. Mas eu não sou como você, pai. E vou fazer o que acho certo. Sou pai agora e, se isso estivesse acontecendo com Marina, eu não pensaria duas vezes. Por isso vou ter de quebrar uma das promessas que lhe fiz. Lamento muito, mas a felicidade de Elisa é mais importante que a honra dela para mim.

Um projétil passou zunindo por minha orelha. A princípio pensei que pudesse ser um morcego, mas ele pousou na lápide de John Clarke. Era pequeno e, com a parca iluminação fornecida pela lua, suas penas reluziam em um tom de preto líquido. O azulão abriu o bico e começou a cantar.

Eu ainda ria quando subi no lombo de Storm. O animal abaixou a cabeça, o peito inflando, a cabeçorra se sacudindo.

— Ah, eu me lembro. Eu lhe devo uma corrida. Está pronto agora, Storm? — perguntei, já encurtando as rédeas e me inclinando ligeiramente para a frente.

Imagino que ele tenha apreciado o convite, pois jogou o corpo para trás, sacudindo as patas dianteiras no ar. E então cavalgamos, tão rápido que senti como se nos fundíssemos à escuridão da noite.

* * *

Passei pela porta da cozinha quando a madrugada já começava a se retirar e dar lugar ao amanhecer.

Uma mão pequena tocou meu ombro. Olhei para o rosto de minha irmã, iluminado pela luz da vela. Ela colocou um dedo sobre os lábios murmurando um "shhhh".

Não entendi o que ela estava fazendo até que a risadinha de Madalena me chegou aos ouvidos. Logo seguida pelo gemido rouco de Gomes.

Mas que diabos.

Peguei Elisa pelo braço, arrastando-a para longe da cozinha e da ala de meus empregados desavergonhados.

Levei minha irmã para dentro da sala de música e fechei a porta.

— Há quanto tempo isso está acontecendo? — exigi saber.

— Eu não sei. Suponho que seja recente. A senhora Madalena não é muito boa em ocultar seus sentimentos. Eu teria notado se ela tivesse começado a agir diferente.

— Não sei se me divirto com a situação ou se fico furioso. — Afinal, aquela senhora havia tomado para si a responsabilidade sobre a reputação de Sofia, já que eu não fora capaz de manter minhas mãos longe dela, e fizera da minha vida um inferno.

— Não entendi.

Balancei a cabeça.

— O que fazia na cozinha assim tão cedo?

— Não consegui dormir. E você, por onde esteve? — Ela examinou minhas botas sujas de terra.

— Cavalgando sem rumo para clarear as ideias.

— Há muito o que pensar nos últimos tempos. — E se sentou na poltrona, brincando com uma das fitas de sua camisola de dormir.

Tomei fôlego e puxei a banqueta do piano, sentando-me de frente para ela. Seu olhar se fixou nos meus, questionando.

— Casar-se pode não ser a única solução, Elisa — soltei. Ela franziu a testa, surpresa. — Pensei que você gostaria de se afastar por uns tempos. Ainda temos parentes fora do Brasil. Talvez gostasse de visitar nossa tia-avó Margareth. Ela vive convidando para uma temporada em sua casa, sempre que nos escreve. Você pode gostar de lá. Dizem que York é muito bonita e animada.

— Mas, Ian, tia Margareth mora na Inglaterra!

— Eu sei — concordei calmamente.

Ela se levantou e começou a andar pela sala.

— Não posso ir para a Europa agora. Os boatos só se confirmariam. Certamente diriam que você me mandou para longe a fim de que eu tivesse *um bebê em segredo*.

— Isso não importa, Elisa.

Ela se deteve, os enormes olhos azuis maiores do que nunca.

— Desde quando?

— Desde que a ideia de casar com Lucas a entristece tanto. Andei pensando e acho que essa é a melhor solução. Fique com tia Margareth por um ano. Dois, se lhe agradar. E então poderá decidir o que fazer. Uma vez Sofia sugeriu que você fizesse um curso. Há excelentes conservatórios na Inglaterra. Talvez pudesse frequentar um deles.

Ela se aproximou, os dedos retorcidos na altura da cintura, a boca escancarada.

— Você faria isso, Ian? Permitiria que o escândalo se torne ainda maior apenas para me fazer feliz?

— Sim. Você estava certa. A sua felicidade é mais importante que a sua reputação. Você não tem que ir para a Europa se não quiser. Foi apenas uma ideia.

Pode ficar aqui conosco, se preferir. Apenas receio que a rejeição à qual será submetida a faça ainda mais infeliz do que está agora. E eu prometi ao nosso pai que faria o impossível para mantê-la feliz. E vou cumprir ao menos essa promessa.

— Ah, meu irmão! — Ela se lançou sobre mim, aninhando-se em meu colo como havia muito tempo não fazia, a cabeça enterrada em meu pescoço. — Lamento tanto ter brigado com você. Todos esses dias, quando me era possível lembrar, eu me senti miserável por aquela discussão estúpida.

— Não foi estúpida.

Ela desalojou a cabeça de meu ombro, escorregou para a banqueta, então pegou minha mão.

— Foi sim, Ian. Agora entendo. Você fez o que o nosso pai teria feito. E nada disso seria preciso se eu não tivesse... não tivesse...

— Seguido seu coração — completei, quando o embaraço a impediu.

Ela concordou com a cabeça.

— Agradeço pela oferta que me fez, é muito generosa, mas não quero me afastar de vocês. Eu não suportaria ficar longe de Sofia, e não ver Marina todos os dias me mataria de tristeza.

Eu havia imaginado isso.

— Então você ficará e enfrentará as consequências?

— Sim, mas não da maneira que você está pensando. — Ela se levantou e andou pelo cômodo antes de parar diante da janela e cruzar os braços. — Eu vou me casar com o Lucas, Ian. Amo esta família, e não vou jogar o nosso bom nome na lama. Não seria justo com nenhum de nós. Sobretudo com Marina. Além disso, eu... eu amo o Lucas. Amo demais para não me casar com ele. Tenha ele pedido minha mão por coação ou por amor.

— Está certa disso?

Ela assentiu vigorosamente, ainda de costas.

— Bem, então verei o que posso fazer a esse respeito. — Eu me levantei, exalando pesadamente.

Ela me fitou por sobre o ombro, mordendo o lábio.

— Eu preferiria que não fizesse isso.

— Por que não?

— Eu me coloquei nesta posição. E devo sair dela sozinha! — E ali estava. O orgulho dos Clarke finalmente vindo à tona.

— Elisa, não posso não fazer nada. Sou o seu irmão, o seu tutor! Não posso ficar apenas assistindo enquanto você tenta sair dessa confusão por conta própria.

Ela se virou, descruzando os braços e se aproximando. A determinação reluzia em seu olhar.

— Pode sim, Ian. Eu sou capaz de cuidar de mim mesma. Se fui capaz de me arranjar no tempo de Sofia, sou perfeitamente capaz de me arranjar aqui também, onde conheço todo mundo e a maneira como pensam. Sei que não mereço, mas confie em mim, meu irmão.

Corri os dedos pelos cabelos e engoli uma imprecação.

— Concordo com relação a Lucas. Mas vou fazer algo a respeito desse boato, quer você goste ou não.

— Mas...

— Diabos, Elisa! Está querendo me destituir do posto de irmão mais velho?

Ela acabou rindo e então me abraçou.

— Jamais, Ian. Isso nunca. Faça como achar melhor, então. Apenas me pergunto como pretende deter esses mexericos.

Eu sabia como.

— Confie em mim. — Beijei sua testa, levando a mão ao bolso. De lá retirei o delicado par de brincos. — Creio que isso lhe pertence.

— Meus brincos! — Ela os pegou sem hesitação, os olhos sorrindo. — Como os conseguiu de volta?

— Eu lhe disse, estive no antiquário. E quase tive um ataque do coração quando vi estes brincos. Pensei em mil possibilidades, Elisa. Nenhuma delas me trouxe paz.

— Desculpe. Eu só tentei ajudar alguém que estava sendo muito gentil comigo.

— Sei disso. Agora vá para a cama. Assim que a notícia sobre o seu retorno se espalhar, vai receber várias visitas.

Ela concordou e eu abri a porta para ela. No entanto, antes de sair, Elisa se deteve sob o umbral e fixou os olhos em mim.

— Posso fazer uma pergunta, Ian?

— Certamente.

— Por que razão aquele aparelho retornou à vida de Sofia?

Eu me fazia a mesma pergunta desde que o vira brilhando em nosso quarto dias atrás. Meu Deus, fazia mesmo apenas cinco dias?

Esfreguei o rosto, soltando uma pesada lufada de ar.

— Francamente, Elisa, eu não sei. E acredito que jamais descobriremos. — Assim eu pensava naquele momento.

Naturalmente, eu não podia ter me enganado mais. O pesadelo ainda não tinha terminado.

43

A vila estava quente e movimentada naquela manhã. O sol a pino me fazia suar e sonhar com uma boa caneca de cerveja, mas isso teria de esperar até mais tarde.

Elisa se abrigava sob a sombrinha. Sofia ajeitava a capota do carrinho de bebê, para proteger melhor a pele de nossa filha. Marina, naturalmente, tentava escapar de seu cativeiro a cada trinta segundos.

Estávamos zanzando pelas ruas da vila havia mais de uma hora. Éramos alvo constante de olhares e cochichos. Elisa até que estava lidando bem com tudo isso, sorrindo e cumprimentando os conhecidos e ignorando — ou tentando ignorar — o rastro de fofoca que nos seguia.

— Acha que já é o suficiente? — minha esposa perguntou. — Porque eu não aguento mais andar debaixo desse sol quente.

— Suponho que sim. Podemos ir para o ateliê agora.

Sofia revirou os olhos.

— Tudo bem que estamos em uma missão para limpar o nome da Elisa. Mas o que eu vou fazer com mais vestidos, Ian? Já tenho tantos que poderia vestir um novo a cada dia durante um ano inteirinho!

— Marina deve estar precisando de alguns novos. — Dei de ombros. — Ela cresce muito depressa.

— Não tão rápido quanto você os compra para ela. Tem pelo menos oito vestidos que ela nem chegou a usar e já estão pequenos. Quem fica feliz com isso é o padre Antônio. Madalena envia uma sacola de roupas para doação toda semana.

Segurei o carrinho pela alça e comecei a guiá-lo para o ateliê de madame Georgette. Sofia sempre tivera problemas com vestidos, e eu não sabia o que me motivava a comprar tantos para ela e Marina — se o desejo primitivo de cuidar delas ou simplesmente provocar minha esposa petulante. Deduzi que fosse um pouco das duas coisas.

O ateliê de costura estava cheio. Deixei o carrinho do lado de fora e peguei Marina no colo, acompanhando Sofia e Elisa para dentro. Os cavalheiros se espremiam logo na entrada, esperando que suas damas concluíssem as compras.

— Ora, bom dia, senhor Clarke! — saudou o senhor Estevão, da joalheria. — Pensei que o senhor estivesse fora.

— Chegamos ainda ontem. Como está o senhor? — Fiz um cumprimento de cabeça. Marina se esticou toda, tentando pegar o bigode cinzento do homem. Eu a acomodei no outro braço.

— Muito bem. E fico feliz em revê-los.

Minha esposa e irmã foram cumprimentadas com cortesia, então a assistente da costureira as viu entrar.

— Senhora Clarke! Senhorita Elisa! — Anelize veio recebê-las, afastando-as do grupo de cavalheiros.

— Sua partida foi tão inesperada, senhor Clarke — Domingos comentou. O rosto do mestre de obras estava afogueado por causa do calor. — Fui até sua propriedade ainda ontem, pois a encomenda de sua esposa acaba de chegar, mas fui informado de que o senhor havia viajado, embora ninguém soubesse me dizer para onde.

— Não houve tempo, senhor Domingos. Um mensageiro nos trouxe a triste notícia de que um parente de Sofia estava gravemente doente.

— Ah! Mas que notícia terrível! — O mestre de obras passou o lenço pela testa suada. — Espero que ele esteja se recuperando bem.

— Sim, senhor, ele está. E quase não posso acreditar na sorte que Rafael teve. Sobreviver ao mormo é um verdadeiro milagre.

— *Mormo?* — Subitamente os ânimos se alteraram e os dois começaram a fazer indagações ao mesmo tempo.

— Não há motivos para nos preocuparmos — logo me apressei em acrescentar. Marina viu um bolo de fitas coloridas sobre a pesada mesa onde rolos de tecidos se amontoavam e começou a arrulhar uma sucessão de *dá-dá-dás*, as mãozinhas se abrindo e fechando. — Os parentes de Sofia vivem a uma distância segura daqui. Nossos estábulos não correm risco algum.

— O senhor está certo disso? — o joalheiro quis saber.

— Estou, senhor Estevão.

— Meu Deus! Um cavalheiro com mormo! E sobreviveu! — ele exclamou.

— Se eu não tivesse visto o estado do rapaz, também não teria acreditado. Rafael nasceu de novo. — E, com sorte, a esta altura estaria totalmente fora de perigo. Essa era uma das coisas que me atormentavam: não ter notícias dele. Agora eu entendia o que Sofia sentia.

Naquela manhã, depois de falar com Elisa, eu voltara para o quarto, e a exaustão por fim me vencera. Acabei cochilando e, quando voltei a abrir os olhos, vi Sofia sentada à mesa de nosso quarto, rabiscando em um papel.

— O que faz acordada tão cedo? — perguntei, me espreguiçando, sentindo cada um dos hematomas causados pela queda no asfalto duro, na noite anterior.

Ela virou a cabeça e sorriu. Uma de suas ondas escorregou pelo ombro, balançando em frente ao seio oculto por uma camisa minha.

— Eu estava escrevendo para a Nina, mas já terminei. — Ela abandonou a caneta e se levantou, cruzando o quarto para se sentar a meu lado. — Queria ter notícias do Rafa, saber como anda a recuperação dele. Mas tudo o que posso fazer é dar notícias nossas para eles e rezar para que tudo esteja correndo bem.

— E está. — Tinha de estar! — Nós vimos quanto ele já havia melhorado em tão poucas horas. E eu nunca soube de ninguém que tivesse sobrevivido ao mormo, Sofia. — Eu me sentei e a beijei apropriadamente. — Bom dia, meu amor.

— Bom dia. E estou torcendo para que você esteja certo.

Um resmungo exigente atravessou a porta de ligação do quarto conjugado e nos alcançou. Minha esposa sorriu, radiante.

— É melhor eu ir antes que a Marina comece a berrar. Te encontro na sala de jantar. — E sapecou um beijo em minha boca. Ela pegou meu roupão, pendurado no mancebo, e o jogou sobre os ombros. Já estava na porta quando virou a cabeça e me fitou. — Pode dobrar a carta para mim? Quero aproveitar que vamos até a vila mais tarde para deixá-la com o seu Bregaro.

Concordei e me pus de pé, as juntas estalando, enquanto ela saía para acudir nossa filha, que agora berrava. Ainda um pouco sonolento, fui até a mesa e peguei sua carta, disposto a dobrá-la. Porém acabei me detendo. E sorrindo. A maneira peculiar de redigir cartas era uma das coisas que me fascinavam em Sofia. Ela relatava à amiga que havíamos conseguido voltar para casa e que Elisa estava bem. E contava, de maneira bastante informal e confusa, tudo o que ocorrera naquela rua na noite anterior. Também dizia que estava com saudade. Que sempre estaria. Que sempre os amaria.

Não percebi o que estava fazendo até me ver ocupando a cadeira e pegando a caneta e um papel em branco.

> Caro Rafael,
>
> Espero que sua saúde já tenha se restabelecido e que esta carta o encontre bem e feliz ao lado de sua adorável esposa. Não pode imaginar o alívio e o orgulho que sinto por saber que venceu uma doença tão perigosa.
>
> Suponho que ficará feliz ao ser informado de que encontramos Elisa e estamos em casa, como pode perceber. Minha cabeça voltou ao que era, para meu eterno alívio, então tranquilize-se, já não magoo Sofia. Mas aprendi algo com tudo o que aconteceu: ainda que a memória falhe, o coração jamais esquece, e ninguém nunca poderá me tirar isso. Esquecer algo que se quer guardar para sempre é como ser mutilado e ter de conviver com a falta que o membro perdido lhe faz. É doloroso, acredite. E essa é a razão que me levou a pegar a pena e lhe escrever. Algo semelhante ocorre com você, meu amigo, embora não saiba disso. Uma parte de sua memória, no que diz respeito às suas origens, nunca lhe foi contada.
>
> Sua história — como toda boa história — teve início muito tempo atrás. Em uma manhã quente e ensolarada de fevereiro, no ano de 1830...

Quando dei por mim, já havia preenchido quatro folhas. Contei tudo a ele: a viagem no tempo e toda minha aventura com Sofia. O início de sua própria história. Eu devia isso a ele.

> Creio que não voltaremos a nos ver, mas prometo que cuidarei de Sofia e de Marina tão bem quanto espero que cuide de Nina e dos filhos que um dia terão. Só tenho a acrescentar que, para mim, foi um prazer inesperado e uma honra conhecê-lo. Um presente da vida.

Despeço-me aqui, mas esteja certo de que você e Nina estarão em meus pensamentos, para sempre.

Do seu amigo,
J.C.

Então selei ambas as cartas e as guardei no bolso.

— *Dá-dá-dá!* — Marina disse, irrequieta, inclinando-se para a frente e me arrancando do devaneio.

— Com licença, senhores. — Fiz uma mesura. — Mas minha filha está impaciente para começar as compras.

Juntei-me a Sofia e minha irmã. Madame Georgette, sabendo que eu não poupava esforços para agradar minha esposa, sempre parava tudo o que estivesse fazendo para atendê-la. Desconfiei que naquela manhã o motivo fosse outro, porém. O mesmo que me fizera sugerir a ida ao ateliê.

— ... *comentárrios* tão maldosos — dizia a costureira. — Não que eu tenha *acrreditado*.

Sofia fez uma careta.

— Até parece que essa gente não conhece a Elisa.

— Todos estavam *prreocupados* com o *desaparrecimento* de mademoiselle Elisa.

— Poxa! — Sofia passou a mão por um tecido cor de creme. — Eu também desapareci. Ninguém sentiu minha falta, não? Não ficaram preocupados?

Tive de conter o riso.

— Oh, mas é *clarro* que sim, *chérie*. Estávamos muito *prreocupados* com a repentina ausência da família Clarke. Mas é que o noivo de mademoiselle Elisa não soube informar *parra* onde ela tinha ido, então...

— Não tivemos tempo de avisar ninguém — Elisa comentou, examinando uma fita lilás.

— Viajamos para a minha terra natal. Um parente ficou doente. Muito doente. Quase o perdemos. — E a preocupação verdadeira no rosto de Sofia convenceu a costureira.

— Ah, *pobrrezinha*... — Tomou a mão de Sofia entre as suas. — *Esperro* que ele logo *recuperre* a saúde.

— Eu também. Só voltamos porque ele estava bem. E eu não suportava mais ficar longe da minha Nina.

— E Elisa tampouco estava satisfeita por se afastar de casa — eu me intrometi. — Estava me dando nos nervos. Mas suponho que seja o esperado. Ela acabou de ficar noiva, é natural que queira estar em casa. E essa é uma das razões pelas quais estamos aqui, madame. Elisa vai precisar de um enxoval completo. Minha governanta não para de tagarelar sobre isso.

— Completo? — Os olhos da mulher se iluminaram, exatamente como acontecera um ano e meio atrás, quando estive ali lhe fazendo o mesmo pedido, mas para uma noiva diferente. A minha.

— Completo. E Marina está grande demais para os vestidos que tem. Providencie uma dúzia.

— *Uma dúzia*, monsieur Clarke? — Ela levou a mão ao colo farto.

— Uma dúzia e meia, então. — Dei de ombros.

— Ian! — Sofia me lançou um olhar reprovador, pegando Marina no colo.

— Ah, sim. Quase me esqueci, meu amor. — Então me dirigi a Georgette: — Minha linda esposa gostaria de comprar alguns vestidos também, madame.

— Eu não quero não! — Sofia me lançou um olhar enviesado.

— O que a senhora tiver de mais refinado — prossegui. — Com botões nas costas, como de costume, naturalmente.

Sofia arqueou uma sobrancelha, a indignação fervilhando em seu lindo rosto e me deixando louco para beijá-la.

— Eu *cuidarei* dela, monsieur. — Madame Georgette pegou Marina do colo de Sofia e a entregou para mim. O sorriso da mulher quase lhe chegava às orelhas, qualquer outro assunto esquecido.

Um sorriso lento se abriu em meu rosto. Antes do fim do dia, todos os moradores da vila saberiam o que fora dito ali dentro. Palavra por palavra.

Marina mal se acomodou em meu braço e já se inclinou em direção à mesa. Seus dedinhos ligeiros logo partiram para o nó que eram as fitas vermelhas.

A costureira começou a mostrar o que havia de melhor para Elisa, enquanto Anelize implorava a Sofia que lhe deixasse tomar as medidas.

— Mas, senhora Clarke...

— Já disse que não preciso de mais vestidos!

A moça soltou um suspiro.

— Vou buscar a caderneta do mês passado. Anotei suas medidas lá, para o vestido que usou no baile de aniversário de Elisa. — E desapareceu em uma portinha nos fundos do estabelecimento.

Sofia bufou, fuzilando-me com os olhos.

— Botões nas costas? Sério?

— Eles tinham que estar em algum lugar, meu amor. Além disso, você não precisaria da minha ajuda se eles ficassem na parte da frente. — Segurei o tronco de Marina, que se divertia puxando as pontas das fitas, e abaixei a cabeça até encostar os lábios na orelha de Sofia. — E eu gosto muito de ajudá-la a tirar as roupas.

Ela estreitou os olhos, e achei que enfiaria o cotovelo esfolado em minhas costelas doloridas. Em vez disso, mordeu o lábio e acabou por sorrir no exato instante em que a assistente de madame Georgette retornava.

— Anelize, acho que vou querer dois vestidos, no fim das contas. Mas quero com aqueles botõezinhos beeeeem pequenininhos, que vão até embaixo nas costas.

Grunhi baixinho. Teria preferido a cotovelada nas costelas. Os botões minúsculos me tomavam muito tempo, e levava uma eternidade para que eu conseguisse deixá-la nua.

Em pouco mais de três horas deixamos o ateliê. Estávamos indo para a residência do senhor Bregaro, o agente do correio, quando avistei um cavaleiro vindo a toda a velocidade. O empregado dos Moura passou por nós sem nem mesmo nos reconhecer.

— Aquele era o Ranolfo? — Elisa o acompanhou com os olhos.

— Também tive essa impressão — comentei.

— O que será que deu nele para sair por aí assim, cavalgando feito louco?

O rapaz diminuiu o trote do cavalo em frente à casa do doutor Almeida e então apeou, nem ao menos amarrando o animal para que não fugisse.

— Oh, meu Deus! — exclamou Elisa quando ele desapareceu portão adentro.

Meu olhar encontrou o de Sofia. Ela estava pálida.

— Teodora — dissemos juntos.

* * *

Encontramos a porta da casa de Thomas e Teodora escancarada. Ninguém notou nossa presença. O senhor Moura estava sentado à janela, examinando o relógio. Meu primo andava de um lado para o outro, parecendo um animal enjaulado. Eu conhecia aquela sensação.

— Thomas — chamei.

Ele se virou um instante depois. Seu rosto estava lívido, mas um sorriso curvou seus lábios. Sobretudo ao se deter em Elisa.

— Aí estão vocês. — Ele se apressou em nos cumprimentar, atravessando a sala a largas passadas. — Meu sogro me disse ainda agora que vocês haviam retornado. Lamento por não ter ido visitá-los. Minha esposa... — Ele esfregou o rosto. — Há algo errado, Ian.

— Eu deduzi quando vi Ranolfo batendo à porta do doutor Almeida. Passamos em casa apenas para deixar Marina.

— O que está acontecendo, Thomas? — Elisa quis saber.

— Quem dera eu soubesse! Ela está... sangrando muito, e eu temo... — Ele friccionou o esterno, como se lhe doesse. — O doutor Almeida não está, viajou para visitar o irmão. O único médico na vila é o senhor... doutor Guimarães, suponho que seja esse o tratamento adequado agora. E ele não estava em casa! A senhora Herbert piorou e ele foi até a pensão ver o que poderia fazer por ela. E eu preciso dele aqui!

— O que aconteceu com a senhora Herbert? — Sofia indagou.

— Então não soube? — O senhor Moura se levantou. — Ah, minha querida, a senhora Herbert está acamada já faz três dias, ardendo em febre. O doutor Guimarães tem feito o que pode pela velha viúva, mas não acredito que ele possa salvá-la. Nem o doutor Almeida, com toda a sua experiência, poderia.

— Pobrezinha — Elisa murmurou.

— Eu preciso visitá-la — Sofia me disse, preocupada. — Ela estava gripada quando nos vimos na sexta passada, mas não achei que fosse tão sério assim.

— Em se tratando de...

Inesperadamente, Lucas entrou na sala, pisando duro e interrompendo o que quer que o senhor Moura fosse dizer. Elisa se virou devagar, as mãos retorcidas em um nó na altura da cintura. Ele se deteve assim que a viu. Com os olhos presos nela, fez uma curta e fria mesura, que Elisa retribuiu com elegância.

— Lucas, graças a Deus! — Thomas estava ao lado dele no breve instante de uma batida de coração. — Teodora precisa de você!

— Eu... — Com algum custo, ele desviou o olhar de minha irmã. — Me leve até ela. Prometo que farei tudo o que puder.

— Por aqui — Thomas indicou com o braço, então os dois desapareceram pela porta.

— Não aguento esperar notícias aqui! — disse o senhor Moura, indo atrás dos dois.

— Eu... vou até a cozinha. — Elisa mantinha o olhar na porta por onde seu noivo acabara de passar. — Ninguém nunca se lembra de preparar um chá de erva-doce para acalmar os nervos em momentos como este.

— Talvez porque conhaque funcione melhor e já venha pronto? Ai! — resmunguei quando Sofia acertou o cotovelo em minhas costelas doloridas.

— É uma boa ideia, Elisa — ela disse à cunhada.

Então Elisa deixou a sala, indo na direção oposta à de Lucas.

— Não sei se você se lembra — eu disse a Sofia, massageando o local onde ela me acertara —, mas ainda ontem eu fui derrubado por um cavalo.

— Você não percebeu que a Elisa só estava procurando uma desculpa para sair da sala? Ela ficou mexida com o reencontro. E o Lucas não ajudou muito. Tá certo que só Deus sabe o que ele anda pensando sobre o sumiço dela. E aquela história de que fomos todos juntos não vai colar com ele. Ele sabe que é mentira.

— Eu tinha a intenção de falar com ele, mas Elisa se recusa a permitir. Quer resolver tudo sozinha. — Cruzei os braços e estiquei as pernas.

— Eles se gostam, uma hora vão acabar se entendendo. O Lucas deve estar precisando de um pouquinho mais de tempo. Logo tudo vai se ajeitar. Vamos dar tempo a ele.

— E se o tempo não servir de nada? — eu quis saber.

Ela ponderou por um momento antes de dizer:

— Aí você pode dar uma boa surra nele.

Não me parecia ruim. De modo algum. Caso Lucas continuasse a magoar Elisa, eu acertaria as contas com ele. Ela poderia ficar brava comigo depois.

Não levou muito tempo para que Thomas retornasse, pálido feito uma vela. Cassandra e o senhor Moura o acompanhavam. O rosto de minha tia demonstrou alegria em nos ver, surpreendendo-me.

— Oh, então é verdade. Vocês voltaram, meu sobrinho. E encontraram Elisa! Onde ela está? Ou melhor, onde esteve?

— Acredito, tia Cassandra, que não seja o melhor momento para discutirmos esse assunto. Elisa está bem, isso é tudo o que importa.

Ela relanceou o senhor Moura e assentiu.

— Como é que tá a Teodora? — Sofia indagou.

— Chorando no colo da *mãe* — minha tia comentou, ressentida, antes de se sentar na poltrona cor de vinho.

— Se o seu filho tivesse mantido as mãos longe de minha menina, ela não estaria chorando agora! — resmungou o senhor Moura, sem compreender que o rancor de minha tia não era pelo choro de sua filha, mas porque ela preferira o colo da mãe ao dela.

Porém Cassandra era como um predador: uma vez cutucada, não largaria a presa por nada.

— Ora, meu senhor. Francamente acredita que foi o meu Thomas quem seduziu a sua filha? Está claro que foi ela quem o seduziu. Meu filho era um excelente partido! O melhor deste país, atrevo-me a dizer. Ele só está casado hoje por uma artimanha de sua filha!

— Isso não é verdade! — contrapôs o pai de Teodora, rubro como um tomate.

— Se vocês dois não calarem a boca agora — interveio meu primo, o rosto contorcido pela fúria —, eu seguirei o exemplo do doutor Guimarães e os expulsarei desta sala. Eu juro!

— Ele os colocou para fora? — Isso também acontecera comigo. E quase me deixara louco.

— A mim e à minha mãe. — Thomas esfregou o rosto. — Ela não parava de falar.

E não é que naquele instante eu simpatizei um pouco mais com o garoto? Sofia disfarçou o riso com um ataque de tosse.

— Aquele moleque insolente. — Cassandra abriu o leque e começou a abanar-se, os lábios apertados em uma linha fina. Ela e o senhor Moura se calaram, e eu acompanhei o vaivém de Thomas, sabendo muito bem o tipo de aflição na qual ele estava imerso.

Nada enlouquece mais um homem do que sua mulher estar grávida.

Ainda me lembrava dos gemidos de dor abafados de Sofia. Levou horas para que Marina nascesse, muito mais do que minha sanidade podia aguentar. Talvez por esse motivo fossem as mulheres a passar por isso. Homens não tinham a serenidade necessária para enfrentar um tormento como esse sem perder as estribeiras.

Sofia ficara trancada naquele quarto por quase oito horas e eu fora impedido de entrar. Então, naturalmente, me mantive do lado de fora, perdendo a cabeça e esmurrando a porta.

— Senhor Clarke, por que não se senta um pouco? — meu mordomo sugerira pela décima vez. — Um parto é sempre demorado.

— Ela está em agonia faz mais de oito horas!

— E a sua mãe ficou em agonia por quatorze para trazê-lo a este mundo — ele proferiu, enervantemente calmo.

Bufei, socando a porta com raiva. Queria entrar naquele quarto. Queria poder ser capaz de fazer Sofia parar de sentir dor. Queria nunca a ter tocado e colocado em tamanho sofrimento.

— O senhor não vai conseguir entrar.

— Eu sei — murmurei, deixando a cabeça bater contra o painel de madeira.

— Sente-se um pouco, Ian. Ou então talvez queira seguir as instruções da senhora Madalena. A galinha está à sua espera na cozinha.

Eu o fitei com raiva.

— Que o diabo carregue a maldita galinha! Eu não acredito em uma estupidez dessas. — Já bastava ter acreditado na maldição.

— Muito bem, então faça o que todo futuro pai faz para não perder o juízo enquanto espera. — Ele me estendeu um copo cheio de conhaque. — Vamos, não seja turrão.

Aceitei a bebida com pouca gentileza e a virei de uma vez. O líquido desceu queimando por minhas entranhas, e aquilo foi bom. Se Sofia sofria, eu deveria arder também.

Seu choramingo atravessou a porta e chegou a meus ouvidos como a lâmina de uma faca.

Por todos os infernos, alguém tinha de fazer alguma coisa por ela! Porque, claramente, o inútil do doutor Almeida não a estava ajudando em nada.

— Senhor Clarke... — Gomes chamou, ao mesmo tempo em que um grito que era mais um gemido que qualquer outra coisa reverberou pela casa toda.

— Madalena, abra esta porta! — Tomei distância e colidi com toda a força que pude contra o maldito painel.

— Senhor, pare. Vai se machucar!

Como se isso importasse. Tomei mais distância e investi novamente. A madeira e meu ombro gritaram em protesto.

— Meu bom Deus! O senhor perdeu o juízo?

— Possivelmente, Gomes. — Tomei fôlego e me preparei para colidir contra a porta uma vez mais quando ela se abriu de repente. Passei por ela sem hesitar, e meu coração disparou enquanto eu atravessava o quarto para chegar até Sofia. Ela estava pálida, os olhos injetados. Os cabelos desordenados se grudavam em sua testa suada. Parecia tão frágil ali naquela cama, mas um pequeno sorriso curvou seus lábios secos quando me viu.

Não me lembro de tudo o que aconteceu depois. Madalena continuou falando, o médico dando ordens a minha esposa, e tenho quase certeza de que ela me pediu para tratá-la como uma de minhas éguas. Era como um nevoeiro espesso, e tudo o que registrei foram os olhos de Sofia.

— A gente já passou por um monte de coisas. — Sua respiração estava curta.

— Muitas.

— Não queria que você ficasse de fora dessa, que, eu acho, vai ser a maior delas. — E tentou sorrir em meio à dor.

Eu teria caído de joelhos diante dela se não a segurasse em meus braços.

— Sofia...

Ela cravou as unhas no braço que eu mantinha ao redor de seus ombros, apertando a mandíbula quando a dor a atingiu com força. Ela se contorceu de leve, um grito baixo ecoando pelo quarto enquanto fazia todo o trabalho sozinha. Então veio o choro. Um lamento que me doeu na alma — e que ainda doía toda vez que eu o ouvia. O pacotinho, fonte do berreiro, retorcia-se nos braços de Madalena. Uma menina. Madalena dissera que era uma menina.

Os braços pequeninos se agitavam, tremendo, o choro potente preenchendo o quarto todo, cada recanto de meu cérebro, de meu coração. Enquanto eu buscava seu rosto, senti como se caísse em um abismo infinito, apaixonando--me perdidamente por aquela criança.

Logo aconteceria com Thomas. Mas não naquela tarde. Teodora ainda tinha alguns meses pela frente. Rezei para que Almeida estivesse certo e Lucas fosse brilhante em suas habilidades médicas.

Elisa retornou com uma bandeja, e a única que aceitou o chá foi Cassandra. Minha tia estava furiosa com ela, a julgar pelo olhar que lhe lançou, mas, se Elisa notou, não deixou transparecer.

Sofia se levantou e foi se sentar ao lado de minha irmã, provavelmente tentando distrair Elisa dos próprios pensamentos. Eu fiquei de pé e fui até o aparador. Enchi um copo de conhaque e o levei para Thomas, parado em frente à lareira fitando o vazio. Ele precisou de um tempo para perceber minha presença.

Sem dizer uma palavra, estendi-lhe o copo. Ele relanceou a bebida como se não entendesse o que deveria fazer com ela.

— Beba — ajudei.

Ele virou tudo em um trago só. Fez uma careta quando engoliu e então mirou o copo vazio.

— O que eu faço agora, Ian?

— Tente não perder a cabeça. Teodora vai precisar de você quando estiver bem.

— Mas e se ela não... — Sacudiu a cabeça. — Deus do céu! Lucas é só um garoto!

Pousei a mão em seu ombro e o apertei uma vez.

— Tenha fé nele — me ouvi dizendo. — Almeida não o tomou como pupilo em vão. Ele sabe o que está fazendo.

— É melhor que saiba.

O silêncio se abateu sobre a sala e foi rompido apenas por um espirro de Sofia. Pareceram-me horas até Lucas adentrar o aposento e relancear Thomas.

— Minha esposa...? — foi tudo o que meu primo conseguiu perguntar. Lucas assentiu com firmeza.

— Ela quer vê-lo.

Soltei um longo suspiro de alívio enquanto ouvia Cassandra murmurar um "graças ao bom Deus". Thomas tropeçou nos próprios pés na urgência de chegar logo ao quarto onde estava Teodora. Lucas se afastou da porta, dando-lhe passagem.

— Espere, Thomas! Minha norinha pode precisar de meus cuidados! — Cassandra se apressou atrás dele.

— Eu sou o pai dela. Se Teodora precisar de alguém, será de mim! — O senhor Moura se levantou e os dois dispararam atrás de meu primo, que pareceu acordar de seu torpor e se adiantou, ganhando distância.

— Ela está bem? — Elisa perguntou ao noivo.

— Sim. Teve um sangramento em decorrência do esforço excessivo. Teodora anda muito agitada e precisa de repouso pelas próximas semanas. Mas ela e o bebê estão bem. Senhorita Elisa, posso falar-lhe em particular?

Elisa buscou meu olhar, como se pedisse permissão. Anuí e ela se levantou, alisando as saias com os dedos trêmulos.

— É claro, senhor Guimarães.

Ele fez uma mesura para Sofia antes de acompanhar minha irmã a certa distância até a porta lateral, que dava para um iluminado jardim.

— E agora tudo volta ao lugar — murmurou Sofia.

— Parece que sim. — Afastei os olhos da janela e fui me sentar ao lado dela.

— Ainda bem que o Lucas sabia o que estava fazendo. Tinha me esquecido de como a gravidez é assustadora.

— Eu não. Mas espero que da próxima vez possamos nos sair melhor.

Sofia se inclinou para trás para me encarar com os olhos esbugalhados.

— Você está falando sério? Vamos tentar mais um bebê?

— Se você quiser. — Enlacei os dedos nos dela. — Andei pensando que seria bom se Marina tivesse um irmão. Ou uma irmã. Nós tivemos vidas muito parecidas, Sofia. Você e eu. Ambos ficamos órfãos cedo demais, tivemos que lidar com os problemas adultos antes da hora. Mas a diferença é que você esteve sozinha e eu não. Eu mantive parte da minha família. Se algo nos acontecer algum dia, não gostaria de deixar nossa filha completamente sozinha.

— Quando? — perguntou, ansiosa.

— Quando o quê?

— Quando podemos tentar um irmãozinho para a Nina? Porque eu também não quero que ela se sinta solitária, Ian. Quero para ela o que você e a Elisa têm. E eu achei que teria um trabalhão pra te convencer a ter outro bebê, pois toda vez que alguém menciona o nascimento de Marina você se encolhe todo. Então quando? Quando podemos começar a tentar fazer outro bebê?

— Sofia... — Balancei a cabeça, rindo, mas tive de mudar de posição no sofá.

— Se dá conta de que acabou de me pedir para fazer amor com você?

— E daí?

Acabei gemendo.

— Como espera que eu pense em qualquer coisa que seja de agora em diante?

Ela deu risada no exato instante em que Lucas e Elisa retornaram. Minha irmã não parecia contente como imaginei que estaria. Nem um pouco.

— Bem... Devo partir agora. — Lucas disse, depois de um instante de silêncio embaraçoso.

— Não quer esperar um pouco mais? A Elisa preparou um chá — Sofia se apressou, levantando-se. Também fiquei de pé.

— Lamento, mas não posso ficar, senhora Clarke. Preciso ir ao velório da senhora Herbert.

— O quê? — Sofia ficou imóvel, os braços caídos ao lado do corpo. — O que você disse? Ela... ela...

— Por Deus, senhora Clarke, me perdoe. — O rapaz coçou a nuca e praguejou. — Esqueci que a viúva Herbert a ajudava na fábrica.

— O que... o que...

— O que aconteceu com ela? — Abracei a cintura de Sofia e a trouxe para mais perto, pois ela parecia oscilar.

— O mesmo de sempre, senhor Clarke. — O rapaz esfregou o rosto e bufou. — Uma gripe que se tornou um pesadelo.

Meu Deus.

— Mas ela não pode ter morrido. — Os olhos de Sofia ficaram marejados. — Ela estava... ela...

— Lamento por minha falta de tato, senhora Clarke — murmurou Lucas. — Receio ter tido um dia repleto de altos e baixos. — Então fitou Elisa de canto de olho. Minha irmã desviou o olhar. — Eu... os verei em breve. Com sua licença.

Ele se despediu e partiu imediatamente. Sofia deixou escapar um soluço.

— Eu sinto muito, Sofia. — Elisa se aproximou e a beijou, apertando-lhe as mãos.

— Lamento muito, meu amor — murmurei em seus cabelos.

— Ela era uma mulher tão bacana, Ian. Durona, mas era só fachada. Ela vivia levando bolinhos pras garotas na fábrica e... Ah, meu Deus... — Sofia escondeu o rosto em meu peito. Abaixei a cabeça e beijei sua testa.

Então paralisei.

Sua temperatura não estava certa.

O pesadelo se repetia. Era exatamente como da outra vez. Uma febre, acompanhada de alguns espirros, depois a tosse carregada, a falta de ar. Um pouco de confusão. A prostração. A debilidade.

Dois dias antes, Sofia e eu fazíamos planos para aumentar a família. Agora? Lucas me dizia que Marina não teria a mãe por muito mais tempo.

— Não! Não é verdade! — Rebati a vontade de socá-lo. De socar qualquer coisa que fosse.

— Senhor Clarke, eu quis conversar com o senhor porque estou convicto de que não há mais nada que eu possa fazer por ela. — Seu olhar estava na porta atrás de mim, no largo corredor. Seu semblante era austero e, de alguma forma, compadecido também. O tipo de olhar que não se deseja ver no rosto do médico que cuida de sua esposa doente.

— Você não sabe o que está dizendo. Sofia *não está* morrendo! — Mas ela estava. A cada segundo, a cada volta do relógio, sua respiração se tornava mais sofrida, curta e rasa. — O doutor Almeida deve chegar em breve. Ele saberá como cuidar dela!

Lucas abanou a cabeça.

— Gostaria que fosse verdade, senhor Clarke. Se eu suspeitasse de que a piora da senhora Clarke se devia à minha falta de capacidade, seria o primeiro a lhe sugerir que procurasse outro médico. Mas não é o caso, senhor. Os pulmões de Sofia estão muito comprometidos, o coração sobrecarregado. Desconfio que ela tenha pegado a doença da senhora Herbert. Não há... mais nada a ser feito.

— Suma daqui! — Dei meia-volta e entrei no quarto, recostando-me à porta e fechando os olhos. Meus olhos pinicavam. A dor no centro do peito bloqueava a respiração. Lucas não sabia o que estava falando. O maldito moleque não fazia ideia do que estava falando.

— Eu sinto muito, senhor Clarke — sua voz abafada atravessou o painel, então ouvi seus passos se afastando.

— Ian... — Sofia sussurrou da cama.

Abri os olhos, mas desejei fechá-los. Vê-la daquele jeito estava me matando. Eu tinha dificuldade para respirar, dificuldade para me manter de pé, pois meus joelhos fraquejavam. Entretanto, de alguma maneira, consegui chegar até a cama e me sentar a seu lado.

— Estou aqui, meu amor. — Peguei sua mão fria e a levei à boca.

— É muito chato ficar aqui neste quarto, sabia?

— O doutor Almeida está a caminho, recebi uma mensagem ainda agora. Deve chegar a qualquer hora amanhã e vai... — O quê? Fazer por ela o que não tinha sido capaz de fazer por meu pai? O que Lucas não tinha sido capaz de fazer pela senhora Herbert?

— Estou com frio. — Ela se encolheu até se tornar uma bola.

Tão pequena. Tão frágil sobre aquele colchão.

Puxei o cobertor mais para cima. Meu dedo resvalou em sua bochecha. Ela ardia. Sua boca estava muito branca e seca, descamando onde havia mais volume em decorrência da alta temperatura. Os olhos enevoados não se fixavam em nada por mais de três segundos. Ela havia perdido peso, mal comera nos últimos dias, e o pouco que conseguira ingerir tinha botado para fora. Seu peito mal se movimentava com as curtas e custosas inspirações e expirações.

— Marina já comeu? — ela quis saber, umedecendo os lábios.

— Sim, Elisa está com ela. — Peguei o copo de água sobre a mesa de cabeceira e levei a seus lábios, mas ela recusou.

— E você? Comeu alguma coisa?

— Claro — menti. — Acabei de fazer isso. E agora é a sua vez. — Pousei o copo na mesa e indiquei com a cabeça a bandeja que Madalena trouxera pouco antes de Lucas bater à porta.

— Depois eu como. Meu estômago não tá legal agora.

— Sofia, se você não comer por bem, vai comer por mal. Você precisa estar forte para conseguir vencer esta maldita doença.

Um sorriso triste surgiu em seus lábios quando ela ergueu a mão que eu segurava para tocar meu queixo áspero com a barba de dois dias.

— Ian, se eu não conseguir...

Fechei os olhos.

— Pare.

— Mas eu não posso! Se eu não conseguir...

— Não. — Eu me levantei da cama e comecei a andar pelo quarto. — Nem mais uma palavra, Sofia. Eu não quero ouvir.

Era como se eu tivesse voltado no tempo outra vez. De novo a mesma conversa, naquele mesmo quarto, mas dessa vez era cem vezes pior. Um milhão de vezes pior. Se meu coração já não estivesse reduzido a cacos e pó, teria se estilhaçado naquele instante. Não pude fazer nada quanto ao tremor que sacudiu meus ossos dentro da carne, como se eu fervilhasse, mas a sensação era fria e excruciante. Eu queria gritar. Berrar a plenos pulmões até aquela dor passar. Gritar tão alto e tão forte que seria capaz de mudar o modo como o mundo girava. Gritar até me dissolver em apenas um eco que por fim se calaria, desaparecendo sem deixar vestígios.

— Você precisa me escutar, Ian. Se eu não...

— Não. Você é quem deve me escutar! — Voltei para a cama e tomei seu rosto entre as mãos, chegando bem perto dela, para que assim seus olhos não pudessem fugir. — Não se atreva, Sofia. Não se atreva a desistir!

— Eu não estou desistindo, Ian. Mas eu... ouvi você e o Lucas conversando ainda agora.

— Não. — Fechei os olhos. — Não dê ouvidos a ele. Você vai ficar bem! Vai se curar e não vai a lugar alg... — Então me detive. *Havia* uma maneira de salvá-la! — Vou mandar você de volta.

— Para onde? — ela perguntou, confusa.

— Para o seu tempo! Vou mandá-la de volta para o seu tempo! Os médicos de lá sabem como curá-la. Eles salvarão você!

Soltei o rosto de Sofia com cuidado e comecei a me levantar, mas sua mão fraca resvalou em meu antebraço, de modo que eu me detive.

— Não — sussurrou. — Não é assim, Ian. A máquina do tempo só funciona quando quer, não quando nós queremos. E, mesmo que não fosse desse jeito, eu não iria. Aquele não é mais o meu tempo. O meu tempo é este, com você e a Marina. Não importa como ou quando essa jornada vai terminar, meu lugar é aqui.

Ao diabo com isso! Eu pegaria a máquina do tempo e a faria funcionar, de alguma maneira. Tinha de tentar. Tinha de levá-la para aquele mundo onde as doenças já não eram uma sentença de morte, onde os médicos operavam curas impossíveis todos os dias, graças a milagres vendidos em...

Meu olhar se fixou na cômoda repleta de vidros e potes.

— Meu bom Deus!

— O que foi? — Sofia perguntou naquela voz fraca.

Beijei sua mão antes de soltá-la e atravessei o quarto, buscando com dedos trêmulos dentre os frascos de cosméticos a caixinha que eu deixara sobre aquela cômoda dias antes. Mas não estava em nenhum lugar à vista.

— Porra!

Comecei a abrir as gavetas, vasculhando cada uma delas, derrubando roupas e pertences de Sofia em minha afobação. Meus dedos então tocaram o papel rígido e se fecharam ao redor da caixa.

Aquilo *tinha* de funcionar.

Rasguei a caixinha ao abri-la e ali dentro encontrei uma fileira de comprimidos púrpura em um encarte prateado. Mas como eu deveria proceder? Quantos daqueles comprimidos deveria dar a ela? Dois? Dez? Todos de uma vez?

Um pequeno pedaço de papel caiu a meus pés. Eu o peguei e, desfazendo as muitas dobras, encontrei uma espécie de livreto. Tentei firmar a mão, focar os olhos, mas via tudo borrado.

Voltei para a cama e beijei a testa de Sofia.

— Preciso ir até a sala, mas voltarei antes que sinta a minha falta.

— Isso não será possível. — Ela encostou dois dedos em minha garganta, fraca demais para enroscar os dedos na camisa, como costumava fazer.

Disparei pelo corredor, esbarrando em um aparador. O vaso sobre ele se sacudiu e encontrou o chão, cacos e flores se espalhando pelo assoalho polido.

Minha irmã estava na sala tentando distrair Marina com uma coleção de bonecas de pano em que minha filha parecia pouco interessada. E, graças aos céus, Lucas ainda estava ali. Eu o encontrei na porta, o chapéu na mão, pronto para ir embora.

— Ian — sobressaltou-se minha irmã, o rosto preocupado.

Balancei a cabeça. Não tinha tempo para explicar. Andei até Lucas, até ficar a um braço de distância.

— Salve-a! — Estendi a ele a caixa do remédio de Rafael.

— O que é isso?

— Eu não faço a menor ideia. Mas pode salvá-la. Me ajude a descobrir como, por favor.

Lucas a examinou por diversos ângulos, franzindo a testa.

— Senhor Clarke, eu...

— Por favor! — Enfiei o livreto em sua mão.

Lucas começou a ler, a mão inconscientemente procurando onde deixar o chapéu. Ele o pendurou em um guarda-chuva de Elisa.

— Eu desconheço tudo isso. Não entendo metade do que diz — murmurou, sem erguer os olhos.

— Também não consegui entender. Mas deve haver algo que lhe soe familiar. Apenas descubra como podemos tratá-la usando isto e me procure. — Guardei o remédio no bolso, mantendo a mão sobre ele enquanto retornava para o quarto.

Encontrei Sofia adormecida. Sem fazer barulho, sentei-me a seu lado, velando seu sono, rezando para que Lucas descobrisse como aquele milagre poderia funcionar.

Não tardou para que houvesse uma batida na porta. Encontrei Lucas boquiaberto, parado em frente ao painel de madeira, o livreto ainda nas mãos.

— Onde o senhor encontrou isso?

— Descobriu como podemos tratá-la? — Isso era tudo o que importava

— A principal recomendação é seguir a indicação do médico. — O rapaz endireitou os ombros ao perceber que não obteria uma resposta, assumindo uma postura profissional antes de entrar no aposento.

— E então? — Fechei a porta.

Ele balançou a cabeça.

— Eu não tenho ideia do que lhe dizer, senhor Clarke. Muito pouco do que li neste folheto me é familiar.

Fechei os olhos, pressionando as têmporas com os punhos fechados. *Por favor, por favor!*, eu implorava em silêncio.

— Mas...

Abri os olhos no mesmo instante e o encarei.

— Encontrei algumas sugestões de tratamento. E também alertas sobre possíveis complicações derivadas do uso dessa substância. Não posso lhe garantir que isto vai salvá-la, da mesma maneira que não posso garantir que não vai matá-la mais depressa. Não é nada remotamente semelhante a qualquer coisa que eu já tenha visto.

Meu bom Deus!

Relanceei Sofia, prostrada sobre o colchão. Seu peito mal se movia.

— Se não fizermos nada... — Minha voz falhou. Não consegui fazer a pergunta, mas Lucas entendeu.

— Pouco tempo, senhor. Ela tem... pouco tempo. Se sobreviver a esta noite, será um milagre.

Meus olhos ainda estavam em minha mulher, adormecida na cama. Sua pele quase não oferecia contraste com a camisola e os lençóis brancos.

Encarei Lucas.

— Me diga o que devo fazer.

— O senhor entende os riscos, senhor Clarke? Entende que não há garantia de nada?

— Entendo. Mas se há uma chance de que ela... — Engoli em seco, o nó na boca do estômago se contraindo. — Me diga o que devo fazer, Lucas.

Ele soltou um longo e ruidoso suspiro.

— Que Deus nos ajude...

Dessa vez eu concordava com ele.

Lucas me disse que, segundo o livreto, eu deveria dar a ela apenas um comprimido por vez, a cada doze horas, e este começaria a funcionar em dois quartos de hora.

Acordei Sofia e a fiz engolir o remédio com um pouco de água. Ela pareceu confusa, e eu não tinha certeza se era por causa do sono, da febre ou da pneumonia. Então Lucas e eu ficamos ali. Eu, um olho em cada inspiração e expiração de Sofia e o outro no relógio. Já Lucas se sentou na cadeira perto da porta, devorando o livreto novamente. E outra vez ainda.

— Penicilina... — ele murmurou.

Uma hora se passou sem mudança alguma, exceto que ela parecia pior. Então duas horas. Três. A temperatura de Sofia continuava alta, seus lábios entreabertos e descamados estavam acinzentados, o pulso fraco e mais rápido do que nunca.

Deus, não havia funcionado. Eu ia perdê-la.

Curvei-me sobre ela, fechando os olhos com força e tentando deter o tremor nos ombros, o embrulho no estômago, os soluços. Mas fui incapaz. Como poderia? A mulher que significava o mundo para mim estava partindo, e dessa vez não havia nada nem ninguém que pudesse trazê-la de volta.

Naquele instante, com o rosto molhado e o peito aberto e sangrando, também chorando, desejei que ela nunca tivesse voltado. Que jamais tivesse me escolhido. Que tivesse permanecido em seu tempo, onde havia meios de tratá-la quando adoecesse, tendo assim uma vida longa e feliz junto dos amigos que eu também aprendera a amar.

Uma batida no ombro me fez erguer a cabeça de leve.

— Não perca a fé, senhor Clarke. — A voz de Lucas soou muito longe. — Vou deixá-lo com sua esposa, mas estarei na sala. Se houver qualquer mudança, mande me chamar imediatamente.

Concordei e ele saiu — ou deve ter saído, não cheguei a olhar para me certificar. Descalcei as botas, estiquei-me sobre o cobertor ao lado de Sofia e a abracei, pressionando o peito de encontro ao seu, como se o que havia ali dentro, sadio, de alguma maneira pudesse ajudar o dela, enfermo. A porta do quarto se abriu muitas vezes. Madalena, Gomes, minha irmã e até Cassandra vinham em busca de notícias. Não houve nenhuma.

Apertando-a com força, como se com isso eu pudesse mantê-la comigo para sempre, eu a segurei durante a noite toda. Eu a teria segurado por uma vida inteira. Mais tempo que isso até.

Um novo dia começou sem que eu percebesse. O sol brilhava e se infiltrava pela trama das cortinas, salpicando o quarto de pequenos pontos luminosos. Os pássaros cantavam ali perto. Era injusto, não combinava com o que estava acontecendo.

Por volta das dez da manhã, imaginei ter percebido uma pequena, ínfima melhora em seu pulso. O medo de ter esperança, de estar imaginando coisas, deixou-me mudo, paralisado por quase um quarto de hora. Tudo o que pude fazer foi observá-la atentamente, buscando qualquer sinal de que eu não estava fantasiando. Havia um pouco de cor em seus lábios. Nada comparado ao rosado escuro, quase rubro, tão característico deles, mas já não estavam cinzentos. Não muito. E cerca de meia hora depois, quando uma lágrima de suor brotou em sua testa, não pude mais conter a esperança que se infiltrou em meu peito. Sim, ela ainda queimava em febre, mas me pareceu menos quente então.

Saí do quarto um tanto atrapalhado e tonto, correndo descalço pela casa. Acabei pisando nos cacos do vaso que eu quebrara na noite anterior e de que Madalena certamente ainda não se dera conta. Praguejei baixo e removi o estilhaço do pé, uma linha vermelha surgindo. Sangrei até a sala, onde Lucas tinha um caderno apoiado no braço do sofá, a outra mão segurando o livreto do remédio. Sua aparência amarrotada me disse que ele também não havia dormido.

Nossos olhares se cruzaram. Tentei dizer a ele alguma coisa, *qualquer coisa*, mas não pude. Então apenas tentei sorrir em meio à umidade que me brotou nos olhos. Lentamente, ele se levantou da poltrona, seus estudos esquecidos, a boca entreaberta em uma exclamação silenciosa.

Retornei para o quarto, mancando, deixando um rastro escarlate no assoalho que Madalena limpava com tanto esmero. Lucas passou pela porta do quarto segundos depois de mim e se apressou em examinar Sofia. Seu semblante se iluminou ao notar as sutis mudanças que eu tinha percebido pouco antes. Ela acabou despertando durante o exame. Seu olhar ainda ligeiramente confuso, mas não mais embotado, fixou-se no meu.

— Oi. — Sua voz estava rouca.

— Oi. — Caí de joelhos ao lado da cama e peguei sua mão. Sua palma já não estava fria. Abaixei a cabeça e depositei um beijo ali. Seus dedos acariciaram minha bochecha úmida. Não havia força neles, mas a firmeza estava presente.

— Respire fundo, senhora Clarke — pediu Lucas.

— Tá. — Ela fez o que o médico ordenou enquanto ele prosseguia com o exame, mas seu rosto permaneceu voltado para o meu, a mão ainda em meu rosto. Quando o esforço lhe pareceu demais e ela ameaçou deixá-la cair, eu a amparei, segurando sua palma de encontro a minha pele. *Gostaria de ter me barbeado*, pensei. *Oferecer-lhe algo mais suave que este emaranhado de pelos ásperos.*

— Deus todo-poderoso! — Lucas exclamou baixinho.

Minha atenção se fixou nele imediatamente.

— Não posso garantir. — Ele guardou seu equipamento na maleta. — Mas arrisco dizer que, apesar de o estado da senhora Clarke ainda inspirar cuidados, já não oferece perigo.

— Ah, meu bom Deus! — Isso teria me feito cair de joelhos se eu já não estivesse nessa posição. A esperança que crescia em meu peito se transformou em alívio e em uma espécie de gratidão tão profunda que fez lágrimas rolarem sem controle. Eu me curvei sobre ela, descansando a cabeça em seu peito e ouvindo o som mais lindo de todo o mundo: o pulsar de seu coração. Não me importei que Lucas me visse chorar. Não me importei que Sofia me visse soluçar. Quando se é agraciado com uma nova chance, tudo o que se pode fazer é dar vazão aos sentimentos que lhe obscurecem a alma e se sentir grato. Abençoado.

Seus dedos fracos se enroscaram em meus cabelos. Virei a cabeça e a fitei, embebendo-me com as sutis — e, de alguma maneira, monumentais — mudanças em sua aparência.

— Eu estou bem, Ian.

Não, ela não estava.

Mas ficaria.

O roncar faminto de seu estômago ressoou pelo quarto, como se concordasse comigo.

— Com fome? — perguntei enquanto seus dedos percorriam minhas boche-chas, tentando secá-las.

— Faminta. Será que você pode me arrumar alguma coisa bem gordurosa pra comer?

Fitei Lucas.

— Eu recomendaria um caldo quente, para testar seu estômago — ele acon-selhou.

Voltei a atenção para Sofia, afastando alguns fios de cabelo de seu rosto. As raízes começavam a ficar úmidas.

— Pedirei a Madalena que lhe prepare uma sopa, que tal?

— Na verdade, eu mesmo farei isso, senhor Clarke. — Lucas colocou a ma-leta sobre a cômoda. — O senhor não pode ficar andando desse jeito. Voltarei logo para cuidar do seu pé. — E deixou o quarto a passos rápidos.

— O que aconteceu com seus pés? — Sofia quis saber assim que ele fechou a porta.

— Pé, no singular. E não é nada com que deva se preocupar.

Suas sobrancelhas se abaixaram, o queixo se elevou um pouco daquela ma-neira petulante que eu amava tanto.

— Desembucha logo, Ian, e não me obrigue a me levantar desta cama pra quebrar o seu nariz!

Minha gargalhada repercutiu por toda a casa, disso eu tinha certeza.

Então aproximei o rosto do dela até ficar a um suspiro de distância, perden-do-me em seus olhos castanhos.

— Isso, meu amor, seria a maior felicidade de todas. — E a beijei.

45

— M inha querida senhora Clarke! Como é bom vê-la tão bem! — exclamou lady Romanov, inclinando-se sobre a balaustrada que separava o seu camarote do nosso, no grande teatro da cidade.

Sofia se espantou com seu entusiasmo, olhou de relance para Elisa e para mim, mas a cumprimentou com cortesia, assim como fizemos eu e minha irmã.

— Lady Romanov.

— Senhor Clarke. Senhorita Elisa.

Seu desagradável filho fixou os olhos em Elisa, dando um passo à frente, a boca curvada em um sorriso desaforado. Mas ele se deteve e seu rosto trocou de cor assim que percebeu minha presença. Fez uma reverência rápida e voltou a atenção para a jovem que os acompanhava.

— Soube da sua enfermidade — a senhora disse a Sofia. — Estava certa de que não escaparia, já que as notícias que chegavam não eram animadoras.

— Foram dias difíceis, lady Catarina. — Sofia pegou minha mão.

— Posso imaginar. E sua menina, como tem passado?

— Aprontando uma atrás da outra. Trouxemos a Nina pra cidade. Deixamos no hotel com a governanta, e só espero não encontrar nosso quarto em chamas quando voltarmos.

— Filhos podem ser uma dor de cabeça sem fim. — Ela abriu seu leque com um único movimento e se pôs a abanar. — Ficarão na cidade até o Natal, senhor Clarke?

— Não, lady Catarina. Retornaremos para casa na segunda-feira. Viemos apenas para o fim de semana.

— Que pena. Mas fico feliz que tenha se recuperado, senhora Clarke. A sociedade perderia um pouco da graça sem a senhora. Tenha um bom espetáculo.

— A senhora também.

Conduzi Sofia a nossos lugares e a ajudei a sentar. Ela se recuperava a cada dia, mas ainda se cansava com alguma facilidade. Tanto Almeida quanto Lucas me garantiram que era temporário — assim que seus pulmões se recuperassem das lesões, ela voltaria ao ritmo de antes.

— Não tenho certeza se ela acabou de me elogiar ou ofender — ela cochichou.

— Também fiquei em dúvida. — Elisa se sentou na cadeira da ponta. Eu ocupei a outra.

— Escolha o que mais lhe agrada — sugeri.

— Acho que vou preferir a ofensa, então. Quer dizer, eu joguei comida nela! Foi sem querer, claro, mas acho difícil ela ter achado aquilo engraçado.

— Eu achei. — Sorri para ela.

— Ah, eu também! — Elisa se apressou, pegando o programa da peça a que assistiríamos. — Mas já faz tanto tempo que talvez ela tenha deixado o assunto de lado. Dizem que Dimitri anda lhe tirando o sono. Parece que ele se meteu em problemas.

— Jogos? — especulei.

Minha irmã fez que sim, inclinando-se um pouco. Sofia pegou o papel que Elisa tinha nas mãos.

— Pelo que ouvi tia Cassandra dizer a Thomas, parece que ele está em grande perigo. Tem débitos com um cavalheiro pouco respeitável e de moral duvidosa, que cobra suas dívidas com... Como foi que ela disse? Ah, sim, com um requinte de tortura inigualável. Lady Romanov disse que não dará um tostão a Dimitri.

— E agora ele está à caça de uma jovem herdeira que lhe pague as dívidas — concluí.

— Primo Thomas disse a mesma coisa. — Elisa ajeitou as saias e se recostou no assento.

— Vai ser parada dura — Sofia comentou, examinando o livreto. — A garota vai ter que ser cega pra se casar com um cara feito o Dimitri. *La sonnambula*, de Vincenzo Bellini — leu ela. — Humm... Alguma chance de essa ópera ser sobre a Bela Adormecida? — E ergueu seus grandes olhos castanhos para mim.

Minha gargalhada alcançou a primeira fileira, e diversas cabeças se voltaram para o nosso balcão. Sofia cutucou minhas costelas com o cotovelo, mas não pude me conter. Por sorte a música logo teve início e a atenção de todos se focou no palco. Exceto a minha.

Eu assistia a um espetáculo muito mais fascinante: as reações de Sofia. A música mexia profundamente com ela, e acompanhar a mudança de sentimentos em seu semblante era uma atração que eu não perderia por nada. E, decerto, estava atento a sinais que pudessem me dizer que havíamos abusado da sorte, mas isso não aconteceu. Suponho que fosse normal me sentir tão ansioso em relação a ela, sobretudo porque aquela noite era a primeira em que ela saía de casa desde que adoecera. Então ela insistira — ou talvez eu devesse dizer *exigira?* — em ir à cidade para comemorar meu aniversário de vinte e três anos. E apenas concordei em levá-la à ópera depois de Almeida e Lucas me garantirem — quatro vezes — que isso não acarretaria uma recaída. Também a obriguei a usar uma capa para evitar o sereno, embora aquele 16 de dezembro fosse um dos mais quentes de que eu conseguia me lembrar. Ela me censurara por estar exagerando, mas eu discordava. Ainda não era capaz de acreditar no milagre que ocorrera havia pouco mais de um mês.

Depois de Sofia acordar com fome naquela abençoada manhã, o mundo voltou a ter sentido. Sim, os dias foram passando devagar, e, conforme cada crepúsculo se anunciava, sua saúde se restabelecia um pouco mais. Lucas foi um bom médico, atencioso e sempre lacônico em suas decisões. Sofia continuou a tomar o medicamento que eu inadvertidamente trouxera do futuro até não restar mais nenhum comprimido, e, embora Lucas se mostrasse maravilhado com seu poder de cura, a desconfiança em relação àquelas bolotas ainda existia, de modo que ele insistiu que Sofia continuasse a tomar os xaropes e os tônicos também.

Quando meu bom amigo Almeida retornou de viagem, encontrou Sofia sentada à janela, pois, ainda que estivesse fraca demais para ir além dos limites do quarto, já conseguia se locomover pelo aposento sem se cansar em demasia. Sua afeição por Sofia e a amizade que me tinha o traziam a nossa casa todas as manhãs e fins de tarde. Ele estava satisfeito e orgulhoso do pupilo, mas seu ofício sempre falava mais alto e acabava examinando Sofia, apenas para não se sentir desnecessário, ainda que eu e ela assegurássemos que isso jamais aconteceria.

Assim que a notícia sobre o adoecimento de minha mulher chegou aos ouvidos do povo da vila, teve início uma verdadeira peregrinação até minha propriedade. Sofia estava fraca demais para receber visitas, e eu me negava a sair de perto dela, de modo que Elisa ficou incumbida de acolher nossos amigos e conhecidos e agradecer os presentes que eles traziam para minha esposa. Suculentos pernis, galinhas rechonchudas, ovos de pata, frutas de toda sorte de cores e sabores, favos e mais favos de mel, maços gigantescos de agrião, sacas de aveia. Tudo com o intuito de ajudá-la a se recuperar mais depressa. Padre Antônio até celebrou uma missa pedindo por sua recuperação, e, segundo minha irmã, muitos tiveram de assistir à celebração do lado de fora, já que a capela não comportava tanta gente. Pelo que eu ouvira dizer, o único que não participou da missa foi o senhor Bernardi, pois, tão logo se soube que eu havia me recusado a vender um de meus cavalos para ele, os outros criadores da região desconfiaram de que havia algo errado e lhe fecharam as porteiras. Sem ter nem mesmo o "pangaré inútil" para o ajudar na colheita de café, ele perdera grande parte da produção e agora estava de mudança.

Sofia ficou muito surpresa com toda aquela demonstração de afeto, mas eu não. Ela não percebia o bem que havia feito àquelas pessoas, fosse mudando-lhes o jeito de cuidar da aparência, a maneira de pensar ou adicionando um pouco mais de comida a suas mesas, devido aos empregos gerados na fábrica.

Quanto aos boatos que denegriam Elisa, foram logo esquecidos, graças à história que madame Georgette me fez o grande favor de espalhar. Sua reputação estava tão intacta quanto sua firmeza de caráter, ainda que Lucas passasse mais tempo em minha casa, cuidando de minha Sofia, do que na dele. No entanto, as coisas entre ele e minha irmã não iam tão bem quanto todos presumiam. Eu quase nunca os via juntos, e, nas raras ocasiões em que isso aconteceu, o encontro foi marcado por um silêncio desconcertante. Ele a visitava, mas com frequência não se demorava e sempre que podia arranjava uma desculpa para fugir de algum evento. Como naquela noite, quando alegara ter uma reunião importante com um antigo professor e por isso não acompanhara a noiva à ópera. Eu desejava socá-lo nesses momentos, mas sempre me continha. Sem sua ajuda eu não teria conseguido livrar Sofia das garras frias da morte.

— Eu não fiz nada — ele logo refutou, quando lhe agradeci pela ajuda. Estávamos em meu escritório para que ele pudesse retirar os pontos do meu pé. Madalena ajudava Sofia a se banhar, sob meus protestos, naturalmente. — Foram aqueles comprimidos. Como os conseguiu, senhor Clarke? Se conseguirmos mais, podemos praticamente acabar com o fatalismo acerca da pneumonia. E não apenas isso! Pelo que li no livreto, o medicamento também é eficaz contra muitos outros males que nos tiram a paz. Imagine um mundo onde uma amidalite não ponha uma vida em risco!

— Lamento, Lucas, mas não posso lhe dizer como o consegui. Posso garantir, porém, que arranjar mais será impossível. Infelizmente, não há mais. — Não para nós, eu quis acrescentar.

— Está certo disso? Porque eu não me importaria em ter de fazer uma longa viagem para conseguir um pouco desse remédio para os meus pacientes. O doutor Almeida concorda comigo.

E Almeida também estava ciente de que isso era impossível.

— Acredite, Lucas, eu seria o primeiro a partir se houvesse uma chance, mas não há.

— Que pena, senhor Clarke. Uma pena mesmo. Isso mudaria o mundo como o conhecemos.

— Mudaria, de fato. E pode me chamar de Ian. Você será parte da família muito em breve, afinal.

Ele terminou com os pontos e começou a recolher seus instrumentos.

— Não molhe o ferimento por uns dias e evite cavalgar.

— Lucas?

— Sim, senhor Cl... Ian?

— Elisa não fugiu.

— Onde ela esteve, então? — Os olhos dele chisparam com uma emoção que não fui rápido o bastante para definir. — Por que ela não quer me contar?

— Porque é complicado. Mas eu lhe dou minha palavra que ela não fugiu.

Ele esfregou a testa.

— Está certo. Preciso ir agora. Vou até a casa de seu primo conferir se está tudo bem com Teodora. A senhora Cassandra já enviou três mensageiros. Está preocupada, pois a nora anda mal-humorada demais. — E sacudiu a cabeça. — Ela vai me enlouquecer até essa criança nascer.

Dei risada.

— Falta pouco agora.

— Graças a Deus! Talvez com a chegada do neto ela pare de me atazanar com bobagens. Voltarei amanhã para ver como sua esposa está. Tenha um bom dia.

— Eu o acompanho. — E, depois de calçar as botas, abri a porta para ele.

Um pedacinho de gente muito ligeiro passou engatinhando por entre minhas pernas.

— Ora, mas veja só! — Acabei rindo.

— Marina! — Elisa vinha correndo, rindo, e quase colidiu comigo. Seus cabelos estavam uma bagunça, as faces coradas. — Estamos brincando de esconde-esconde, mas ela é mais rápida que... Ah... Bom dia, doutor. — Ela se deteve ao ver Lucas. Passou a mão no penteado que se desfizera por conta da corrida e então corou, desviando o olhar para o chão.

Lucas também tinha as faces afogueadas, mas, por todos os infernos, eu tinha certeza de que não era por constrangimento. Aquilo acontecia comigo com muita frequência, a cada vez que eu via Sofia toda desarrumada. Tudo em que podia pensar eram lençóis amassados, travesseiros e pele nua.

Balancei a cabeça.

— Eu cuido de Marina. Leve seu noivo até a porta, Elisa — eu disse. Pois, se tivesse de acompanhar aquele sujeitinho até a porta enquanto ele pensava em lençóis amassados, travesseiros e a pele nua de Elisa, eu o mataria, e Sofia ficaria muito aborrecida comigo. Elisa também.

— Está bem — ela concordou, depois de hesitar. Lucas a acompanhou com o mesmo entusiasmo de alguém prestes a decepar a própria perna. De todo modo, eu ficaria de olho naqueles dois.

Encontrei Marina embaixo de minha mesa, as mãos tapando os olhos. Dessa maneira, ela achava que se tornava invisível. Contive o riso e me endireitei.

— Onde será que a Marina está? Aqui, dentro deste vaso? Não. Será que atrás daquele mancebo? Também não. Ah, meu Deus, para onde Marina foi? Eu a perdi!

Sua risada chegou a meus ouvidos antes que seu rostinho aparecesse embaixo da mesa e ela exibisse os dois dentinhos.

— Aí está você, meu amorzinho. — Abaixei-me e a peguei no colo.

— *Conde-conde.*

—Ah! A titia está ocupada agora, mas eu estou disponível. O que acha? Você se esconde e eu procuro?

Ela esfregou os olhos.

— Tudo bem, talvez depois. — Beijei sua testa. — Que tal visitar a mamãe?

— *Mamamamama.* — E bateu palmas, em uma animação só.

Por precaução, Sofia e eu concordamos que o melhor era manter Marina longe da mãe até que a doença desse sinal de ter ido embora, então elas se viram muito pouco naqueles dias. Cortou-me o coração que a primeira vez que Marina finalmente disse o seu "mamamamama" na presença de Sofia tenha acontecido com uma janela entre elas.

E essa era a razão pela qual ela se encontrava agora a poucas quadras do teatro, em um quarto de hotel, provavelmente enlouquecendo Madalena e Gomes com todo tipo de exigências, enquanto assistíamos ao concerto. Sofia não queria ficar longe dela um só instante.

Naturalmente, tanto tempo fora do estábulo por causa da doença de Sofia me rendeu uma porção de problemas, e muitas horas longe de casa me aguardavam assim que retornássemos. Sofia também estava preocupada, tentando reorganizar sua fábrica. Sem sua presença e a ajuda da finada senhora Herbert, as coisas estavam uma bagunça. Então eu tinha prometido ajudá-la até que ela pudesse retomar sua função, o que, segundo os dois médicos, aconteceria logo depois das festas.

Outras coisas se encaixaram em minha cabeça, mas não as dividi com Sofia. Nossa viagem ao futuro já quase desaparecera de seus pensamentos. Importuná-la enquanto ainda se recuperava seria inadmissível. Se um dia ela voltasse ao assunto, talvez eu lhe contasse tudo o que tinha descoberto. Talvez.

Perguntei-me, e não pela primeira vez, como Nina e Rafael estariam. Como ele teria recebido minha carta, se acreditara no que eu contara ali. Eu realmente gostava deles, sobretudo do "cara", que ajudava primeiro e perguntava depois, com seu temperamento peculiar, brincalhão com um toque de agressividade. Eu estava orgulhoso dele e teria gostado muito de tê-lo por perto. Ter a chance de conhecê-lo havia sido uma dádiva. Saber que o meu sangue e o de Sofia corriam em suas veias era extraordinário.

E o que não é assim?, ponderei, ao admirá-la em seu vestido de seda rubi. Das orelhas pendiam os brincos de safira que eu lhe dera no dia de nosso casamento, e sob aquela luz as pedras se tornaram escuras, quase negras. A iluminação do teatro realçava sua pele, os cabelos dourados presos em uma trança de onde alguns fios teimavam em escapar. Os olhos castanhos reluziam com um brilho de mistério ao qual eu achava impossível resistir. A boca se esticava em um meio sorriso de contentamento conforme a soprano fazia sua performance. Quando a intérprete se lançou em um crescente, atingindo notas altas absurdas para a garganta humana, Sofia prendeu o fôlego, sua mão enluvada buscando a minha. Apertei seus dedos.

Ela virou a cabeça para me olhar. E sorriu.

Meu coração enlouqueceu mais uma vez, sem saber o que fazer. Desacelerou, errou um batimento, disparou feito louco, então desacelerou, errou outra batida para disparar novamente. Ele estava dançando, e eu me apaixonando de novo.

Sim. No que se referia a Sofia, tudo era extraordinário.

Ela voltou a assistir à peça. Não estávamos longe do fim do primeiro ato agora. E foi nesse instante que uma movimentação abaixo de nosso camarote atraiu minha atenção. Um homem em um traje completamente branco me encarava. Ele tocou dois dedos na lateral da cabeça, antes de começar a andar em direção à saída.

Levei a mão enluvada de Sofia aos lábios.

— Eu voltarei logo.

— O quê? Aonde você vai?

— Vi um conhecido e preciso falar com ele antes que vá embora. Mas não me demoro. — Beijei sua testa e me apressei em direção ao corredor acortinado.

Meus passos pesados soavam alto demais no assoalho de madeira conforme eu acelerava. Desci aos pulos as escadas que levavam ao térreo. Cheguei ao saguão bem a tempo de ver o homem abrindo a porta de saída. Não havia mais ninguém ali além de nós dois.

— Cheguei a pensar que estivesse morto — falei. Ele se deteve, os ombros enrijecendo. — Mas, refletindo um pouco, deduzi que você não pode sucumbir a coisas tão mundanas como a morte.

Ele se virou lentamente. Um sorriso de diversão lhe esticou a cara toda, inclusive a larga cicatriz na têmpora.

— Como vai, Ian?

— Muito bem. — Afastei o paletó e coloquei as mãos nos bolsos da calça. — E suspeito de que seja graças a você, Alexander.

46

— Não sei do que você está falando. — Ele fechou a porta e deu um passo para o lado. As chamas de um candelabro dançavam sobre um aparador ali perto, criando desenhos de sombras indistintos nas paredes amarelas.

Acabei dando risada enquanto me aproximava e recostava o quadril na ponta do aparador. Cruzei os braços e os tornozelos, mantendo os olhos nele.

— Você deve me achar um tolo, de fato. Demorei muito tempo para entender o que estava acontecendo.

Ele riu, sem humor algum.

— Ao contrário, Ian. Você é inteligente demais, e por isso tive um trabalho danado para manter tudo sob controle, para os fatos não acontecerem antes do que deviam.

— Foi você quem enviou a máquina do tempo. — Não foi uma pergunta. — Eu cheguei a cogitar que o celular havia retornado para que Sofia pudesse ajudar Rafael. Era a única explicação que fazia algum sentido. Mas depois de tudo... O destinatário não era Sofia, era? A máquina do tempo não voltou por ela. Foi por mim.

Ele não confirmou. Também não negou. Apenas ficou me encarando com certo divertimento.

— Estou certo, Alexander? Se é que... esse é o seu verdadeiro nome.

— Hoje é. Mas que papo é esse de máquina do tempo, cara? Você pirou?

Cruzei os braços. Sofia também usava aquela expressão com muita frequência.

— É, acho que eu "pirei", sim.

— É disso que eu tô falando. Não dá pra brincar com você. — Ele praguejou baixo, dando um passo à frente. — Você podia ser só um pouquinho tapado e facilitar a minha vida. Como descobriu?

— Você me disse. Na rua, logo depois de levar um tiro. Você disse "Volte para casa e salve o seu amor".

— Cacete! — Ele esfregou a mão nos cabelos curtos. — Eu e minha boca grande.

Eu me endireitei, encarando-o a meio metro de distância.

— Assim que Sofia começou a melhorar, pensei na sorte que tinha sido ter me esquecido de entregar o remédio a Nina. Mas era o que deveria acontecer, não era? Foi por isso que você me mandou aquela máquina. Sofia foi contaminada pela doença da senhora Herbert. E o destino de minha esposa teria sido semelhante ao dela se você não tivesse intervindo.

Dessa vez ele fez que sim com a cabeça. Rebati um tremor ao pensar que...

— Deixa isso pra lá, cara. Pensar no que poderia ter acontecido só vai te fazer mal. Ela está bem agora. É isso que importa.

De fato.

— Por que a minha memória não funcionou direito no século vinte e um?

— Você sabe por quê. Deduziu tudo, contra todas as possibilidades! — Ele jogou a mão para o alto. — O destino da Sofia estava se alterando. E esse novo cenário não te incluía.

— Como isso é remotamente possível?

— Esse é o problema de lidar com fadas madrinhas. — Ele revirou os olhos. — Elas sempre acham que podem consertar um erro reescrevendo a história.

— Então por que a memória de Sofia não foi afetada?

— Porque... era a história dela, Ian. — Ele se dirigiu para a chaise longue perto da entrada e se sentou, parecendo cansado. — As lembranças da Sofia só seriam apagadas quando a mudança acontecesse de fato, e não fosse mais só uma possibilidade. Para ela seria de uma vez, uma única vez. Bum! Acabou! Já era!

— Mas eu não entendo. — Juntei-me a ele no assento. A madeira estalou com todo aquele peso. — Se você me enviou a máquina, como eu conseguiria cumprir o meu objetivo, se a minha cabeça não funcionava?

Ele cruzou a perna, apoiando um tornozelo no joelho.

— Não era para ter sido assim. Algumas coisas saíram de controle. A fada madrinha da Sofia jamais teria sido alertada sobre essa viagem se você tivesse partido sozinho. Você teria voltado antes que ela se desse conta. Mas a Elisa encontrou a máquina, abandonou a coisa no século vinte e um, atraiu muita atenção. Meu mundo virou um verdadeiro caos, cara. E foi a partir desse momento que a sua história com a Sofia entrou em risco.

— E você não cogitou essa hipótese antes de me enviar aquela máquina? Não pensou que algo poderia dar errado?

— Claro que sim. — Ele ergueu os ombros com descaso e eu quis socá-lo. — Mas era o único jeito de garantir meu trabalho. Tive que arriscar e assumir as consequências. Foi por isso que eu precisei intervir. Encontrei a Elisa e a mantive em segurança até que você conseguisse o antibiótico para a Sofia. Às vezes eu a colocava no seu caminho, para que você soubesse que ela estava bem, e também porque a proximidade punha o destino de volta nos eixos, e com isso você conseguia entender o que estava acontecendo, fazer o que tinha que fazer. Quando você conseguiu o remédio, eu levei a Elisa até você. E, caramba, *quase* que não deu tempo. Teria sido uma grande merda, viu... Pelo amor de Deus, nunca vi duas pessoas tão propensas a se meter em encrenca como você e a Sofia! Não é à toa que foram feitos um para o outro.

— Então você é uma das fadas madrinhas de Sofia — concluí.

— Prefiro o termo *assistente pessoal para assuntos místicos*. — Ele cruzou os braços. — Mas não, eu não sou o APAM da Sofia. Cada pessoa tem apenas um, e a Sofia já tem a dela. Aliás, ela está furiosa comigo e com você. Ter quebrado a máquina do tempo da Sofia foi coisa de gênio, Ian. Isso nos deu o tempo que eu precisava para chegar até vocês. Só que agora a mulher tá uma fera, já que criar uma nova máquina dá muito trabalho, e ela só pode fazer isso se tiver um motivo, e no momento ela não tem. O destino da Sofia voltou aos eixos. Ela não vai aparecer de novo.

Alívio e gratidão perpassaram por mim, deixando-me inquieto a ponto de ter de me levantar.

— Então é isso aí. — Alexander ficou de pé também.

— Não, ainda não acabamos!

— O que mais você quer saber?

— Se você não é a fada madrinha...

— APAM — ele corrigiu de cara feia. — Sou um APAM!

— Que seja. — Lutei para não revirar os olhos. — Se você não é o APAM da Sofia, então é o meu?

Ele deu risada, mudando para uma posição mais relaxada.

— Bem que você gostaria. Mas não, você não tem um APAM.

— Graças a Deus! — Soltei uma longa e forte expiração, que era alívio puro. Alexander fechou a cara.

— Isso magoa, cara. Magoa fundo!

— Não tive a intenção. E continuo sem compreender. Você disse ainda agora que fez tudo o que fez para garantir o seu trabalho.

— E fiz mesmo. Eu tinha que garantir que você e a Sofia prosseguissem com a sua história para que eu venha a ter o meu trabalho logo. O problema é que a Sofia andou quebrando algumas regras que a colocaram em risco. Essa história da fábrica, por exemplo. A senhora Herbert não devia fazer parte disso. Em teoria, a Sofia tomaria conta de tudo sozinha. Então ela mudou o futuro de novo ao contratar a viúva logo depois que a Marina nasceu. Quando eu percebi o que estava por vir, fiz o que devia, mesmo sabendo que isso me traria problemas. A APAM da Sofia é das boas, tem uma penca de afilhados, e por conta disso deixou escapar essa informação. Tá legal, vou admitir que, se ela tivesse percebido o que ia acontecer antes de eu começar a agir, teria feito alguma coisa para tentar impedir. Mas eu não podia arriscar. Sabe há quanto tempo estou esperando pela minha protegida, Ian? Tem muito tempo, cara! Eu não podia arriscar deixar que outro resolvesse o problema. Quando ela ficou sabendo que era eu quem estava por trás de tudo, já era tarde e ela não podia mais intervir. Dois APAMs não podem atuar em um mesmo destino ao mesmo tempo.

— Você me usou para garantir o seu trabalho? — Estreitei os olhos para ele.

— Usei. — E sorriu, contente. — É claro que, por ter quebrado algumas regras, estou sendo monitorado agora, e tá tudo muito confuso. Eu nem devia estar tendo essa conversa com você. Vim só buscar algo que me pertence. — Ele enfiou a mão no interior do paletó e de lá retirou a caixa de madeira que eu havia enterrado no mês anterior, antes de Sofia adoecer. — Mas não resisti a dar uma espiada em vocês. Além disso, eu tinha que te devolver isso. — Ele puxou uma arma de dentro do casaco e me entregou. A pistola que fora de meu avô e que eu achei que estivesse perdida para sempre.

— Obrigado. — Eu a peguei e guardei no cós da calça, nas costas.

— De nada. A Sofia está ótima, hein? Nem parece que passou por tudo aquilo.

Havia muitas perguntas que eu ainda queria fazer a ele. Muita coisa que eu queria lhe dizer, mas realmente importava?

Eu tinha ficado furioso com ele, desejara socá-lo uma centena de vezes. Ele me usara para obter o que queria. Mas tudo o que eu conseguia sentir agora era gratidão. O preço quase fora alto demais. No entanto, ainda que eu soubesse disso de antemão, teria arriscado. Para salvar Sofia, teria arriscado tudo.

Então, não. Não importava que ele me desse respostas que mais me confundiam do que esclareciam. Eu sempre lhe seria grato, enquanto vivesse.

— Eu jamais poderei saldar a dívida que tenho com você, Alexander.

— Pode sim, só não entendeu isso ainda. Mas vai entender. Esperto do jeito que é, você nem vai levar muito tempo. Agora, nossos caminhos se separam aqui. E pode dormir tranquilo, nada mais vai voltar para te assombrar. Adeus, Ian.

— Adeus, Alexander.

Ele então abriu a porta e começou a descer as escadarias que o levariam à rua. No entanto, havia ainda uma coisa que eu precisava saber.

— Alexander? — chamei. Ele me olhou por sobre o ombro, esperando. — Rafael está...

— Forte feito um cavalo. Já voltou ao trabalho e anda pensando muito naquele papo que vocês tiveram sobre filhos. E em uma certa carta que jamais devia ter sido escrita. — Seus olhos se estreitaram. — Também cuidei da detetive Santana, antes que me pergunte. Tudo o que ela lembra agora é de ter encontrado a sua irmã e levado a menina até você. Nada de perseguição a ladrão de cavalos, tiros ou sumiços mágicos. O mundo voltou ao normal em toda parte. Se cuida, Ian. — Ele tocou a testa, a larga cicatriz, com dois dedos.

Imitei seu gesto e assisti enquanto ele saltava os degraus de dois em dois. As tochas na lateral das escadas criaram um estranho efeito em sua roupa branca, quase como se ele brilhasse.

— Ian? — A voz de Sofia chegou aos meus ouvidos.

Virei-me e a encontrei ao pé da escada, uma das mãos enluvadas apoiada no corrimão de madeira escura.

— Você demorou. Fiquei preocupada. Está tudo bem? — ela perguntou.

— Sim, está. — Olhei para fora. Alexander já não estava em parte alguma. — Agora está.

Aproximei-me dela, tomando seu rosto entre as mãos e a beijando com ternura. Ela escrutinou meu rosto, a preocupação reluzindo em seu olhar.

— Tem certeza?

— Absoluta, meu amor. Agora vamos. O primeiro ato deve estar quase no fim. — Apoiei a mão no vão de suas costas e a conduzi escada acima.

* * *

O hotel ficava a poucas quadras do teatro, e levamos mais tempo esperando pela carruagem que nos conduziria até lá do que para chegar a nosso destino.

Ouvi a risadinha de Madalena tão logo meu pé tocou o piso acarpetado do segundo andar. Encarei Sofia, que simplesmente ergueu os ombros e abriu um sorriso.

Destranquei a porta e, antes que pudesse dar passagem para minha mulher e minha irmã, divisei meu mordomo aos beijos com minha governanta, diante da lareira da pequena sala.

— Oh! — exclamou Elisa atrás de mim, ao passo que ouvi a risada de Sofia.

Rapidamente levantei a mão e tapei os olhos de minha irmã. O casal percebeu nossa presença um tanto tarde demais.

— Oh, minha nossa! — Madalena pulou um metro longe, o rosto adquirindo o mesmo tom escarlate das cortinas que pendiam das janelas.

Gomes ajeitou as lapelas da camisa. As mangas do paletó. O paletó em si. Então cruzou os braços nas costas e pigarreou.

— Suponho que o concerto tenha sido agradável.

— Não tão agradável quanto a sua noite, acredito. — E tive de me segurar para não rir quando sua cor mudou de vermelho para púrpura. Madalena escondeu o rosto nas mãos.

— Marina já dormiu? — Sofia quis saber, passando pelo batente.

— Com algum custo — o mordomo disse, fitando o tapete sob seus pés.

— Valeu, gente. Humm... — Sofia olhou para mim enquanto eu fechava a porta. Anuí com a cabeça. — Vem, Elisa. Vou... te ajudar a tirar as forquilhas.

— Eu vou ajudá-las a trocar de roupa — Madalena se apressou.

— Não, senhora Madalena. A senhora ficará aqui — eu disse.

— Mas, senhor Clarke...

Cruzei os braços. A mulher se deteve, olhando para Gomes com tanta raiva que quase fiquei com pena dele. Sofia pegou Elisa pela mão e as duas atravessaram a antessala do apartamento onde estávamos hospedados. Havia quatro quartos ali.

Assim que elas entraram e fecharam a porta, fitei os dois empregados, que eram muito mais que isso para mim, com o cenho franzido.

— Estou esperando uma explicação.

— Por Deus, senhor Clarke. Estou tão envergonhada que quase caio desmaiada. — Madalena amassava o tecido de sua saia, um antigo hábito, mas, ao que parecia, não se dava conta de que naquela noite não usava avental.

— Patrão — começou Gomes—, eu lamento muito que o senhor tenha nos flagrado naquela maneira pouco... hã... civilizada. O senhor tem todo o direito de me colocar na rua. Mas, veja bem, senhor, o culpado sou eu. Mada... a senhora Madalena tentou deter meus avanços. Não a castigue por ter se deixado enredar em uma de minhas artimanhas.

Foi muito difícil manter meu papel e não gargalhar. Ainda assim, com algum esforço, consegui segurar o riso e a fachada de homem preocupado com a honra e os bons costumes.

— O que aconteceu ainda agora foi apenas diversão ou há sentimentos envolvidos?

— É claro que há sentimentos envolvidos, senhor Clarke. — Meu mordomo endireitou os ombros. — Esta dama jamais me permitiria...

— Minha Virgem Santíssima, cale-se, senhor Gomes! — choramingou Madalena, os olhos dardejando como se buscassem refúgio.

— Isso é mútuo, senhora? — eu quis saber. — Também tem sentimentos por este homem?

— Bem... Não entendo por quê... E eu não queria. Mas sim, patrão, eu gosto deste velho tolo. Agora, se me permite, vou ajudar a sua senhora. — E começou a se afastar.

— Espere, senhora Madalena — eu disse. Ela fez o que pedi, embora tenha se mantido de costas. Voltei para o meu mordomo. — Senhor Gomes, posso perguntar por que ainda não pediu a mão desta adorável senhora, já que está claro que o senhor a ama?

Os ombros de Madalena enrijeceram, mas ela não se virou. Gomes relanceou a mulher e foi inevitável que a ternura dominasse suas feições.

— Bem, senhor Clarke... Um homem precisa ter algo a oferecer a uma mulher quando a pede em casamento. Tenho juntado algumas economias. Quero ao menos lhe dar um anel decente, o senhor entende?

— Perfeitamente, senhor Gomes! Eu o entendo perfeitamente.

Madalena se virou, a boca aberta em uma exclamação muda, os olhos em seu amado, que lutou contra um sorriso ao dizer, ainda a admirando:

— Guardo a esperança de que ela aceite a mão e o coração deste velho tolo apaixonado.

— Oh, Gomes... — Ela levou a mão ao peito.

Acabei sorrindo.

— Muito bem — me intrometi, cruzando os braços nas costas. — Então, como todos parecem estar de acordo, eis o que vai acontecer. Vocês se casarão no próximo sábado. Falarei com padre Antônio para agilizar os proclamas. A casa do antigo guarda-caça está vazia, fica a apenas um quilômetro da casa principal. Aproveitarei que o senhor Domingos está quase finalizando a obra do banheiro de Sofia e pedirei que faça uma boa reforma naquela casa, e então vocês dois vão viver lá. Pagarei o dote de Madalena e as despesas da cerimônia. E o enxoval da senhora, claro...

— Patrão! — Os olhos da mulher reluziram, a meio caminho de um sorriso.

— Ainda não terminei, senhora. Com o dinheiro do dote, suponho que poderão pensar em alguma fonte de renda extra. Apenas espero que continuem cuidando de minha família como sempre fizeram. Alguma objeção?

— Ah, meu menino querido! — A mulher cruzou a sala e me puxou para baixo, abraçando-me como fazia quando eu tinha dez anos e nós tínhamos a mesma altura. — Nenhuma objeção!

— Mas não precisamos de tanto, senhor Clarke — Gomes disse, parecendo ter dificuldade para manter a compostura.

— Encarem como um presente de casamento. Uma bonificação pelos excelentes serviços prestados. Uma desculpa pelos incidentes envolvendo sapos — murmurei para a governanta, que ruborizou. — O que os deixar contentes. Mas eu os quero casados até o próximo domingo.

Madalena me soltou, porém antes sapecou um beijo em minha bochecha.

— Não imagino que teremos problemas com isso. Oh, há tanto a ser feito! Devemos voltar, senhor Gomes. O mais breve possível. Há muitas providências a tomar... — Madalena levou as mãos ao rosto e deixou a sala em uma nuvem de alegria e ansiedade, indo para o quarto destinado a ela.

Gomes deu um passo à frente, encarando-me com os olhos úmidos e enrugados pelo tempo.

— Quando conheci seu avô, eu ainda era um garoto e pensei: *Não deve existir homem melhor neste mundo.* Então veio seu pai, e eu percebi que havia me equivocado. Depois o senhor nasceu, meu caro, e percebi que havia me equivocado de novo. Não encontro palavras para expressar minha gratidão.

— Eu é que lhe sou grato, Gomes. Não sei o que faria sem você a meu lado todos esses anos. E estava na hora de alguém fazer alguma coisa, ou vocês dois ficariam nesse chove não molha a vida toda.

— Foi sempre uma honra lhe servir, senhor. — Ele fez uma reverência profunda e começou a se afastar.

— Senhor Gomes?

— Sim, patrão? — Ele se virou para me olhar.

— Tente manter as mãos longe de sua noiva até ela ser oficialmente sua esposa. Ou ao menos tente fazer menos barulho. — Cocei a cabeça. — A acústica da cozinha lá de casa não é das melhores.

— O que o senhor quer d... — Ele então compreendeu, e seu rosto ficou tão vermelho que temi que fosse ter uma apoplexia. Saiu correndo e se enfiou na ala reservada aos empregados.

Eu ainda sorria ao ir para o quarto. O de Elisa ficava ao lado — a porta estava fechada, mas a luz da vela escorria por debaixo da porta.

Encontrei Sofia sentada diante do toucador, desfazendo seu penteado. Um berço havia sido colocado no quarto de vestir, já que ela se negara a deixar Marina no quarto de Elisa.

— E aí, eles finalmente se acertaram? — ela quis saber.

— De certa maneira. Eles se casam no próximo sábado.

Ela sorriu largamente.

— Até que enfim!

Fui até o quarto de vestir. Minha garotinha arrulhou assim que passei pela porta, mas não acordou. Seus cachos negros haviam se alongado, e ela vinha crescendo tão depressa que muito em breve já não caberia no berço. Sofia e eu estávamos à espera de seus primeiros passos. Ela se equilibrava muito bem sobre os pés, mas movimentá-los ainda era um desafio.

Depositei um beijo em sua testa e saí na ponta dos pés. Sofia tinha terminado com o cabelo, e ondas douradas lhe caíam nas costas, chegando à cintura.

Aproximei-me devagar, travando o olhar no dela pelo espelho. Coloquei-me às suas costas, pegando uma mecha e a enrolando nos dedos.

— Já disse que adoro o seu cabelo?

— Muitas e muitas vezes.

Inclinei-me sobre ela, puxando suas madeixas para o lado e expondo aquela curva tentadora do pescoço.

— E também já disse que a amo? — sussurrei em sua orelha, resvalando os lábios ali.

— Não estou me lembrando agora. — Ela soltou um suave suspiro, deitando a cabeça para o lado para me dar mais acesso.

— Humm... — Beijei aquela curva deliciosa entre o ombro e o pescoço. Não resisti e corri a língua ali, saboreando sua pele. Ela estremeceu. — Acho que é hora de irmos para a cama. — Passei um braço sob seu joelho e a peguei no colo.

— Ian, esse hotel tem paredes finas, diferente de casa. A Elisa está no quarto ao lado! E a Marina!

— Seremos silenciosos. — Eu a coloquei na cama. A seda rubra de seu vestido contrastou com o lençol de cetim marfim. Seus misteriosos olhos castanhos estavam muito abertos. Sorri sem decidir fazê-lo. Sofia era inteligente, dona de uma força que eu vira poucas vezes, fosse em um homem ou em uma mulher. No entanto, havia uma fragilidade nela que sempre me comovia. Que sempre me comoveria.

Eu a livrei dos sapatos. Então beijei seu tornozelo e continuei subindo, expondo pouco a pouco suas pernas. Mal podia esperar para alcançar suas coxas. Mal podia esperar para estar entre elas.

— Ian, espere!

Diabos.

— É que eu tenho uma coisa pra você. — Ela se apoiou nos cotovelos.

— O que é?

Ela se arrastou sobre o colchão, pegou um embrulho na mesa de cabeceira e me entregou.

— Feliz aniversário!

— Obrigado, meu amor. Sabe que não precisava gastar dinheiro comigo. Ter você já me é mais que o suficiente. — Eu me sentei a seu lado e peguei o pacote, um tanto emocionado. Sempre me comovia quando ela me dava alguma coisa. Fosse um sorriso, uma caneta, um relógio de prata, pouco importava.

— Ah, mas, se eu não gastar dinheiro com você, vou gastar com quê, se você nunca me deixa pagar nada? Vai, abre!

Com sua ajuda, rasguei o bonito papel que o envolvia até encontrar o livro de couro vermelho. Virei-o de um lado a outro. Não havia uma única palavra na capa. Eu o abri, e a folha de rosto havia sido escrita à mão, com a caligrafia inconfundível de Sofia.

As menbRias secReTas do senhoR ClaRke

Meus olhos buscaram os dela. Sofia mordia o lábio.

— Acho que eu nunca sofri tanto como quando você se esquecia das coisas, no meu outro tempo — começou. — E não apenas por mim. Te ver daquele jeito era muito doloroso, Ian. Então outro dia, enquanto eu ainda estava trancafiada no nosso quarto, li uma coisa que fez todo o sentido. Uma história nunca contada é uma história que ainda não aconteceu. Achei que tinha tudo a ver com a gente e pedi para a Elisa me comprar este diário. A ideia era que você fizesse anotações nele ou, o que eu acho mais provável, desenhos. As vezes eu pego você me olhando, os dedos traçando padrões no ar, como se estivesse me pintando, e... achei que você ia gostar de ter onde rabiscar, sei lá. Mas aí eu estava com tempo livre, sem nada pra fazer, e às vezes eu acordava e você ainda estava dormindo e... Sabe, eu descobri que sou uma baita de uma artista... — Ela esticou o braço e virou a página.

Gargalhei alto, e ela logo colocou a mão sobre minha boca.

— Shhhh! Vai acordar a Marina!

— Desculpe. — Mas como eu poderia não rir? Havia um desenho ali. Uma bola com olhos e boca espetada em um palito. Imaginei que os rabiscos mais abaixo fossem sua interpretação de um cavalo. Havia um boneco semelhante ao que montava o cavalo, mas com uma espécie de novelo de lã sobre a cabeça, sentado no chão. Acima do desenho, ela escrevera:

Quando eu conheci e me apaixonei pela mulher mais maravilhosamente maravilhosa do mundo, também conhecida como minha esposa, Sofia Alonzo Clarke.

Virei a página. O desenho seguinte era muito semelhante ao primeiro, mas o cavalheiro estava no chão ao lado da jovem. Neste ela escrevera:

Quando a mulher mais maravilhosamente maravilhosa do mundo, na época conhecida apenas como Sofia Alonzo, se apaixonou por mim.

No terceiro, a jovem estava no meio de uma confusão de rabiscos — um riacho, desconfiei, já que havia um peixe saltando de lá — com seus braços de palito cobrindo a parte de cima do tórax. Aqui ela anotara:

A primeira vez que eu admirei os belos, gloriosos e perfeitos... olhos castanhos lamacentos de Sofia Alonzo.

Havia outros desenhos, mas eu não olhei, pois tive de beijá-la. Que outra opção me restava?

— Eu a amo. Eu a amo tanto, Sofia! — falei em sua boca.

— Também amo você, Ian. Muito loucamente.

Sem deixar de beijá-la, coloquei o livro sobre o criado-mudo. Eu me deleitaria com seus desenhos mais tarde. Muitas e muitas vezes. E adicionaria todos aqueles que estavam em minha cabeça e que eu estava louco para esboçar havia tanto tempo, porém temia que ninguém mais pudesse ver. Eram particulares. Minhas memórias secretas, como ela escrevera. Mas os faria em outro momento. Agora eu estava faminto, e havia apenas uma coisa que poderia saciar minha fome. Inclinei-me sobre ela, fazendo-a deitar na cama, a mão subindo por seu esterno.

— Espere, Ian!

Caí de costas no colchão, bufando.

— Diabos, Sofia! Você vai me deixar beijá-la ou não?

Ela se debruçou sobre meu peito e beijou meu queixo.

— Vou, mas depois que nós discutirmos um assunto pendente.

— Que assunto?

— O de planejar um irmão ou uma irmã para a Nina. Ou você desistiu?

— Não, eu não desisti. — Puxei-a para cima de mim, encaixando suas pernas ao lado de.meus quadris. Minha mão se embrenhou em sua saia, erguendo-a enquanto acariciava suas coxas. — Estou louco para fazer outro filho com você. Que tal agora?

Pegando-a pela nuca, eu trouxe seu pescoço até minha boca e saboreei sua pele quente, sentindo-me um tanto inebriado. Naquela noite. Poderíamos conceber um filho naquela noite.

E então, no momento mais inoportuno possível, o mistério de Alexander ficou claro como um cristal.

Eu tinha que garantir que você e a Sofia prosseguissem com a sua história para que eu venha a ter o meu trabalho logo.

Eu jamais poderei saldar a dívida que tenho com você, Alexander.

Pode sim, só não entendeu isso ainda.

Bem, agora eu entendia. E, ao que parecia, começaria a providenciar seu futuro trabalho naquela noite. Diabos.

Um soluço ecoou pelo quarto. Eu me detive de imediato.

— Sofia?

Ela escondeu o rosto em meu pescoço, tentando conter o choro.

— Sofia, o que foi? Eu a machuquei?

Ela fez que não, ao mesmo tempo em que outro soluço lhe escapou.

Segurando-a com cuidado, eu a fiz rolar para o lado e desalojei seu rosto do esconderijo. Ela abaixou o olhar, então segurei seu rosto entre os dedos, o polegar acariciando sua bochecha.

— O que foi, meu amor?

— Nada. É que... nós passamos por tanta coisa em tão pouco tempo.

— Eu sei.

— E eu me sinto horrível porque... porque de certa maneira... eu fiquei aliviada com aquela maldita viagem! Sou uma pessoa ruim! — Ela cobriu o rosto com as mãos.

— Isso não a torna uma pessoa ruim. É natural que sentisse saudade, que quisesse voltar lá.

Ela sacudiu a cabeça.

— Mas aí é que está! Eu não queria! Sentia saudade dos meus amigos e mais nada.

Franzi o cenho. E, com delicadeza, afastei suas mãos para que pudesse ver seu rosto.

— O que quer dizer, então?

— Ah, Ian! Tantas vezes eu senti medo que você tivesse se apaixonado por mim porque eu era diferente. Mas aí você conheceu o meu mundo, de onde eu vim. E tinha um milhão de mulheres iguais a mim lá, e você... não enxergou nenhuma delas. Tudo o que você conseguiu fazer foi prestar atenção em mim, e eu sei que não devia me sentir feliz, pois vivemos um inferno e quase tivemos nossa vida destruída. Eu sei de tudo isso, mas você se apaixonou por mim lá também. Você me notou num mundo onde eu era só mais uma.

Acabei rindo.

— Sofia, você é inigualável, eu já lhe disse isso um milhão de vezes! Como eu poderia não ter prestado atenção em você, se o meu coração começou a dançar quando eu a vi? Se ele dança a cada vez que eu a vejo sorrir? Como eu poderia não ter notado você? Coloque uma coisa nesta sua linda cabecinha: eu nasci para amar você, e apenas você. Seja neste mundo ou em qualquer outro.

— Ah, Ian.

Dessa vez, foi ela quem me beijou, e não houve interrupções.

Eu me perdi nos lábios da mulher que criara todo tipo de confusão e problema em minha vida. Que riscara as palavras "paz" e "sossego" de meu vocabulário. Que me mostrara que a vida perfeita é construída de momentos imperfeitos, como todos os que nos levaram até aquele instante, em que nossa história continuava. E continuaria. Sofia era tudo o que eu queria, tudo de que eu precisava e sempre precisaria.

Indubitavelmente.

E, enquanto eu removia suas roupas, me perdia em suas curvas e me deleitava com suas carícias, peguei-me pensando outra vez que, sim, a vida nem sempre tinha sido fácil, nem sempre tinha sido boa. Mas naquele instante era as duas coisas.

A vida era perfeita.

Foi natural que meu corpo encontrasse o caminho para dentro do dela, que suas pernas se prendessem ao redor de meus quadris, que nossas bocas se unissem. Foi correto nos empurrar ao limite da paixão e da loucura, seu calor úmido atrair-me para ainda mais fundo, como se minha alma e a dela pudessem se tocar, se atrelar, tornar-se uma. Pois era assim que tinha de ser. Afinal, eu estava destinado a amar aquela mulher, e apenas ela. Não havia nada tão certo no mundo quanto Sofia e eu. Não havia magia mais poderosa que aquela que fazíamos naquele instante. E não existia nada que pudesse nos manter afastados, porque nossas vidas se entrelaçaram havia muito, do mesmo jeito que faziam nossos corpos agora. Do jeito que tinha de ser.

Do jeito que sempre seria.

Agradecimentos

Pôr este livro no papel foi um desafio e tanto, e eu jamais teria conseguido essa façanha sem pessoas muito especiais a meu lado. Meus mais sinceros e eternos agradecimentos a:

Raïssa Castro, minha editora querida, que apostou em mim desde o começo e continua apostando em todas as loucuras que eu invento.

Ana Paula Gomes, Anna Carolina Garcia, André Tavares, Lígia Alves e toda a espetacular equipe da Verus Editora. É sempre um prazer e um aprendizado trabalhar com vocês.

Gabriela Adami, por ter visto tudo aquilo que eu não vi. Senti sua falta, garota!

Ana Lima, uma das melhores pessoas que eu conheço. Obrigada pelos conselhos e pelas palavras de incentivo. Eu não teria chegado até aqui sem eles.

Ana Resende, dona de uma generosidade ímpar e responsável pelas minhas traduções favoritas.

Ana Luiza Nogueira, André Medeiros, Beatriz Schefer, Camila Conte, July Mota, Mayra Sunseko e Rafaela Cavalhero. Sem o auxílio de vocês, este livro não teria o menor sentido.

Aline Benitez, Cinthia Souza e Joice Dantas Vieira, que formam a melhor equipe beta com que uma garota poderia sonhar e moram no meu coração.

Vocês, meus queridos leitores, sempre tão carinhosos. Seu entusiasmo me comove e arrebata todos os dias. Muitíssimo obrigada por me permitirem entrar na vida de vocês e continuar a lhes contar histórias.

E por fim, mas de maneira alguma menos importante, agradeço aos meus amores. Minha Lalá, você sempre me inspira e encoraja, seja com um sorriso, um abraço ou uma daquelas piadas que só você sabe contar. Obrigada por tornar minha vida tão bonita. Mal posso esperar para que você cresça um pouco mais e finalmente possa ler este livro. Meu Adri, eu teria que inventar uma palavra nova, pois "obrigada" não chega perto da gratidão que sinto. Mais uma vez você me colocou no caminho certo. Obrigada pelas palavras duras sempre que começo a duvidar de tudo, e pelas doces, que fazem a tormenta dentro de mim se acalmar. Por isso e por tantos outros motivos, eu escrevi este livro para vocês!

Impresso no Brasil pelo Sistema Cameron da Divisão Gráfica da
DISTRIBUIDORA RECORD DE SERVIÇOS DE IMPRENSA S.A.